中华人民共和国水利部

水利建筑工程预算定额

上册

黄河水利出版社

图书在版编目(CIP)数据

水利建筑工程预算定额/水利部水利建设经济定额站主编.—郑州:黄河水利出版社,2002.6
中华人民共和国水利部批准发布
ISBN 7-80621-567-0

Ⅰ.水… Ⅱ.水… Ⅲ.水利工程-经济定额-中国 Ⅳ.TV512

中国版本图书馆CIP数据核字(2002)第030888号

出 版 社:黄河水利出版社
地址:河南省郑州市金水路11号 邮政编码:450003
发行单位:黄河水利出版社
发行部电话及传真:0371-66022620
E-mail:hhslcbs@126.com
承印单位:郑州豫兴印刷有限公司
开本:850毫米×1 168毫米 1/32
印张:29.25
字数:732千字 印数:1—25 000
版次:2002年6月第1版 印次:2002年6月第1次印刷

书号:ISBN7-80621-567-0/TV·274 定价:130.00元(上、下册)

水 利 部 文 件

水总〔2002〕116号

关于发布《水利建筑工程预算定额》、《水利建筑工程概算定额》、《水利工程施工机械台时费定额》及《水利工程设计概(估)算编制规定》的通知

各流域机构,部直属各设计院,各省、自治区、直辖市水利(水务)厅(局),各计划单列市水利(水务)局,新疆生产建设兵团水利局,中国水电工程总公司,武警水电指挥部:

为适应建立社会主义市场经济体制的需要,合理确定和有效控制水利工程基本建设投资,提高投资效益,由我部水利建设经济定额站组织编制的《水利建筑工程预算定额》、《水利建筑工程概算定额》、《水利工程施工机械台时费定额》及《水利工程设计概(估)算编制规定》,已经

审查批准，现予以颁布，自2002年7月1日起执行。原水利电力部、能源部和水利部于1986年颁布的《水利水电建筑工程预算定额》、1988年颁发的《水利水电建筑工程概算定额》、1991年颁发的《水利水电施工机械台班费定额》及1998年颁发的《水利工程设计概(估)算费用构成及计算标准》同时废止。

此次颁布的定额及规定由水利部水利建设经济定额站负责解释。在执行过程中如有问题请及时函告水利部水利建设经济定额站。

中华人民共和国水利部

二〇〇二年三月六日

主题词：水利　工程　建筑　定额△　通知

抄送：国家发展计划委员会。

水利部办公厅　　　　2002年4月1日印发

主编单位 水利部水利建设经济定额站
技术顾问 李治平 王嘉惠 王开祥
主　　编 宋崇丽
副 主 编 韩增芬 胡玉强
编　　写

土方工程	尚友明
石方工程	徐学东 宋海钟
砌石工程	尚友明
混凝土工程	席建国 程　宁 宋海钟
模板工程	孙富行 罗纯通 王立选 赵立民 吴云凤 张宝众
砂石备料工程	潘金漾 尚友明 徐学东 蔡　萍
钻孔灌浆及锚固工程	龚义寿 徐学东
疏浚工程	史道生 阮振海 姜其炳
其他工程	龚义寿

总　目　录

上　　册

下　　册

总 说 明

一、《水利建筑工程预算定额》，分为土方工程、石方工程、砌石工程、混凝土工程、模板工程、砂石备料工程、钻孔灌浆及锚固工程、疏浚工程、其他工程，共九章及附录。

二、本定额适用于大中型水利工程项目，是编制《水利建筑工程概算定额》的基础。可作为编制水利工程招标标底和投标报价的参考。

三、本定额适用于海拔高程小于或等于2000m地区的工程项目。海拔高程大于2000m的地区，根据水利枢纽工程所在地的海拔高程及规定的调整系数计算。海拔高程应以拦河坝或水闸顶部的海拔高程为准，没有拦河坝或水闸的，以厂房顶部海拔高程为准。一个建设项目，只采用一个调整系数。

高原地区人工、机械定额调整系数表

项目	海拔高程（m）					
	2000～2500	2500～3000	3000～3500	3500～4000	4000～4500	4500～5000
人工	1.10	1.15	1.20	1.25	1.30	1.35
机械	1.25	1.35	1.45	1.55	1.65	1.75

四、本定额不包括冬季、雨季和特殊地区气候影响施工的因素及增加的设施费用。

五、本定额按一日三班作业施工、每班八小时工作制拟定。若部分工程项目采用一日一班或两班制的，定额不作调整。

六、本定额的“工作内容”，仅扼要说明各章节的主要施工过程及工序。次要的施工过程及工序和必要的辅助工作所需的人工、材料、机械也已包括在定额内。

七、定额中人工、机械用量是指完成一个定额子目内容，所需的全部人工和机械。包括基本工作、准备与结束、辅助生产、不可避免的中断、必要的休息、工程检查、交接班、班内工作干扰、夜间施工工效影响、常用工具和机械的维修、保养、加油、加水等全部工作。

八、定额中人工是指完成该定额子目工作内容所需的人工耗用量。包括基本用工和辅助用工，并按其所需技术等级，分别列示出工长、高级工、中级工、初级工的工时及其合计数。

九、材料消耗定额（含其他材料费、零星材料费），是指完成一个定额子目内容所需的全部材料耗用量。

1. 材料定额中，未列示品种、规格的，可根据设计选定的品种、规格计算，但定额数量不得调整。凡材料已列示了品种、规格的，编制预算单价时不予调整。

2. 材料定额中，凡一种材料名称之后，同时并列了几种不同型号规格的，如石方工程导线的火线和电线，表示这种材料只能选用其中一种型号规格的定额进行计价。

3. 材料定额中，凡一种材料分几种型号规格与材料名称同时并列的，如石方工程中同时并列导火线和导电线，则表示这些名称相同，规格不同的材料都应同时计价。

4. 其他材料费和零星材料费，是指完成一个定额子目的工作内容，所必需的未列量材料费。如工作面内的脚手架、排架、操作平台等的摊销费，地下工程的照明费，混凝土工程的养护用材料，石方工程的钻杆、空心钢等以及其他用量较少的材料。

5. 材料从分仓库或相当于分仓库材料堆放地至工作面的场内运输所需的人工、机械及费用，已包括在各定额子目中。

十、机械台时定额（含其他机械费），是指完成一个定额子目工作内容所需的主要机械及次要辅助机械使用费。

1. 机械定额中，凡数量以“组时”表示的，其机械数量等，均按设计选定计算，定额数量不予调整。

2. 机械定额中，凡一种机械名称之后，同时并列几种型号规格的，如运输定额中的自卸汽车等，表示这种机械只能选用其中一种型号、规格的定额进行计价。

3. 机械定额中，凡一种机械分几种型号规格与机械名称同时并列的，表示这些名称相同规格不同的机械定额都应同时进行计价。

4. 其他机械费，是指完成一个定额子目工作内容所必需的次要机械使用费。如混凝土浇筑现场运输中的次要机械；疏浚工程中的油驳等辅助生产船舶等。

十一、本定额中其他材料费、零星材料费、其他机械费，均以费率形式表示，其计算基数如下：

1. 其他材料费，以主要材料费之和为计算基数；

2. 零星材料费，以人工费、机械费之和为计算基数；

3. 其他机械费，以主要机械费之和为计算基数。

十二、定额用数字表示的适用范围

1. 只用一个数字表示的，仅适用于该数字本身。当需要选用的定额介于两子目之间时，可用插入法计算。

2. 数字用上下限表示的，如 2000～2500，适用于大于 2000、小于或等于 2500 的数字范围。

十三、各章的挖掘机定额，均按液压挖掘机拟定。

十四、各章的汽车运输定额，适用于水利工程施工路况 10km 以内的场内运输。运距超过 10km 时，超过部分按增运 1km 的台时数乘 0.75 系数计算。

十五、各章定额均按不含超挖超填量制定。

目　　录

第一章　土方工程

第二章　石方工程

第三章　砌石工程

第四章　混凝土工程

第五章　模板工程

第六章　砂石备料工程

第一章 土方工程

说　明

一、本章包括土方开挖、运输、压实等定额共 49 节，适用于水利建筑工程的土方工程。

二、土方定额的计量单位，除注明外，均按自然方计算。

三、土方定额的名称

自然方：指未经扰动的自然状态的土方。

松方：指自然方经人工或机械开挖而松动过的土方。

实方：指填筑（回填）并经过压实后的成品方。

四、土类级别划分，除冻土外，均按土石十六级分类法的前四级划分土类级别。

五、土方开挖和填筑工程，除定额规定的工作内容外，还包括挖小排水沟、修坡、清除场地草皮杂物、交通指挥、安全设施及取土场和卸土场的小路修筑与维护等工作。

六、一般土方开挖定额，适用于一般明挖土方工程和上口宽超过 16m 的渠道及上口面积大于 $80m^2$ 柱坑土方工程。

七、渠道土方开挖定额，适用于上口宽小于或等于 16m 的梯形断面、长条形、底边需要修整的渠道土方工程。

八、沟槽土方开挖定额，适用于上口宽小于或等于 4m 的矩形断面或边坡陡于 1:0.5 的梯形断面，长度大于宽度 3 倍的长条形，只修底不修边坡的土方工程，如截水墙、齿墙等各类墙基和电缆沟等。

九、柱坑土方开挖定额，适用于上口面积小于或等于 $80m^2$、长度小于宽度 3 倍、深度小于上口短边长度或直径、四侧垂直或边坡陡于 1:0.5、不修边坡只修底的坑挖工程，如集水坑、柱坑、机座等工程。

十、平洞土方开挖定额，适用于水平夹角小于或等于6°，断面积大于2.5m^2的各型隧洞洞挖工程。

十一、斜井土方开挖定额，适用于水平夹角为6°至75°，断面积大于2.5m^2的洞挖工程。

十二、竖井土方开挖定额，适用于水平夹角大于75°，断面积大于2.5m^2，深度大于上口短边长度或直径的洞挖工程，如抽水井、闸门井、交通井、通风井等。

十三、砂砾(卵)石开挖和运输，按Ⅳ类土定额计算。

十四、采用一－39、40、41节定额，不需要修边修底时，每100m^3减少人工14工时。

十五、推土机的推土距离和铲运机的铲运距离是指取土中心至卸土中心的平均距离。推土机推松土时，定额乘以0.8的系数。

十六、挖掘机、轮斗挖掘机或装载机挖装土(含渠道土方)自卸汽车运输各节，适用于Ⅲ类土。Ⅰ、Ⅱ类土和Ⅳ类土按表1-1所列系数进行调整。

表1-1

项　目	人　工	机　械
Ⅰ、Ⅱ类土	0.91	0.91
Ⅲ类土	1	1
Ⅳ类土	1.09	1.09

十七、人工装土，机动翻斗车、手扶拖拉机、中型拖拉机、自卸汽车、载重汽车运输各节若要考虑挖土，挖土按一－1节定额计算。

十八、挖掘机或装载机挖土(含渠道土方)汽车运输各节已包括卸料场配备的推土机定额在内。

十九、挖掘机、装载机挖装土料自卸汽车运输定额，系按挖装自然方拟定。如挖装松土时，其中人工及挖装机械乘0.85系数。

二十、压实定额适用于水利筑坝工程和堤、堰填筑工程。压实定额均按压实成品方计。根据技术要求和施工必须增加的损耗，在计算压实工程的备料量和运输量时，按下式计算：

$$每100压实成品方需要的自然方量=(100+A)\frac{设计干密度}{天然干密度}$$

综合系数 A，包括开挖、上坝运输、雨后清理、边坡削坡、接缝削坡、施工沉陷、取土坑、试验坑和不可避免的压坏等损耗因素。根据不同的施工方法和坝料按表 1-2 选取 A 值，使用时不再调整。

表 1-2

项　　目	A （%）
机械填筑混合坝坝体土料	5.86
机械填筑均质坝坝体土料	4.93
机械填筑心(斜)墙土料	5.70
人工填筑坝体土料	3.43
人工填筑心(斜)墙土料	3.43
坝体砂砾料、反滤料	2.20
坝体堆石料	1.40

二十一、土方洞挖定额中轴流通风机台时数量，是按一个工作面长 200m 拟定的，如超过 200m，定额乘表 1-3 系数。

表 1-3

隧洞工作面长(m)	调整系数	隧洞工作面长(m)	调整系数
200	1.00	700	2.28
300	1.33	800	2.50
400	1.50	900	2.78
500	1.80	1000	3.00
600	2.00		

一-1 人工挖一般土方

适用范围：一般土方开挖。

工作内容：挖松、就近堆放。

单位：100m³

项目	单位	土类级别		
		Ⅰ～Ⅱ	Ⅲ	Ⅳ
工长	工时	0.8	1.6	2.7
高级工	工时			
中级工	工时			
初级工	工时	41.2	80.3	134.5
合计	工时	42.0	81.9	137.2
零星材料费	%	5	5	5
编号		10001	10002	10003

一-2 人工挖冻土方

工作内容：1.人力开挖：挖冻土。

2.松动爆破：掏眼、装药、填塞、爆破、安全处理及挖土等。

单位：100m³

项目	单位	厚度（cm）		装运卸50m	增运50m
		≤40	>40		
		人力开挖	松动爆破		
工长	工时	10.5	3.1	2.5	
高级工	工时				
中级工	工时				
初级工	工时	514.5	150.9	120.0	18.2
合计	工时	525.0	154.0	122.5	18.2
零星材料费	%	2		2	
炸药	kg		10		
雷管	个		15		
导火线	m		50		
其他材料费	%		2		
胶轮车	台时			74.00	10.4
编号		10004	10005	10006	10007

一－3 人工挖一般土方人力挑抬运输

适用范围:一般土方挖运。

工作内容:挖土、装筐、运卸、空回。

单位:100m³

项目	单位	挖装运≤20m			增运 10m		
		土类级别			土类级别		
		Ⅰ～Ⅱ	Ⅲ	Ⅳ	Ⅰ～Ⅱ	Ⅲ	Ⅳ
工长	工时	3.3	4.4	5.8			
高级工	工时						
中级工	工时						
初级工	工时	163.3	217.5	286.1	18.2	20.3	21.7
合计	工时	166.6	221.9	291.9	18.2	20.3	21.7
零星材料费	%	2	2	2			
编号		10008	10009	10010	10011	10012	10013

一－4 人工挖一般土方胶轮车运输

适用范围:开挖、填筑一般土方。

工作内容:挖土、装车、重运、卸车、空回。

单位:100m³

项目	单位	挖装运≤50m			增运50m
		土类级别			
		Ⅰ～Ⅱ	Ⅲ	Ⅳ	
工长	工时	2.7	3.8	5.2	
高级工	工时				
中级工	工时				
初级工	工时	131.7	187.3	254.5	18.2
合计	工时	134.4	191.1	259.7	18.2
零星材料费	%	2	2	2	
胶轮车	台时	56.00	65.20	74.00	10.40
编号		10014	10015	10016	10017

一－5 人工挖倒沟槽土方

工作内容：挖土、修底、将土倒运到槽边两侧 0.5m 以外。

(1) Ⅰ～Ⅱ类土

单位：100m³

项目	单位	上口宽度 (m)								
		≤1		1～2			2～4			
		深度 (m)								
		≤1	1～1.5	1～1.5	1.5～2	2～3	1～1.5	1.5～2	2～3	3～4
工长	工时	2.6	2.5	2.5	2.9	3.3	2.5	2.8	3.3	3.8
高级工	工时									
中级工	工时									
初级工	工时	125.5	124.9	123.5	139.9	161.9	121.4	137.9	159.8	187.3
合计	工时	128.1	127.4	126.0	142.8	165.2	123.9	140.7	163.1	191.1
零星材料费	%	4	4	4	4	4	4	4	4	4
编号		10018	10019	10020	10021	10022	10023	10024	10025	10026

（2） Ⅲ类土

单位：100m^3

项目	单位	上口宽度（m）								
		≤1		1～2			2～4			
		深度（m）								
		≤1	1～1.5	1～1.5	1.5～2	2～3	1～1.5	1.5～2	2～3	3～4
工长	工时	4.2	4.2	4.1	4.5	5.0	4.0	4.4	4.9	5.5
高级工	工时									
中级工	工时									
初级工	工时	207.9	205.1	202.4	220.2	244.9	198.3	216.1	240.8	271.7
合计	工时	212.1	209.3	206.5	224.7	249.9	202.3	220.5	245.7	277.2
零星材料费	%	3	3	3	3	3	3	3	3	3
编号		10027	10028	10029	10030	10031	10032	10033	10034	10035

(3) Ⅳ类土

单位：$100m^3$

项目	单位	上口宽度 (m)								
		≤1		1～2			2～4			
		深度 (m)								
		≤1	1～1.5	1～1.5	1.5～2	2～3	1～1.5	1.5～2	2～3	3～4
工长	工时	6.6	6.4	6.3	6.7	7.3	6.2	6.6	7.1	7.8
高级工	工时									
中级工	工时									
初级工	工时	321.0	314.2	309.4	328.6	355.3	302.5	321.7	347.8	382.1
合计	工时	327.6	320.6	315.7	335.3	362.6	308.7	328.3	354.9	389.9
零星材料费	%	2	2	2	2	2	2	2	2	2
编号		10036	10037	10038	10039	10040	10041	10042	10043	10044

注：1.本定额按上口宽规定了一定深度，超过此深度本定额不适用，应采取其他施工方法；

2.本定额不包括修边，如需要修边时，不同上口宽度不同土质类别，修边工时按下表增加：

Ⅰ～Ⅱ类土	工时	30.8	32.9	15.4	15.4	16.8	8.4	8.4	9.8	11.2
Ⅲ类土	工时	42.7	46.2	21.0	21.7	23.1	11.2	11.9	13.3	15.4
Ⅳ类土	工时	67.2	72.8	32.9	34.3	36.4	18.2	18.9	21.0	24.5

一－6　人工挖沟槽土方人力挑抬运输

工作内容：1.挖土：挖土修底。

2.挖运：挖土、装筐、挑(抬)运、修底。

(1)　Ⅰ～Ⅱ类土

单位：100m³

项目	单位	上口宽度（m）						增运10m
		≤1		1～2		2～4		
		挖土	挖运10m	挖土	挖运10m	挖土	挖运10m	
工长	工时	1.4	3.9	1.3	3.8	1.2	3.7	
高级工	工时							
中级工	工时							
初级工	工时	67.9	192.8	61.7	186.6	57.6	182.5	18.2
合计	工时	69.3	196.7	63.0	190.4	58.8	186.2	18.2
零星材料费	%	8	2	8	2	8	2	
编号		10045	10046	10047	10048	10049	10050	10051

(2) Ⅲ类土

单位:100m³

项目	单位	上口宽度（m）						增运10m
		≤1		1~2		2~4		
		挖土	挖运10m	挖土	挖运10m	挖土	挖运10m	
工长	工时	2.9	5.6	2.6	5.4	2.5	5.3	
高级工	工时							
中级工	工时							
初级工	工时	139.9	274.4	129.7	264.1	124.2	258.6	20.3
合计	工时	142.8	280.0	132.3	269.5	126.7	263.9	20.3
零星材料费	%	4	2	4	2	4	2	
编号		10052	10053	10054	10055	10056	10057	10058

(3) Ⅳ类土

单位:$100m^3$

项目	单位	上口宽度(m)						增运10m
		≤1		1～2		2～4		
		挖土	挖运10m	挖土	挖运10m	挖土	挖运10m	
工长	工时	4.9	7.9	4.6	7.5	4.4	7.3	
高级工	工时							
中级工	工时							
初级工	工时	240.8	385.5	223.6	368.4	213.3	358.1	21.7
合计	工时	245.7	393.4	228.2	375.9	217.7	365.4	21.7
零星材料费	%	2	2	2	2	2	2	
编号		10059	10060	10061	10062	10063	10064	10065

注:本定额不包括修边,如需要修边时,采用一－9节人工挖渠道土方挑(抬)运土定额。

一－7 人工挖倒柱坑土方

工作内容：挖土、修底、将土倒运至坑边0.5m以外。

(1) Ⅰ～Ⅱ类土

单位：100m³

项目	单位	上口面积 (m²)								
		≤5		5～10			10～20			
		深度 (m)								
		≤1.5	1.5～2	≤1.5	1.5～2	2～3	≤1.5	1.5～2	2～3	3～4
工长	工时	2.7	3.0	2.6	2.9	3.4	2.6	2.9	3.3	3.9
高级工	工时									
中级工	工时									
初级工	工时	131.0	147.5	126.9	144.1	166.0	125.5	142.0	164.0	191.4
合计	工时	133.7	150.5	129.5	147.0	169.4	128.1	144.9	167.3	195.3
零星材料费	%	3	3	3	3	3	3	3	3	3
编号		10066	10067	10068	10069	10070	10071	10072	10073	10074

（2） Ⅲ类土

单位：$100m^3$

项目	单位	上口面积（m^2）								
		≤5		5～10			10～20			
		深度（m）								
		≤1.5	1.5～2	≤1.5	1.5～2	2～3	≤1.5	1.5～2	2～3	3～4
工长	工时	4.5	4.8	4.3	4.7	5.2	4.2	4.6	5.1	5.7
高级工	工时									
中级工	工时									
初级工	工时	218.8	237.4	211.3	229.8	254.5	207.2	225.7	249.7	281.3
合计	工时	223.3	242.2	215.6	234.5	259.7	211.4	230.3	254.8	287.0
零星材料费	%	2	2	2	2	2	2	2	2	2
编号		10075	10076	10077	10078	10079	10080	10081	10082	10083

(3) Ⅳ类土

单位:100m³

项目	单位	上口面积 (m²)								
		≤5		5~10			10~20			
		深度 (m)								
		≤1.5	1.5~2	≤1.5	1.5~2	2~3	≤1.5	1.5~2	2~3	3~4
工长	工时	6.9	7.3	6.7	7.0	7.6	6.5	6.9	7.4	8.1
高级工	工时									
中级工	工时									
初级工	工时	338.9	358.1	325.8	345.1	371.8	318.3	337.5	364.3	398.6
合计	工时	345.8	365.4	332.5	352.1	379.4	324.8	344.4	371.7	406.7
零星材料费	%	1	1	1	1	1	1	1	1	1
编号		10084	10085	10086	10087	10088	10089	10090	10091	10092

注:本定额不包括修边,如需要修边时,不同上口面积不同土质类别,修边工时按下表增加:

Ⅰ~Ⅱ类土	工时	23.1	24.5	18.2	18.9	21.0	12.6	12.6	13.3	14.7
Ⅲ类土	工时	32.2	32.9	25.2	26.6	28.7	17.5	18.2	18.9	20.3
Ⅳ类土	工时	50.4	51.8	39.9	42.0	45.5	26.6	28.0	29.4	32.2

一－8 人工挖柱坑土方人力挑抬运输

工作内容:1.挖土:挖土、修底。

2.挖运土:挖土、装筐、挑(抬)运、修底。

(1) Ⅰ～Ⅱ类土

单位:100m³

项目	单位	上口面积 (m²)						增运
		10～20		20～40		40～80		10m
		挖土	挖运10m	挖土	挖运10m	挖土	挖运10m	
工长	工时	1.3	3.9	1.3	3.8	1.2	3.8	
高级工	工时							
中级工	工时							
初级工	工时	64.5	189.3	61.7	187.3	59.7	184.5	18.2
合计	工时	65.8	193.2	63.0	191.1	60.9	188.3	18.2
零星材料费	%	8	2	8	2	8	2	
编号		10093	10094	10095	10096	10097	10098	10099

（2） Ⅲ类土

单位：$100m^3$

项目	单位	上口面积（m^2）						增运
		10～20		20～40		40～80		10m
		挖土	挖运10m	挖土	挖运10m	挖土	挖运10m	
工长	工时	2.8	5.5	2.7	5.4	2.6	5.3	
高级工	工时							
中级工	工时							
初级工	工时	137.2	271.7	131.7	266.2	125.5	260.0	20.3
合计	工时	140.0	277.2	134.4	271.6	128.1	265.3	20.3
零星材料费	%	4	2	4	2	4	2	
编号		10100	10101	10102	10103	10104	10105	10106

(3) Ⅳ类土

单位:100m^3

项目	单位	上口面积 (m^2)						增运
		10~20		20~40		40~80		10m
		挖土	挖运10m	挖土	挖运10m	挖土	挖运10m	
工长	工时	4.8	7.8	4.6	7.6	4.4	7.4	
高级工	工时							
中级工	工时							
初级工	工时	236.0	380.7	226.4	371.1	216.8	361.5	21.7
合计	工时	240.8	388.5	231.0	378.7	221.2	368.9	21.7
零星材料费	%	2	2	2	2	2	2	
编号		10107	10108	10109	10110	10111	10112	10113

注:本定额不包括修边,如需要修边时,不同上口面积不同土壤类别修边工时按下表增加:

Ⅰ~Ⅱ类土	工时	14.7	9.8	7.0
Ⅲ类土	工时	20.3	14.0	9.8
Ⅳ类土	工时	32.2	22.4	15.4

一－9 人工挖渠道土方人力挑抬运输

工作内容:1.挖土:挖土、修边底。

2.挖运:挖土、装筐、挑(抬)运、修边底。

(1) Ⅰ～Ⅱ类土

单位:100m³

项目	单位	上口宽度 (m)										增运
		≤1		1～2		2～4		4～8		8～16		10m
		挖土	挖运 10m	挖土	挖运 10m	挖土	挖运 10m	挖土	挖运 10m	挖土	挖运 10m	
工长	工时	2.3	4.8	1.9	4.4	1.6	4.2	1.4	4.0	1.3	3.8	
高级工	工时											
中级工	工时											
初级工	工时	111.1	236.0	91.9	216.8	78.9	203.7	70.0	194.1	63.1	188.0	18.2
合计	工时	113.4	240.8	93.8	221.2	80.5	207.9	71.4	198.1	64.4	191.8	18.2
零星材料费	%	5	2	5	2	5	2	5	2	5	2	
编号		10114	10115	10116	10117	10118	10119	10120	10121	10122	10123	10124

（2） Ⅲ类土

单位：100m³

项目	单位	上口宽度（m）										增运10m
		≤1		1～2		2～4		4～8		8～16		
		挖土	挖运10m	挖土	挖运10m	挖土	挖运10m	挖土	挖运10m	挖土	挖运10m	
工长	工时	4.1	6.8	3.5	6.3	3.1	5.9	2.8	5.6	2.6	5.4	
高级工	工时											
中级工	工时											
初级工	工时	201.0	335.5	173.6	308.0	153.0	287.4	139.3	273.7	128.3	262.7	20.3
合计	工时	205.1	342.3	177.1	314.3	156.1	293.3	142.1	279.3	130.9	268.1	20.3
零星材料费	%	3	2	3	2	3	2	3	2	3	2	
编号		10125	10126	10127	10128	10129	10130	10131	10132	10133	10134	10135

(3) Ⅳ类土

单位:$100m^3$

项目	单位	上口宽度(m)										增运
		≤1		1~2		2~4		4~8		8~16		10m
		挖土	挖运 10m	挖土	挖运 10m	挖土	挖运 10m	挖土	挖运 10m	挖土	挖运 10m	
工长	工时	6.9	9.8	6.0	8.9	5.3	8.3	4.8	7.8	4.5	7.4	
高级工	工时											
中级工	工时											
初级工	工时	336.1	481.6	292.2	437.0	260.0	404.7	237.4	382.1	220.2	365.0	21.7
合计	工时	343.0	491.4	298.2	445.9	265.3	413.0	242.2	389.9	224.7	372.4	21.7
零星材料费	%	2	2	2	2	2	2	2	2	2	2	
编号		10136	10137	10138	10139	10140	10141	10142	10143	10144	10145	10146

一－10 人工挖渠道土方胶轮车运输

工作内容:1.挖土:挖土、修边底。

2.挖运:挖、装、运、卸、修边底。

(1) Ⅰ～Ⅱ类土

单位:100m³

项目	单位	上口宽度(m)				增运20m
		4～8		8～16		
		挖土	挖运20m	挖土	挖运20m	
工长	工时	1.4	3.4	1.3	3.3	
高级工	工时					
中级工	工时					
初级工	工时	70.0	168.1	63.1	161.2	7.7
合计	工时	71.4	171.5	64.4	164.5	7.7
零星材料费	%	7	2	7	2	
胶轮车	台时		58.86		58.86	6.24
编号		10147	10148	10149	10150	10151

(2) Ⅲ类土

单位:100m^3

项目	单位	上口宽度(m)				增运20m
		4~8		8~16		
		挖土	挖运20m	挖土	挖运20m	
工长	工时	2.8	5.0	2.6	4.9	
高级工	工时					
中级工	工时					
初级工	工时	139.3	247.4	128.3	236.5	7.7
合计	工时	142.1	252.4	130.9	241.4	7.7
零星材料费	%	4	2	4	2	
胶轮车	台时		63.78		63.78	6.24
编号		10152	10153	10154	10155	10156

(3) Ⅳ类土

单位:100m³

项目	单位	上口宽度(m)				增运20m
		4~8		8~16		
		挖土	挖运20m	挖土	挖运20m	
工长	工时	4.8	7.2	4.5	6.8	
高级工	工时					
中级工	工时					
初级工	工时	237.4	356.0	220.2	338.9	7.7
合计	工时	242.2	363.2	224.7	345.7	7.7
零星材料费	%	2	2	2	2	
胶轮车	台时		69.18		69.18	6.24
编号		10157	10158	10159	10160	10161

一－11 人工挖平洞土方胶轮车运输

适用范围：土隧洞，含水量小于25%。

工作内容：1. 挖土：挖土、修整断面、安全工作等。

2. 挖运：挖土、装车、运土、卸土、空回、修整断面、安全工作等。

(1) Ⅲ类土

单位：$100m^3$

项目	单位	断面 (m^2)								
		≤5			5～10			10～20		
		挖土	挖运20m	增运20m	挖土	挖运20m	增运20m	挖土	挖运20m	增运20m
工长	工时	5.1	8.5		4.3	7.7		3.7	7.2	
高级工	工时									
中级工	工时									
初级工	工时	248.3	418.5	16.1	209.2	379.4	16.1	183.2	352.6	16.1
合计	工时	253.4	427.0	16.1	213.5	387.1	16.1	186.9	359.8	16.1
零星材料费	%	2	1		2	1		2	1	
胶轮车	台时		70.86	12.00		70.86	12.00		70.86	12.00
轴流通风机 7.5kW	台时	39.60	39.60		26.40	26.40		15.60	15.60	
编号		10162	10163	10164	10165	10166	10167	10168	10169	10170

（2） Ⅳ类土

单位：$100m^3$

项目	单位	断面（m^2）								
		≤5			5～10			10～20		
		挖土	挖运20m	增运20m	挖土	挖运20m	增运20m	挖土	挖运20m	增运20m
工长	工时	8.7	12.5		7.3	11.1		6.4	10.2	
高级工	工时									
中级工	工时									
初级工	工时	423.9	611.9	16.8	358.1	546.1	16.8	313.5	501.5	16.8
合计	工时	432.6	624.4	16.8	365.4	557.2	16.8	319.9	511.7	16.8
零星材料费	%	2	1		2	1		2	1	
胶轮车	台时		76.86	12.60		76.86	12.60		76.86	12.60
轴流通风机 7.5kW	台时	61.20	61.20		40.80	40.80		24.00	24.00	
编号		10171	10172	10173	10174	10175	10176	10177	10178	10179

一－12 人工挖平洞土方斗车运输

适用范围：土隧洞，含水量小于25%。

工作内容：1.挖土：挖土、修整断面、安全工作等。

2.挖运：挖土、修整断面、装、运、卸、道路维护、搬道叉、安全工作等。

(1) Ⅲ类土

单位：100m³

项目	单位	断面 (m²)								
		≤5			5～10			10～20		
		挖土	挖运100m	增运50m	挖土	挖运100m	增运50m	挖土	挖运100m	增运50m
工长	工时	5.1	9.8		4.3	9.0		3.7	8.5	
高级工	工时									
中级工	工时									
初级工	工时	248.3	480.2	15.4	209.2	441.1	15.4	183.2	415.0	15.4
合计	工时	253.4	490.0	15.4	213.5	450.1	15.4	186.9	423.5	15.4
零星材料费	%	2	1		2	1		2	1	
V型斗车 0.6m³	台时		48.18	6.00		48.18	6.00		48.18	6.00
轴流通风机 7.5kW	台时	39.60	39.60		26.40	26.40		15.60	15.60	
编号		10180	10181	10182	10183	10184	10185	10186	10187	10188

（2） Ⅳ类土

单位：$100m^3$

项目	单位	断面（m^2）								
		≤5			5～10			10～20		
		挖土	挖运100m	增运50m	挖土	挖运100m	增运50m	挖土	挖运100m	增运50m
工长	工时	8.7	13.9		7.3	12.5		6.4	11.6	
高级工	工时									
中级工	工时									
初级工	工时	423.9	680.5	16.1	358.1	614.7	16.1	313.5	570.1	16.1
合计	工时	432.6	694.4	16.1	365.4	627.2	16.1	319.9	581.7	16.1
零星材料费	%	2	1		2	1		2	1	
V型斗车 $0.6m^3$	台时		51.96	6.00		51.96	6.00		51.96	6.00
轴流通风机 7.5kW	台时	61.20	61.20		40.80	40.80		24.00	24.00	
编号		10189	10190	10191	10192	10193	10194	10195	10196	10197

一－13　人工挖斜井土方卷扬机牵引斗车运输

适用范围：土隧洞，含水量小于25％。

工作内容：1.挖土：挖土、修整断面、安全工作等。

2.挖运：挖土、修整断面、装、运、卸、道路维护、搬道叉、安全工作等。

(1)　Ⅲ类土

单位：$100m^3$

项目	单位	断面 (m^2)					
		≤5			5～10		
		挖土	挖运 100m	增运 50m	挖土	挖运 100m	增运 50m
工长	工时	5.8	11.3		4.9	10.4	
高级工	工时						
中级工	工时						
初级工	工时	285.6	552.2	17.7	240.6	507.2	17.7
合计	工时	291.4	563.5	17.7	245.5	517.6	17.7
零星材料费	%	2	1		2	1	
卷扬机　5t	台时		27.70	3.45		27.70	3.45
V型斗车　$0.6m^3$	台时		55.41	6.90		55.41	6.90
轴流通风机　7.5kW	台时	45.54	45.54		30.36	30.36	
编号		10198	10199	10200	10201	10202	10203

(2) Ⅳ类土

单位:100m³

项目	单位	断面 (m²)					
		≤5			5~10		
		挖土	挖运100m	增运50m	挖土	挖运100m	增运50m
工长	工时	9.9	16.0		8.4	14.4	
高级工	工时						
中级工	工时						
初级工	工时	487.5	782.6	18.5	411.8	706.9	18.5
合计	工时	497.4	798.6	18.5	420.2	721.3	18.5
零星材料费	%	2	1		2	1	
卷扬机 5t	台时		29.88	3.45		29.88	3.45
V型斗车 0.6m³	台时		59.75	6.90		59.75	6.90
轴流通风机 7.5kW	台时	70.38	70.38		46.92	46.92	
编号		10204	10205	10206	10207	10208	10209

一－14　人工挖竖井土方卷扬机提升吊斗运输

适用范围：井深 40m 以内。

工作内容：挖土、修整断面、装斗(桶)，卷扬机提升至井口 5m 以外堆放。

(1)　斗容 0.18m³

单位：100m³

项目	单位	断面积 (m²)											
		≤5				5～10				10～20			
		土类级别											
		Ⅲ		Ⅳ		Ⅲ		Ⅳ		Ⅲ		Ⅳ	
		井深10m	增深10m	井深10m	增深10m	井深10m	增深10m	井深10m	增深10m	井深10m	增深10m	井深10m	增深10m
工长	工时	12.7	0.9	17.9	1.0	11.6	1.2	15.8	1.3	11.5	1.4	15.1	1.5
高级工	工时												
中级工	工时												
初级工	工时	621.8	44.5	877.0	50.0	570.2	58.2	773.8	62.5	564.2	69.7	741.5	75.2
合计	工时	634.5	45.4	894.9	51.0	581.8	59.4	789.6	63.8	575.7	71.1	756.6	76.7
零星材料费	%	1		1		1		1		1		1	
卷扬机 1t	台时	68.34	10.50	75.30	11.34	58.98	10.50	64.74	11.34	54.36	10.50	59.52	11.34
吊斗(桶) 0.18m³	台时	68.34	10.50	75.30	11.34	58.98	10.50	64.74	11.34	54.36	10.50	59.52	11.34
编号		10210	10211	10212	10213	10214	10215	10216	10217	10218	10219	10220	10221

（2） 斗容 0.6m³

单位：100m³

项目	单位	断面积（m²）											
		≤5				5～10				10～20			
		土类级别											
		Ⅲ		Ⅳ		Ⅲ		Ⅳ		Ⅲ		Ⅳ	
		井深 10m	增深 10m	井深 10m	增深 10m	井深 10m	增深 10m	井深 10m	增深 10m	井深 10m	增深 10m	井深 10m	增深 10m
工长	工时	10.1	0.3	15.2	0.3	8.4	0.4	12.4	0.4	7.7	0.4	11.0	0.5
高级工	工时												
中级工	工时												
初级工	工时	496.1	14.3	744.7	14.8	412.7	17.5	605.8	19.2	375.9	20.9	540.0	22.5
合计	工时	506.2	14.6	759.9	15.1	421.1	17.9	618.2	19.6	383.6	21.3	551.0	23.0
零星材料费	%	1		1		1		1		1		1	
卷扬机 3t	台时	39.84	3.18	44.82	3.42	30.60	3.18	34.26	3.42	26.04	3.18	29.04	3.42
吊斗（桶） 0.6m³	台时	39.84	3.18	44.82	3.42	30.60	3.18	34.26	3.42	26.04	3.18	29.04	3.42
编号		10222	10223	10224	10225	10226	10227	10228	10229	10230	10231	10232	10233

一－15 人工装土机动翻斗车运输

工作内容：装、运、卸、空回。

单位：$100m^3$

项目	单位	运距（100m）					增运
		1	2	3	4	5	100m
工长	工时						
高级工	工时						
中级工	工时						
初级工	工时	114.1	114.1	114.1	114.1	114.1	
合计	工时	114.1	114.1	114.1	114.1	114.1	
零星材料费	%	1	1	1	1	1	
机动翻斗车 1t	台时	27.33	30.20	32.83	35.32	37.70	2.19
编号		10234	10235	10236	10237	10238	10239

一－16 人工装卸土手扶式拖拉机运输

工作内容：装、运、卸、空回。

单位：$100m^3$

项目	单位	运距（100m）					增运
		1	2	3	4	5	100m
工长	工时						
高级工	工时						
中级工	工时						
初级工	工时	148.4	148.4	148.4	148.4	148.4	
合计	工时	148.4	148.4	148.4	148.4	148.4	
零星材料费	%	1	1	1	1	1	
手扶拖拉机 11kW	台时	27.29	29.59	31.70	33.70	35.61	1.76
编号		10240	10241	10242	10243	10244	10245

一－17　人工装卸土中型拖拉机运输

工作内容：装、运、卸、空回。

单位：100m³

项　　目	单位	运　距　(km)					增运1km
		1	2	3	4	5	
工　　长	工时						
高 级 工	工时						
中 级 工	工时						
初 级 工	工时	165.2	165.2	165.2	165.2	165.2	
合　　计	工时	165.2	165.2	165.2	165.2	165.2	
零星材料费	%	1	1	1	1	1	
拖 拉 机 20kW	台时	35.49	43.62	51.08	58.13	64.87	6.22
26kW	台时	26.35	31.76	36.74	41.43	45.93	4.15
37kW	台时	21.15	25.21	28.94	32.46	35.84	3.11
编　　号		10246	10247	10248	10249	10250	10251

一－18　人工装土自卸汽车运输

适用范围：工人固定在装卸地点装卸，汽车在一般工地路面行驶，露天作业。

工作内容：人工装车、运输、卸车、空回等。

单位：100m³

项目		单位	运距（km）					增运1km
			1	2	3	4	5	
工长		工时						
高级工		工时						
中级工		工时						
初级工		工时	122.5	122.5	122.5	122.5	122.5	
合计		工时	122.5	122.5	122.5	122.5	122.5	
零星材料费		%	1	1	1	1	1	
推土机	59kW	台时	0.30	0.30	0.30	0.30	0.30	
自卸汽车	3.5t	台时	19.48	23.66	27.50	31.13	34.60	3.20
	5t	台时	14.73	17.44	19.92	22.27	24.52	2.07
	8t	台时	11.96	13.65	15.21	16.67	18.08	1.30
编号			10252	10253	10254	10255	10256	10257

一-19 人工装卸土载重汽车运输

适用范围:工人固定在装卸地点装卸,汽车在一般工地路面行驶,露天作业。

工作内容:人工装车、运输、卸车、空回等。

单位:100m³

项目	单位	运距(km)					增运1km
		1	2	3	4	5	
工长	工时						
高级工	工时						
中级工	工时						
初级工	工时	165.2	165.2	165.2	165.2	165.2	
合计	工时	165.2	165.2	165.2	165.2	165.2	
零星材料费	%	1	1	1	1	1	
载重汽车 2t	台时	32.98	39.75	45.97	51.84	57.47	5.18
4t	台时	19.89	23.28	26.39	29.32	32.14	2.59
5t	台时	18.24	20.95	23.44	25.79	28.03	2.07
编号		10258	10259	10260	10261	10262	10263

一－20 推土机推土

工作内容：推松、运送、卸除、拖平、空回。

（1） 55kW推土机

单位：100m³

项目			单位	推土距离（m）				
				≤20	40	60	80	100
工长			工时					
高级工			工时					
中级工			工时					
初级工			工时	4.1	6.7	9.5	12.5	15.7
合计			工时	4.1	6.7	9.5	12.5	15.7
零星材料费			%	10	10	10	10	10
土类级别	Ⅰ～Ⅱ	推土机	台时	2.98	4.87	6.90	9.07	11.42
	Ⅲ		台时	3.27	5.35	7.58	9.97	12.55
	Ⅳ		台时	3.56	5.83	8.26	10.87	13.68
编号				10264	10265	10266	10267	10268

(2) 74kW推土机

单位:100m³

项目			单位	推土距离(m)				
				≤20	40	60	80	100
工长			工时					
高级工			工时					
中级工			工时					
初级工			工时	1.6	2.6	3.6	4.8	6.0
合计			工时	1.6	2.6	3.6	4.8	6.0
零星材料费			%	10	10	10	10	10
土类级别	Ⅰ~Ⅱ	推土机	台时	1.14	1.87	2.64	3.48	4.38
	Ⅲ		台时	1.25	2.05	2.90	3.82	4.81
	Ⅳ		台时	1.36	2.23	3.16	4.16	5.24
编号				10269	10270	10271	10272	10273

（3） 88kW推土机

单位:100m³

项目			单位	推土距离（m）				
				≤20	40	60	80	100
工长			工时					
高级工			工时					
中级工			工时					
初级工			工时	1.4	2.3	3.3	4.3	5.5
合计			工时	1.4	2.3	3.3	4.3	5.5
零星材料费			%	10	10	10	10	10
土类级别	Ⅰ～Ⅱ	推土机	台时	0.99	1.67	2.38	3.15	3.99
	Ⅲ		台时	1.09	1.83	2.61	3.46	4.38
	Ⅳ		台时	1.19	1.99	2.84	3.77	4.77
编号				10274	10275	10276	10277	10278

(4)103kW 推土机

单位:100m³

项目			单位	推土距离(m)				
				≤20	40	60	80	100
工长			工时					
高级工			工时					
中级工			工时					
初级工			工时	1.2	2.0	2.8	3.7	4.7
合计			工时	1.2	2.0	2.8	3.7	4.7
零星材料费			%	10	10	10	10	10
土类级别	Ⅰ~Ⅱ	推土机	台时	0.86	1.43	2.05	2.71	3.44
	Ⅲ		台时	0.94	1.57	2.25	2.98	3.78
	Ⅳ		台时	1.02	1.71	2.45	3.25	4.12
编号				10279	10280	10281	10282	10283

（5） 118kW 推土机

单位:100m³

项目			单位	推土距离（m）				
				≤20	40	60	80.	100
工长			工时					
高级工			工时					
中级工			工时					
初级工			工时	1.1	1.8	2.5	3.3	4.2
合计			工时	1.1	1.8	2.5	3.3	4.2
零星材料费			%	10	10	10	10	10
土类级别	Ⅰ～Ⅱ	推土机	台时	0.77	1.28	1.83	2.42	3.05
	Ⅲ		台时	0.85	1.41	2.01	2.66	3.35
	Ⅳ		台时	0.93	1.54	2.19	2.90	3.65
编号				10284	10285	10286	10287	10288

(6) 132kW推土机

单位:100m³

项目			单位	推土距离 (m)				
				≤20	40	60	80	100
工长			工时					
高级工			工时					
中级工			工时					
初级工			工时	1.0	1.5	2.2	2.8	3.6
合计			工时	1.0	1.5	2.2	2.8	3.6
零星材料费			%	10	10	10	10	10
土类级别	Ⅰ~Ⅱ	推土机	台时	0.70	1.12	1.57	2.06	2.58
	Ⅲ		台时	0.77	1.23	1.73	2.26	2.84
	Ⅳ		台时	0.84	1.34	1.89	2.46	3.10
编号				10289	10290	10291	10292	10293

（7） 176kW推土机

单位:100m^3

项目			单位	推土距离（m）				
				≤20	40	60	80	100
工长			工时					
高级工			工时					
中级工			工时					
初级工			工时	0.7	1.1	1.5	2.0	2.5
合计			工时	0.7	1.1	1.5	2.0	2.5
零星材料费			%	10	10	10	10	10
土类级别	Ⅰ～Ⅱ	推土机	台时	0.49	0.79	1.11	1.46	1.82
	Ⅲ		台时	0.54	0.87	1.22	1.60	2.00
	Ⅳ		台时	0.59	0.95	1.33	1.74	2.18
编号				10294	10295	10296	10297	10298

（8） 235kW 推土机

单位:100m³

项　　目			单位	推土距离（m）				
				≤20	40	60	80	100
工　长			工时					
高级工			工时					
中级工			工时					
初级工			工时	0.5	0.8	1.1	1.4	1.7
合　计			工时	0.5	0.8	1.1	1.4	1.7
零星材料费			%	10	10	10	10	10
土类级别	Ⅰ～Ⅱ	推土机	台时	0.34	0.55	0.76	1.00	1.26
	Ⅲ		台时	0.37	0.60	0.84	1.10	1.38
	Ⅳ		台时	0.40	0.65	0.92	1.20	1.50
编　号				10299	10300	10301	10302	10303

（9） 301kW 推土机

单位:100m³

项目			单位	推土距离（m）				
				≤20	40	60	80	100
工长			工时					
高级工			工时					
中级工			工时					
初级工			工时	0.3	0.5	0.7	0.9	1.1
合计			工时	0.3	0.5	0.7	0.9	1.1
零星材料费			%	10	10	10	10	10
土类级别	Ⅰ～Ⅱ	推土机	台时	0.24	0.37	0.51	0.66	0.83
	Ⅲ		台时	0.26	0.41	0.56	0.73	0.91
	Ⅳ		台时	0.28	0.45	0.61	0.80	0.99
编号				10304	10305	10306	10307	10308

一－21　2.75m³ 铲运机铲运土

工作内容：铲装、运送、卸除、空回、转向、土场道路平整、洒水、卸土推平等。

(1)　Ⅰ～Ⅱ类土

单位：100m³

项　　目	单位	铲运距离 (m)				
		100	200	300	400	500
工　　长	工时					
高 级 工	工时					
中 级 工	工时					
初 级 工	工时	3.3	5.2	6.9	8.4	9.9
合　　计	工时	3.3	5.2	6.9	8.4	9.9
零星材料费	%	10	10	10	10	10
铲 运 机　2.75m³	台时	2.62	4.19	5.53	6.75	7.94
拖 拉 机　55kW	台时	2.62	4.19	5.53	6.75	7.94
推 土 机　55kW	台时	0.26	0.42	0.55	0.68	0.79
编　　号		10309	10310	10311	10312	10313

（2） Ⅲ类土

单位:100m³

项目	单位	铲运距离（m）				
		100	200	300	400	500
工长	工时					
高级工	工时					
中级工	工时					
初级工	工时	3.6	5.8	7.6	9.3	10.9
合计	工时	3.6	5.8	7.6	9.3	10.9
零星材料费	%	10	10	10	10	10
铲运机 2.75m³	台时	2.88	4.60	6.08	7.42	8.72
拖拉机 55kW	台时	2.88	4.60	6.08	7.42	8.72
推土机 55kW	台时	0.29	0.46	0.61	0.74	0.87
编号		10314	10315	10316	10317	10318

(3) Ⅳ类土

单位:100m³

项目	单位	铲运距离(m)				
		100	200	300	400	500
工长	工时					
高级工	工时					
中级工	工时					
初级工	工时	3.9	6.3	8.3	10.1	11.9
合计	工时	3.9	6.3	8.3	10.1	11.9
零星材料费	%	10	10	10	10	10
铲运机 $2.75m^3$	台时	3.14	5.01	6.63	8.09	9.50
拖拉机 55kW	台时	3.14	5.01	6.63	8.09	9.50
推土机 74kW	台时	0.31	0.50	0.66	0.81	0.95
编号		10319	10320	10321	10322	10323

一－22　8m³ 铲运机铲运土

工作内容：铲装、运送、卸除、空回、转向、土场道路平整、洒水、卸土推平等。

(1)　Ⅰ～Ⅱ类土

单位：100m³

项　目	单位	铲运距离（m）					
		100	200	300	400	500	600
工　长	工时						
高级工	工时						
中级工	工时						
初级工	工时	2.2	3.1	4.1	5.0	6.0	6.9
合　计	工时	2.2	3.1	4.1	5.0	6.0	6.9
零星材料费	%	10	10	10	10	10	10
铲运机　8m³	台时	1.75	2.50	3.26	4.01	4.77	5.52
拖拉机　74kW	台时	1.75	2.50	3.26	4.01	4.77	5.52
推土机　59kW	台时	0.17	0.25	0.33	0.40	0.48	0.55
编　号		10324	10325	10326	10327	10328	10329

(2) Ⅲ类土

单位:$100m^3$

项目	单位	铲运距离(m)					
		100	200	300	400	500	600
工长	工时						
高级工	工时						
中级工	工时						
初级工	工时	2.4	3.4	4.5	5.5	6.6	7.6
合计	工时	2.4	3.4	4.5	5.5	6.6	7.6
零星材料费	%	10	10	10	10	10	10
铲运机 $8m^3$	台时	1.92	2.75	3.58	4.41	5.24	6.07
拖拉机 74kW	台时	1.92	2.75	3.58	4.41	5.24	6.07
推土机 59kW	台时	0.19	0.28	0.36	0.44	0.52	0.61
编号		10330	10331	10332	10333	10334	10335

(3) Ⅳ类土

单位:100m³

项目	单位	铲运距离 (m)					
		100	200	300	400	500	600
工长	工时						
高级工	工时						
中级工	工时						
初级工	工时	2.6	3.7	4.9	6.0	7.1	8.3
合计	工时	2.6	3.7	4.9	6.0	7.1	8.3
零星材料费	%	10	10	10	10	10	10
铲运机 8m³	台时	2.09	3.00	3.90	4.81	5.71	6.62
拖拉机 74kW	台时	2.09	3.00	3.90	4.81	5.71	6.62
推土机 74kW	台时	0.21	0.30	0.39	0.48	0.57	0.66
编号		10336	10337	10338	10339	10340	10341

一－23　12m³ 自行式铲运机铲运土

工作内容：铲装、运送、卸除、空回、转向、土场道路平整、洒水、卸土推平等。

(1)　Ⅰ～Ⅱ类土

单位：100m³

项　　目	单位	铲运距离 (m)					增运100m
		200	400	600	800	1000	
工　　长	工时						
高 级 工	工时						
中 级 工	工时						
初 级 工	工时	1.7	2.6	3.4	4.2	4.9	
合　　计	工时	1.7	2.6	3.4	4.2	4.9	
零星材料费	%	8	8	8	8	8	
铲 运 机　自行式	台时	1.38	2.09	2.75	3.36	3.93	0.16
推 土 机　59kW	台时	0.14	0.21	0.27	0.34	0.39	
编　　号		10342	10343	10344	10345	10346	10347

（2） Ⅲ类土

单位：100m³

项　　目	单位	铲运距离（m）					增运100m
		200	400	600	800	1000	
工　　长	工时						
高 级 工	工时						
中 级 工	工时						
初 级 工	工时	1.9	2.9	3.8	4.6	5.4	
合　　计	工时	1.9	2.9	3.8	4.6	5.4	
零星材料费	%	8	8	8	8	8	
铲 运 机 自行式	台时	1.52	2.30	3.02	3.69	4.32	0.16
推 土 机 59kW	台时	0.15	0.23	0.30	0.37	0.43	
编　　号		10348	10349	10350	10351	10352	10353

（3） Ⅳ类土

单位：100m³

项　　目	单位	铲运距离（m）					增运100m
		200	400	600	800	1000	
工　　长	工时						
高 级 工	工时						
中 级 工	工时						
初 级 工	工时	2.1	3.1	4.1	5.0	5.9	
合　　计	工时	2.1	3.1	4.1	5.0	5.9	
零星材料费	%	8	8	8	8	8	
铲 运 机 自行式	台时	1.66	2.51	3.29	4.02	4.71	0.16
推 土 机 74kW	台时	0.17	0.25	0.33	0.40	0.47	
编　　号		10354	10355	10356	10357	10358	10359

一－24 挖掘机挖土方

适用范围：露天作业。

工作内容：挖松、堆放。

单位：100m³

项目	单位	土类级别		
		Ⅰ～Ⅱ	Ⅲ	Ⅳ
工长	工时			
高级工	工时			
中级工	工时			
初级工	工时	4.1	4.1	4.1
合计	工时	4.1	4.1	4.1
零星材料费	%	5	5	5
挖掘机 1.0m³	台时	0.86	0.95	1.04
2.0m³	台时	0.56	0.61	0.66
3.0m³	台时	0.40	0.44	0.48
4.0m³	台时	0.31	0.34	0.37
编号		10360	10361	10362

一－25　轮斗挖掘机挖土方

适用范围：挖松、自身胶带送出。

工作内容：胶带机或自卸汽车接运，推土机配合。

单位：100m³

项　　目	单位	自卸汽车接运	胶带机接运
工　　长	工时		
高 级 工	工时		
中 级 工	工时		
初 级 工	工时	9.1	9.1
合　　计	工时	9.1	9.1
零星材料费	%	20	20
轮斗挖掘机　DW－200	台时	0.25	0.11
推 土 机　88kW	台时	0.25	
编　　号		10363	10364

一－26　1m³ 挖掘机挖装土自卸汽车运输

适用范围：Ⅲ类土、露天作业。

工作内容：挖装、运输、卸除、空回。

单位：100m³

项目		单位	运距 (km)					增运1km
			1	2	3	4	5	
工长		工时						
高级工		工时						
中级工		工时						
初级工		工时	6.7	6.7	6.7	6.7	6.7	
合计		工时	6.7	6.7	6.7	6.7	6.7	
零星材料费		%	4	4	4	4	4	
挖掘机	1m³	台时	1.00	1.00	1.00	1.00	1.00	
推土机	59kW	台时	0.50	0.50	0.50	0.50	0.50	
自卸汽车	5t	台时	9.83	12.87	15.67	18.31	20.84	2.33
	8t	台时	6.50	8.40	10.15	11.80	13.38	1.46
	10t	台时	6.05	7.66	9.14	10.54	11.88	1.23
编号			10365	10366	10367	10368	10369	10370

一－27　$2m^3$ 挖掘机挖装土自卸汽车运输

适用范围：Ⅲ类土、露天作业。

工作内容：挖装、运输、卸除、空回。

单位：$100m^3$

项　　目		单位	运　距（km）					增运1km
			1	2	3	4	5	
工　　长		工时						
高级工		工时						
中级工		工时						
初级工		工时	4.3	4.3	4.3	4.3	4.3	
合　　计		工时	4.3	4.3	4.3	4.3	4.3	
零星材料费		%	4	4	4	4	4	
挖掘机	$2m^3$	台时	0.64	0.64	0.64	0.64	0.64	
推土机	59kW	台时	0.32	0.32	0.32	0.32	0.32	
自卸汽车	8t	台时	6.11	8.02	9.77	11.42	13.00	1.46
	10t	台时	5.57	7.19	8.67	10.07	11.40	1.23
	12t	台时	5.05	6.46	7.75	8.98	10.15	1.08
	15t	台时	4.17	5.30	6.34	7.31	8.25	0.86
	18t	台时	3.82	4.76	5.63	6.44	7.22	0.72
	20t	台时	3.53	4.39	5.19	5.94	6.67	0.66
编　　号			10371	10372	10373	10374	10375	10376

一－28　$3m^3$ 挖掘机挖装土自卸汽车运输

适用范围：Ⅲ类土、露天作业。

工作内容：挖装、运输、卸除、空回。

单位：$100m^3$

项目		单位	运距（km）					增运1km
			1	2	3	4	5	
工长		工时						
高级工		工时						
中级工		工时						
初级工		工时	3.1	3.1	3.1	3.1	3.1	
合计		工时	3.1	3.1	3.1	3.1	3.1	
零星材料费		%	4	4	4	4	4	
挖掘机	$3m^3$	台时	0.46	0.46	0.46	0.46	0.46	
推土机	88kW	台时	0.23	0.23	0.23	0.23	0.23	
自卸汽车	12t	台时	4.92	6.33	7.63	8.85	10.02	1.08
	15t	台时	3.94	5.07	6.10	7.08	8.02	0.86
	18t	台时	3.64	4.58	5.44	6.26	7.04	0.72
	20t	台时	3.36	4.22	5.02	5.77	6.49	0.66
	25t	台时	2.82	3.52	4.17	4.78	5.37	0.54
	27t	台时	2.65	3.32	3.93	4.50	5.05	0.51
	32t	台时	2.29	2.82	3.32	3.78	4.23	0.41
编号			10377	10378	10379	10380	10381	10382

一－29 4m³ 挖掘机挖装土自卸汽车运输

适用范围：Ⅲ类土、露天作业。

工作内容：挖装、运输、卸除、空回。

单位：100m³

项目		单位	运距（km）					增运1km
			1	2	3	4	5	
工长		工时						
高级工		工时						
中级工		工时						
初级工		工时	2.4	2.4	2.4	2.4	2.4	
合计		工时	2.4	2.4	2.4	2.4	2.4	
零星材料费		%	4	4	4	4	4	
挖掘机	4m³	台时	0.36	0.36	0.36	0.36	0.36	
推土机	88kW	台时	0.18	0.18	0.18	0.18	0.18	
自卸汽车	18t	台时	3.53	4.47	5.33	6.15	6.93	0.72
	20t	台时	3.26	4.12	4.92	5.67	6.40	0.66
	25t	台时	2.74	3.45	4.09	4.71	5.29	0.54
	27t	台时	2.58	3.24	3.85	4.43	4.98	0.51
	32t	台时	2.16	2.70	3.19	3.66	4.10	0.41
	45t	台时	1.71	2.08	2.43	2.75	3.07	0.29
编号			10383	10384	10385	10386	10387	10388

一－30　6m³挖掘机挖装土自卸汽车运输

适用范围：Ⅲ类土、露天作业。

工作内容：挖装、运输、卸除、空回。

单位：100m³

项目		单位	运距 (km)					增运1km
			1	2	3	4	5	
工长		工时						
高级工		工时						
中级工		工时						
初级工		工时	1.9	1.9	1.9	1.9	1.9	
合计		工时	1.9	1.9	1.9	1.9	1.9	
零星材料费		%	4	4	4	4	4	
挖掘机	6m³	台时	0.28	0.28	0.28	0.28	0.28	
推土机	88kW	台时	0.14	0.14	0.14	0.14	0.14	
自卸汽车	25t	台时	2.69	3.40	4.04	4.65	5.24	0.54
	27t	台时	2.53	3.20	3.81	4.38	4.93	0.51
	32t	台时	2.13	2.67	3.16	3.63	4.08	0.41
	45t	台时	1.64	2.02	2.37	2.69	3.00	0.29
	65t	台时	1.39	1.69	1.96	2.22	2.46	0.23
编号			10389	10390	10391	10392	10393	10394

一－31　$1m^3$ 装载机挖装土自卸汽车运输

适用范围：Ⅲ类土、露天作业。

工作内容：挖装、运输、卸除、空回。

单位：$100m^3$

项目		单位	运距（km）					增运1km
			1	2	3	4	5	
工长		工时						
高级工		工时						
中级工		工时						
初级工		工时	8.8	8.8	8.8	8.8	8.8	
合计		工时	8.8	8.8	8.8	8.8	8.8	
零星材料费		%	3	3	3	3	3	
装载机	$1m^3$	台时	1.66	1.66	1.66	1.66	1.66	
推土机	59kW	台时	0.83	0.83	0.83	0.83	0.83	
自卸汽车	5t	台时	10.58	13.63	16.43	19.07	21.60	2.33
	8t	台时	7.21	9.11	10.86	12.51	14.09	1.46
	10t	台时	6.75	8.36	9.84	11.24	12.58	1.23
编号			10395	10396	10397	10398	10399	10400

一－32　1.5m³ 装载机挖装土自卸汽车运输

适用范围：Ⅲ类土、露天作业。

工作内容：挖装、运输、卸除、空回。

单位：100m³

项目		单位	运距（km）					增运1km
			1	2	3	4	5	
工长		工时						
高级工		工时						
中级工		工时						
初级工		工时	6.3	6.3	6.3	6.3	6.3	
合计		工时	6.3	6.3	6.3	6.3	6.3	
零星材料费		%	3	3	3	3	3	
装载机	1.5m³	台时	1.18	1.18	1.18	1.18	1.18	
推土机	59kW	台时	0.59	0.59	0.59	0.59	0.59	
自卸汽车	8t	台时	6.69	8.60	10.35	12.00	13.58	1.46
	10t	台时	6.07	7.68	9.16	10.56	11.90	1.23
	12t	台时	5.54	6.95	8.25	9.47	10.64	1.08
	15t	台时	4.62	5.75	6.78	7.76	8.70	0.86
编号			10401	10402	10403	10404	10405	10406

一－33　$2m^3$ 装载机挖装土自卸汽车运输

适用范围：Ⅲ类土、露天作业。

工作内容：挖装、运输、卸除、空回。

单位：$100m^3$

项　　目	单位	运　距　(km)					增运1km
		1	2	3	4	5	
工　　长	工时						
高 级 工	工时						
中 级 工	工时						
初 级 工	工时	5.0	5.0	5.0	5.0	5.0	
合　　计	工时	5.0	5.0	5.0	5.0	5.0	
零星材料费	%	3	3	3	3	3	
装 载 机 $2m^3$	台时	0.94	0.94	0.94	0.94	0.94	
推 土 机 59kW	台时	0.47	0.47	0.47	0.47	0.47	
自卸汽车 8t	台时	6.44	8.34	10.09	11.74	13.32	1.46
10t	台时	5.85	7.46	8.94	10.34	11.68	1.23
12t	台时	5.37	6.78	8.07	9.30	10.47	1.08
15t	台时	4.49	5.62	6.66	7.63	8.57	0.86
18t	台时	4.14	5.08	5.95	6.76	7.54	0.72
20t	台时	3.82	4.69	5.49	6.24	6.96	0.66
编　　号		10407	10408	10409	10410	10411	10412

一－34 3m³装载机挖装土自卸汽车运输

适用范围：Ⅲ类土、露天作业。

工作内容：挖装、运输、卸除、空回。

单位：100m³

项目		单位	运距（km）					增运1km
			1	2	3	4	5	
工长		工时						
高级工		工时						
中级工		工时						
初级工		工时	3.5	3.5	3.5	3.5	3.5	
合计		工时	3.5	3.5	3.5	3.5	3.5	
零星材料费		%	3	3	3	3	3	
装载机	3m³	台时	0.65	0.65	0.65	0.65	0.65	
推土机	88kW	台时	0.33	0.33	0.33	0.33	0.33	
自卸汽车	12t	台时	5.14	6.55	7.85	9.07	10.24	1.08
	15t	台时	4.11	5.24	6.28	7.26	8.19	0.86
	18t	台时	3.83	4.77	5.64	6.45	7.23	0.72
	20t	台时	3.54	4.40	5.20	5.95	6.67	0.66
	25t	台时	3.00	3.71	4.35	4.96	5.55	0.54
	27t	台时	2.82	3.49	4.10	4.67	5.23	0.51
	32t	台时	2.48	3.02	3.51	3.98	4.42	0.41
编号			10413	10414	10415	10416	10417	10418

一－35　5m³ 装载机挖装土自卸汽车运输

适用范围：Ⅲ类土、露天作业。

工作内容：挖装、运输、卸除、空回。

单位：100m³

项　　目		单位	运　距（km）					增运1km
			1	2	3	4	5	
工　长		工时						
高级工		工时						
中级工		工时						
初级工		工时	2.2	2.2	2.2	2.2	2.2	
合　计		工时	2.2	2.2	2.2	2.2	2.2	
零星材料费		%	2	2	2	2	2	
装载机	5m³	台时	0.41	0.41	0.41	0.41	0.41	
推土机	88kW	台时	0.21	0.21	0.21	0.21	0.21	
自卸汽车	25t	台时	2.77	3.47	4.12	4.73	5.32	0.54
	27t	台时	2.61	3.27	3.88	4.45	5.01	0.51
	32t	台时	2.21	2.75	3.24	3.71	4.15	0.41
	45t	台时	1.78	2.16	2.51	2.83	3.14	0.29
编　号			10419	10420	10421	10422	10423	10424

一－36　$7m^3$ 装载机挖装土自卸汽车运输

适用范围：Ⅲ类土、露天作业。

工作内容：挖装、运输、卸除、空回。

单位：$100m^3$

项　　目	单位	运　　距（km）					增运1km
		1	2	3	4	5	
工　　长	工时						
高 级 工	工时						
中 级 工	工时						
初 级 工	工时	1.6	1.6	1.6	1.6	1.6	
合　　计	工时	1.6	1.6	1.6	1.6	1.6	
零星材料费	%	2	2	2	2	2	
装 载 机　$7m^3$	台时	0.31	0.31	0.31	0.31	0.31	
推 土 机　88kW	台时	0.16	0.16	0.16	0.16	0.16	
自卸汽车　32t	台时	2.13	2.66	3.16	3.62	4.07	0.41
45t	台时	1.66	2.03	2.38	2.70	3.02	0.29
65t	台时	1.37	1.66	1.94	2.20	2.44	0.23
77t	台时	1.21	1.46	1.69	1.90	2.11	0.19
编　　号		10425	10426	10427	10428	10429	10430

一－37 9.6m³ 装载机挖装土自卸汽车运输

适用范围：Ⅲ类土、露天作业。

工作内容：挖装、运输、卸除、空回。

单位：100m³

项目		单位	运距 (km)					增运 1km
			1	2	3	4	5	
工长		工时						
高级工		工时						
中级工		工时						
初级工		工时	1.3	1.3	1.3	1.3	1.3	
合计		工时	1.3	1.3	1.3	1.3	1.3	
零星材料费		%	2	2	2	2	2	
装载机	9.6m³	台时	0.24	0.24	0.24	0.24	0.24	
推土机	88kW	台时	0.12	0.12	0.12	0.12	0.12	
自卸汽车	45t	台时	1.59	1.97	2.31	2.64	2.95	0.29
	65t	台时	1.32	1.62	1.89	2.15	2.39	0.23
	77t	台时	1.11	1.37	1.60	1.81	2.02	0.19
	108t	台时	0.92	1.10	1.28	1.44	1.60	0.14
编号			10431	10432	10433	10434	10435	10436

一－38 10.7m³ 装载机挖装土自卸汽车运输

适用范围：Ⅲ类土、露天作业。

工作内容：挖装、运输、卸除、空回。

单位：100m³

项目		单位	运距（km）					增运1km
			1	2	3	4	5	
工长		工时						
高级工		工时						
中级工		工时						
初级工		工时	1.2	1.2	1.2	1.2	1.2	
合计		工时	1.2	1.2	1.2	1.2	1.2	
零星材料费		%	2	2	2	2	2	
装载机	10.7m³	台时	0.22	0.22	0.22	0.22	0.22	
推土机	88kW	台时	0.11	0.11	0.11	0.11	0.11	
自卸汽车	45t	台时	1.58	1.95	2.30	2.62	2.92	0.29
	65t	台时	1.26	1.56	1.83	2.09	2.34	0.23
	77t	台时	1.10	1.35	1.58	1.78	1.96	0.19
	108t	台时	0.88	1.07	1.24	1.40	1.56	0.14
编号			10437	10438	10439	10440	10441	10442

一－39　0.6m³液压反铲挖掘机挖渠道土方自卸汽车运输

适用范围：Ⅲ类土，上口宽小于16m的土渠。

工作内容：机械开挖，装汽车运土，人工配合挖保护层，胶轮车倒运土50m，修边、修底等。

单位：100m³

项目		单位	运距(km)					增运1km
			1	2	3	4	5	
工长		工时						
高级工		工时						
中级工		工时						
初级工		工时	42.6	42.6	42.6	42.6	42.6	
合计		工时	42.6	42.6	42.6	42.6	42.6	
零星材料费		%	3	3	3	3	3	
反铲挖掘机	0.6m³	台时	1.48	1.48	1.48	1.48	1.48	
推土机	59kW	台时	0.74	0.74	0.74	0.74	0.74	
自卸汽车	3.5t	台时	14.97	19.67	23.99	28.07	31.97	3.60
	5t	台时	10.20	13.25	16.05	18.69	21.22	2.33
胶轮车		台时	9.36	9.36	9.36	9.36	9.36	
编号			10443	10444	10445	10446	10447	10448

一－40　1m³ 液压反铲挖掘机挖渠道土方自卸汽车运输

适用范围：Ⅲ类土，上口宽小于 16m 的土渠。

工作内容：机械开挖，装汽车运土，人工配合挖保护层，胶轮车倒运土 50m，修边、修底等。

单位：100m³

项目		单位	运距（km）					增运1km
			1	2	3	4	5	
工长		工时						
高级工		工时						
中级工		工时						
初级工		工时	39.4	39.4	39.4	39.4	39.4	
合计		工时	39.4	39.4	39.4	39.4	39.4	
零星材料费		%	3	3	3	3	3	
反铲挖掘机	1m³	台时	1.00	1.00	1.00	1.00	1.00	
推土机	59kW	台时	0.50	0.50	0.50	0.50	0.50	
自卸汽车	5t	台时	9.83	12.87	15.67	18.31	20.84	2.33
	8t	台时	6.50	8.40	10.15	11.80	13.38	1.46
	10t	台时	6.05	7.66	9.14	10.54	11.88	1.23
胶轮车		台时	9.36	9.36	9.36	9.36	9.36	
编号			10449	10450	10451	10452	10453	10454

一－41　2m³ 液压反铲挖掘机挖渠道土方自卸汽车运输

适用范围：Ⅲ类土，上口宽小于16m的土渠。

工作内容：机械开挖，装汽车运土，人工配合挖保护层，胶轮车倒运土50m，修边、修底等。

单位：$100m^3$

项目		单位	运距（km）					增运1km
			1	2	3	4	5	
工长		工时						
高级工		工时						
中级工		工时						
初级工		工时	37.0	37.0	37.0	37.0	37.0	
合计		工时	37.0	37.0	37.0	37.0	37.0	
零星材料费		%	3	3	3	3	3	
反铲挖掘机	$2m^3$	台时	0.64	0.64	0.64	0.64	0.64	
推土机	59kW	台时	0.32	0.32	0.32	0.32	0.32	
自卸汽车	8t	台时	6.11	8.02	9.77	11.42	13.00	1.46
	10t	台时	5.57	7.19	8.67	10.07	11.40	1.23
	12t	台时	5.05	6.46	7.75	8.98	10.15	1.08
	15t	台时	4.17	5.30	6.34	7.31	8.25	0.86
	18t	台时	3.82	4.76	5.63	6.44	7.22	0.72
	20t	台时	3.53	4.39	5.19	5.94	6.67	0.66
胶轮车		台时	9.36	9.36	9.36	9.36	9.36	
编号			10455	10456	10457	10458	10459	10460

一-42 胶带机运土

工作内容:看管、操作、检查、掌握漏斗下料、清理胶带机和移动等。

单位:100m³

项目		单位	心、斜墙土料	一般土料
工长		工时		
高级工		工时		
中级工		工时		
初级工		工时	4.2	2.8
合计		工时	4.2	2.8
零星材料费		%	10	10
胶带输送机	800mm	组时	1.35	0.90
	1000mm	组时	1.10	0.70
	1200mm	组时	0.85	0.55
	1400mm	组时	0.65	0.40
编号			10461	10462

注:胶带机长度按运距配置。

一－43　土料翻晒

适用范围:土料含水量大,在料场翻晒堆存。

工作内容:犁土、耙碎、翻晒、拢堆集料。

单位:100m³

项　　目	单位	机械施工
工　　长	工时	
高 级 工	工时	
中 级 工	工时	
初 级 工	工时	32.2
合　　计	工时	32.2
零星材料费	%	5
三 铧 犁	台时	0.95
拖 拉 机　59kW	台时	0.95
缺 口 耙	台时	1.90
拖 拉 机　55kW	台时	1.90
推 土 机　59kW	台时	1.90
编　　号		10463

一－44　建筑物回填土石

工作内容:1.松填不夯实:包括5m以内取土(石渣)回填。

2.夯填土:包括5m内取土、倒土、平土、洒水、夯实(干密度1.6g/cm³以下)。

单位:100m³实方

项目	单位	土方回填		石方回填
		松填不夯实	机械夯实	松填不夯实
工长	工时	1.6	4.6	3.8
高级工	工时			
中级工	工时			
初级工	工时	78.2	226.4	187.3
合计	工时	79.8	231.0	191.1
零星材料费	%	5	5	5
蛙式打夯机	台时		14.4	
编号		10464	10465	10466

一－45 自行式凸块振动碾压实

适用范围：坝体、堤防土料，自行式凸块振动碾压实。

工作内容：推平、刨毛、压实、削坡、洒水、补边夯、辅助工作。

单位：100m^3 实方

项目	单位	土料	
		干密度（kN/m^3）	
		≤16.67	＞16.67
工长	工时		
高级工	工时		
中级工	工时		
初级工	工时	20.2	21.2
合计	工时	20.2	21.2
零星材料费	%	10	10
凸块振动碾 13.5t	组时	0.79	0.99
推土机 74kW	台时	0.50	0.50
蛙式打夯机 2.8kW	台时	1.00	1.00
刨毛机	台时	0.50	0.50
其他机械费	%	1	1
编号		10467	10468

一－46 羊脚碾压实

适用范围:坝体、堤防土料,拖拉机牵引羊脚碾压实。

工作内容:推平、刨毛、压实、削坡、洒水、补边夯、辅助工作。

单位:100m³ 实方

项目	单位	土料	
		干密度（kN/m³）	
		≤16.67	>16.67
工长	工时		
高级工	工时		
中级工	工时		
初级工	工时	24.5	26.9
合计	工时	24.5	26.9
零星材料费	%	10	10
羊脚碾 5～7t 拖拉机 59kW	组时	1.66	2.13
8～12t 74kW	组时	1.19	1.54
推土机 74kW	台时	0.50	0.50
蛙式打夯机 2.8kW	台时	1.00	1.00
刨毛机	台时	0.50	0.50
其他机械费	%	1	1
编号		10469	10470

一－47 轮胎碾压实

适用范围：坝体、堤防土料，拖拉机牵引轮胎碾压实。

工作内容：推平、刨毛、压实、削坡、洒水、补边夯、辅助工作。

单位：100m³ 实方

项目	单位	土料	
		干密度 (kN/m³)	
		≤16.67	>16.67
工长	工时		
高级工	工时		
中级工	工时		
初级工	工时	21.2	23.1
合计	工时	21.2	23.1
零星材料费	%	10	10
轮胎碾 9～16t 拖拉机 74kW	组时	0.99	1.38
推土机 74kW	台时	0.50	0.50
蛙式打夯机 2.8kW	台时	1.00	1.00
刨毛机	台时	0.50	0.50
其他机械费	%	1	1
编号		10471	10472

一－48 拖拉机压实

适用范围:堤防土料,履带拖拉机碾压。

工作内容:推平、刨毛、压实、削坡、洒水、补边夯、辅助工作。

单位:100m³ 实方

项目	单位	土料	
		干密度 (kN/m³)	
		≤16.67	>16.67
工长	工时		
高级工	工时		
中级工	工时		
初级工	工时	20.0	23.0
合计	工时	20.0	23.0
零星材料费	%	10	10
拖拉机 74kW	台时	1.89	2.43
推土机 74kW	台时	0.50	0.50
蛙式打夯机 2.8kW	台时	1.00	1.00
刨毛机	台时	0.50	0.50
其他机械费	%	1	1
编号		10473	10474

一－49 土隧洞木支撑

工作内容：制作、安装、拆除。

单位：每延长米

项目	单位	隧洞断面（m^2）		
		<5	5～10	10～20
工长	工时			
高级工	工时			
中级工	工时			
初级工	工时	13.3	16.8	21.0
合计	工时	13.3	16.8	21.0
原木	m^3	0.22	0.45	0.61
锯材	m^3	0.80	1.17	1.62
铁件	kg	1.39	1.74	2.28
其他材料费	%	2	2	2
载重汽车 5t	台时	0.30	0.48	0.60
胶轮车	台时	1.26	1.92	2.70
编号		10475	10476	10477

注：本定额原木、锯材是按一次使用量拟定的，编制预算时应按周转摊销和残值回收确定预算量。

第二章

石方工程

说　明

一、本章包括一般石方、保护层、沟槽、坑挖、平洞、斜井、竖井、预裂爆破等石方开挖和石渣运输定额共56节。

二、本章计量单位,除注明外,均按自然方计。

三、一般石方开挖定额,适用于一般明挖石方工程;底宽超过7m的沟槽;上口大于160m²的石方坑挖工程;倾角小于或等于20°,开挖厚度大于5m(垂直于设计面的平均厚度)的坡面石方开挖。

四、一般坡面石方开挖定额,适用于设计倾角大于20°和厚度5m以内的石方开挖。

五、保护层石方开挖定额,适用于设计规定不允许破坏岩层结构的石方开挖工程,如河床坝基、两岸坝基、发电厂基础、消能池、廊道等工程连接岩基部分,厚度按设计规定计算。

六、沟槽石方开挖定额,适用于底宽小于或等于7m、两侧垂直或有边坡的长条形石方开挖工程。如渠道、截水槽、排水沟、地槽等。底宽超过7m的按一般石方开挖定额计算,有保护层的,按一般石方和保护层比例综合计算。

七、坡面沟槽石方开挖定额,适用于槽底轴线与水平夹角大于20°的沟槽石方开挖工程。

八、坑石方开挖定额,适用于上口面积小于或等于160m²、深度小于或等于上口短边长度或直径的工程。如集水坑、墩基、柱基、机座、混凝土基坑等。上口面积大于160m²的坑挖工程按一般石方开挖定额计算,有保护层的,按一般石方和保护层比例综合计算。

九、平洞石方开挖定额，适用于洞轴线与水平夹角小于或等于6°的洞挖工程。

十、斜井石方开挖定额，适用于水平夹角为45°～75°的井挖工程。水平夹角6°～45°的斜井，按斜井石方开挖定额乘0.90系数计算。

十一、竖井石方开挖定额，适用于水平夹角大于75°、上口面积大于5m^2、深度大于上口短边长度或直径的石方开挖工程。如调压井、闸门井等。

十二、洞、井石方开挖定额中各子目标示的断面积系指设计开挖断面积，不包括超挖部分。规范允许超挖部分的工程量，应执行本章二－29、30、31节超挖定额。

十三、平洞、斜井、竖井、地下厂房石方开挖已考虑光面爆破。

十四、炸药价格的计取

1.一般石方开挖，按2号岩石铵锑炸药计算。

2.边坡、坑、沟槽、保护层石方开挖，按2号岩石铵锑炸药和4号抗水岩石铵锑炸药各半计算。

3.洞挖(平洞、斜井、竖井、地下厂房)按4号抗水岩石铵锑炸药计算。

十五、炸药加工费(大包改小)所需工料已包括在本章定额中。炸药预算价格一律按1～9kg包装的炸药计算。

十六、石方洞(井)开挖中通风机台时量系按一个工作面长400m拟定。如超过400m，按表2-1通风系数表计算。

十七、挖掘机或装载机装石渣、自卸汽车运输定额露天与洞内的区分，按挖掘机或装载机装车地点确定。

十八、当岩石级别大于ⅩⅣ级时，可按相应各节ⅩⅢ－ⅩⅣ级岩石的定额乘以表2-2调整系数计算。

十九、预裂爆破、防震孔、插筋孔均适用于露天施工，若为地下工程，定额中人工、机械应乘以1.15系数。

表 2-1　　　　通风系数表

隧洞工作面长 (m)	系　数
400	1.00
500	1.20
600	1.33
700	1.43
800	1.50
900	1.67
1000	1.80
1100	1.91
1200	2.00
1300	2.15
1400	2.29
1500	2.40
1600	2.50
1700	2.65
1800	2.78
1900	2.90
2000	3.00

表 2-2　　　　调整系数

项　目	人　工	材　料	机　械
风钻为主各节定额	1.30	1.10	1.40
潜孔钻为主各节定额	1.20	1.10	1.30
液压钻、多臂钻为主各节定额	1.15	1.10	1.15

二十、斜井或竖井石渣运输定额中的绞车规格按表 2-3、表 2-4 选择。

表 2-3　竖井绞车选型表

<table>
<tr><td colspan="2">竖井井深　(m)</td><td>≤50</td><td>50～100</td><td>>100</td></tr>
<tr><td rowspan="2">单筒绞车</td><td>卷筒 $\Phi\times B$(m)</td><td colspan="2">2.0×1.5</td><td rowspan="4">参考冶金、煤炭建井定额</td></tr>
<tr><td>功率(kW)</td><td>30</td><td>55</td></tr>
<tr><td rowspan="2">双筒绞车</td><td>卷筒 $\Phi\times B$(m)</td><td colspan="2">2.0×1.5</td></tr>
<tr><td>功率(kW)</td><td colspan="2">30</td></tr>
</table>

表 2-4　斜井绞车选型表

<table>
<tr><td colspan="3">斜井井深　(m)</td><td>≤140</td><td>140～300</td><td>300～500</td><td>500～700</td><td>700～900</td></tr>
<tr><td rowspan="6">单筒绞车</td><td rowspan="2">≤10°</td><td>卷筒 $\Phi\times B$(m)</td><td colspan="3">1.2×1.0</td><td colspan="2">1.6×1.2</td></tr>
<tr><td>功率(kW)</td><td colspan="3">30</td><td colspan="2">75</td></tr>
<tr><td rowspan="2">10°～20°</td><td>卷筒 $\Phi\times B$(m)</td><td colspan="3">1.2×1.0</td><td colspan="2">1.6×1.2</td></tr>
<tr><td>功率(kW)</td><td colspan="2">30</td><td colspan="2">75</td><td>110</td></tr>
<tr><td rowspan="2">20°～30°</td><td>卷筒 $\Phi\times B$(m)</td><td colspan="2">1.2×1.0</td><td colspan="2">1.6×1.2</td><td>2.0×1.5</td></tr>
<tr><td>功率(kW)</td><td colspan="2">30</td><td>75</td><td>110</td><td>155</td></tr>
<tr><td rowspan="6">双筒绞车</td><td rowspan="2">≤10°</td><td>卷筒 $\Phi\times B$(m)</td><td colspan="3">1.2×1.0</td><td colspan="2">1.6×1.2</td></tr>
<tr><td>功率(kW)</td><td colspan="3">30</td><td colspan="2">75</td></tr>
<tr><td rowspan="2">10°～20°</td><td>卷筒 $\Phi\times B$(m)</td><td colspan="3">1.2×1.0</td><td colspan="2">1.6×1.2</td></tr>
<tr><td>功率(kW)</td><td colspan="2">30</td><td>75</td><td>110</td><td>155</td></tr>
<tr><td rowspan="2">20°～30°</td><td>卷筒 $\Phi\times B$(m)</td><td colspan="2">1.2×1.0</td><td colspan="2">1.6×1.2</td><td>2.0×1.5</td></tr>
<tr><td>功率(kW)</td><td>30</td><td>55</td><td colspan="2">110</td><td>155</td></tr>
</table>

二-1 一般石方开挖——风钻钻孔

适用范围:一般明挖。

工作内容:钻孔、爆破、撬移、解小、翻渣、清面。

单位:100m³

项目	单位	岩石级别			
		Ⅴ-Ⅷ	Ⅸ-Ⅹ	Ⅺ-Ⅻ	ⅩⅢ-ⅩⅣ
工长	工时	1.4	1.8	2.3	3.0
高级工	工时				
中级工	工时	10.8	17.6	26.7	42.3
初级工	工时	57.7	70.1	84.3	105.8
合计	工时	69.9	89.5	113.3	151.1
合金钻头	个	0.99	1.69	2.48	3.55
炸药	kg	25.03	33.17	39.56	45.90
雷管	个	22.85	30.34	36.22	42.06
导线 火线	m	61.94	82.12	97.96	113.68
电线	m	113.01	149.80	178.67	207.33
其他材料费	%	18	18	18	18
风钻 手持式	台时	4.34	7.89	13.03	22.07
其他机械费	%	10	10	10	10
编号		20001	20002	20003	20004

二－2 一般石方开挖——80型潜孔钻钻孔

适用范围：潜孔钻钻孔，风钻配合。

工作内容：钻孔、爆破、撬移、解小、翻渣、清面。

(1) 孔深≤6m

单位：100m³

项目	单位	岩石级别			
		Ⅴ－Ⅷ	Ⅸ－Ⅹ	Ⅺ－Ⅻ	ⅩⅢ－ⅩⅣ
工长	工时	1.5	1.8	2.1	2.5
高级工	工时				
中级工	工时	9.8	12.3	14.5	17.0
初级工	工时	39.2	47.1	55.0	64.8
合计	工时	50.5	61.2	71.6	84.3
合金钻头	个	0.11	0.18	0.25	0.35
钻头 80型	个	0.28	0.43	0.61	0.85
冲击器	套	0.03	0.04	0.06	0.09
炸药	kg	44.54	51.61	58.06	65.25
火雷管	个	12.13	14.88	17.09	19.29
电雷管	个	11.20	13.01	14.72	16.68
导火线	m	25.47	31.26	35.89	40.52
导电线	m	69.68	79.12	87.94	97.97
其他材料费	%	22	22	22	22
风钻 手持式	台时	1.50	2.25	2.85	3.45
潜孔钻 80型	台时	4.01	5.77	7.96	11.14
其他机械费	%	10	10	10	10
编号		20005	20006	20007	20008

(2) 孔深 6～9m

单位:100m³

项目	单位	岩石级别			
		Ⅴ－Ⅷ	Ⅸ－Ⅹ	Ⅺ－Ⅻ	ⅩⅢ－ⅩⅣ
工长	工时	1.1	1.4	1.6	1.9
高级工	工时				
中级工	工时	7.8	10.0	12.0	14.2
初级工	工时	27.4	33.7	40.1	48.1
合计	工时	36.3	45.1	53.7	64.2
合金钻头	个	0.11	0.18	0.25	0.35
钻头 80型	个	0.23	0.35	0.50	0.71
冲击器	套	0.02	0.04	0.05	0.07
炸药	kg	40.69	47.17	53.06	59.64
火雷管	个	12.13	14.88	17.09	19.29
电雷管	个	9.78	11.41	12.94	14.70
导火线	m	25.47	31.26	35.89	40.52
导电线	m	91.00	104.30	116.60	130.70
其他材料费	%	22	22	22	22
风钻 手持式	台时	1.50	2.25	2.85	3.45
潜孔钻 80型	台时	3.31	4.82	6.69	9.42
其他机械费	%	10	10	10	10
编号		20009	20010	20011	20012

(3) 孔深>9m

单位:$100m^3$

项目	单位	岩石级别			
		Ⅴ-Ⅷ	Ⅸ-Ⅹ	Ⅺ-Ⅻ	ⅩⅢ-ⅩⅣ
工长	工时	0.8	1.0	1.3	1.5
高级工	工时				
中级工	工时	6.5	8.5	10.2	12.1
初级工	工时	19.7	24.9	30.2	37.0
合计	工时	27.0	34.4	41.7	50.6
合金钻头	个	0.11	0.18	0.25	0.35
钻头 80型	个	0.19	0.30	0.42	0.59
冲击器	套	0.02	0.03	0.04	0.06
炸药	kg	37.19	43.12	48.52	54.53
火雷管	个	12.13	14.88	17.09	19.29
电雷管	个	8.35	9.80	11.16	12.72
导火线	m	25.47	31.26	35.89	40.52
导电线	m	103.40	119.70	134.90	152.20
其他材料费	%	22	22	22	22
风钻 手持式	台时	1.50	2.25	2.85	3.45
潜孔钻 80型	台时	2.75	4.04	5.65	8.02
其他机械费	%	10	10	10	10
编号		20013	20014	20015	20016

二－3　一般石方开挖——100 型潜孔钻钻孔

适用范围：潜孔钻钻孔，风钻配合。

工作内容：钻孔、爆破、撬移、解小、翻渣、清面。

(1)　孔深≤6m

单位：100m³

项　　目	单位	岩石级别			
		Ⅴ－Ⅷ	Ⅸ－Ⅹ	Ⅺ－Ⅻ	ⅩⅢ－ⅩⅣ
工　　长	工时	1.3	1.6	1.9	2.2
高 级 工	工时				
中 级 工	工时	8.6	10.8	12.7	14.7
初 级 工	工时	34.9	41.4	47.6	55.1
合　　计	工时	44.8	53.8	62.2	72.0
合金钻头	个	0.11	0.18	0.25	0.35
钻　　头　100 型	个	0.18	0.28	0.40	0.56
冲 击 器	套	0.02	0.03	0.04	0.06
炸　　药	kg	48.77	56.51	63.56	71.43
火 雷 管	个	12.13	14.88	17.09	19.29
电 雷 管	个	7.20	8.32	9.39	10.61
导 火 线	m	25.47	31.26	35.89	40.52
导 电 线	m	48.96	55.12	60.88	67.44
其他材料费	%	22	22	22	22
风　　钻　手持式	台时	1.50	2.25	2.85	3.45
潜 孔 钻　100 型	台时	2.40	3.52	4.91	6.96
其他机械费	%	10	10	10	10
编　　号		20017	20018	20019	20020

(2) 孔深6～9m

单位:100m³

项目	单位	岩石级别			
		Ⅴ－Ⅷ	Ⅸ－Ⅹ	Ⅺ－Ⅻ	ⅩⅢ－ⅩⅣ
工长	工时	0.9	1.2	1.4	1.6
高级工	工时				
中级工	工时	6.9	8.8	10.4	12.3
初级工	工时	23.7	28.7	33.6	39.4
合计	工时	31.5	38.7	45.4	53.3
合金钻头	个	0.11	0.18	0.25	0.35
钻头 100型	个	0.15	0.22	0.31	0.44
冲击器	套	0.02	0.02	0.03	0.04
炸药	kg	44.54	51.61	58.06	65.25
火雷管	个	12.13	14.88	17.09	19.29
电雷管	个	6.29	7.31	8.28	9.39
导火线	m	25.47	31.26	35.89	40.52
导电线	m	60.61	68.97	76.76	85.62
其他材料费	%	22	22	22	22
风钻 手持式	台时	1.50	2.25	2.85	3.45
潜孔钻 100型	台时	1.86	2.76	3.89	5.56
其他机械费	%	10	10	10	10
编号		20021	20022	20023	20024

(3) 孔深>9m

单位:100m³

项　　目	单位	岩石级别			
		Ⅴ－Ⅷ	Ⅸ－Ⅹ	Ⅺ－Ⅻ	ⅩⅢ－ⅩⅣ
工　　长	工时	0.7	0.9	1.1	1.3
高 级 工	工时				
中 级 工	工时	6.0	7.8	9.4	11.1
初 级 工	工时	17.2	21.4	25.6	30.6
合　　计	工时	23.9	30.1	36.1	43.0
合金钻头	个	0.11	0.18	0.25	0.35
钻　　头 100型	个	0.13	0.19	0.27	0.38
冲 击 器	套	0.01	0.02	0.03	0.04
炸　　药	kg	40.69	47.17	53.06	59.64
火 雷 管	个	12.13	14.88	17.09	19.29
电 雷 管	个	5.38	6.30	7.17	8.16
导 火 线	m	25.47	31.26	35.89	40.52
导 电 线	m	70.40	81.07	91.03	102.40
其他材料费	%	22	22	22	22
风　　钻 手持式	台时	1.50	2.25	2.85	3.45
潜 孔 钻 100型	台时	1.58	2.38	3.39	4.88
其他机械费	%	10	10	10	10
编　　号		20025	20026	20027	20028

二－4　一般石方开挖——150型潜孔钻钻孔

适用范围：潜孔钻钻孔，风钻配合。

工作内容：钻孔、爆破、撬移、解小、翻渣、清面。

(1)　孔深≤6m

单位：$100m^3$

项目	单位	岩石级别			
		Ⅴ－Ⅷ	Ⅸ－Ⅹ	Ⅺ－Ⅻ	ⅩⅢ－ⅩⅣ
工长	工时	1.2	1.5	1.7	1.9
高级工	工时				
中级工	工时	7.6	9.6	11.2	13.0
初级工	工时	31.8	37.3	42.3	48.0
合计	工时	40.6	48.4	55.2	62.9
合金钻头	个	0.11	0.18	0.25	0.35
钻头　150型	个	0.06	0.09	0.12	0.17
冲击器	套	0.01	0.01	0.01	0.02
炸药	kg	53.43	61.89	69.61	78.23
火雷管	个	12.13	14.88	17.09	19.29
电雷管	个	4.38	5.02	5.63	6.34
导火线	m	25.47	31.26	35.89	40.52
导电线	m	34.87	38.67	42.26	46.36
其他材料费	%	18	18	18	18
风钻　手持式	台时	1.50	2.25	2.85	3.45
潜孔钻　150型	台时	1.34	1.98	2.80	4.01
其他机械费	%	10	10	10	10
编号		20029	20030	20031	20032

(2) 孔深 6～9m

单位:100m³

项目	单位	岩石级别			
		Ⅴ－Ⅷ	Ⅸ－Ⅹ	Ⅺ－Ⅻ	ⅩⅢ－ⅩⅣ
工长	工时	0.9	1.1	1.2	1.4
高级工	工时				
中级工	工时	6.2	8.0	9.6	11.2
初级工	工时	21.6	25.9	29.8	34.4
合计	工时	28.7	35.0	40.6	47.0
合金钻头	个	0.11	0.18	0.25	0.35
钻头 150型	个	0.05	0.07	0.10	0.14
冲击器	套	0.01	0.01	0.01	0.01
炸药	kg	48.77	56.51	63.56	71.43
火雷管	个	12.13	14.88	17.09	19.29
电雷管	个	3.82	4.41	4.97	5.62
导火线	m	25.47	31.26	35.89	40.52
导电线	m	45.21	50.82	56.05	62.01
其他材料费	%	18	18	18	18
风钻 手持式	台时	1.50	2.25	2.85	3.45
潜孔钻 150型	台时	1.09	1.64	2.34	3.38
其他机械费	%	10	10	10	10
编号		20033	20034	20035	20036

(3) 孔深>9m

单位:100m³

项　　目	单位	岩石级别			
		Ⅴ－Ⅷ	Ⅸ－Ⅹ	Ⅺ－Ⅻ	ⅩⅢ－ⅩⅣ
工　　长	工时	0.6	0.8	0.9	1.1
高 级 工	工时				
中 级 工	工时	5.4	7.1	8.6	10.0
初 级 工	工时	15.2	18.7	21.9	25.7
合　　计	工时	21.2	26.6	31.4	36.8
合金钻头	个	0.11	0.18	0.25	0.35
钻　　头 150型	个	0.04	0.06	0.08	0.11
冲 击 器	套	0.01	0.01	0.01	0.01
炸　　药	kg	44.54	51.61	58.06	65.25
火 雷 管	个	12.13	14.88	17.09	19.29
电 雷 管	个	3.26	3.80	4.30	4.90
导 火 线	m	25.47	31.26	35.89	40.52
导 电 线	m	47.14	53.79	59.98	67.03
其他材料费	%	18	18	18	18
风　　钻 手持式	台时	1.50	2.25	2.85	3.45
潜 孔 钻 150型	台时	0.83	1.28	1.86	2.72
其他机械费	%	10	10	10	10
编　　号		20037	20038	20039	20040

二－5 一般石方开挖——Φ64～76mm 液压钻钻孔

适用范围:液压履带钻钻孔,风钻配合。

工作内容:钻孔、爆破、撬移、解小、翻渣、清面。

(1) 孔深≤6m

单位:100m³

项目	单位	岩石级别			
		Ⅴ－Ⅷ	Ⅸ－Ⅹ	Ⅺ－Ⅻ	ⅩⅢ－ⅩⅣ
工长	工时	1.3	1.5	1.7	1.9
高级工	工时				
中级工	工时	9.1	11.4	13.2	15.2
初级工	工时	33.0	38.2	42.5	47.1
合计	工时	43.4	51.1	57.4	64.2
合金钻头	个	0.11	0.18	0.25	0.35
钻头 Φ64～76	个	0.05	0.06	0.07	0.09
钻杆	m	0.07	0.09	0.10	0.11
炸药	kg	42.52	49.28	55.44	62.31
火雷管	个	12.13	14.88	17.09	19.29
电雷管	个	11.60	13.49	15.27	17.30
导火线	m	25.47	31.26	35.89	40.52
导电线	m	71.55	81.32	90.44	100.82
其他材料费	%	20	20	20	20
风钻 手持式	台时	1.50	2.25	2.85	3.45
液压履带钻	台时	0.53	0.69	0.87	1.07
其他机械费	%	10	10	10	10
编号		20041	20042	20043	20044

(2) 孔深 6～9m

单位:100m³

项　　目	单位	岩石级别			
		Ⅴ－Ⅷ	Ⅸ－Ⅹ	Ⅺ－Ⅻ	ⅩⅢ－ⅩⅣ
工　　长	工时	0.9	1.1	1.2	1.4
高 级 工	工时				
中 级 工	工时	7.2	9.1	10.8	12.5
初 级 工	工时	22.2	26.1	29.5	32.9
合　　计	工时	30.3	36.3	41.5	46.8
合金钻头	个	0.11	0.18	0.25	0.35
钻　　头　Φ64～76	个	0.04	0.05	0.06	0.07
钻　　杆	m	0.06	0.07	0.08	0.09
炸　　药	kg	38.85	45.05	50.68	56.96
火 雷 管	个	12.13	14.88	17.09	19.29
电 雷 管	个	10.40	12.14	13.78	15.66
导 火 线	m	25.47	31.26	35.89	40.52
导 电 线	m	94.15	107.96	120.83	135.48
其他材料费	%	20	20	20	20
风　　钻　手持式	台时	1.50	2.25	2.85	3.45
液压履带钻	台时	0.44	0.58	0.72	0.89
其他机械费	%	10	10	10	10
编　　号		20045	20046	20047	20048

(3) 孔深>9m

单位:100m³

项目	单位	岩石级别			
		Ⅴ－Ⅷ	Ⅸ－Ⅹ	Ⅺ－Ⅻ	ⅩⅢ－ⅩⅣ
工　　长	工时	0.7	0.8	1.0	1.1
高 级 工	工时				
中 级 工	工时	6.2	8.0	9.5	11.1
初 级 工	工时	15.9	19.2	21.9	24.8
合　　计	工时	22.8	28.0	32.4	37.0
合金钻头	个	0.11	0.18	0.25	0.35
钻　　头　Φ64～76	个	0.04	0.04	0.05	0.06
钻　　杆	m	0.05	0.06	0.07	0.08
炸　　药	kg	35.52	41.20	46.35	52.10
火 雷 管	个	12.13	14.88	17.09	19.29
电 雷 管	个	9.20	10.79	12.29	14.01
导 火 线	m	25.47	31.26	35.89	40.52
导 电 线	m	113.22	131.11	147.82	166.87
其他材料费	%	20	20	20	20
风　　钻　手持式	台时	1.50	2.25	2.85	3.45
液压履带钻	台时	0.43	0.56	0.71	0.87
其他机械费	%	10	10	10	10
编　　号		20049	20050	20051	20052

二-6 一般石方开挖——Φ89～102mm 液压钻钻孔

适用范围:液压履带钻钻孔,风钻配合。

工作内容:钻孔、爆破、撬移、解小、翻渣、清面。

(1) 孔深≤6m

单位:100m³

项目	单位	岩石级别			
		Ⅴ-Ⅷ	Ⅸ-Ⅹ	Ⅺ-Ⅻ	ⅩⅢ-ⅩⅣ
工长	工时	1.3	1.5	1.6	1.8
高级工	工时				
中级工	工时	8.4	10.5	12.3	14.2
初级工	工时	32.0	36.9	41.0	45.4
合计	工时	41.7	48.9	54.9	61.4
合金钻头	个	0.11	0.18	0.25	0.35
钻头 Φ89～102	个	0.03	0.04	0.05	0.05
钻杆	m	0.05	0.05	0.06	0.07
炸药	kg	48.77	56.51	63.56	71.43
火雷管	个	12.13	14.88	17.09	19.29
电雷管	个	7.20	8.32	9.39	10.61
导火线	m	25.47	31.26	35.89	40.52
导电线	m	48.96	55.12	60.88	67.44
其他材料费	%	20	20	20	20
风钻 手持式	台时	1.50	2.25	2.85	3.45
液压履带钻	台时	0.48	0.62	0.79	1.01
其他机械费	%	10	10	10	10
编号		20053	20054	20055	20056

(2) 孔深6～9m

单位:100m³

项目	单位	岩石级别			
		Ⅴ－Ⅷ	Ⅸ－Ⅹ	Ⅺ－Ⅻ	ⅩⅢ－ⅩⅣ
工长	工时	0.9	1.0	1.2	1.3
高级工	工时				
中级工	工时	6.7	8.6	10.2	11.8
初级工	工时	21.4	25.2	28.3	31.7
合计	工时	29.0	34.8	39.7	44.8
合金钻头	个	0.11	0.18	0.25	0.35
钻头 Φ89～102	个	0.02	0.03	0.04	0.04
钻杆	m	0.04	0.04	0.05	0.06
炸药	kg	44.54	51.61	58.06	65.25
火雷管	个	12.13	14.88	17.09	19.29
电雷管	个	6.31	7.33	8.30	9.42
导火线	m	25.47	31.26	35.89	40.52
导电线	m	60.61	68.97	76.76	85.62
其他材料费	%	20	20	20	20
风钻 手持式	台时	1.50	2.25	2.85	3.45
液压履带钻	台时	0.38	0.49	0.62	0.80
其他机械费	%	10	10	10	10
编号		20057	20058	20059	20060

(3) 孔深>9m

单位:100m³

项目	单位	岩石级别			
		Ⅴ-Ⅷ	Ⅸ-Ⅹ	Ⅺ-Ⅻ	ⅩⅢ-ⅩⅣ
工长	工时	0.7	0.8	0.9	1.1
高级工	工时				
中级工	工时	5.9	7.7	9.2	10.7
初级工	工时	15.4	18.5	21.2	24.0
合计	工时	22.0	27.0	31.3	35.8
合金钻头	个	0.11	0.18	0.25	0.35
钻头 Φ89~102	个	0.02	0.03	0.03	0.04
钻杆	m	0.03	0.04	0.04	0.05
炸药	kg	40.69	47.17	53.06	59.64
火雷管	个	12.13	14.88	17.09	19.29
电雷管	个	5.41	6.34	7.21	8.22
导火线	m	25.47	31.26	35.89	40.52
导电线	m	68.82	79.45	89.37	100.67
其他材料费	%	20	20	20	20
风钻 手持式	台时	1.50	2.25	2.85	3.45
液压履带钻	台时	0.37	0.47	0.60	0.77
其他机械费	%	10	10	10	10
编号		20061	20062	20063	20064

二－7 一般坡面石方开挖

适用范围：设计倾角20°～40°，平均厚度5m以下，无保护层。

工作内容：钻孔、爆破、撬移、解小、翻渣、清面。

单位：100m³

项目		单位	岩石级别			
			Ⅴ－Ⅷ	Ⅸ－Ⅹ	Ⅺ－Ⅻ	ⅩⅢ－ⅩⅣ
工长		工时	2.8	3.3	3.9	4.8
高级工		工时				
中级工		工时	14.1	21.6	31.3	47.5
初级工		工时	122.5	140.9	160.1	186.8
合计		工时	139.4	165.8	195.3	239.1
合金钻头		个	0.99	1.69	2.48	3.55
炸药		kg	25.03	33.17	39.56	45.90
雷管		个	22.85	30.34	36.22	42.06
导线	火线	m	61.94	82.12	97.96	113.68
	电线	m	113.01	149.80	178.67	207.33
其他材料费		%	18	18	18	18
风钻	手持式	台时	4.83	8.53	13.80	22.96
其他机械费		%	10	10	10	10
编号			20065	20066	20067	20068

二－8 底部保护层石方开挖

适用范围：设计倾角20°以下。

工作内容：钻孔、爆破、撬移、解小、翻渣、清面。

单位：100m³

项目	单位	岩石级别			
		Ⅴ－Ⅷ	Ⅸ－Ⅹ	Ⅺ－Ⅻ	ⅩⅢ－ⅩⅣ
工长	工时	4.5	6.0	7.7	10.3
高级工	工时				
中级工	工时	58.8	85.2	117.4	166.9
初级工	工时	162.8	209.5	262.3	338.2
合计	工时	226.1	300.7	387.4	515.4
合金钻头	个	3.35	5.46	7.83	11.00
炸药	kg	49.11	63.14	74.02	84.76
火雷管	个	334.08	417.75	481.65	544.32
导火线	m	486.58	609.27	703.05	795.04
其他材料费	%	6	6	6	6
风钻 手持式	台时	12.49	21.48	34.29	56.51
其他机械费	%	10	10	10	10
编号		20069	20070	20071	20072

二－9 坡面保护层石方开挖

适用范围：设计倾角 20°～40°。

工作内容：钻孔、爆破、撬移、解小、翻渣、清面。

单位：100m³

项目	单位	岩石级别			
		Ⅴ－Ⅷ	Ⅸ－Ⅹ	Ⅺ－Ⅻ	ⅩⅢ－ⅩⅣ
工长	工时	6.9	8.6	10.5	13.2
高级工	工时				
中级工	工时	65.4	93.0	125.9	176.2
初级工	工时	270.2	326.2	386.1	469.2
合计	工时	342.5	427.8	522.5	658.6
合金钻头	个	3.35	5.46	7.83	11.00
炸药	kg	49.11	63.14	74.02	84.76
火雷管	个	334.08	417.75	481.65	544.32
导火线	m	486.58	609.27	703.05	795.04
其他材料费	%	6	6	6	6
风钻 手持式	台时	14.14	23.57	36.72	59.27
其他机械费	%	10	10	10	10
编号		20073	20074	20075	20076

二－10 沟槽石方开挖

适用范围：设计倾角20°以下。

工作内容：钻孔、爆破、撬移、解小、翻渣、清面、修整断面。

(1) 底宽≤1m

单位：$100m^3$

项目	单位	岩石级别			
		Ⅴ－Ⅷ	Ⅸ－Ⅹ	Ⅺ－Ⅻ	ⅩⅢ－ⅩⅣ
工长	工时	15.8	21.4	27.7	36.8
高级工	工时				
中级工	工时	212.1	306.4	417.8	584.8
初级工	工时	563.6	740.6	938.1	1215.9
合计	工时	791.5	1068.4	1383.6	1837.5
合金钻头	个	10.22	16.62	23.67	32.97
炸药	kg	159.21	201.80	232.87	262.80
火雷管	个	691.00	875.86	1010.73	1140.62
导火线	m	987.14	1251.23	1443.90	1629.46
其他材料费	%	3	3	3	3
风钻 手持式	台时	42.76	71.09	109.76	175.51
其他机械费	%	10	10	10	10
编号		20077	20078	20079	20080

(2) 底宽1~2m

单位:100m³

项目		单位	岩石级别			
			Ⅴ-Ⅷ	Ⅸ-Ⅹ	Ⅺ-Ⅻ	ⅩⅢ-ⅩⅣ
工长		工时	9.2	12.2	15.7	20.6
高级工		工时				
中级工		工时	111.5	161.7	221.4	311.6
初级工		工时	339.5	437.8	546.8	699.5
合计		工时	460.2	611.7	783.9	1031.7
合金钻头		个	5.19	8.44	12.02	16.75
炸药		kg	101.06	128.06	147.82	166.88
雷管		个	255.21	323.38	373.28	421.42
导线	火线	m	388.90	492.77	568.81	642.16
	电线	m	291.67	369.58	426.61	481.62
其他材料费		%	5	5	5	5
风钻	手持式	台时	22.84	38.20	59.30	95.29
其他机械费		%	10	10	10	10
编号			20081	20082	20083	20084

(3) 底宽2～4m

单位:100m³

项目		单位	岩石级别			
			Ⅴ－Ⅷ	Ⅸ－Ⅹ	Ⅺ－Ⅻ	ⅩⅢ－ⅩⅣ
工长		工时	5.1	6.7	8.5	11.1
高级工		工时				
中级工		工时	55.4	81.3	112.5	160.2
初级工		工时	192.9	245.4	303.3	384.5
合计		工时	253.4	333.4	424.3	555.8
合金钻头		个	2.69	4.44	6.39	8.99
炸药		kg	62.75	80.85	94.33	107.42
雷管		个	93.71	120.75	140.87	160.42
导线	火线	m	182.95	235.74	275.03	313.21
	电线	m	230.25	296.69	346.14	394.18
其他材料费		%	7	7	7	7
风钻	手持式	台时	11.83	20.10	31.54	51.12
其他机械费		%	10	10	10	10
编号			20085	20086	20087	20088

（4） 底宽4～7m

单位：100m³

项目		单位	岩石级别			
			Ⅴ－Ⅷ	Ⅸ－Ⅹ	Ⅺ－Ⅻ	ⅩⅢ－ⅩⅣ
工长		工时	3.8	4.9	6.1	7.9
高级工		工时				
中级工		工时	34.6	51.2	71.8	103.9
初级工		工时	153.1	188.9	228.1	282.8
合计		工时	191.5	245.0	306.0	394.6
合金钻头		个	1.79	2.94	4.22	5.92
炸药		kg	45.26	58.03	67.52	76.72
雷管		个	43.96	56.36	65.57	74.52
导线	火线	m	113.04	144.93	168.62	191.62
	电线	m	177.09	227.06	264.17	300.20
其他材料费		%	10	10	10	10
风钻	手持式	台时	8.52	14.54	22.92	37.30
其他机械费		%	10	10	10	10
编号			20089	20090	20091	20092

二－11 坡面沟槽石方开挖

适用范围：沟槽底部与水平面呈20°～40°倾角。

工作内容：钻孔、爆破、撬移、解小、翻渣、清面、修整断面。

（1）底宽≤1m

单位：$100m^3$

项目	单位	岩石级别			
		Ⅴ－Ⅷ	Ⅸ－Ⅹ	Ⅺ－Ⅻ	ⅩⅢ－ⅩⅣ
工长	工时	16.3	21.9	28.3	37.4
高级工	工时				
中级工	工时	224.3	321.7	435.2	604.5
初级工	工时	575.3	753.5	951.4	1230.0
合计	工时	815.9	1097.1	1414.9	1871.9
合金钻头	个	10.22	16.62	23.67	32.97
炸药	kg	159.21	201.80	232.87	262.80
火雷管	个	691.00	875.86	1010.73	1140.62
导火线	m	987.14	1251.23	1443.90	1629.46
其他材料费	%	3	3	3	3
风钻 手持式	台时	47.78	77.45	117.10	183.79
其他机械费	%	10	10	10	10
编号		20093	20094	20095	20096

（2） 底宽1～2m

单位:100m³

项目		单位	岩石级别			
			Ⅴ－Ⅷ	Ⅸ－Ⅹ	Ⅺ－Ⅻ	ⅩⅢ－ⅩⅣ
工长		工时	10.5	13.6	17.2	22.2
高级工		工时				
中级工		工时	118.8	170.6	231.4	322.9
初级工		工时	393.8	496.6	609.0	765.2
合计		工时	523.1	680.8	857.6	1110.3
合金钻头		个	5.19	8.44	12.02	16.75
炸药		kg	101.06	128.06	147.82	166.88
雷管		个	255.21	323.38	373.28	421.42
导线	火线	m	388.90	492.77	568.81	642.16
	电线	m	291.67	369.58	426.61	481.62
其他材料费		%	5	5	5	5
风钻	手持式	台时	25.39	41.43	63.03	99.49
其他机械费		%	10	10	10	10
编号			20097	20098	20099	20100

(3) 底宽2～4m

单位:100m³

项目		单位	岩石级别			
			Ⅴ－Ⅷ	Ⅸ－Ⅹ	Ⅺ－Ⅻ	ⅩⅢ－ⅩⅣ
工长		工时	7.2	9.0	11.0	13.8
高级工		工时				
中级工		工时	60.9	87.8	119.7	168.1
初级工		工时	292.8	353.9	418.8	506.9
合计		工时	360.9	450.7	549.5	688.8
合金钻头		个	2.69	4.44	6.39	8.99
炸药		kg	62.75	80.85	94.33	107.42
雷管		个	93.71	120.75	140.87	160.42
导线	火线	m	182.95	235.74	275.03	313.21
	电线	m	230.25	296.69	346.14	394.18
其他材料费		%	7	7	7	7
风钻	手持式	台时	13.14	21.80	33.52	53.38
其他机械费		%	10	10	10	10
编号			20101	20102	20103	20104

(4) 底宽 4～7m

单位:100m^3

项目			单位	岩石级别			
				Ⅴ－Ⅷ	Ⅸ－Ⅹ	Ⅺ－Ⅻ	ⅩⅢ－ⅩⅣ
工长			工时	5.9	7.2	8.6	10.5
高级工			工时				
中级工			工时	39.2	56.5	77.7	110.4
初级工			工时	252.3	296.6	342.6	404.2
合计			工时	297.4	360.3	428.9	525.1
合金钻头			个	1.79	2.94	4.22	5.92
炸药			kg	45.26	58.03	67.52	76.72
雷管			个	43.96	56.36	65.57	74.52
导	线	火线	m	113.04	144.93	168.62	191.62
		电线	m	177.09	227.06	264.17	300.20
其他材料费			%	10	10	10	10
风	钻	手持式	台时	9.40	15.67	24.23	38.79
其他机械费			%	10	10	10	10
编号				20105	20106	20107	20108

二－12 坑石方开挖

工作内容：钻孔、爆破、撬移、解小、翻渣、清面、修整断面。

(1) 坑口面积≤$2.5m^2$

单位：$100m^3$

项目	单位	岩石级别			
		Ⅴ－Ⅷ	Ⅸ－Ⅹ	Ⅺ－Ⅻ	ⅩⅢ－ⅩⅣ
工长	工时	23.9	33.0	42.6	55.9
高级工	工时				
中级工	工时	333.6	490.0	657.6	896.4
初级工	工时	836.5	1125.1	1429.6	1844.2
合计	工时	1194.0	1648.1	2129.8	2796.5
合金钻头	个	11.50	19.61	27.54	37.33
炸药	kg	289.69	386.95	440.42	483.68
火雷管	个	687.76	918.69	1045.64	1148.35
导火线	m	982.52	1312.41	1493.77	1640.50
其他材料费	%	2	2	2	2
风钻 手持式	台时	48.12	83.88	127.69	198.65
其他机械费	%	10	10	10	10
编号		20109	20110	20111	20112

(2) 坑口面积 2.5～5m²

单位:100m³

项　　目	单位	岩石级别			
		Ⅴ－Ⅷ	Ⅸ－Ⅹ	Ⅺ－Ⅻ	ⅩⅢ－ⅩⅣ
工　　长	工时	18.4	25.2	32.4	42.5
高 级 工	工时				
中 级 工	工时	240.5	355.6	480.7	661.3
初 级 工	工时	663.1	878.9	1107.3	1419.3
合　　计	工时	922.0	1259.7	1620.4	2123.1
合金钻头	个	8.53	14.52	20.38	27.60
炸　　药	kg	214.98	286.56	325.83	357.59
火 雷 管	个	382.79	510.25	580.18	636.73
导 火 线	m	619.76	826.12	939.34	1030.89
其他材料费	%	3	3	3	3
风　　钻　手持式	台时	37.56	65.76	100.51	156.94
其他机械费	%	10	10	10	10
编　　号		20113	20114	20115	20116

(3) 坑口面积 5～10m^2

单位:100m^3

项目		单位	岩石级别			
			Ⅴ－Ⅷ	Ⅸ－Ⅹ	Ⅺ－Ⅻ	ⅩⅢ－ⅩⅣ
工长		工时	12.1	16.2	20.7	26.8
高级工		工时				
中级工		工时	143.9	213.1	288.7	398.3
初级工		工时	448.5	582.7	723.9	915.9
合计		工时	604.5	812.0	1033.3	1341.0
合金钻头		个	6.36	10.81	15.16	20.52
炸药		kg	160.17	213.29	242.40	265.94
雷管		个	228.16	303.83	345.30	378.83
导线	火线	m	434.59	578.72	657.71	721.57
	电线	m	504.13	671.31	762.95	837.02
其他材料费		%	4	4	4	4
风钻	手持式	台时	27.98	48.94	74.77	116.72
其他机械费		%	10	10	10	10
编号			20117	20118	20119	20120

(4) 坑口面积 10～20m²

单位:100m³

项目		单位	岩石级别			
			Ⅴ－Ⅷ	Ⅸ－Ⅹ	Ⅺ－Ⅻ	ⅩⅢ－ⅩⅣ
工长		工时	7.4	10.1	13.0	17.2
高级工		工时				
中级工		工时	96.3	142.1	194.1	270.8
初级工		工时	264.8	350.7	444.2	574.1
合计		工时	368.5	502.9	651.3	862.1
合金钻头		个	4.20	7.09	10.10	13.96
炸药		kg	105.98	139.87	161.46	180.78
雷管		个	162.34	214.55	246.73	274.95
导线	火线	m	292.98	386.81	446.07	497.81
	电线	m	304.34	401.08	464.88	523.08
其他材料费		%	5	5	5	5
风钻	手持式	台时	18.49	32.10	49.82	79.38
其他机械费		%	10	10	10	10
编号			20121	20122	20123	20124

（5） 坑口面积 20～40m²

单位：100m³

项目		单位	岩石级别			
			Ⅴ－Ⅷ	Ⅸ－Ⅹ	Ⅺ－Ⅻ	ⅩⅢ－ⅩⅣ
工长		工时	5.5	7.5	9.8	13.2
高级工		工时				
中级工		工时	72.3	107.7	149.3	211.9
初级工		工时	195.9	260.8	333.0	435.2
合计		工时	273.7	376.0	492.1	660.3
合金钻头		个	3.25	5.50	7.90	11.05
炸药		kg	78.24	103.30	120.31	136.08
雷管		个	107.75	142.43	165.04	185.53
导线	火线	m	218.42	288.42	335.73	379.46
	电线	m	266.27	351.15	411.15	467.91
其他材料费		%	6	6	6	6
风钻	手持式	台时	15.04	26.28	41.42	67.09
其他机械费		%	10	10	10	10
编号			20125	20126	20127	20128

（6） 坑口面积 40～80m²

单位:100m³

项目	单位	岩石级别			
		Ⅴ－Ⅷ	Ⅸ－Ⅹ	Ⅺ－Ⅻ	ⅩⅢ－ⅩⅣ
工长	工时	4.6	6.2	8.1	10.9
高级工	工时				
中级工	工时	57.6	86.8	121.4	174.2
初级工	工时	165.5	218.0	276.7	360.5
合计	工时	227.7	311.0	406.2	545.6
合金钻头	个	2.88	4.88	7.05	9.88
炸药	kg	69.09	91.58	107.03	121.45
雷管	个	78.74	104.39	121.47	137.12
导线 火线	m	185.35	245.68	287.08	325.67
电线	m	264.38	350.35	410.78	467.78
其他材料费	%	7	7	7	7
风钻 手持式	台时	13.33	23.40	37.02	60.17
其他机械费	%	10	10	10	10
编号		20129	20130	20131	20132

(7) 坑口面积 80～160m²

单位:100m³

项　　目	单位	岩石级别			
		Ⅴ－Ⅷ	Ⅸ－Ⅹ	Ⅺ－Ⅻ	ⅩⅢ－ⅩⅣ
工　　长	工时	3.5	4.8	6.3	8.5
高 级 工	工时				
中 级 工	工时	44.2	67.0	94.6	137.7
初 级 工	工时	127.5	167.9	213.7	280.1
合　　计	工时	175.2	239.7	314.6	426.3
合金钻头	个	2.35	3.97	5.77	8.14
炸　　药	kg	55.66	73.59	86.54	98.93
雷　　管	个	54.74	72.41	84.78	96.41
导　　线　火线	m	146.68	193.93	228.00	260.55
电线	m	226.27	299.07	352.51	404.00
其他材料费	%	8	8	8	8
风　　钻　手持式	台时	11.00	19.30	30.73	50.33
其他机械费	%	10	10	10	10
编　　号		20133	20134	20135	20136

二－13 预裂爆破——100型潜孔钻钻孔

适用范围:露天作业。

工作内容:钻孔、爆破、清理。

(1) 水平孔

单位:100m^2

项目	单位	岩石级别			
		Ⅴ－Ⅷ	Ⅸ－Ⅹ	Ⅺ－Ⅻ	ⅩⅢ－ⅩⅣ
工长	工时	2.9	3.7	4.6	5.8
高级工	工时				
中级工	工时	22.1	26.3	30.9	37.0
初级工	工时	70.9	92.0	116.2	149.6
合计	工时	95.9	122.0	151.7	192.4
钻头 100型	个	1.08	1.54	2.05	2.73
冲击器	套	0.11	0.15	0.21	0.27
炸药	kg	42.30	68.63	87.04	104.60
雷管	个	1.58	1.73	1.87	2.02
导爆索	m	119.78	130.87	140.60	151.09
其他材料费	%	12	12	12	12
潜孔钻 100型	台时	19.02	26.72	35.88	48.77
其他机械费	%	2	2	2	2
编号		20137	20138	20139	20140

(2) 垂直孔

单位:100m²

项目	单位	岩石级别			
		Ⅴ-Ⅷ	Ⅸ-Ⅹ	Ⅺ-Ⅻ	ⅩⅢ-ⅩⅣ
工长	工时	2.5	3.2	3.9	4.8
高级工	工时				
中级工	工时	20.6	24.2	28.1	33.2
初级工	工时	60.8	77.7	97.0	123.5
合计	工时	83.9	105.1	129.0	161.5
钻头 100型	个	1.08	1.54	2.05	2.73
冲击器	套	0.11	0.15	0.21	0.27
炸药	kg	42.30	68.63	87.04	104.60
雷管	个	1.58	1.73	1.87	2.02
导爆索	m	119.78	130.87	140.60	151.09
其他材料费	%	12	12	12	12
潜孔钻 100型	台时	14.80	20.78	27.90	37.93
其他机械费	%	2	2	2	2
编号		20141	20142	20143	20144

二－14 预裂爆破——150 型潜孔钻钻孔

适用范围:露天作业。

工作内容:钻孔、爆破、清理。

(1) 水平孔

单位:$100m^2$

项目	单位	岩石级别			
		Ⅴ－Ⅷ	Ⅸ－Ⅹ	Ⅺ－Ⅻ	ⅩⅢ－ⅩⅣ
工长	工时	2.4	3.1	3.8	4.8
高级工	工时				
中级工	工时	19.9	23.6	27.6	32.8
初级工	工时	58.6	76.0	96.0	123.7
合计	工时	80.9	102.7	127.4	161.3
钻头 150 型	个	0.45	0.65	0.86	1.15
冲击器	套	0.05	0.07	0.09	0.12
炸药	kg	40.42	65.57	83.17	99.94
雷管	个	1.37	1.51	1.63	1.76
导爆索	m	105.43	115.09	123.56	132.71
其他材料费	%	12	12	12	12
潜孔钻 150 型	台时	14.18	19.75	27.00	35.17
其他机械费	%	2	2	2	2
编号		20145	20146	20147	20148

(2) 垂直孔

单位:100m²

项目	单位	岩石级别			
		Ⅴ－Ⅷ	Ⅸ－Ⅹ	Ⅺ－Ⅻ	ⅩⅢ－ⅩⅣ
工长	工时	2.2	2.7	3.3	4.1
高级工	工时				
中级工	工时	18.7	22.0	25.4	29.7
初级工	工时	51.0	65.1	81.2	103.2
合计	工时	71.9	89.8	109.9	137.0
钻头 150型	个	0.45	0.65	0.86	1.15
冲击器	套	0.05	0.07	0.09	0.12
炸药	kg	40.42	65.57	83.17	99.94
雷管	个	1.37	1.51	1.63	1.76
导爆索	m	105.43	115.09	123.56	132.71
其他材料费	%	12	12	12	12
潜孔钻 150型	台时	11.03	15.37	21.00	27.37
其他机械费	%	2	2	2	2
编号		20149	20150	20151	20152

二－15 预裂爆破——液压钻钻孔

适用范围：露天作业，液压钻钻水平及垂直孔。

工作内容：钻孔、爆破、清理。

单位：$100m^2$

项目	单位	岩石级别			
		Ⅴ－Ⅷ	Ⅸ－Ⅹ	Ⅺ－Ⅻ	ⅩⅢ－ⅩⅣ
工长	工时	2.0	2.3	2.5	2.7
高级工	工时				
中级工	工时	22.2	24.6	26.7	29.0
初级工	工时	43.1	48.4	53.3	58.9
合计	工时	67.3	75.3	82.5	90.6
钻头 Φ≤64	个	0.36	0.42	0.47	0.53
炸药	kg	53.18	86.27	109.42	131.49
雷管	个	3.15	3.47	3.75	4.04
导爆索	m	230.98	253.16	272.61	293.61
其他材料费	%	15	15	15	15
液压履带钻	台时	3.57	4.36	5.14	6.10
其他机械费	%	4	4	4	4
编号		20153	20154	20155	20156

二－16　平洞石方开挖——风钻钻孔

适用范围：平洞风钻钻孔。

工作内容：钻孔、爆破、安全处理、翻渣、清面、修整。

（1）　开挖断面≤10m²

单位：100m³

项　　目		单位	岩石级别			
			Ⅴ－Ⅷ	Ⅸ－Ⅹ	Ⅺ－Ⅻ	ⅩⅢ－ⅩⅣ
工　长		工时	12.7	17.8	23.6	32.3
高级工		工时				
中级工		工时	237.6	340.5	460.6	638.9
初级工		工时	386.2	529.6	698.2	944.0
合　计		工时	636.5	887.9	1182.4	1615.2
合金钻头		个	6.25	10.60	14.84	20.07
炸　药		kg	157.46	209.08	237.29	260.08
雷　管		个	224.30	297.83	338.02	370.49
导　线	火线	m	427.24	567.29	643.85	705.69
	电线	m	475.60	628.06	716.86	788.60
其他材料费		%	6	6	6	6
风　钻	气腿式	台时	37.71	67.31	109.48	178.18
轴流通风机	14kW	台时	22.56	27.08	32.49	38.99
其他机械费		%	6	6	6	6
编　号			20157	20158	20159	20160

(2) 开挖断面 $15m^2$

单位:$100m^3$

项目	单位	岩石级别			
		Ⅴ－Ⅷ	Ⅸ－Ⅹ	Ⅺ－Ⅻ	ⅩⅢ－ⅩⅣ
工长	工时	10.7	14.4	18.8	25.3
高级工	工时				
中级工	工时	169.9	239.9	325.5	455.6
初级工	工时	355.4	465.0	594.1	782.0
合计	工时	536.0	719.3	938.4	1262.9
合金钻头	个	4.13	7.01	10.03	13.93
炸药	kg	102.11	135.41	156.96	176.39
雷管	个	143.57	190.47	219.23	244.36
导线 火线	m	280.61	372.15	430.80	483.43
电线	m	320.67	425.08	495.87	561.42
其他材料费	%	9	9	9	9
风钻 气腿式	台时	17.62	31.53	51.88	85.56
风钻 手持式	台时	8.05	14.58	24.94	42.85
轴流通风机 37kW	台时	20.21	24.25	29.10	34.92
其他机械费	%	8	8	8	8
编号		20161	20162	20163	20164

(3) 开挖断面30m²

单位:100m³

项目	单位	岩石级别			
		Ⅴ－Ⅷ	Ⅸ－Ⅹ	Ⅺ－Ⅻ	ⅩⅢ－ⅩⅣ
工长	工时	7.9	10.8	14.3	19.7
高级工	工时				
中级工	工时	121.1	176.3	246.7	355.7
初级工	工时	266.6	352.4	456.3	610.3
合计	工时	395.6	539.5	717.3	985.7
合金钻头	个	3.49	5.91	8.55	12.00
炸药	kg	85.28	113.02	132.32	150.44
雷管	个	104.46	138.50	160.97	181.48
导线 火线	m	228.79	303.24	354.60	402.60
电线	m	306.32	405.85	477.25	545.29
其他材料费	%	9	9	9	9
风钻 气腿式	台时	14.18	25.48	42.53	71.24
风钻 手持式	台时	7.75	14.02	23.97	41.19
轴流通风机 37kW	台时	16.05	19.26	23.11	27.74
其他机械费	%	8	8	8	8
编号		20165	20166	20167	20168

(4) 开挖断面60m²

单位:100m³

项目			单位	岩石级别			
				Ⅴ－Ⅷ	Ⅸ－Ⅹ	Ⅺ－Ⅻ	ⅩⅢ－ⅩⅣ
工	长		工时	6.7	9.1	12.3	17.1
高级工			工时				
中级工			工时	100.5	148.7	211.6	310.5
初级工			工时	226.1	299.5	389.8	525.6
合	计		工时	333.3	457.3	613.7	853.2
合金钻头			个	3.29	5.57	8.07	11.36
炸	药		kg	80.27	106.37	124.77	142.16
雷	管		个	86.88	115.15	134.47	152.43
导	线	火线	m	210.23	278.59	326.63	371.93
		电线	m	299.39	396.65	466.81	533.85
其他材料费			%	10	10	10	10
风	钻	气腿式	台时	13.28	23.88	39.97	67.15
风	钻	手持式	台时	7.45	13.48	23.05	39.61
轴流通风机	55kW		台时	12.29	14.74	17.69	21.23
其他机械费			%	8	8	8	8
编号				20169	20170	20171	20172

(5) 开挖断面 120m²

单位:100m³

项 目		单位	岩石级别			
			Ⅴ－Ⅷ	Ⅸ－Ⅹ	Ⅺ－Ⅻ	ⅩⅢ－ⅩⅣ
工 长		工时	5.5	7.6	10.4	14.7
高 级 工		工时				
中 级 工		工时	81.6	123.4	179.6	269.5
初 级 工		工时	187.9	250.1	328.9	449.2
合 计		工时	275.0	381.1	518.9	733.4
合金钻头		个	3.03	5.13	7.49	10.61
炸 药		kg	73.45	97.29	114.91	131.94
雷 管		个	74.19	98.28	115.73	132.44
导 线	火线	m	190.91	252.88	298.58	342.70
	电线	m	290.68	384.99	455.38	523.72
其他材料费		%	11	11	11	11
风 钻	气腿式	台时	12.21	21.75	36.16	62.27
风 钻	手持式	台时	7.05	13.02	22.90	38.50
轴流通风机	55kW	台时	9.83	11.80	14.16	16.99
其他机械费		%	9	9	9	9
编 号			20173	20174	20175	20176

（6） 开挖断面≥240m²

单位：100m³

项目	单位	岩石级别			
		Ⅴ－Ⅷ	Ⅸ－Ⅹ	Ⅺ－Ⅻ	ⅩⅢ－ⅩⅣ
工　　长	工时	4.8	6.8	9.3	13.3
高 级 工	工时				
中 级 工	工时	71.2	109.4	162.0	247.0
初 级 工	工时	166.4	222.2	294.1	405.3
合　　计	工时	242.4	338.4	465.4	665.6
合金钻头	个	2.91	4.94	7.22	10.28
炸　　药	kg	70.42	93.26	110.53	127.40
雷　　管	个	68.54	90.78	107.41	123.56
导　　线　火线	m	182.32	241.45	286.11	329.70
电线	m	283.73	375.72	445.66	514.14
其他材料费	%	12	12	12	12
风　　钻　气腿式	台时	12.01	21.10	35.15	60.61
风　　钻　手持式	台时	6.60	12.52	22.15	37.50
轴流通风机　55kW	台时	8.58	10.30	12.36	14.83
其他机械费	%	10	10	10	10
编　　号		20177	20178	20179	20180

二－17 平洞石方开挖——二臂液压凿岩台车

适用范围：平洞二臂凿岩机钻孔。

工作内容：钻孔、爆破、安全处理、翻渣、清面、修整。

(1) 开挖断面≤30m²

单位：100m³

项目	单位	岩石级别			
		Ⅴ－Ⅷ	Ⅸ－Ⅹ	Ⅺ－Ⅻ	ⅩⅢ－ⅩⅣ
工长	工时	6.4	8.3	10.1	12.3
高级工	工时				
中级工	工时	71.7	93.5	112.0	133.9
初级工	工时	136.5	176.3	215.1	263.4
合计	工时	214.6	278.1	337.2	409.6
钻头 Φ45	个	0.47	0.56	0.66	0.75
钻头 Φ102	个	0.01	0.01	0.01	0.02
钻杆	m	0.71	0.81	0.92	1.01
炸药	kg	122.43	140.01	158.77	173.92
毫秒雷管	个	94.47	108.04	122.51	134.20
导爆管	m	634.27	725.38	822.56	901.03
其他材料费	%	25	25	25	25
凿岩台车 二臂	台时	2.25	2.72	3.31	3.93
平台车	台时	1.07	1.22	1.39	1.52
轴流通风机 37kW	台时	14.71	17.65	21.18	25.42
其他机械费	%	3	3	3	3
编号		20181	20182	20183	20184

(2) 开挖断面 60m²

单位:100m³

项　　目	单位	岩石级别			
		Ⅴ－Ⅷ	Ⅸ－Ⅹ	Ⅺ－Ⅻ	ⅩⅢ－ⅩⅣ
工　　长	工时	4.6	5.9	7.2	8.7
高 级 工	工时				
中 级 工	工时	50.9	66.9	80.1	95.5
初 级 工	工时	96.7	125.2	152.7	186.6
合　　计	工时	152.2	198.0	240.0	290.8
钻　　头　Φ45	个	0.39	0.46	0.55	0.62
钻　　头　Φ102	个	0.01	0.01	0.01	0.01
钻　　杆	m	0.59	0.67	0.76	0.83
炸　　药	kg	101.53	116.12	131.67	144.23
毫秒雷管	个	78.34	89.60	101.60	111.29
导 爆 管	m	536.27	613.30	695.47	761.82
其他材料费	%	25	25	25	25
凿岩台车　二臂	台时	1.87	2.25	2.75	3.26
平 台 车	台时	1.11	1.27	1.44	1.58
轴流通风机　55kW	台时	11.03	13.24	15.89	19.06
其他机械费	%	3	3	3	3
编　　号		20185	20186	20187	20188

二－18　平洞石方开挖——三臂液压凿岩台车

适用范围：平洞三臂凿岩机钻孔。

工作内容：钻孔、爆破、安全处理、翻渣、清面、修整。

(1)　开挖断面≤30m²

单位：100m³

项目	单位	岩石级别			
		Ⅴ－Ⅷ	Ⅸ－Ⅹ	Ⅺ－Ⅻ	ⅩⅢ－ⅩⅣ
工长	工时	6.2	8.0	9.8	11.9
高级工	工时				
中级工	工时	68.3	89.6	107.6	129.0
初级工	工时	131.6	170.4	208.4	255.8
合计	工时	206.1	268.0	325.8	396.7
钻头　Φ45	个	0.47	0.56	0.66	0.75
钻头　Φ102	个	0.01	0.01	0.01	0.02
钻杆	m	0.71	0.81	0.92	1.01
炸药	kg	122.43	140.01	158.77	173.92
毫秒雷管	个	94.47	108.04	122.51	134.20
导爆管	m	634.27	725.38	822.56	901.03
其他材料费	%	25	25	25	25
凿岩台车　三臂	台时	1.50	1.81	2.21	2.62
平台车	台时	1.07	1.22	1.39	1.52
轴流通风机　37kW	台时	14.71	17.65	21.18	25.42
其他机械费	%	3	3	3	3
编号		20189	20190	20191	20192

（2） 开挖断面 60m²

单位:100m³

项目	单位	岩石级别			
		Ⅴ－Ⅷ	Ⅸ－Ⅹ	Ⅺ－Ⅻ	ⅩⅢ－ⅩⅣ
工长	工时	4.4	5.8	7.0	8.5
高级工	工时				
中级工	工时	49.2	64.8	77.8	92.9
初级工	工时	93.9	121.8	148.7	182.1
合计	工时	147.5	192.4	233.5	283.5
钻头 Φ45	个	0.39	0.46	0.55	0.62
钻头 Φ102	个	0.01	0.01	0.01	0.01
钻杆	m	0.59	0.67	0.76	0.83
炸药	kg	101.53	116.12	131.67	144.23
毫秒雷管	个	78.34	89.60	101.60	111.29
导爆管	m	536.27	613.30	695.47	761.82
其他材料费	%	25	25	25	25
凿岩台车 三臂	台时	1.25	1.50	1.83	2.17
平台车	台时	1.11	1.27	1.44	1.58
轴流通风机 55kW	台时	11.03	13.24	15.89	19.06
其他机械费	%	3	3	3	3
编号		20193	20194	20195	20196

（3） 开挖断面 $120m^2$

单位:$100m^3$

项目	单位	岩石级别			
		Ⅴ－Ⅷ	Ⅸ－Ⅹ	Ⅺ－Ⅻ	ⅩⅢ－ⅩⅣ
工长	工时	3.4	4.4	5.2	6.3
高级工	工时				
中级工	工时	34.9	45.3	54.5	65.3
初级工	工时	76.1	95.5	114.2	137.0
合计	工时	114.4	145.2	173.9	208.6
钻头 Φ45	个	0.28	0.34	0.41	0.48
钻头 Φ102	个	0.01	0.01	0.01	0.01
钻杆	m	0.42	0.49	0.57	0.65
炸药	kg	74.65	86.40	100.81	114.27
毫秒雷管	个	56.43	65.30	76.17	86.30
导爆管	m	391.87	453.56	529.33	600.15
其他材料费	%	25	25	25	25
凿岩台车 三臂	台时	0.90	1.09	1.37	1.68
平台车	台时	1.24	1.44	1.69	1.93
轴流通风机 55kW	台时	8.91	10.70	12.84	15.40
其他机械费	%	3	3	3	3
编号		20197	20198	20199	20200

(4) 开挖断面≥240m²

单位:100m³

项　　目	单位	岩石级别			
		Ⅴ－Ⅷ	Ⅸ－Ⅹ	Ⅺ－Ⅻ	ⅩⅢ－ⅩⅣ
工　　长	工时	2.8	3.6	4.2	5.0
高 级 工	工时				
中 级 工	工时	27.9	36.3	43.7	52.0
初 级 工	工时	63.5	78.8	93.3	110.7
合　　计	工时	94.2	118.7	141.2	167.7
钻　　头 Φ45	个	0.26	0.32	0.38	0.45
钻　　头 Φ102	个	0.01	0.01	0.01	0.01
钻　　杆	m	0.40	0.46	0.54	0.61
炸　　药	kg	69.95	81.02	94.71	107.59
毫秒雷管	个	52.80	61.15	71.46	81.15
导 爆 管	m	369.82	428.35	500.74	568.83
其他材料费	%	25	25	25	25
凿岩台车 三臂	台时	0.84	1.03	1.29	1.58
平 台 车	台时	1.45	1.68	1.98	2.26
轴流通风机 55kW	台时	7.56	9.07	10.88	13.06
其他机械费	%	3	3	3	3
编　　号		20201	20202	20203	20204

二－19 斜井石方开挖——风钻钻孔(下行)

适用范围:斜井下行全断面,风钻钻孔。

工作内容:钻孔、爆破、安全处理、清面、修整。

(1) 开挖断面≤10m²

单位:100m³

项目		单位	岩石级别			
			Ⅴ－Ⅷ	Ⅸ－Ⅹ	Ⅺ－Ⅻ	ⅩⅢ－ⅩⅣ
工长		工时	14.2	20.0	27.8	40.2
高级工		工时				
中级工		工时	290.1	439.9	609.7	877.7
初级工		工时	405.7	537.6	753.0	1092.8
合计		工时	710.0	997.5	1390.5	2010.7
合金钻头		个	10.15	17.25	24.19	32.76
炸药		kg	263.51	350.90	398.80	437.52
雷管		个	364.16	484.93	551.13	604.64
导线	火线	m	693.64	923.68	1049.77	1151.69
	电线	m	804.63	1071.47	1217.73	1335.96
其他材料费		%	4	4	4	4
风钻	手持式	台时	64.92	116.22	189.25	308.19
轴流通风机	14kW	台时	46.71	56.05	67.27	80.72
其他机械费		%	6	6	6	6
编号			20205	20206	20207	20208

适用范围：斜井下行，风钻钻孔。

工作内容：钻孔、爆破、翻渣、安全处理、清面、修整。

（2） 开挖断面 15m²

单位：100m³

项目		单位	岩石级别			
			Ⅴ－Ⅷ	Ⅸ－Ⅹ	Ⅺ－Ⅻ	ⅩⅢ－ⅩⅣ
工长		工时	11.9	16.7	22.6	31.6
高级工		工时				
中级工		工时	200.2	297.1	418.7	606.4
初级工		工时	383.6	520.9	689.3	941.6
合计		工时	595.7	834.7	1130.6	1579.6
合金钻头		个	6.04	10.21	14.57	20.18
炸药		kg	151.80	200.45	231.72	259.80
雷管		个	217.59	287.96	331.42	369.56
导线	火线	m	414.05	546.92	631.88	707.98
	电线	m	451.39	594.68	690.70	779.04
其他材料费		%	6	6	6	6
风钻	气腿式	台时	12.33	21.50	36.80	62.30
风钻	手持式	台时	27.48	49.70	81.51	134.96
轴流通风机	37kW	台时	34.70	41.64	49.96	59.96
其他机械费		%	7	7	7	7
编号			20209	20210	20211	20212

(3) 开挖断面30m²

单位:100m³

项目			单位	岩石级别			
				Ⅴ－Ⅷ	Ⅸ－Ⅹ	Ⅺ－Ⅻ	ⅩⅢ－ⅩⅣ
工	长		工时	10.4	14.3	19.2	26.8
高 级	工		工时				
中 级	工		工时	155.0	231.7	331.9	489.2
初 级	工		工时	354.6	468.8	610.2	823.1
合	计		工时	520.0	714.8	961.3	1339.1
合金钻头			个	5.10	8.59	12.36	17.28
炸	药		kg	126.20	165.91	193.30	218.87
雷	管		个	163.30	215.17	249.59	281.09
导	线	火线	m	340.09	447.23	520.79	589.32
		电线	m	415.41	545.03	637.46	725.28
其他材料费			%	6	6	6	6
风	钻	气腿式	台时	11.68	20.85	35.39	60.43
风	钻	手持式	台时	22.37	39.99	66.56	111.19
轴流通风机	37kW		台时	21.51	25.82	30.98	37.18
其他机械费			%	8	8	8	8
编	号			20213	20214	20215	20216

(4) 开挖断面 $60m^2$

单位:$100m^3$

项 目		单位	岩石级别			
			Ⅴ－Ⅷ	Ⅸ－Ⅹ	Ⅺ－Ⅻ	ⅩⅢ－ⅩⅣ
工 长		工时	8.7	11.9	16.0	22.3
高 级 工		工时				
中 级 工		工时	118.4	180.9	263.8	395.4
初 级 工		工时	306.6	401.5	519.3	697.3
合 计		工时	433.7	594.3	799.1	1115.0
合金钻头		个	4.29	7.28	10.53	14.80
炸 药		kg	105.91	140.50	164.60	187.22
雷 管		个	115.00	152.64	178.07	201.56
导 线	火线	m	275.00	364.81	427.29	485.90
	电线	m	397.06	526.54	618.62	705.95
其他材料费		%	7	7	7	7
风 钻	气腿式	台时	11.31	20.40	34.63	59.30
风 钻	手持式	台时	17.30	31.19	52.32	87.75
轴流通风机	55kW	台时	13.98	16.77	20.13	24.15
其他机械费		%	8	8	8	8
编 号			20217	20218	20219	20220

（5） 开挖断面 120m²

单位:100m³

项目	单位	岩石级别			
		Ⅴ－Ⅷ	Ⅸ－Ⅹ	Ⅺ－Ⅻ	ⅩⅢ－ⅩⅣ
工　　长	工时	8.0	10.8	14.5	20.1
高 级 工	工时				
中 级 工	工时	97.6	151.0	224.2	342.4
初 级 工	工时	294.4	378.7	484.1	644.0
合　　计	工时	400.0	540.5	722.8	1006.5
合金钻头	个	3.87	6.56	9.56	13.55
炸　　药	kg	94.44	125.17	147.70	169.40
雷　　管	个	95.75	126.95	149.36	170.74
导　　线　火线	m	244.38	323.90	382.17	438.25
电线	m	370.02	490.29	579.60	666.11
其他材料费	%	8	8	8	8
风　　钻　气腿式	台时	10.94	19.79	33.86	58.17
风　　钻　手持式	台时	15.11	27.26	46.02	77.98
轴流通风机　55kW	台时	9.09	10.91	13.09	15.71
其他机械费	%	9	9	9	9
编　　号		20221	20222	20223	20224

(6) 开挖断面≥240m²

单位:100m³

项目			单位	岩石级别			
				Ⅴ-Ⅷ	Ⅸ-Ⅹ	Ⅺ-Ⅻ	ⅩⅢ-ⅩⅣ
工	长		工时	7.5	10.1	13.5	18.8
高级工			工时				
中级工			工时	85.7	134.3	202.5	313.6
初级工			工时	283.7	361.7	459.7	609.2
合	计		工时	376.9	506.1	675.7	941.6
合金钻头			个	3.68	6.25	9.13	12.99
炸	药		kg	89.34	118.35	140.19	161.49
雷	管		个	87.19	115.53	136.61	157.04
导	线	火线	m	230.78	305.71	362.11	417.07
		电线	m	358.00	474.17	562.26	648.40
其他材料费			%	9	9	9	9
风	钻	气腿式	台时	10.44	18.90	32.34	56.20
风	钻	手持式	台时	14.47	26.14	44.40	75.10
轴流通风机		55kW	台时	6.06	7.27	8.72	10.47
其他机械费			%	10	10	10	10
编号				20225	20226	20227	20228

二－20 斜井石方开挖——风钻钻孔(上行)

适用范围:斜井上行全断面,风钻钻孔。

工作内容:钻孔、爆破、安全处理、翻渣、清面、修整。

(1) 开挖断面≤10m²

单位:100m³

项目		单位	岩石级别			
			Ⅴ－Ⅷ	Ⅸ－Ⅹ	Ⅺ－Ⅻ	ⅩⅢ－ⅩⅣ
工长		工时	15.9	23.9	33.3	47.6
高级工		工时				
中级工		工时	332.5	540.9	748.6	1060.1
初级工		工时	448.0	627.7	883.9	1271.3
合计		工时	796.4	1192.5	1665.8	2379.0
合金钻头		个	8.52	14.45	20.23	27.37
炸药		kg	214.72	285.10	323.58	354.66
雷管		个	305.86	406.13	460.94	505.21
导线	火线	m	582.60	773.58	877.97	962.30
	电线	m	675.81	897.35	1018.45	1116.27
其他材料费		%	5	5	5	5
风钻	气腿式	台时	65.42	116.73	189.85	309.09
轴流通风机	14kW	台时	30.08	36.10	43.32	51.99
其他机械费		%	6	6	6	6
编号			20229	20230	20231	20232

适用范围：斜井反导井施工，风钻钻孔。

工作内容：钻孔、爆破、安全处理、翻渣、清面、修整。

(2) 开挖断面 $15m^2$

单位：$100m^3$

项目		单位	岩石级别			
			Ⅴ－Ⅷ	Ⅸ－Ⅹ	Ⅺ－Ⅻ	ⅩⅢ－ⅩⅣ
工长		工时	13.9	19.3	25.7	35.7
高级工		工时				
中级工		工时	255.9	371.3	506.6	709.9
初级工		工时	424.3	575.1	755.1	1022.5
合计		工时	694.1	965.7	1287.4	1768.1
合金钻头		个	5.65	9.52	13.60	18.86
炸药		kg	139.32	183.56	212.37	238.46
雷管		个	199.85	263.84	303.75	339.00
导线	火线	m	385.33	507.88	587.08	658.50
	电线	m	427.73	562.52	653.81	738.29
其他材料费		%	6	6	6	6
风钻	气腿式	台时	28.72	51.81	85.17	140.41
风钻	手持式	台时	12.20	21.25	36.09	61.63
轴流通风机	37kW	台时	27.62	33.14	39.77	47.73
其他机械费		%	7	7	7	7
编号			20233	20234	20235	20236

(3) 开挖断面30m²

单位:100m³

项　　目	单位	岩石级别			
		Ⅴ－Ⅷ	Ⅸ－Ⅹ	Ⅺ－Ⅻ	XⅢ－XⅣ
工　长	工时	11.4	15.6	20.8	28.7
高级工	工时				
中级工	工时	183.7	270.0	377.2	542.8
初级工	工时	375.5	496.7	644.1	864.9
合　计	工时	570.6	782.3	1042.1	1436.4
合金钻头	个	4.90	8.24	11.86	16.60
炸　药	kg	119.77	157.21	183.33	207.87
雷　管	个	154.16	202.75	235.34	265.34
导　线　火线	m	325.29	427.12	497.71	563.84
电线	m	403.22	528.46	618.46	704.29
其他材料费	%	7	7	7	7
风　钻　气腿式	台时	22.94	40.95	68.08	113.65
风　钻　手持式	台时	11.68	20.85	35.39	60.43
轴流通风机　37kW	台时	17.87	21.44	25.73	30.88
其他机械费	%	8	8	8	8
编　号		20237	20238	20239	20240

(4) 开挖断面 $60m^2$

单位:$100m^3$

项　　目	单位	岩石级别			
		Ⅴ-Ⅷ	Ⅸ-Ⅹ	Ⅺ-Ⅻ	ⅩⅢ-ⅩⅣ
工　　长	工时	9.1	12.5	16.7	23.3
高 级 工	工时				
中 级 工	工时	130.4	196.7	283.3	419.9
初 级 工	工时	317.2	415.6	537.1	720.4
合　　计	工时	456.7	624.8	837.1	1163.6
合金钻头	个	4.12	6.99	10.11	14.23
炸　　药	kg	100.58	133.29	156.33	178.11
雷　　管	个	108.94	144.40	168.61	191.11
导　　线　火线	m	263.45	349.12	409.28	466.00
电线	m	383.67	508.33	597.72	682.88
其他材料费	%	7	7	7	7
风　　钻　气腿式	台时	17.77	31.98	53.58	89.79
风　　钻　手持式	台时	11.31	20.40	34.63	59.30
轴流通风机　55kW	台时	11.15	13.38	16.06	19.27
其他机械费	%	8	8	8	8
编　　号		20241	20242	20243	20244

(5) 开挖断面 $120m^2$

单位:$100m^3$

项目		单位	岩石级别			
			Ⅴ－Ⅷ	Ⅸ－Ⅹ	Ⅺ－Ⅻ	ⅩⅢ－ⅩⅣ
工长		工时	8.2	11.1	14.8	20.6
高级工		工时				
中级工		工时	103.2	158.4	233.4	353.8
初级工		工时	299.4	385.4	492.5	654.9
合计		工时	410.8	554.9	740.7	1029.3
合金钻头		个	3.79	6.43	9.37	13.28
炸药		kg	91.93	121.77	143.81	165.11
雷管		个	92.89	123.07	144.91	165.82
导线	火线	m	238.95	316.51	373.69	428.88
	电线	m	363.71	481.72	569.77	655.25
其他材料费		%	8	8	8	8
风钻	气腿式	台时	15.34	27.64	46.62	78.94
风钻	手持式	台时	10.94	19.79	33.86	58.17
轴流通风机	55kW	台时	7.76	9.31	11.17	13.41
其他机械费		%	9	9	9	9
编号			20245	20246	20247	20248

(6) 开挖断面≥240m²

单位:100m³

项目		单位	岩石级别			
			Ⅴ-Ⅷ	Ⅸ-Ⅹ	Ⅺ-Ⅻ	ⅩⅢ-ⅩⅣ
工长		工时	7.6	10.3	13.7	19.1
高级工		工时				
中级工		工时	88.5	138.0	207.0	319.3
初级工		工时	286.3	365.0	463.9	614.7
合计		工时	382.4	513.3	684.6	953.1
合金钻头		个	3.64	6.18	9.04	12.86
炸药		kg	88.09	116.65	138.25	159.34
雷管		个	85.76	113.59	134.38	154.58
导线	火线	m	228.06	302.02	357.87	412.39
	电线	m	354.84	469.89	557.35	642.97
其他材料费		%	8	8	8	8
风钻	气腿式	台时	14.48	25.97	43.98	74.78
风钻	手持式	台时	10.54	19.25	33.06	57.00
轴流通风机	55kW	台时	5.39	6.47	7.77	9.32
其他机械费		%	9	9	9	9
编号			20249	20250	20251	20252

二－21 斜井石方开挖——爬罐开导井

适用范围：斜井爬罐反导井施工，风钻钻孔。

工作内容：钻孔、爆破、安全处理、翻渣、清面、修整。

(1) 开挖断面≤30m²

单位：100m³

项目	单位	岩石级别			
		Ⅴ－Ⅷ	Ⅸ－Ⅹ	Ⅺ－Ⅻ	ⅩⅢ－ⅩⅣ
工长	工时	16.9	23.1	30.7	42.2
高级工	工时				
中级工	工时	169.8	249.9	350.9	508.0
初级工	工时	377.4	496.1	640.7	857.3
合计	工时	564.1	769.1	1022.3	1407.5
合金钻头	个	4.79	8.05	11.60	16.29
炸药	kg	116.82	153.20	179.02	203.48
雷管	个	146.05	191.89	223.27	252.47
导线 火线	m	315.82	414.30	483.79	549.46
电线	m	401.94	526.43	617.04	704.01
其他材料费	%	7	7	7	7
风钻 气腿式	台时	12.24	21.85	37.10	63.35
风钻 手持式	台时	12.24	21.85	37.10	63.35
爬罐	台时	8.18	14.18	21.56	33.02
轴流通风机 37kW	台时	17.84	21.41	25.70	30.84
其他机械费	%	4	4	4	4
编号		20253	20254	20255	20256

(2) 开挖断面 $60m^2$

单位:$100m^3$

项目		单位	岩石级别			
			Ⅴ－Ⅷ	Ⅸ－Ⅹ	Ⅺ－Ⅻ	ⅩⅢ－ⅩⅣ
工长		工时	13.9	18.8	24.9	34.2
高级工		工时				
中级工		工时	120.8	181.6	261.2	387.1
初级工		工时	329.9	425.8	543.1	719.1
合计		工时	464.6	626.2	829.2	1140.4
合金钻头		个	3.89	6.60	9.62	13.63
炸药		kg	94.51	125.20	147.76	169.52
雷管		个	101.92	135.05	158.57	180.86
导线	火线	m	248.58	329.30	388.36	445.17
	电线	m	360.15	476.97	564.63	649.95
其他材料费		%	7	7	7	7
风钻	气腿式	台时	11.74	21.25	36.10	61.95
风钻	手持式	台时	11.74	21.25	36.10	61.95
爬罐		台时	4.40	7.63	11.61	17.78
轴流通风机	55kW	台时	11.70	14.04	16.85	20.22
其他机械费		%	5	5	5	5
编号			20257	20258	20259	20260

(3) 开挖断面 120m²

单位:100m³

项目	单位	岩石级别			
		Ⅴ－Ⅷ	Ⅸ－Ⅹ	Ⅺ－Ⅻ	ⅩⅢ－ⅩⅣ
工长	工时	12.4	16.6	22.0	30.4
高级工	工时				
中级工	工时	95.3	146.8	217.1	330.4
初级工	工时	304.6	389.0	493.6	651.8
合计	工时	412.3	552.4	732.7	1012.6
合金钻头	个	3.67	6.22	9.10	12.94
炸药	kg	88.64	117.39	139.15	160.41
雷管	个	88.61	117.37	138.73	159.42
导线 火线	m	230.63	305.43	361.90	417.01
电线	m	352.05	466.16	553.37	638.94
其他材料费	%	8	8	8	8
风钻 气腿式	台时	11.53	20.87	35.70	61.33
风钻 手持式	台时	11.53	20.87	35.70	61.33
爬罐	台时	1.89	3.27	4.98	7.62
轴流通风机 55kW	台时	7.76	9.31	11.17	13.41
其他机械费	%	5	5	5	5
编号		20261	20262	20263	20264

(4) 开挖断面≥240m²

单位:100m³

项目		单位	岩石级别			
			Ⅴ-Ⅷ	Ⅸ-Ⅹ	Ⅺ-Ⅻ	ⅩⅢ-ⅩⅣ
工长		工时	11.5	15.4	20.5	28.4
高级工		工时				
中级工		工时	83.5	130.9	197.1	304.9
初级工		工时	289.0	367.2	465.1	614.2
合计		工时	384.0	513.5	682.7	947.5
合金钻头		个	3.59	6.09	8.93	12.72
炸药		kg	86.74	114.85	136.35	157.44
雷管		个	84.29	111.62	132.28	152.45
导线	火线	m	224.80	297.67	353.30	407.86
	电线	m	349.42	462.65	549.71	635.37
其他材料费		%	9	9	9	9
风钻	气腿式	台时	11.33	20.47	35.30	60.71
风钻	手持式	台时	11.33	20.47	35.30	60.71
爬罐		台时	1.07	1.85	2.82	4.32
轴流通风机	55kW	台时	5.49	6.59	7.90	9.48
其他机械费		%	6	6	6	6
编号			20265	20266	20267	20268

二－22 斜井石方开挖——反井钻机开导井

适用范围：斜井反井钻机开导井，风钻钻孔扩大。

工作内容：钻孔、爆破、安全处理、翻渣、清面、修整。

(1) 开挖断面≤30m²

单位：100m³

项目		单位	岩石级别			
			Ⅴ－Ⅷ	Ⅸ－Ⅹ	Ⅺ－Ⅻ	ⅩⅢ－ⅩⅣ
工长		工时	14.5	19.3	25.5	35.1
高级工		工时				
中级工		工时	117.9	175.6	254.3	380.0
初级工		工时	349.4	448.9	571.7	755.2
合计		工时	481.8	643.8	851.5	1170.3
合金钻头		个	3.93	6.58	9.58	13.60
炸药		kg	94.77	123.75	146.06	168.03
雷管		个	101.09	132.01	155.81	179.25
导线	火线	m	250.33	326.88	385.82	443.85
	电线	m	361.05	471.47	556.47	640.16
其他材料费		%	25	25	25	25
风钻	气腿式	台时	13.37	23.87	40.51	69.17
风钻	手持式	台时	13.37	23.87	40.51	69.17
反井钻机	LM－200	台时	9.49	14.40	20.31	27.56
轴流通风机	37kW	台时	9.48	11.37	13.65	16.37
其他机械费		%	1	1	1	1
编号			20269	20270	20271	20272

(2) 开挖断面 $60m^2$

单位:$100m^3$

项 目		单位	岩石级别			
			Ⅴ-Ⅷ	Ⅸ-Ⅹ	Ⅺ-Ⅻ	ⅩⅢ-ⅩⅣ
工 长		工时	12.6	16.7	22.0	30.2
高 级 工		工时				
中 级 工		工时	92.0	140.4	207.6	316.0
初 级 工		工时	314.0	399.2	504.3	661.8
合 计		工时	418.6	556.3	733.9	1008.0
合金钻头		个	3.40	5.78	8.48	12.11
炸 药		kg	82.05	108.63	129.23	149.57
雷 管		个	76.59	101.40	120.63	139.61
导 线	火线	m	211.52	280.05	333.16	385.59
	电线	m	336.98	446.15	530.76	614.29
其他材料费		%	20	20	20	20
风 钻	气腿式	台时	11.58	20.96	35.85	61.58
风 钻	手持式	台时	11.58	20.96	35.85	61.58
反井钻机	LM-200	台时	4.93	7.49	10.56	14.33
轴流通风机	55kW	台时	7.08	8.50	10.20	12.24
其他机械费		%	1	1	1	1
编 号			20273	20274	20275	20276

(3) 开挖断面 $120m^2$

单位:$100m^3$

项目		单位	岩石级别			
			V－Ⅷ	Ⅸ－Ⅹ	Ⅺ－Ⅻ	ⅩⅢ－ⅩⅣ
工长		工时	11.4	15.0	19.7	27.0
高级工		工时				
中级工		工时	77.1	119.4	178.6	274.9
初级工		工时	291.5	367.0	459.9	599.1
合计		工时	380.0	501.4	658.2	901.0
合金钻头		个	3.15	5.33	7.81	11.14
炸药		kg	75.88	100.19	119.01	137.59
雷管		个	62.95	83.13	98.74	114.15
导线	火线	m	191.86	253.34	300.93	347.90
	电线	m	317.77	419.60	498.42	576.20
其他材料费		%	15	15	15	15
风钻	气腿式	台时	10.71	19.33	33.01	56.65
风钻	手持式	台时	10.71	19.33	33.01	56.65
反井钻机	LM－200	台时	2.47	3.74	5.28	7.16
轴流通风机	55kW	台时	5.10	6.13	7.35	8.82
其他机械费		%	1	1	1	1
编号			20277	20278	20279	20280

（4） 开挖断面≥240m²

单位：100m³

项目		单位	岩石级别			
			Ⅴ－Ⅷ	Ⅸ－Ⅹ	Ⅺ－Ⅻ	ⅩⅢ－ⅩⅣ
工长		工时	10.6	14.0	18.5	25.4
高级工		工时				
中级工		工时	67.9	107.4	163.4	255.3
初级工		工时	276.4	346.6	433.5	564.5
合计		工时	354.9	468.0	615.4	845.2
合金钻头		个	3.00	5.13	7.56	10.84
炸药		kg	72.29	96.48	115.29	133.89
雷管		个	59.98	80.05	95.65	111.08
导线	火线	m	182.80	243.95	291.51	338.54
	电线	m	302.75	404.04	482.81	560.70
其他材料费		%	10	10	10	10
风钻	气腿式	台时	10.21	18.61	31.98	55.13
风钻	手持式	台时	10.21	18.61	31.98	55.13
反井钻机	LM－200	台时	1.33	2.02	2.84	3.86
轴流通风机	55kW	台时	3.85	4.62	5.55	6.66
其他机械费		%	1	1	1	1
编号			20281	20282	20283	20284

二－23 竖井石方开挖——风钻钻孔(下行)

适用范围:竖井下行全断面,风钻钻孔。

工作内容:钻孔、爆破、安全处理、清面、修整。

(1) 开挖断面≤10m²

单位:100m³

项目	单位	岩石级别			
		Ⅴ－Ⅷ	Ⅸ－Ⅹ	Ⅺ－Ⅻ	ⅩⅢ－ⅩⅣ
工长	工时	12.0	18.2	25.6	36.8
高级工	工时				
中级工	工时	262.0	397.7	557.7	797.9
初级工	工时	325.1	492.7	697.8	1005.8
合计	工时	599.1	908.6	1281.1	1840.5
合金钻头	个	9.47	16.10	22.58	30.57
炸药	kg	245.94	327.50	372.21	408.35
雷管	个	339.89	452.60	514.39	564.33
导线 火线	m	647.40	862.10	979.78	1074.91
电线	m	750.98	1000.04	1136.55	1246.90
其他材料费	%	5	5	5	5
风钻 手持式	台时	57.15	102.29	166.60	271.41
轴流通风机 14kW	台时	46.71	56.05	67.27	80.72
其他机械费	%	6	6	6	6
编号		20285	20286	20287	20288

适用范围:竖井下行,风钻钻孔。

工作内容:钻孔、爆破、翻渣、安全处理、清面、修整。

(2) 开挖断面 15m²

单位:100m³

项目			单位	岩石级别			
				Ⅴ-Ⅷ	Ⅸ-Ⅹ	Ⅺ-Ⅻ	ⅩⅢ-ⅩⅣ
工长			工时	9.4	13.6	18.9	26.8
高级工			工时				
中级工			工时	178.6	266.0	374.8	542.2
初级工			工时	283.7	401.9	549.1	771.4
合计			工时	471.7	681.5	942.8	1340.4
合金钻头			个	5.64	8.52	13.58	18.80
炸药			kg	141.64	187.09	216.17	242.23
雷管			个	204.11	270.17	310.83	346.42
导	线	火线	m	386.61	510.79	589.87	660.55
		电线	m	418.75	551.80	640.63	722.16
其他材料费			%	7	7	7	7
风	钻	手持式	台时	34.99	62.57	103.92	173.23
轴流通风机		37kW	台时	34.70	41.64	49.96	59.96
其他机械费			%	7	7	7	7
编号				20289	20290	20291	20292

(3) 开挖断面30m²

单位:100m³

项目	单位	岩石级别			
		Ⅴ-Ⅷ	Ⅸ-Ⅹ	Ⅺ-Ⅻ	ⅩⅢ-ⅩⅣ
工长	工时	8.0	11.4	15.7	22.3
高级工	工时				
中级工	工时	136.9	205.4	294.1	433.0
初级工	工时	256.0	352.3	473.8	658.6
合计	工时	400.9	569.1	783.6	1113.9
合金钻头	个	4.71	7.93	11.41	15.94
炸药	kg	116.61	153.33	178.57	202.09
雷管	个	151.70	199.93	231.82	260.92
导线 火线	m	314.43	413.57	481.40	544.47
电线	m	381.97	501.24	586.06	666.53
其他材料费	%	7	7	7	7
风钻 手持式	台时	29.64	52.96	88.70	149.29
轴流通风机 37kW	台时	21.51	25.82	30.98	37.18
其他机械费	%	8	8	8	8
编号		20293	20294	20295	20296

(4) 开挖断面 $60m^2$

单位：$100m^3$

项目		单位	岩石级别			
			Ⅴ－Ⅷ	Ⅸ－Ⅹ	Ⅺ－Ⅻ	ⅩⅢ－ⅩⅣ
工长		工时	6.8	9.6	13.2	18.7
高级工		工时				
中级工		工时	105.5	161.1	234.4	350.5
初级工		工时	229.3	309.7	411.1	565.6
合计		工时	341.6	480.4	658.7	934.8
合金钻头		个	3.96	6.72	9.72	13.64
炸药		kg	97.84	129.80	151.99	172.79
雷管		个	106.70	141.64	165.14	186.81
导线	火线	m	254.10	337.11	394.65	448.54
	电线	m	365.73	485.01	569.58	649.68
其他材料费		%	8	8	8	8
风钻	手持式	台时	24.90	44.88	75.61	127.85
轴流通风机	55kW	台时	13.98	16.77	20.13	24.15
其他机械费		%	8	8	8	8
编号			20297	20298	20299	20300

(5) 开挖断面120m²

单位:100m³

项目		单位	岩石级别			
			Ⅴ-Ⅷ	Ⅸ-Ⅹ	Ⅺ-Ⅻ	ⅩⅢ-ⅩⅣ
工长		工时	6.5	8.9	12.1	17.0
高级工		工时				
中级工		工时	99.6	133.9	198.1	301.4
初级工		工时	217.2	301.9	392.4	530.7
合计		工时	323.3	444.7	602.6	849.1
合金钻头		个	3.54	6.02	8.76	12.41
炸药		kg	86.59	114.76	135.39	155.22
雷管		个	88.06	116.76	137.32	156.90
导线	火线	m	224.10	297.02	350.34	401.60
	电线	m	338.62	448.70	530.30	609.27
其他材料费		%	10	10	10	10
风钻	手持式	台时	22.52	40.66	69.00	117.59
轴流通风机	55kW	台时	9.09	10.91	13.09	15.71
其他机械费		%	8	8	8	8
编号			20301	20302	20303	20304

（6） 开挖断面≥240m²

单位：100m³

项目		单位	岩石级别			
			Ⅴ－Ⅷ	Ⅸ－Ⅹ	Ⅺ－Ⅻ	XⅢ－XⅣ
工长		工时	6.4	8.6	11.6	16.2
高级工		工时				
中级工		工时	95.2	119.0	178.5	275.1
初级工		工时	209.2	294.6	389.6	519.4
合计		工时	310.8	422.2	579.7	810.7
合金钻头		个	3.36	5.70	8.34	11.85
炸药		kg	81.59	108.08	128.00	147.41
雷管		个	79.77	105.70	124.95	143.60
导线	火线	m	210.76	279.21	330.65	380.75
	电线	m	326.57	432.56	512.84	591.31
其他材料费		%	10	10	10	10
风钻	手持式	台时	21.46	38.78	66.06	113.03
轴流通风机	55kW	台时	6.06	7.27	8.72	10.47
其他机械费		%	8	8	8	8
编号			20305	20306	20307	20308

二－24　竖井石方开挖——风钻钻孔(上行)

适用范围:竖井上行全断面,风钻钻孔。

工作内容:钻孔、爆破、安全处理、翻渣、清面、修整。

(1)　开挖断面≤$10m^2$

单位:$100m^3$

项　　目		单位	岩石级别			
			Ⅴ－Ⅷ	Ⅸ－Ⅹ	Ⅺ－Ⅻ	ⅩⅢ－ⅩⅣ
工　　长		工时	15.6	23.0	31.7	44.7
高 级 工		工时				
中 级 工		工时	358.5	527.8	718.4	999.9
初 级 工		工时	405.3	601.6	836.6	1188.2
合　　计		工时	779.4	1152.4	1586.7	2232.8
合金钻头		个	7.95	13.49	18.89	25.55
炸　　药		kg	200.40	266.10	302.00	331.01
雷　　管		个	285.47	379.05	430.21	471.53
导　　线	火线	m	543.76	722.01	819.44	898.15
	电线	m	630.76	837.53	950.55	1041.85
其他材料费		%	5	5	5	5
风　　钻	气腿式	台时	57.59	102.80	167.20	272.13
轴流通风机	14kW	台时	30.08	36.10	43.32	51.99
其他机械费		%	6	6	6	6
编　　号			20309	20310	20311	20312

适用范围：竖井反导井施工，风钻钻孔。

工作内容：钻孔、爆破、安全处理、翻渣、清面、修整。

(2) 开挖断面 15m²

单位：100m³

项目			单位	岩石级别			
				Ⅴ－Ⅷ	Ⅸ－Ⅹ	Ⅺ－Ⅻ	ⅩⅢ－ⅩⅣ
工长			工时	12.0	17.1	22.9	31.6
高级工			工时				
中级工			工时	254.6	366.8	492.5	677.7
初级工			工时	335.3	470.4	630.6	868.5
合计			工时	601.9	854.3	1146.0	1577.8
合金钻头			个	5.26	8.87	12.66	17.54
炸药			kg	129.76	171.00	197.74	221.91
雷管			个	187.21	247.20	284.48	317.32
导线		火线	m	359.25	473.60	547.20	613.43
		电线	m	396.22	521.18	605.49	683.36
其他材料费			%	7	7	7	7
风钻		气腿式	台时	19.64	35.06	57.03	92.82
风钻		手持式	台时	16.35	29.20	49.57	84.69
轴流通风机	37kW		台时	27.62	33.14	39.77	47.73
其他机械费			%	6	6	6	6
编号				20313	20314	20315	20316

(3) 开挖断面 $30m^2$

单位:$100m^3$

项目	单位	岩石级别			
		Ⅴ－Ⅷ	Ⅸ－Ⅹ	Ⅺ－Ⅻ	ⅩⅢ－ⅩⅣ
工长	工时	9.4	13.2	17.8	24.7
高级工	工时				
中级工	工时	176.0	257.3	354.7	502.9
初级工	工时	282.6	387.6	515.8	708.6
合计	工时	468.0	658.1	888.3	1236.2
合金钻头	个	4.52	7.59	10.93	15.29
炸药	kg	110.48	145.05	169.08	191.62
雷管	个	142.99	188.10	218.24	245.93
导线 火线	m	300.34	394.42	459.42	520.20
电线	m	370.36	485.47	567.96	646.54
其他材料费	%	8	8	8	8
风钻 气腿式	台时	13.51	23.90	39.10	64.13
风钻 手持式	台时	16.64	29.92	50.98	87.36
轴流通风机 37kW	台时	17.87	21.44	25.73	30.88
其他机械费	%	7	7	7	7
编号		20317	20318	20319	20320

（4） 开挖断面 $60m^2$

单位：$100m^3$

项目	单位	岩石级别			
		Ⅴ－Ⅷ	Ⅸ－Ⅹ	Ⅺ－Ⅻ	ⅩⅢ－ⅩⅣ
工长	工时	7.4	10.3	14.0	19.8
高级工	工时				
中级工	工时	120.0	180.3	257.6	378.6
初级工	工时	241.3	325.5	430.5	590.1
合计	工时	368.7	516.1	702.1	988.5
合金钻头	个	3.80	6.44	9.32	13.10
炸药	kg	92.77	122.93	144.12	164.11
雷管	个	100.93	133.79	156.13	176.86
导线 火线	m	243.10	322.16	377.50	429.59
电线	m	352.96	467.67	549.68	627.70
其他材料费	%	9	9	9	9
风钻 气腿式	台时	8.39	14.98	24.36	39.65
风钻 手持式	台时	16.93	30.63	52.39	90.03
轴流通风机 55kW	台时	11.15	13.38	16.06	19.27
其他机械费	%	7	7	7	7
编号		20321	20322	20323	20324

（5） 开挖断面 $120m^2$

单位：$100m^3$

项　　目		单位	岩石级别			
			Ⅴ－Ⅷ	Ⅸ－Ⅹ	Ⅺ－Ⅻ	ⅩⅢ－ⅩⅣ
工　长		工时	6.7	9.2	12.5	17.5
高级工		工时				
中级工		工时	93.5	142.9	209.0	314.7
初级工		工时	235.8	309.3	401.5	542.2
合　计		工时	336.0	461.4	623.0	874.4
合金钻头		个	3.47	5.88	8.58	12.15
炸　药		kg	84.20	111.53	131.68	151.14
雷　管		个	85.34	113.06	133.08	152.22
导　线	火线	m	218.92	289.99	342.27	392.69
	电线	m	332.61	440.54	520.94	598.93
其他材料费		%	10	10	10	10
风　钻	气腿式	台时	3.95	7.05	11.47	18.66
风　钻	手持式	台时	18.77	33.95	58.07	99.79
轴流通风机	55kW	台时	7.76	9.31	11.17	13.41
其他机械费		%	7	7	7	7
编　号			20325	20326	20327	20328

（6） 开挖断面≥240m²

单位：100m³

项目		单位	岩石级别			
			Ⅴ－Ⅷ	Ⅸ－Ⅹ	Ⅺ－Ⅻ	ⅩⅢ－ⅩⅣ
工长		工时	6.5	8.8	11.8	16.5
高级工		工时				
中级工		工时	79.6	123.5	183.9	281.7
初级工		工时	230.0	302.3	394.1	525.3
合计		工时	316.1	434.6	589.8	823.5
合金钻头		个	3.32	5.64	8.24	11.73
炸药		kg	80.39	106.46	126.15	145.37
雷管		个	78.41	103.85	122.83	141.26
导线	火线	m	208.17	275.69	326.61	376.30
	电线	m	323.57	428.48	508.16	586.14
其他材料费		%	10	10	10	10
风钻	气腿式	台时	1.97	3.52	5.73	9.33
风钻	手持式	台时	19.59	35.42	60.60	104.13
轴流通风机	55kW	台时	5.39	6.47	7.77	9.32
其他机械费		%	7	7	7	7
编号			20329	20330	20331	20332

二－25 竖井石方开挖——爬罐开导井

适用范围:竖井爬罐反导井施工,风钻钻孔。

工作内容:钻孔、爆破、安全处理、翻渣、清面、修整。

(1) 开挖断面≤30m²

单位:100m³

项目		单位	岩石级别			
			Ⅴ－Ⅷ	Ⅸ－Ⅹ	Ⅺ－Ⅻ	ⅩⅢ－ⅩⅣ
工长		工时	12.7	17.4	23.1	31.6
高级工		工时				
中级工		工时	146.6	210.2	285.3	398.8
初级工		工时	264.0	353.7	461.5	621.8
合计		工时	423.3	581.3	769.9	1052.2
合金钻头		个	4.41	7.40	10.67	14.97
炸药		kg	107.50	141.00	164.70	187.13
雷管		个	135.09	177.52	206.46	233.34
导线	火线	m	290.85	381.62	445.45	505.70
	电线	m	368.48	482.67	565.60	645.11
其他材料费		%	9	9	9	9
风钻	手持式	台时	21.00	37.49	63.63	108.67
爬罐		台时	7.52	12.98	19.66	29.99
轴流通风机	37kW	台时	17.84	21.41	25.70	30.84
其他机械费		%	3	3	3	3
编号			20333	20334	20335	20336

(2) 开挖断面 $60m^2$

单位:$100m^3$

项目			单位	岩石级别			
				Ⅴ-Ⅷ	Ⅸ-Ⅹ	Ⅺ-Ⅻ	ⅩⅢ-ⅩⅣ
工	长		工时	10.6	14.5	19.3	26.5
高 级	工		工时				
中 级	工		工时	105.3	155.0	217.4	314.5
初 级	工		工时	238.9	313.9	405.3	542.4
合	计		工时	354.8	483.4	642.0	883.4
合金钻头			个	3.57	6.05	8.81	12.48
炸	药		kg	86.62	114.74	135.38	155.27
雷	管		个	93.90	124.42	146.03	166.48
导	线	火线	m	228.00	302.04	356.09	408.03
		电线	m	329.07	435.81	515.80	593.61
其他材料费			%	9	9	9	9
风	钻	手持式	台时	18.97	34.32	58.71	100.87
爬	罐		台时	4.05	6.99	10.59	16.15
轴流通风机		55kW	台时	11.70	14.04	16.85	20.22
其他机械费			%	3	3	3	3
编号				20337	20338	20339	20340

（3） 开挖断面 120m²

单位：100m³

项　　目		单位	岩石级别			
			Ⅴ－Ⅷ	Ⅸ－Ⅹ	Ⅺ－Ⅻ	ⅩⅢ－ⅩⅣ
工　　长		工时	9.9	13.3	17.8	24.7
高级工		工时				
中级工		工时	83.8	127.5	185.7	278.8
初级工		工时	235.1	304.1	390.0	520.0
合　　计		工时	328.8	444.9	593.5	823.5
合金钻头		个	3.34	5.67	8.30	11.81
炸　　药		kg	80.89	107.12	126.95	146.32
雷　　管		个	81.09	107.41	126.92	145.81
导　　线	火线	m	210.53	278.81	330.30	380.03
	电线	m	320.76	424.73	504.14	582.03
其他材料费		%	10	10	10	10
风　　钻	手持式	台时	18.17	33.02	56.11	96.57
爬　　罐		台时	1.74	3.00	4.54	6.92
轴流通风机	55kW	台时	7.76	9.31	11.17	13.41
其他机械费		%	4	4	4	4
编　　号			20341	20342	20343	20344

(4) 开挖断面≥240m²

单位:100m³

项　　目		单位	岩石级别			
			Ⅴ－Ⅷ	Ⅸ－Ⅹ	Ⅺ－Ⅻ	ⅩⅢ－ⅩⅣ
工　长		工时	9.7	13.0	17.3	24.0
高级工		工时				
中级工		工时	74.0	114.4	170.3	260.7
初级工		工时	230.0	296.4	389.1	514.8
合　计		工时	313.7	423.8	576.7	799.5
合金钻头		个	3.27	5.55	8.13	11.59
炸　药		kg	79.02	104.64	124.21	143.41
雷　管		个	76.93	101.87	120.71	139.09
导　线	火线	m	204.85	271.26	321.92	371.59
	电线	m	318.06	421.13	500.34	578.27
其他材料费		%	10	10	10	10
风　钻	手持式	台时	18.00	32.82	55.71	96.00
爬　罐		台时	0.98	1.70	2.57	3.92
轴流通风机	55kW	台时	5.49	6.59	7.90	9.48
其他机械费		%	5	5	5	5
编　号			20345	20346	20347	20348

二－26 竖井石方开挖——反井钻机开导井

适用范围:竖井反井钻机开导井,风钻钻孔扩大。

工作内容:钻孔、爆破、安全处理、翻渣、清面、修整。

(1) 开挖断面≤30m²

单位:100m³

项目		单位	岩石级别			
			Ⅴ－Ⅷ	Ⅸ－Ⅹ	Ⅺ－Ⅻ	ⅩⅢ－ⅩⅣ
工长		工时	10.6	14.7	20.0	28.3
高级工		工时				
中级工		工时	102.1	152.8	221.8	331.6
初级工		工时	240.0	321.6	425.0	581.8
合计		工时	352.7	489.1	666.8	941.7
合金钻头		个	3.57	5.98	8.71	12.37
炸药		kg	86.15	112.50	132.78	152.76
雷管		个	91.90	120.01	141.65	162.95
导线	火线	m	227.57	297.17	350.74	403.50
	电线	m	328.23	428.61	505.88	581.97
其他材料费		%	25	25	25	25
风钻	手持式	台时	22.93	40.93	69.48	118.66
反井钻机	LM－200	台时	5.75	8.90	12.71	17.48
轴流通风机	37kW	台时	9.48	11.37	13.65	16.37
其他机械费		%	1	1	1	1
编号			20349	20350	20351	20352

(2) 开挖断面 $60m^2$

单位：$100m^3$

项目		单位	岩石级别			
			Ⅴ－Ⅷ	Ⅸ－Ⅹ	Ⅺ－Ⅻ	ⅩⅢ－ⅩⅣ
工长		工时	9.5	13.0	17.5	24.6
高级工		工时				
中级工		工时	80.6	123.2	182.1	276.6
初级工		工时	226.2	296.6	385.3	519.9
合计		工时	316.3	432.8	584.9	821.1
合金钻头		个	3.09	5.25	7.71	11.01
炸药		kg	74.59	98.76	117.49	135.98
雷管		个	69.62	92.18	109.66	126.92
导线	火线	m	192.29	254.59	302.87	350.54
	电线	m	306.35	405.59	482.51	558.45
其他材料费		%	20	20	20	20
风钻	手持式	台时	19.87	35.94	61.48	105.64
反井钻机	LM－200	台时	2.99	4.63	6.61	9.09
轴流通风机	55kW	台时	7.08	8.50	10.20	12.24
其他机械费		%	2	2	2	2
编号			20353	20354	20355	20356

（3） 开挖断面120m²

单位:100m³

项目		单位	岩石级别			
			Ⅴ－Ⅷ	Ⅸ－Ⅹ	Ⅺ－Ⅻ	ⅩⅢ－ⅩⅣ
工长		工时	9.1	12.2	16.2	22.5
高级工		工时				
中级工		工时	68.1	105.2	157.0	240.8
初级工		工时	224.6	288.0	367.1	486.7
合计		工时	301.8	405.4	540.3	750.0
合金钻头		个	2.86	4.84	7.10	10.13
炸药		kg	68.98	91.08	108.19	125.08
雷管		个	57.23	75.57	89.77	103.78
导线	火线	m	174.42	230.31	273.57	316.27
	电线	m	288.88	381.45	453.11	523.82
其他材料费		%	10	10	10	10
风钻	手持式	台时	18.37	33.15	56.62	97.17
反井钻机	LM－200	台时	1.50	2.32	3.30	4.55
轴流通风机	55kW	台时	5.10	6.13	7.35	8.82
其他机械费		%	2	2	2	2
编号			20357	20358	20359	20360

(4) 开挖断面≥240m²

单位:100m³

项目			单位	岩石级别			
				Ⅴ－Ⅷ	Ⅸ－Ⅹ	Ⅺ－Ⅻ	ⅩⅢ－ⅩⅣ
工长			工时	9.0	11.9	15.8	21.7
高级工			工时				
中级工			工时	60.2	94.9	143.8	223.7
初级工			工时	222.0	285.5	362.6	479.1
合计			工时	291.2	392.3	522.2	724.5
合金钻头			个	2.73	4.66	6.88	9.86
炸药			kg	65.72	87.71	104.81	121.71
雷管			个	54.53	72.77	86.96	100.98
导线		火线	m	166.18	221.77	265.01	307.76
		电线	m	275.23	367.31	438.92	509.73
其他材料费			%	10	10	10	10
风钻		手持式	台时	17.52	31.92	54.85	94.57
反井钻机		LM－200	台时	0.81	1.25	1.78	2.45
轴流通风机		55kW	台时	3.85	4.62	5.55	6.66
其他机械费			%	2	2	2	2
编号				20361	20362	20363	20364

二－27 地下厂房石方开挖——潜孔钻钻孔

适用范围：潜孔钻钻孔，风钻配合。

工作内容：钻孔、爆破、安全处理、翻渣、清面、修整。

单位：100m³

项目	单位	岩石级别			
		Ⅴ－Ⅷ	Ⅸ－Ⅹ	Ⅺ－Ⅻ	ⅩⅢ－ⅩⅣ
工长	工时	5.3	6.9	8.7	11.3
高级工	工时				
中级工	工时	42.1	60.1	81.5	113.6
初级工	工时	129.1	162.8	200.1	252.7
合计	工时	176.5	229.8	290.3	377.6
合金钻头	个	1.73	2.85	4.06	5.65
潜孔钻钻头 Φ100	个	0.11	0.17	0.24	0.34
冲击器	个	0.01	0.02	0.02	0.03
炸药	kg	57.17	70.11	80.12	90.27
火雷管	个	135.96	169.84	195.77	221.23
电雷管	个	12.81	16.23	18.38	20.33
导火线	m	202.36	253.48	292.39	330.61
导电线	m	66.24	81.88	91.87	101.08
其他材料费	%	20	20	20	20
风钻 气腿式	台时	8.92	15.31	24.07	38.66
潜孔钻 100型	台时	1.65	2.42	3.38	4.79
轴流通风机 55kW	台时	11.49	13.79	16.55	19.86
其他机械费	%	5	5	5	5
编号		20365	20366	20367	20368

二－28 地下厂房石方开挖——液压钻钻孔

适用范围：三臂液压凿岩台车钻水平孔，液压履带钻机扩挖。

工作内容：钻孔、爆破、安全处理、翻渣、清面、修整。

单位：100m³

项目	单位	岩石级别			
		Ⅴ－Ⅷ	Ⅸ－Ⅹ	Ⅺ－Ⅻ	ⅩⅢ－ⅩⅣ
工长	工时	4.1	5.2	6.2	7.5
高级工	工时				
中级工	工时	34.1	45.4	56.4	70.9
初级工	工时	99.0	121.5	143.8	172.2
合计	工时	137.2	172.1	206.4	250.6
合金钻头	个	0.54	0.88	1.26	1.77
钻头 Φ45	个	0.14	0.16	0.19	0.22
钻头 Φ76	个	0.03	0.03	0.04	0.05
炸药	kg	66.88	77.86	88.38	98.24
火雷管	个	54.71	68.25	78.65	88.87
电雷管	个	34.05	39.08	44.29	48.85
导火线	m	84.01	105.01	121.07	136.87
导电线	m	191.08	218.24	246.46	270.98
其他材料费	%	25	25	25	25
风钻 手持式	台时	3.00	4.95	7.42	11.43
凿岩台车 三臂	台时	0.44	0.53	0.64	0.76
平台车	台时	0.39	0.44	0.50	0.55
液压履带钻	台时	0.34	0.45	0.57	0.70
轴流通风机 55kW	台时	11.03	13.24	15.89	19.06
其他机械费	%	5	5	5	5
编号		20369	20370	20371	20372

二－29 平洞超挖石方(机械装渣)

适用范围:机械装渣(不包括装岩机)。

工作内容:超挖部分翻渣清面,修整断面(不包括装渣)。

(1) 开挖断面 15m²

单位:100m³

项目	单位	岩石级别			
		Ⅴ－Ⅷ	Ⅸ－Ⅹ	Ⅺ－Ⅻ	ⅩⅢ－ⅩⅣ
工长	工时	2.9	3.4	4.0	4.7
高级工	工时				
中级工	工时	13.2	18.1	23.6	30.6
初级工	工时	126.6	150.6	173.3	200.2
合计	工时	142.7	172.1	200.9	235.5
编号		20373	20374	20375	20376

(2) 开挖断面 30m²

单位:100m³

项目	单位	岩石级别			
		Ⅴ－Ⅷ	Ⅸ－Ⅹ	Ⅺ－Ⅻ	ⅩⅢ－ⅩⅣ
工长	工时	2.4	2.9	3.3	3.8
高级工	工时				
中级工	工时	9.4	13.0	16.9	21.9
初级工	工时	107.9	127.2	145.2	166.1
合计	工时	119.7	143.1	165.4	191.8
编号		20377	20378	20379	20380

(3) 开挖断面60m^2

单位:100m^3

项目	单位	岩石级别			
		Ⅴ－Ⅷ	Ⅸ－Ⅹ	Ⅺ－Ⅻ	ⅩⅢ－ⅩⅣ
工长	工时	2.0	2.4	2.7	3.1
高级工	工时				
中级工	工时	6.7	9.3	12.0	15.7
初级工	工时	91.8	107.3	121.6	138.0
合计	工时	100.5	119.0	136.3	156.8
编号		20381	20382	20383	20384

(4) 开挖断面120m^2

单位:100m^3

项目	单位	岩石级别			
		Ⅴ－Ⅷ	Ⅸ－Ⅹ	Ⅺ－Ⅻ	ⅩⅢ－ⅩⅣ
工长	工时	1.9	2.2	2.5	2.8
高级工	工时				
中级工	工时	4.8	6.6	8.6	11.1
初级工	工时	86.9	100.6	112.9	126.7
合计	工时	93.6	109.4	124.0	140.6
编号		20385	20386	20387	20388

(5) 开挖断面≥240m²

单位:100m³

项目	单位	岩石级别			
		Ⅴ－Ⅷ	Ⅸ－Ⅹ	Ⅺ－Ⅻ	ⅩⅢ－ⅩⅣ
工长	工时	1.8	2.1	2.3	2.6
高级工	工时				
中级工	工时	3.4	4.7	6.1	7.9
初级工	工时	83.5	95.9	106.7	118.6
合计	工时	88.7	102.7	115.1	129.1
编号		20389	20390	20391	20392

二－30 斜、竖井超挖石方(先导后扩)

适用范围:自上而下扩挖,人力翻渣经导井溜下。

工作内容:超挖部分翻渣清面,修整断面。

(1) 开挖断面15m²

单位:100m³

项目	单位	岩石级别			
		Ⅴ－Ⅷ	Ⅸ－Ⅹ	Ⅺ－Ⅻ	ⅩⅢ－ⅩⅣ
工长	工时	3.6	4.3	5.0	5.7
高级工	工时				
中级工	工时	13.2	18.1	23.6	30.6
初级工	工时	164.1	192.6	219.1	249.6
合计	工时	180.9	215.0	247.7	285.9
编号		20393	20394	20395	20396

(2) 开挖断面30m²

单位:100m³

项目	单位	岩石级别			
		Ⅴ－Ⅷ	Ⅸ－Ⅹ	Ⅺ－Ⅻ	ⅩⅢ－ⅩⅣ
工长	工时	3.4	3.9	4.5	5.1
高级工	工时				
中级工	工时	9.4	13.0	16.9	21.9
初级工	工时	154.7	179.7	202.3	227.9
合计	工时	167.5	196.6	223.7	254.9
编号		20397	20398	20399	20400

(3) 开挖断面60m²

单位:100m³

项目	单位	岩石级别			
		Ⅴ－Ⅷ	Ⅸ－Ⅹ	Ⅺ－Ⅻ	ⅩⅢ－ⅩⅣ
工长	工时	3.2	3.7	4.1	4.6
高级工	工时				
中级工	工时	6.7	9.3	12.0	15.7
初级工	工时	148.0	170.4	190.2	212.1
合计	工时	157.9	183.4	206.3	232.4
编号		20401	20402	20403	20404

（4） 开挖断面120m²

单位：100m³

项　　目	单位	岩石级别			
		Ⅴ－Ⅷ	Ⅸ－Ⅹ	Ⅺ－Ⅻ	ⅩⅢ－ⅩⅣ
工　　长	工时	3.0	3.5	3.9	4.3
高 级 工	工时				
中 级 工	工时	4.8	6.6	8.6	11.1
初 级 工	工时	143.1	163.7	181.6	200.8
合　　计	工时	150.9	173.8	194.1	216.2
编　　号		20405	20406	20407	20408

（5） 开挖断面≥240m²

单位：100m³

项　　目	单位	岩石级别			
		Ⅴ－Ⅷ	Ⅸ－Ⅹ	Ⅺ－Ⅻ	ⅩⅢ－ⅩⅣ
工　　长	工时	2.9	3.3	3.7	4.1
高 级 工	工时				
中 级 工	工时	3.4	4.7	6.1	7.9
初 级 工	工时	139.7	159.0	175.3	192.8
合　　计	工时	146.0	167.0	185.1	204.8
编　　号		20409	20410	20411	20412

二－31　平洞、斜井、竖井超挖石方(不含翻渣)

适用范围:平洞人工或装岩机装渣,斜井、竖井下行全断面或上行全断面开挖。

工作内容:超挖部分修整断面(不包括翻渣装渣)。

开挖断面≤$10m^2$

单位:$100m^3$

项　　目	单位	岩石级别			
		Ⅴ－Ⅷ	Ⅸ－Ⅹ	Ⅺ－Ⅻ	ⅩⅢ－ⅩⅣ
工　　长	工时	1.1	1.6	2.0	2.7
高 级 工	工时				
中 级 工	工时	16.0	22.0	28.6	37.2
初 级 工	工时	39.9	55.0	71.5	93.0
合　　计	工时	57.0	78.6	102.1	132.9
编　　号		20413	20414	20415	20416

二－32 1m³挖掘机装石渣汽车运输

工作内容：挖装、运输、卸除、空回。

(1) 露 天

单位：100m³

项目	单位	运距 (km)					增运1km
		1	2	3	4	5	
工长	工时						
高级工	工时						
中级工	工时						
初级工	工时	18.2	18.2	18.2	18.2	18.2	
合计	工时	18.2	18.2	18.2	18.2	18.2	
零星材料费	%	2	2	2	2	2	
挖掘机 1m³	台时	2.74	2.74	2.74	2.74	2.74	
推土机 88kW	台时	1.37	1.37	1.37	1.37	1.37	
自卸汽车 5t	台时	16.02	20.62	24.86	28.85	32.67	3.53
8t	台时	10.87	13.74	16.38	18.86	21.24	2.20
编号		20417	20418	20419	20420	20421	20422

(2) 洞 内

单位:100m³

项 目		单位	运 距 (km)				增运 0.5km
			0.5	1	2	3	
工 长		工时					
高 级 工		工时					
中 级 工		工时					
初 级 工		工时	22.5	22.5	22.5	22.5	
合 计		工时	22.5	22.5	22.5	22.5	
零星材料费		%	2	2	2	2	
挖 掘 机	$1m^3$	台时	3.39	3.39	3.39	3.39	
推 土 机	88kW	台时	1.70	1.70	1.70	1.70	
自卸汽车	5t	台时	15.76	21.85	33.07	42.42	3.67
	8t	台时	10.92	14.72	21.71	27.53	2.29
编 号			20423	20424	20425	20426	20427

二－33 2m³挖掘机装石渣汽车运输

工作内容：挖装、运输、卸除、空回。

(1) 露 天

单位：100m³

项目		单位	运距（km）					增运1km
			1	2	3	4	5	
工长		工时						
高级工		工时						
中级工		工时						
初级工		工时	9.9	9.9	9.9	9.9	9.9	
合计		工时	9.9	9.9	9.9	9.9	9.9	
零星材料费		%	2	2	2	2	2	
挖掘机	2m³	台时	1.49	1.49	1.49	1.49	1.49	
推土机	88kW	台时	0.75	0.75	0.75	0.75	0.75	
自卸汽车	8t	台时	9.64	12.50	15.14	17.63	20.01	2.20
	10t	台时	8.67	10.97	13.08	15.07	16.97	1.76
	12t	台时	7.55	9.47	11.23	12.89	14.47	1.47
	15t	台时	6.30	7.84	9.24	10.57	11.84	1.17
编号			20428	20429	20430	20431	20432	20433

(2) 洞 内

单位:100m³

项目	单位	运距 (km)				增运0.5km
		0.5	1	2	3	
工长	工时					
高级工	工时					
中级工	工时					
初级工	工时	12.5	12.5	12.5	12.5	
合计	工时	12.5	12.5	12.5	12.5	
零星材料费	%	2	2	2	2	
挖掘机 $2m^3$	台时	1.88	1.88	1.88	1.88	
推土机 88kW	台时	0.94	0.94	0.94	0.94	
自卸汽车 8t	台时	9.42	13.21	20.20	26.03	2.29
10t	台时	8.60	11.64	17.23	21.89	1.83
12t	台时	7.58	10.11	14.77	18.66	1.53
15t	台时	6.39	8.42	12.15	15.26	1.22
编号		20434	20435	20436	20437	20438

二－34　$3m^3$ 挖掘机装石渣汽车运输

工作内容：挖装、运输、卸除、空回。

（1）露　天

单位：$100m^3$

项　　目		单位	运　距　(km)					增运1km
			1	2	3	4	5	
工　长		工时						
高级工		工时						
中级工		工时						
初级工		工时	7.1	7.1	7.1	7.1	7.1	
合　计		工时	7.1	7.1	7.1	7.1	7.1	
零星材料费		%	2	2	2	2	2	
挖掘机	$3m^3$	台时	1.07	1.07	1.07	1.07	1.07	
推土机	103kW	台时	0.54	0.54	0.54	0.54	0.54	
自卸汽车	12t	台时	6.98	8.89	10.65	12.31	13.90	1.47
	15t	台时	5.86	7.40	8.80	10.13	11.40	1.17
	18t	台时	5.43	6.70	7.87	8.98	10.04	0.98
	20t	台时	4.89	6.03	7.09	8.08	9.04	0.88
	25t	台时	4.08	5.00	5.84	6.64	7.40	0.70
编　号			20439	20440	20441	20442	20443	20444

(2) 洞 内

单位:100m³

项目		单位	运距(km)				增运
			0.5	1	2	3	0.5km
工长		工时					
高级工		工时					
中级工		工时					
初级工		工时	8.8	8.8	8.8	8.8	
合计		工时	8.8	8.8	8.8	8.8	
零星材料费		%	2	2	2	2	
挖掘机	3m³	台时	1.32	1.32	1.32	1.32	
推土机	103kW	台时	0.66	0.66	0.66	0.66	
自卸汽车	12t	台时	6.83	9.37	14.03	17.92	1.53
	15t	台时	5.81	7.84	11.57	14.69	1.22
	18t	台时	5.44	7.13	10.24	12.83	1.02
	20t	台时	4.90	6.42	9.22	11.55	0.92
	25t	台时	4.13	5.35	7.58	9.45	0.73
编号			20445	20446	20447	20448	20449

二－35 4m³ 挖掘机露天装石渣汽车运输

工作内容：挖装、运输、卸除、空回。

单位：100m³

项目		单位	运距（km）					增运1km
			1	2	3	4	5	
工长		工时						
高级工		工时						
中级工		工时						
初级工		工时	5.5	5.5	5.5	5.5	5.5	
合计		工时	5.5	5.5	5.5	5.5	5.5	
零星材料费		%	2	2	2	2	2	
挖掘机	4m³	台时	0.83	0.83	0.83	0.83	0.83	
推土机	132kW	台时	0.42	0.42	0.42	0.42	0.42	
自卸汽车	15t	台时	5.61	7.15	8.55	9.88	11.15	1.17
	18t	台时	4.99	6.26	7.44	8.54	9.60	0.98
	20t	台时	4.71	5.86	6.91	7.91	8.86	0.88
	25t	台时	3.94	4.86	5.70	6.50	7.26	0.70
	27t	台时	3.65	4.50	5.28	6.02	6.73	0.65
	32t	台时	3.21	3.93	4.59	5.21	5.81	0.55
编号			20450	20451	20452	20453	20454	20455

二－36　6m³挖掘机露天装石渣汽车运输

工作内容：挖装、运输、卸除、空回。

单位：100m³

项目		单位	运距（km）					增运1km
			1	2	3	4	5	
工长		工时						
高级工		工时						
中级工		工时						
初级工		工时	4.3	4.3	4.3	4.3	4.3	
合计		工时	4.3	4.3	4.3	4.3	4.3	
零星材料费		%	2	2	2	2	2	
挖掘机	6m³	台时	0.64	0.64	0.64	0.64	0.64	
推土机	132kW	台时	0.32	0.32	0.32	0.32	0.32	
自卸汽车	20t	台时	4.60	5.75	6.80	7.80	8.75	0.88
	25t	台时	3.88	4.80	5.65	6.44	7.20	0.70
	27t	台时	3.60	4.45	5.23	5.97	6.67	0.65
	32t	台时	3.19	3.91	4.57	5.19	5.78	0.55
	45t	台时	2.51	3.02	3.49	3.93	4.35	0.39
编号			20456	20457	20458	20459	20460	20461

二-37 1m³装载机装石渣汽车运输

工作内容：挖装、运输、卸除、空回。

(1) 露 天

单位：100m³

项目		单位	运距(km)					增运1km
			1	2	3	4	5	
工长		工时						
高级工		工时						
中级工		工时						
初级工		工时	19.2	19.2	19.2	19.2	19.2	
合计		工时	19.2	19.2	19.2	19.2	19.2	
零星材料费		%	2	2	2	2	2	
装载机	1m³	台时	3.61	3.61	3.61	3.61	3.61	
推土机	88kW	台时	1.81	1.81	1.81	1.81	1.81	
自卸汽车	5t	台时	16.94	21.54	25.78	29.77	33.59	3.53
	8t	台时	11.73	14.60	17.24	19.72	22.10	2.20
编号			20462	20463	20464	20465	20466	20467

（2）洞　内

单位:$100m^3$

项　　目		单位	运　距　(km)				增运0.5km
			0.5	1	2	3	
工　　长		工时					
高 级 工		工时					
中 级 工		工时					
初 级 工		工时	23.9	23.9	23.9	23.9	
合　　计		工时	23.9	23.9	23.9	23.9	
零星材料费		%	2	2	2	2	
装 载 机	$1m^3$	台时	4.49	4.49	4.49	4.49	
推 土 机	88kW	台时	2.25	2.25	2.25	2.25	
自卸汽车	5t	台时	16.91	23.00	34.22	43.57	3.67
	8t	台时	12.00	15.79	22.78	28.61	2.29
编　　号			20468	20469	20470	20471	20472

二－38　1.5m³装载机装石渣汽车运输

工作内容：挖装、运输、卸除、空回。

(1) 露　天

单位：100m³

项　目		单位	运距（km）					增运1km
			1	2	3	4	5	
工长		工时						
高级工		工时						
中级工		工时						
初级工		工时	13.8	13.8	13.8	13.8	13.8	
合计		工时	13.8	13.8	13.8	13.8	13.8	
零星材料费		%	2	2	2	2	2	
装载机	1.5m³	台时	2.59	2.59	2.59	2.59	2.59	
推土机	88kW	台时	1.30	1.30	1.30	1.30	1.30	
自卸汽车	8t	台时	10.69	13.56	16.20	18.68	21.06	2.20
	10t	台时	9.63	11.93	14.04	16.03	17.94	1.76
	12t	台时	8.45	10.36	12.12	13.78	15.37	1.47
编号			20473	20474	20475	20476	20477	20478

(2) 洞 内

单位:100m³

项目		单位	运距(km) 0.5	1	2	3	增运0.5km
工长		工时					
高级工		工时					
中级工		工时					
初级工		工时	17.3	17.3	17.3	17.3	
合计		工时	17.3	17.3	17.3	17.3	
零星材料费		%	2	2	2	2	
装载机	1.5m³	台时	3.26	3.26	3.26	3.26	
推土机	88kW	台时	1.63	1.63	1.63	1.63	
自卸汽车	8t	台时	10.74	14.54	21.53	27.35	2.29
	10t	台时	9.80	12.84	18.44	23.10	1.83
	12t	台时	8.70	11.23	15.90	19.78	1.53
编号			20479	20480	20481	20482	20483

二－39 2m³ 装载机装石渣汽车运输

工作内容：挖装、运输、卸除、空回。

(1) 露 天

单位：100m³

项目		单位	运距 (km)					增运1km
			1	2	3	4	5	
工长		工时						
高级工		工时						
中级工		工时						
初级工		工时	10.9	10.9	10.9	10.9	10.9	
合计		工时	10.9	10.9	10.9	10.9	10.9	
零星材料费		%	2	2	2	2	2	
装载机	2m³	台时	2.05	2.05	2.05	2.05	2.05	
推土机	88kW	台时	1.03	1.03	1.03	1.03	1.03	
自卸汽车	8t	台时	10.17	13.04	15.68	18.16	20.54	2.20
	10t	台时	9.25	11.54	13.65	15.64	17.55	1.76
	12t	台时	8.15	10.06	11.82	13.48	15.07	1.47
	15t	台时	6.88	8.41	9.82	11.15	12.42	1.17
编号			20484	20485	20486	20487	20488	20489

(2) 洞 内

单位:100m³

项目		单位	运距(km)				增运 0.5km
			0.5	1	2	3	
工长		工时					
高级工		工时					
中级工		工时					
初级工		工时	13.5	13.5	13.5	13.5	
合计		工时	13.5	13.5	13.5	13.5	
零星材料费		%	2	2	2	2	
装载机	$2m^3$	台时	2.54	2.54	2.54	2.54	
推土机	88kW	台时	1.27	1.27	1.27	1.27	
自卸汽车	8t	台时	10.06	13.86	20.85	26.67	2.29
	10t	台时	9.29	12.33	17.92	22.58	1.83
	12t	台时	8.29	10.83	15.49	19.38	1.53
	15t	台时	7.08	9.11	12.84	15.95	1.22
编号			20490	20491	20492	20493	20494

二－40　3m³ 装载机装石渣汽车运输

工作内容：挖装、运输、卸除、空回。

(1) 露　天

单位：100m³

项目		单位	运距(km)					增运1km
			1	2	3	4	5	
工长		工时						
高级工		工时						
中级工		工时						
初级工		工时	7.4	7.4	7.4	7.4	7.4	
合计		工时	7.4	7.4	7.4	7.4	7.4	
零星材料费		%	2	2	2	2	2	
装载机	3m³	台时	1.40	1.40	1.40	1.40	1.40	
推土机	103kW	台时	0.70	0.70	0.70	0.70	0.70	
自卸汽车	12t	台时	7.30	9.22	10.97	12.63	14.22	1.47
	15t	台时	6.21	7.74	9.15	10.48	11.75	1.17
	18t	台时	5.79	7.06	8.23	9.34	10.40	0.98
	20t	台时	5.21	6.36	7.41	8.41	9.36	0.88
	25t	台时	4.39	5.31	6.15	6.95	7.71	0.70
编号			20495	20496	20497	20498	20499	20500

(2) 洞 内

单位:100m³

项目		单位	运距(km)				增运0.5km
			0.5	1	2	3	
工长		工时					
高级工		工时					
中级工		工时					
初级工		工时	9.4	9.4	9.4	9.4	
合计		工时	9.4	9.4	9.4	9.4	
零星材料费		%	2	2	2	2	
装载机	$3m^3$	台时	1.76	1.76	1.76	1.76	
推土机	103kW	台时	0.88	0.88	0.88	0.88	
自卸汽车	12t	台时	7.26	9.80	14.46	18.35	1.53
	15t	台时	6.27	8.30	12.03	15.15	1.22
	18t	台时	5.92	7.61	10.71	13.30	1.02
	20t	台时	5.33	6.85	9.65	11.98	0.92
	25t	台时	4.54	5.76	8.00	9.86	0.73
编号			20501	20502	20503	20504	20505

二－41 5m³装载机露天装石渣汽车运输

工作内容：挖装、运输、卸除、空回。

单位：100m³

项目		单位	运距（km）					增运
			1	2	3	4	5	1km
工长		工时						
高级工		工时						
中级工		工时						
初级工		工时	4.8	4.8	4.8	4.8	4.8	
合计		工时	4.8	4.8	4.8	4.8	4.8	
零星材料费		%	2	2	2	2	2	
装载机	5m³	台时	0.91	0.91	0.91	0.91	0.91	
推土机	132kW	台时	0.46	0.46	0.46	0.46	0.46	
自卸汽车	18t	台时	5.25	6.53	7.70	8.80	9.86	0.98
	20t	台时	4.73	5.88	6.93	7.93	8.88	0.88
	25t	台时	4.02	4.94	5.78	6.58	7.34	0.70
	27t	台时	3.72	4.57	5.36	6.09	6.80	0.65
	32t	台时	3.32	4.04	4.70	5.32	5.92	0.55
编号			20506	20507	20508	20509	20510	20511

二－42　7m³装载机露天装石渣汽车运输

工作内容：挖装、运输、卸除、空回。

单位：100m³

项　　目		单位	运　距　(km)					增运1km
			1	2	3	4	5	
工　　长		工时						
高 级 工		工时						
中 级 工		工时						
初 级 工		工时	3.5	3.5	3.5	3.5	3.5	
合　　计		工时	3.5	3.5	3.5	3.5	3.5	
零星材料费		%	2	2	2	2	2	
装 载 机	7m³	台时	0.66	0.66	0.66	0.66	0.66	
推 土 机	132kW	台时	0.33	0.33	0.33	0.33	0.33	
自卸汽车	25t	台时	3.80	4.72	5.57	6.36	7.13	0.70
	27t	台时	3.52	4.37	5.15	5.89	6.60	0.65
	32t	台时	3.16	3.88	4.53	5.16	5.75	0.55
	45t	台时	2.51	3.02	3.49	3.93	4.35	0.39
编　　号			20512	20513	20514	20515	20516	20517

二-43 9.6m³ 装载机露天装石渣汽车运输

工作内容：挖装、运输、卸除、空回。

单位：100m³

项目		单位	运距（km）					增运1km
			1	2	3	4	5	
工长		工时						
高级工		工时						
中级工		工时						
初级工		工时	2.7	2.7	2.7	2.7	2.7	
合计		工时	2.7	2.7	2.7	2.7	2.7	
零星材料费		%	2	2	2	2	2	
装载机	9.6m³	台时	0.51	0.51	0.51	0.51	0.51	
推土机	162kW	台时	0.26	0.26	0.26	0.26	0.26	
自卸汽车	32t	台时	3.00	3.71	4.37	5.00	5.59	0.55
	45t	台时	2.40	2.91	3.38	3.82	4.24	0.39
	65t	台时	1.76	2.11	2.44	2.74	3.04	0.27
	77t	台时	1.57	1.86	2.14	2.40	2.64	0.23
编号			20518	20519	20520	20521	20522	20523

二－44　10.7m³装载机露天装石渣汽车运输

工作内容：挖装、运输、卸除、空回。

单位：100m³

项目		单位	运距（km）					增运1km
			1	2	3	4	5	
工长		工时						
高级工		工时						
中级工		工时						
初级工		工时	2.5	2.5	2.5	2.5	2.5	
合计		工时	2.5	2.5	2.5	2.5	2.5	
零星材料费		%	2	2	2	2	2	
装载机	10.7m³	台时	0.47	0.47	0.47	0.47	0.47	
推土机	162kW	台时	0.24	0.24	0.24	0.24	0.24	
自卸汽车	45t	台时	2.27	2.78	3.25	3.69	4.11	0.39
	65t	台时	1.75	2.10	2.43	2.72	3.02	0.27
	77t	台时	1.56	1.85	2.13	2.38	2.63	0.23
	108t	台时	1.27	1.49	1.69	1.88	2.06	0.17
编号			20524	20525	20526	20527	20528	20529

二－45 推土机推运石渣

工作内容：推运、堆集、空回、平场。

单位：$100m^3$

项目		单位	运距（m）				
			≤20	40	60	80	100
工长		工时					
高级工		工时					
中级工		工时					
初级工		工时	8.0	8.0	8.0	8.0	8.0
合计		工时	8.0	8.0	8.0	8.0	8.0
零星材料费		%	8	8	8	6	6
推土机	88kW	台时	2.65	3.88	4.97	6.18	7.53
	103kW	台时	2.36	3.48	4.56	5.66	6.91
	118kW	台时	2.26	3.36	4.48	5.60	6.79
	132kW	台时	2.07	3.09	4.14	5.16	6.31
	162kW	台时	1.88	2.82	3.80	4.74	5.80
	235kW	台时	1.23	1.77	2.34	2.92	3.56
	301kW	台时	0.77	1.12	1.47	1.83	2.24
编号			20530	20531	20532	20533	20534

二－46 平洞石渣运输

适用范围：平洞开挖，洞内石渣运输。

工作内容：平洞内装载、组车、洞内外运输、卸除、空回。

(1) 水平运输

单位：100m³

项目	单位	1.0m³ 斗车		3.5m³ 矿车		8m³ 梭车	
		运距200m	增运100m	运距200m	增运100m	运距200m	增运100m
工长	工时						
高级工	工时	9.0		5.0		4.0	
中级工	工时	18.0		18.0		17.0	
初级工	工时	52.0	4.0	23.0	2.0	17.0	2.0
合计	工时	79.0	4.0	46.0	2.0	38.0	2.0
零星材料费	%	1		1		1	
风动装岩机 0.26m³	台时	7.60					
立爪装岩机 100m³/h	台时			4.00		3.40	
斗车 1.0m³	台时	100.80	5.60				
矿车 3.5m³	台时			23.40	1.50		
梭车 8m³	台时					8.00	0.70
电瓶机车 5t	台时	6.30	0.70	7.80	0.50	8.00	0.70
其他机械费	%	3		3		3	
编号		20535	20536	20537	20538	20539	20540

注：运距按洞内洞外运距之和计算。

适用范围：平洞开挖时，通过斜井出渣。井深小于900m。

工作内容：井下摘挂钩、斜井内提升、卸于洞口或转载、空回。

(2) 通过斜井提升出渣

单位：$100m^3$

项目	单位	斜井倾角(°)		
		≤10	10～20	20～30
工长	工时			
高级工	工时			
中级工	工时	7.0	7.0	7.0
初级工	工时	26.0	27.0	28.0
合计	工时	33.0	34.0	35.0
零星材料费	%	2	2	2
矿车 $3.5m^3$	台时	11.40	11.80	12.20
双筒绞车	台时	5.70	5.90	6.10
斗车 $1.0m^3$	台时	34.20	35.40	36.60
其他机械费	%	3	3	3
编号		20541	20542	20543

注：1. $1.0m^3$ 斗车与 $3.5m^3$ 矿车可以选择任一种；

2. 绞车按井深选型，详见说明。

适用范围：平洞开挖时，通过竖井出渣。井深小于100m。

工作内容：井下调车、井内提升、井口外30m人工卸渣、空回。

（3） 通过竖井提升出渣

单位：$100m^3$

项　　目	单位	数　量
工　　长	工时	
高 级 工	工时	
中 级 工	工时	26.0
初 级 工	工时	44.0
合　　计	工时	70.0
零星材料费	%	2
吊　　桶 $2m^3$	台时	15.20
双筒绞车	台时	7.60
其他机械费	%	6
编　　号		20544

注：1. 当井深大于100m时，可参考冶金、煤炭建井定额；

2. 绞车按井深选型，详见说明。

二－47　斜井石渣运输

适用范围:斜井开挖,井深小于或等于140m,倾角6°～30°。

工作内容:人工装渣、提升、洞口30m卸渣或转载、空回。

(1)　卷扬机提升出渣

单位:100m³

项　　目	单位	数　　量
工　　长	工时	
高 级 工	工时	
中 级 工	工时	56.0
初 级 工	工时	280.0
合　　计	工时	336.0
零星材料费	%	2
快速卷扬机　5t	台时	42.00
斗　　车　1m³	台时	49.40
其他机械费	%	2
编　　号		20545

注:1.当斜井倾角为30°～45°时,定额乘以1.2系数;

2.当斜井倾角为45°～75°时,定额乘以1.5系数。

适用范围：斜井开挖，单钩提升，井深小于900m。

工作内容：装载、提升、卸于洞口渣仓或转载、空回。

(2) 绞车提升出渣

单位：$100m^3$

项目	单位	斜井倾角（°）		
		≤10	10～20	20～30
工长	工时			
高级工	工时	18.0	19.0	22.0
中级工	工时	55.0	58.0	65.0
初级工	工时	73.0	77.0	87.0
合计	工时	146.0	154.0	174.0
零星材料费	%	2	2	2
耙斗装岩机 $0.6m^3$	台时	6.00	6.50	7.00
矿车 $3.5m^3$	台时	16.00	16.90	19.00
单筒绞车	台时	16.00	16.90	19.00
其他机械费	%	4	4	4
编号		20546	20547	20548

注：绞车按井深选型，详见说明。

二－48　竖井石渣运输

适用范围：竖井开挖，单钩提升，井深小于或等于50m。

工作内容：人工装渣、提升、自动翻渣到井口渣仓、空回。

(1)　卷扬机提升出渣

单位：100m^3

项　　目	单位	数　　量
工　　长	工时	
高 级 工	工时	
中 级 工	工时	138.0
初 级 工	工时	207.0
合　　计	工时	345.0
零星材料费	%	2
吊　　桶　0.5m^3	台时	60.20
快速卷扬机　5t	台时	48.20
其他机械费	%	5
编　　号		20549

适用范围:竖井开挖,单钩提升,井深小于或等于100m。

工作内容:装载、提升、自动翻渣到井口渣仓、空回。

(2) 绞车提升出渣

单位:$100m^3$

项目	单位	数量
工长	工时	
高级工	工时	26.0
中级工	工时	52.0
初级工	工时	78.0
合计	工时	156.0
零星材料费	%	2
长绳悬吊抓斗 $0.6m^3$	台时	9.40
吊桶 $2m^3$	台时	23.00
单筒绞车	台时	23.00
卷扬机 5t	台时	30.00
其他机械费	%	5
编号		20550

注:1.当井深大于100m时,可参考冶金、煤炭建井定额;

2.绞车按井深选型,详见说明。

二－49　人工装胶轮车运石渣

适用范围：露天作业。

工作内容：撬移、解小、装渣、运卸、空回、平场等。

单位：100m³

项　　目	单位	运　距（m）				增运
		50	100	150	200	50m
工　　长	工时					
高 级 工	工时					
中 级 工	工时					
初 级 工	工时	326.8	364.7	400.9	436.3	32.8
合　　计	工时	326.8	364.7	400.9	436.3	32.8
零星材料费	%	2	2	2	2	
胶 轮 车	台时	89.36	127.20	163.40	198.80	32.80
编　　号		20551	20552	20553	20554	20555

二－50　人工装机动翻斗车运石渣

适用范围：露天作业。

工作内容：装渣、运卸、空回、平场等。

单位：100m³

项　　目	单位	运　距（m）					增运
		100	200	300	400	500	100m
工　　长	工时						
高 级 工	工时						
中 级 工	工时						
初 级 工	工时	209.5	209.5	209.5	209.5	209.5	
合　　计	工时	209.5	209.5	209.5	209.5	209.5	
零星材料费	%	2	2	2	2	2	
机动翻斗车　1t	台时	61.91	66.00	69.76	73.31	76.71	3.13
编　　号		20556	20557	20558	20559	20560	20561

二－51 隧洞钢支撑

工作内容:制作、安装、拆除。

单位:t

项目	单位	支护形式					
		门式撑	五节撑		七节撑		
		支护高度 (m)					
		0～4	4～6	6～8	6～8	8～10	>10
工长	工时	1.9	2.8	3.3	3.6	4.5	4.9
高级工	工时						
中级工	工时	29.3	43.1	51.3	56.6	69.7	76.7
初级工	工时	31.2	45.9	54.6	60.2	74.2	81.6
合计	工时	62.4	91.8	109.2	120.4	148.4	163.2
型钢	kg	950.0	960.0	960.0	960.0	960.0	960.0
钢材	kg	170.0	220.0	220.0	220.0	220.0	220.0
氧气	m^3	3.00	4.00	4.00	4.50	4.50	4.50
乙炔气	m^3	1.80	2.20	2.20	2.60	2.60	2.60
电焊条	kg	4.00	5.00	6.00	6.00	7.00	7.00
木材	m^3	0.32	0.49	0.52	0.52	0.55	0.55
其他材料费	%	2	2	2	2	2	2
电焊机	台时	3.60	5.40	5.40	6.00	6.00	6.60
载重汽车 5t	台时	0.50	0.50	0.50	0.50	0.50	0.50
编号		20562	20563	20564	20565	20566	20567

二－52 隧洞木支撑

工作内容：制作、安装、拆除。

单位：延长米

项目	单位	断面积 (m^2)				
		0～10	10～20	20～40	40～80	>80
工长	工时	0.5	0.8	1.7	2.7	4.2
高级工	工时					
中级工	工时	7.6	12.9	26.0	42.4	66.5
初级工	工时	8.1	13.7	27.7	45.2	70.7
合计	工时	16.2	27.4	55.4	90.3	141.4
圆木	m^3	0.26	0.37	1.21	1.62	2.60
锯材	m^3	0.41	0.95	1.24	1.35	1.85
铁件	kg	1.74	2.28	3.80	6.12	7.94
其他材料费	%	2	2	2	2	2
载重汽车 5t	台时	0.50	0.70	1.30	1.50	2.30
胶轮车	台时	2.40	4.80	10.20	13.80	17.40
编号		20568	20569	20570	20571	20572

二－53 防震孔、插筋孔——风钻钻孔

适用范围：露天作业，风钻钻孔，孔深3m以内。

工作内容：钻孔、清理。

单位：100m

项目	单位	岩石级别			
		Ⅴ－Ⅷ	Ⅸ－Ⅹ	Ⅺ－Ⅻ	ⅩⅢ－ⅩⅣ
工长	工时	0.7	0.9	1.3	1.8
高级工	工时				
中级工	工时	14.6	20.3	28.1	41.1
初级工	工时	17.5	24.3	33.6	49.0
合计	工时	32.8	45.5	63.0	91.9
钻头	个	2.01	2.61	3.22	3.98
其他材料费	%	20	20	20	20
风钻 手持式	台时	8.76	12.13	16.80	24.50
其他机械费	%	10	10	10	10
编号		20573	20574	20575	20576

注：孔深超过3m时，人工、机械乘以1.15系数。

二－54　防震孔、插筋孔——80型潜孔钻钻孔

适用范围：露天作业，潜孔钻钻垂直孔。

工作内容：钻孔、清理。

单位：100m

项　　目	单位	岩石级别			
		Ⅴ－Ⅷ	Ⅸ－Ⅹ	Ⅺ－Ⅻ	ⅩⅢ－ⅩⅣ
工　　长	工时	1.0	1.2	1.5	1.8
高 级 工	工时				
中 级 工	工时	2.3	2.9	3.4	4.2
初 级 工	工时	30.0	36.7	44.2	54.1
合　　计	工时	33.3	40.8	49.1	60.1
钻　　头　80型	个	1.10	1.42	1.76	2.17
冲 击 器	套	0.11	0.14	0.18	0.22
其他材料费	%	12	12	12	12
潜 孔 钻　80型	台时	17.80	21.77	26.19	32.04
其他机械费	%	2	2	2	2
编　　号		20577	20578	20579	20580

注：若为水平孔，人工、机械乘以1.2系数。

二-55 防震孔、插筋孔——100型潜孔钻钻孔

适用范围:露天作业,潜孔钻钻垂直孔。

工作内容:钻孔、清理。

单位:100m

项目	单位	岩石级别			
		Ⅴ-Ⅷ	Ⅸ-Ⅹ	Ⅺ-Ⅻ	ⅩⅢ-ⅩⅣ
工长	工时	0.9	1.1	1.4	1.7
高级工	工时				
中级工	工时	2.2	2.7	3.2	4.0
初级工	工时	27.5	34.2	41.7	51.5
合计	工时	30.6	38.0	46.3	57.2
钻头 100型	个	1.10	1.42	1.76	2.17
冲击器	套	0.11	0.14	0.18	0.22
其他材料费	%	12	12	12	12
潜孔钻 100型	台时	16.29	20.26	24.68	30.53
其他机械费	%	2	2	2	2
编号		20581	20582	20583	20584

注:若为水平孔,人工、机械乘以1.2系数。

二－56 防震孔、插筋孔——液压履带钻钻孔

适用范围：露天作业，液压钻钻水平及垂直孔。

工作内容：钻孔、清理。

单位：100m

项目	单位	岩石级别			
		Ⅴ－Ⅷ	Ⅸ－Ⅹ	Ⅺ－Ⅻ	ⅩⅢ－ⅩⅣ
工长	工时	0.1	0.1	0.1	0.1
高级工	工时				
中级工	工时	0.3	0.3	0.3	0.4
初级工	工时	3.2	3.5	3.9	4.3
合计	工时	3.6	3.9	4.3	4.8
钻头 Φ64	个	0.18	0.19	0.20	0.21
其他材料费	%	15	15	15	15
液压履带钻	台时	1.89	2.10	2.29	2.52
其他机械费	%	4	4	4	4
编号		20585	20586	20587	20588

第三章 砌石工程

说　明

一、本章包括抛石、砌筑、碾压等定额共18节。

二、本章定额的计量单位，除注明外，均按"成品方"计算。

三、本章定额石料规格及标准说明

块石：指厚度大于20cm，长、宽各为厚度的2～3倍，上下两面平行且大致平整，无尖角、薄边的石块。

碎石：指经破碎、加工分级后，粒径大于5mm的石块。

卵石：指最小粒径大于20cm的天然河卵石。

毛条石：指一般长度大于60cm的长条形四棱方正的石料。

料石：指毛条石经修边打荒加工，外露面方正，各相邻面正交，表面凸凹不超过10mm的石料。

砂砾料：指天然砂卵石混合料。

堆石料：指山场岩石经爆破后，无一定规格、无一定大小的任意石料。

反滤料、过渡料：指土石坝或一般堆砌石工程的防渗体与坝壳之间的过渡区石料，由粒径、级配均有一定要求的砂、砾石（碎石）组成。

四、各节材料定额中石料计量单位：砂、碎石为堆方；块石、卵石为码方；条石、料石为清料方。

三－1　人工铺筑砂石垫层

工作内容:修坡、压实。

单位:100m^3

项　　目	单位	碎石垫层	反　滤　层
工　　长	工时	9.9	9.9
高　级　工	工时		
中　级　工	工时		
初　级　工	工时	482.9	482.9
合　　计	工时	492.8	492.8
碎　　石	m^3	102	81.6
砂	m^3		20.4
其他材料费	%	1	1
编　　号		30001	30002

三－2　人工抛石护底护岸

适用范围:护底、护岸。

工作内容:人工装、运、卸、抛投、整平。

单位:100m^3 抛投方

项　　目	单位	胶　轮　车　运
工　　长	工时	4.3
高　级　工	工时	
中　级　工	工时	
初　级　工	工时	209.9
合　　计	工时	214.2
块　　石	m^3	103
其他材料费	%	1
胶　轮　车	台时	66.21
编　　号		30003

注:抛投方相当于堆方。

三－3　100m^{3}自行式石驳抛石护底护岸

工作内容：吊装、运输、定位、抛石、空回。

单位：100m^{3}抛投方

项目	单位	运距（km）			增运0.5km
		0.5	1	2	
工长	工时				
高级工	工时				
中级工	工时				
初级工	工时	7.4	7.4	7.4	
合计	工时	7.4	7.4	7.4	
块石	m^3	108	108	108	
其他材料费	%	2	2	2	
液压挖掘机　1m^3	台时	0.98	0.98	0.98	
推土机　132kW	台时	0.49	0.49	0.49	
石驳　100m^3	台时	1.50	1.82	2.46	0.20
其他机械费	%	2	2	2	
编号		30004	30005	30006	30007

三－4 120m³底开式石驳抛石护底护岸

工作内容：吊装、运输、定位、抛石、空回。

单位：100m³ 抛投方

项目	单位	运距（km）			增运 0.5km
		0.5	1	2	
工长	工时				
高级工	工时				
中级工	工时				
初级工	工时	7.4	7.4	7.4	
合计	工时	7.4	7.4	7.4	
块石	m³	108	108	108	
其他材料费	%	2	2	2	
挖掘机 1m³	台时	0.98	0.98	0.98	
推土机 132kW	台时	0.49	0.49	0.49	
拖轮 176kW	台时	1.37	1.56	1.94	0.15
石驳 120m³	台时	1.37	1.56	1.94	0.15
其他机械费	%	2	2	2	
编号		30008	30009	30010	30011

三－5　干砌块石

工作内容:选石、修石、砌筑、填缝、找平。

单位:100m³

项目	单位	护坡		护底	基础	挡土墙
		平面	曲面			
工长	工时	11.3	13.2	9.9	8.8	11.0
高级工	工时					
中级工	工时	173.9	218.3	138.3	111.6	165.0
初级工	工时	382.5	428.8	345.5	317.7	373.2
合计	工时	567.7	660.3	493.7	438.1	549.2
块石	m³	116	116	116	116	116
其他材料费	%	1	1	1	1	1
胶轮车	台时	78.30	78.30	78.30	78.30	78.30
编号		30012	30013	30014	30015	30016

三－6 浆砌块石

工作内容：选石、修石、冲洗、拌浆、砌石、勾缝。

单位：$100m^3$

项目	单位	护坡		护底	基础	挡土墙	桥闸墩
		平面	曲面				
工长	工时	16.8	19.2	14.9	13.3	16.2	17.7
高级工	工时						
中级工	工时	346.1	423.5	284.1	236.2	329.5	376.5
初级工	工时	475.8	515.7	443.9	415.0	464.6	490.0
合计	工时	838.7	958.4	742.9	664.5	810.3	884.2
块石	m^3	108	108	108	108	108	108
砂浆	m^3	35.3	35.3	35.3	34.0	34.4	34.8
其他材料费	%	0.5	0.5	0.5	0.5	0.5	0.5
砂浆搅拌机 $0.4m^3$	台时	6.35	6.35	6.35	6.12	6.19	6.26
胶轮车	台时	158.68	158.68	158.68	155.52	156.49	157.46
编号		30017	30018	30019	30020	30021	30022

三－7 浆砌卵石

工作内容：选石、修石、冲洗、拌浆、砌石、勾缝。

单位：100m³

项目	单位	护坡		护底	基础	挡土墙	桥墩
		平面	曲面				
工长	工时	18.0	20.7	15.8	14.1	17.3	19.0
高级工	工时						
中级工	工时	385.4	472.0	315.9	262.3	367.0	419.5
初级工	工时	496.3	541.0	460.5	428.8	484.0	512.4
合计	工时	899.7	1033.7	792.2	705.2	868.3	950.9
卵石	m^3	105	105	105	105	105	105
砂浆	m^3	37	37	37	35.7	36.1	36.5
其他材料费	%	0.5	0.5	0.5	0.5	0.5	0.5
砂浆搅拌机 0.4m^3	台时	6.66	6.66	6.66	6.43	6.50	6.57
胶轮车	台时	160.79	160.79	160.79	157.63	158.60	159.58
编号		30023	30024	30025	30026	30027	30028

三－8 浆砌条料石

工作内容：选石、冲洗、拌浆、砌石、勾缝。

单位：$100m^3$

项目	单位	平面护坡	护底	基础	挡土墙	桥闸墩	帽石	防浪墙
工长	工时	18.1	16.0	14.3	17.4	19.1	25.0	23.4
高级工	工时							
中级工	工时	365.3	297.1	244.8	350.4	401.7	596.0	543.7
初级工	工时	519.7	484.5	454.4	505.0	532.5	629.2	602.2
合计	工时	903.1	797.6	713.5	872.8	953.3	1250.2	1169.3
毛条石	m^3	86.7	86.7	86.7	86.7	36.7		
料石	m^3					50.0	86.7	86.7
砂浆	m^3	26	26	25	25.2	25.5	23	23
其他材料费	%	0.5	0.5	0.5	0.5	0.5	0.5	0.5
砂浆搅拌机 $0.4m^3$	台时	4.68	4.68	4.50	4.54	4.59	4.14	4.14
胶轮车	台时	160.72	160.72	158.29	158.78	159.51	153.43	153.43
编号		30029	30030	30031	30032	30033	30034	30035

三－9 浆砌石拱圈

工作内容：拱架模板制作、安装、拆除、冲洗、拌浆、砌筑、勾缝。

单位：100m³

项目	单位	料石拱	块石拱
工长	工时	27.5	25.9
高级工	工时		
中级工	工时	621.6	591.8
初级工	工时	723.9	675.2
合计	工时	1373.0	1292.9
料石	m³	86.7	
块石	m³		108
砂浆	m³	25.9	35.4
锯材	m³	2.75	2.75
原木	m³	1.29	1.29
铁钉	kg	17	17
铁件	kg	78	78
其他材料费	%	1	1
砂浆搅拌机 0.4m³	台时	4.66	6.37
胶轮车	台时	160.48	158.92
编号		30036	30037

三－10 浆砌石衬砌

适用范围：隧洞。

工作内容：拱部、拱架及支撑的制作、安装、拆除、冲洗、拌浆、砌筑、勾缝。

单位：$100m^3$

项　　目	单位	拱部	边墙	护底	洞门	拱背回填	边墙回填
工　　长	工时	30.2	17.7	16.0	19.5	11.9	10.2
高 级 工	工时						
中 级 工	工时	711.9	363.4	310.0	424.5	196.1	168.6
初 级 工	工时	764.6	501.9	474.3	533.3	386.3	332.1
合　　计	工时	1506.7	883.0	800.3	977.3	594.3	510.9
料　　石	m^3	86.7	86.7	86.7	86.7		
片　　石	m^3					116	116
砂　　浆	m^3	26.0	26.0	26.0	26.0		
锯　　材	m^3	2.75					
原　　木	m^3	1.29					
铁　　钉	kg	17					
铁　　件	kg	78					
其他材料费	%	0.5	0.5	0.5	0.5	0.5	0.5
砂浆搅拌机 $0.4m^3$	台时	4.68	4.68	4.68	4.68		
胶 轮 车	台时	21.58	21.58	21.58	21.58		
V型斗车 $1m^3$	台时	93.16	93.16	93.16	93.16	93.16	93.16
编　　号		30038	30039	30040	30041	30042	30043

三－11 浆砌混凝土预制块

工作内容：冲洗、拌浆、砌筑、勾缝。

单位：$100m^2$

项目	单位	护坡护底	栏杆	挡土墙 桥台 闸墩
工长	工时	13.2	17.5	13.0
高级工	工时			
中级工	工时	253.8	391.8	248.5
初级工	工时	391.8	467.0	387.5
合计	工时	658.8	876.3	649.0
混凝土块	m^3	92	92	92
砂浆	m^3	16	17.3	15.5
其他材料费	%	0.5	0.5	0.5
砂浆搅拌机 $0.4m^3$	台时	2.88	3.11	2.79
胶轮车	台时	121.47	124.63	120.26
编号		30044	30045	30046

三－12　浆砌辉绿岩铸石

工作内容:人工拌和铸石粉、砌筑、填缝。

单位:100m²

项　　目	单位	数　　量
工　　长	工时	11.6
高 级 工	工时	
中 级 工	工时	203.3
初 级 工	工时	366.1
合　　计	工时	581.0
辉绿岩铸石	t	15
辉绿岩石粉	t	2.57
其他材料费	%	0.5
载 重 汽 车　5t	台时	5
编　　号		30047

三－13 砌体砂浆抹面

工作内容:冲洗、抹灰、压光。

单位:100m²

项目	单位	平均厚 2cm			每增减厚 1cm
		平面	立面	拱面	
工长	工时	1.3	1.8	3.3	
高级工	工时				
中级工	工时	29.0	41.4	76.9	13.4
初级工	工时	35.5	49.1	86.6	16.0
合计	工时	65.8	92.3	166.8	29.4
砂浆	m^3	2.1	2.3	2.5	1.0
其他材料费	%	8	8	8	
砂浆搅拌机 0.4m^3	台时	0.38	0.41	0.45	0.19
胶轮车	台时	5.10	5.59	6.08	2.55
编号		30048	30049	30050	30051

注:斜面角度大于 30°时,按立面计算。

三－14　砌体拆除

适用范围：块、条、料石。

工作内容：拆除、清理、堆放。

单位：100m³

项　　目	单位	水泥浆砌石	白灰浆砌石	干　砌　石
工　　长	工时	18.0	12.0	5.0
高　级　工	工时			
中　级　工	工时			
初　级　工	工时	864.0	576.0	252.0
合　　计	工时	882.0	588.0	257.0
零星材料费	%	0.5	0.5	0.5
编　　号		30052	30053	30054

三－15　反铲挖掘机干砌石

适用范围：坝坡、渠道干砌石。

工作内容：砌筑、填缝、找平。

单位：100m³ 砌体方

项　　目	单位	斜坡干砌块石
工　　长	工时	
高　级　工	工时	
中　级　工	工时	
初　级　工	工时	20.0
合　　计	工时	20.0
块　　石	m³	116
其他材料费	%	1
反铲挖掘机　2m³	台时	4.80
编　　号		30055

三－16 拖拉机压实

适用范围：坝体砂石料、反滤料，利用拖拉机履带碾压。

工作内容：推平、压实、修坡、洒水、补边夯、辅助工作。

单位：$100m^3$ 实方

项 目	单位	砂 砾 料	反 滤 料 过 渡 料
工 长	工时		
高 级 工	工时		
中 级 工	工时		
初 级 工	工时	20.0	21.0
合 计	工时	20.0	21.0
零星材料费	%	10	10
拖 拉 机 74kW	台时	0.79	0.99
推 土 机 74kW	台时	0.50	0.50
蛙式打夯机 2.8kW	台时	1.00	1.00
其他机械费	%	1	1
编 号		30056	30057

三－17 振动碾压实

适用范围：坝体砂石料、反滤料、堆石，非自行式振动碾。

工作内容：推平、压实、修坡、洒水、补边夯、辅助工作。

单位：100m³ 实方

项目	单位	砂砾料 堆石料	反滤料 过渡料
工长	工时		
高级工	工时		
中级工	工时		
初级工	工时	18.0	19.0
合计	工时	18.0	19.0
零星材料费	%	10	10
振动碾 13～14t 拖拉机 74kW	组时	0.24	0.44
推土机 74kW	台时	0.50	0.50
蛙式打夯机 2.8kW	台时	1.00	1.00
其他机械费	%	1	1
编号		30058	30059

三－18　斜坡碾压

适用范围：坝基垫层料斜坡碾压。

工作内容：削坡、修整、机械压实。

单位：$100m^2$

项　　目	单位	斜　坡　碾　压
工　　长	工时	
高 级 工	工时	
中 级 工	工时	
初 级 工	工时	108
合　　计	工时	108
零星材料费	%	1
挖 掘 机 $1m^3$	台时	0.70
斜坡振动碾 10t	台时	0.70
拖 拉 机 74kW	台时	0.70
其他机械费	%	1
编　　号		30060

第四章

混凝土工程

说　明

一、本章包括现浇混凝土、碾压混凝土、预制混凝土、沥青混凝土等定额共65节。

二、混凝土定额的计量单位除注明者外，均为建筑物或构筑物的成品实体方。

三、现浇混凝土、碾压混凝土、预制混凝土部分包括预制混凝土构件吊(安)装、钢筋制作及安装，混凝土拌制、运输等定额。适用于拦河坝、水闸、船闸、厂房、隧洞、竖井、明渠、渡槽等各种水工建筑物工程。

四、定额的工作内容

现浇混凝土包括：冲(凿)毛、冲洗、清仓、铺水泥砂浆、平仓浇筑、振捣、养护，工作面运输及辅助工作。

碾压混凝土包括：冲毛、冲洗、清仓、铺水泥砂浆、平仓、碾压、切缝、养护，工作面运输及辅助工作。

预制混凝土包括：预制场冲洗、清理、配料、拌制、浇筑、振捣、养护，模板制作、安装、拆除、修整，预制场内的混凝土运输，材料场内运输和辅助工作，预制件场内吊移、堆放。

五、各种坝型的现浇混凝土定额，不包括溢流面、闸墩、胸墙、工作桥、公路桥等。

六、现浇混凝土定额不含模板制作、安装、拆除、修整。

七、本章四－22至四－25为预制混凝土定额。对于其他必须现场预制又没有相应定额的预制混凝土构件，可采用四－21节现浇细部结构混凝土子目加相应模板定额计算。

八、预制混凝土定额中的模板材料均按预算消耗量计算，包括制作(钢模为组装)、安装、拆除、维修的消耗、损耗，并考虑了周转和回收。

九、材料定额中的“混凝土”一项，系指完成单位产品所需的混凝土半成品量，其中包括：冲（凿）毛、干缩、施工损耗、运输损耗和接缝砂浆等的消耗量在内。混凝土半成品的单价，只计算配制混凝土所需水泥、砂石骨料、水、掺和料及其外加剂等的用量及价格。各项材料的用量，应按试验资料计算；没有试验资料时，可采用本定额附录中的混凝土材料配合表列示量。

十、混凝土拌制

1. 现浇混凝土定额各节，未列拌制混凝土所需的人工和机械。混凝土拌制按有关定额计算。

2. “骨料或水泥系统”是指运输骨料或水泥及掺和料进入搅拌楼所必须配备与搅拌楼相衔接的机械设备。分别包括：自骨料接料斗开始的胶带输送机及供料设备；自水泥及掺和料罐开始的水泥提升机械或空气输送设备，以及胶带输送机和吸尘设备等。

3. 搅拌机（楼）清洗用水已计入拌制定额的零星材料费中。

4. 混凝土拌制定额按拌制常态混凝土拟定，若拌制其他混凝土，则按表 4-1 系数对定额进行调整。

表 4-1

搅拌楼规格	混凝土类别			
	常态混凝土	加冰混凝土	加粉煤灰混凝土	碾压混凝土
$1\times2.0m^3$ 强制式	1.00	1.20	1.00	1.00
$2\times2.5m^3$ 强制式	1.00	1.17	1.00	1.00
$2\times1.0m^3$ 自落式	1.00	1.00	1.10	1.30
$2\times1.5m^3$ 自落式	1.00	1.00	1.10	1.30
$3\times1.5m^3$ 自落式	1.00	1.00	1.10	1.30
$2\times3.0m^3$ 自落式	1.00	1.00	1.10	1.30
$4\times3.0m^3$ 自落式	1.00	1.00	1.10	1.30

5.混凝土拌制定额均以半成品方为单位计算,不含施工损耗和运输损耗所消耗的人工、材料、机械的数量和费用。

十一、混凝土运输

1.“混凝土运输”是指混凝土自搅拌楼或搅拌机出料口至仓面的全部水平和垂直运输。

2.混凝土运输单价,应根据设计选定的运输方式、机械类型,按相应运输定额计算综合单价。

3.混凝土构件的预制、运输及吊(安)装定额,若预制混凝土构件重量超过定额中起重机械起重量时,可用相应起重量机械替换,台时数不作调整。

4.混凝土运输定额均以半成品方为单位计算,不含施工损耗和运输损耗所消耗的人工、材料、机械的数量和费用。

十二、隧洞、竖井、地下厂房、明渠等混凝土衬砌定额中所列示的开挖断面及衬砌厚度按设计尺寸选取。

十三、钢筋制作安装定额,不分部位、规格型号综合计算。

十四、混凝土拌制及浇筑定额中,不包括加冰、骨料预冷、通水等温控所需的费用。

十五、混凝土浇筑的仓面清洗及养护用水,地下工程混凝土浇筑施工照明用电,已分别计入浇筑定额的用水量及其他材料费中。

十六、预制混凝土构件吊(安)装定额,仅系吊(安)装过程中所需的人工、材料、机械使用量。制作和运输的费用,包括在预制混凝土构件的预算单价中,另按预制构件制作及运输定额计算。

十七、隧洞衬砌定额,适用于水平夹角小于或等于6°的平洞和单独作业,如开挖、衬砌平行作业时,人工和机械定额乘以1.1系数;水平夹角大于6°的斜洞衬砌,按平洞定额的人工、机械乘以1.23系数执行。

十八、如设计采用耐磨混凝土、钢纤维混凝土、硅粉混凝土、铁矿石混凝土、高强混凝土、膨胀混凝土等特种混凝土,应采用试验资料中的材料配合比计算。

十九、沥青混凝土铺筑、涂层、运输等定额，适用于堆石坝上游面及库盆全面防渗处理，堆石坝和砂壳坝的心墙、斜墙及均质土坝上游面的防渗处理。

二十、沥青混凝土定额的名称

开级配：指面板或斜墙中的整平胶结层和排水层的沥青混凝土。

密级配：指面板或斜墙中的防渗层沥青混凝土和岸边接头沥青砂浆。

垫层：指敷设于填筑体表面与沥青混凝土之间的过渡层。

封闭层：指面板或斜墙最表面，涂刷于防渗上层层面的沥青胶涂层。

涂层：指涂刷在垫层、整平胶结层、排水层或防渗层表面起胶结作用或保护下层作用的沥青制剂或沥青胶。包括乳化沥青、稀释沥青、热沥青胶及再生橡胶粉沥青胶等。

岸边接头：指沥青混凝土斜墙与两岸岸边接头的部位。

四－1 坝

适用范围：重力坝、拱形重力坝、宽缝重力坝、重力拱坝、双曲拱坝、支墩坝等各种坝型。

半机械化：人工平仓，机械振捣。

机械化：机械平仓振捣。

单位：100m³

项目	单位	薄层浇筑(≤1.5m)		一般层厚浇筑	
		半机械化	机械化	半机械化	机械化
工长	工时	7.3	7.2	5.6	4.9
高级工	工时	9.8	7.2	7.5	4.9
中级工	工时	122.2	90.3	93.6	61.8
初级工	工时	105.1	75.9	80.5	51.9
合计	工时	244.4	180.6	187.2	123.5
混凝土	m³	101	101	102	102
砂浆	m³	2	2	1	1
水	m³	80	80	45	45
其他材料费	%	2	2	2	2
振动器 1.5kW	台时	9.90	1.00	9.90	1.00
变频机组 8.5kVA	台时	4.95	0.50	4.95	0.50
平仓振捣机 40kW	台时		1.16		1.16
风水枪	台时	13.30	13.30	7.10	7.10
其他机械费	%	15	10	15	10
混凝土拌制	m³	101	101	102	102
砂浆拌制	m³	2	2	1	1
混凝土运输	m³	101	101	102	102
砂浆运输	m³	2	2	1	1
编号		40001	40002	40003	40004

四－2 碾压混凝土

适用范围：各类坝型及围堰等。

工作内容：冲毛、冲洗、清仓、铺水泥砂浆，平仓、碾压、切缝、养护等。

（1） RCC工法

单位：100m³

项目		单位	仓面面积（m²）		
			≤3000	3000～6000	＞6000
工长		工时	1.0	0.9	0.8
高级工		工时	1.0	0.9	0.8
中级工		工时	7.9	7.2	6.5
初级工		工时	28.8	26.2	23.6
合计		工时	38.7	35.2	31.7
混凝土		m³	102	102	102
砂浆		m³	1	1	1
水		m³	40	37	34
其他材料费		%	1	1	1
湿地推土机	120kW	台时	0.85	0.77	0.69
装载机	2m³	台时	0.62	0.56	0.50
振动碾	BW202AD	台时	0.85	0.77	0.69
切缝机	55kW	台时	0.23	0.24	0.26
平仓振捣机	40kW	台时	0.07	0.06	0.05
振动器	1.5kW	台时	0.03	0.03	0.03
变频机组	8.5kVA	台时	0.02	0.02	0.02
冲洗机	PS6.3	台时	0.78	0.71	0.64
高压冲毛机	GCHJ50	台时	0.19	0.17	0.15
其他机械费		%	1	1	1
混凝土拌制		m³	102	102	102
砂浆拌制		m³	1	1	1
混凝土运输		m³	102	102	102
砂浆运输		m³	1	1	1
编号			40005	40006	40007

注：1. 本定额是碾压混凝土与变态混凝土的综合定额；

2. 变态混凝土是指：在碾压混凝土摊铺层表面泼洒水泥浆，使碾压混凝土变成具有塌落度的常态混凝土，用插入式振动器振捣使之密实；

3. 变态混凝土中所掺水泥浆与全部碾压混凝土的体积比由设计确定，但人工、机械定额不得调整；

4. 碾压混凝土围堰可采用本定额，人工、机械定额乘以0.9系数。

适用范围：各类坝型及围堰等。

工作内容：冲毛、冲洗、清仓、铺水泥砂浆，平仓、碾压、切缝、养护等。

(2) RCD工法

单位：$100m^3$

项目	单位	仓面面积 (m^2)		
		≤3000	3000～6000	>6000
工长	工时	2.7	2.5	2.4
高级工	工时	16.1	15.0	14.4
中级工	工时	39.3	36.7	35.3
初级工	工时	31.3	29.1	28.0
合计	工时	89.4	83.3	80.1
混凝土	m^3	100	100	100
砂浆	m^3	3	3	3
水	m^3	65	63	61
其他材料费	%	1	1	1
湿地推土机 120kW	台时	1.14	1.00	0.90
装载机 $2m^3$	台时	0.68	0.62	0.55
振动碾 BW200	台时	1.22	1.05	0.97
振动碾 BW－75	台时	0.43	0.41	0.39
切缝机 55kW	台时	0.20	0.21	0.22
平仓振捣机 40kW	台时	0.66	0.64	0.62
冲洗机 PS6.3	台时	0.31	0.28	0.26
高压冲毛机 GCHJ50	台时	0.75	0.68	0.61
其他机械费	%	1	1	1
混凝土拌制	m^3	100	100	100
砂浆拌制	m^3	3	3	3
混凝土运输	m^3	100	100	100
砂浆运输	m^3	3	3	3
编号		40008	40009	40010

注：1. 本定额是碾压混凝土与上、下游起模板作用的常态混凝土的综合定额；

2. 混凝土材料中碾压混凝土与上、下游起模板作用的常态混凝土的比例由设计确定，但人工、机械定额不得调整；

3. 碾压混凝土围堰可采用本定额，人工、机械定额乘以0.9系数。

适用范围：上、下游起模板作用的常态混凝土中的隔缝板。

工作内容：划线、下料、焊接、运输、坝面安装、校正等。

(3) RCD工法隔缝铁板制作及安装

单位：1t

项　　目	单位	数　　量
工　　长	工时	9.6
高 级 工	工时	26.8
中 级 工	工时	33.5
初 级 工	工时	25.9
合　　计	工时	95.8
铁　　板 1.5mm	t	1.02
角　　铁 50×50	t	1.32
钢　　筋	t	2.24
电 焊 条	kg	16.37
其他材料费	%	1
电 焊 机 25kVA	台时	17.92
剪 板 机 6.3×2000	台时	3.46
载重汽车 5t	台时	1.99
其他机械费	%	1
编　　号		40011

四－3 厂 房

适用范围：河床式、坝后式和引水式厂房。

单位：100m³

项目	单位	厂房机组段			河床式厂房进出口段	
		下部		上部	下部	上部
		卧式	立式			
工长	工时	10.9	14.1	19.1	10.5	12.1
高级工	工时	21.7	28.3	63.7	21.0	32.3
中级工	工时	213.9	278.1	369.7	199.4	234.1
初级工	工时	116.0	150.9	184.9	119.0	125.2
合计	工时	362.5	471.4	637.4	349.9	403.7
混凝土	m^3	103	103	103	103	103
水	m^3	70	70	120	50	80
其他材料费	%	2	2	2	2	2
振动器 1.1kW	台时	27.00	27.00	54.75	27.00	33.85
风水枪	台时	9.76	9.76	9.76	9.76	9.76
其他机械费	%	15	15	15	15	15
混凝土拌制	m^3	103	103	103	103	103
混凝土运输	m^3	103	103	103	103	103
编号		40012	40013	40014	40015	40016

注：1. 厂房机组段宽指厂房内墙之间的宽度。

2. 上下部的划分：

厂房段上部：(1)发电机层楼板顶面以上的混凝土构筑物；

(2)安装间和副厂房的梁、板、柱。

厂房段下部：发电机层楼板顶面以下的混凝土构筑物。

河床式厂房进出口段上部：

(1)进水口底板顶面以上的混凝土构筑物；

(2)尾水管顶板底面以上的混凝土构筑物。

河床式厂房进出口段下部：

(1)进水口底板顶面以下的混凝土构筑物；

(2)尾水管顶板底面以下的混凝土构筑物。

3. 地下厂房、坝内式厂房顶拱、边墙按四－5节定额及规定计算，其上、下部混凝土采用本节定额，但地下厂房人工定额乘以1.25系数。

四－4 泵 站

适用范围：抽水站、扬水站或泵站。

工作内容：混凝土浇筑、抹面、清理、凿毛、养护等。

单位：100m³

项目	单位	下部	中部	上部
工长	工时	13.7	17.9	22.0
高级工	工时	27.3	50.3	73.3
中级工	工时	259.2	342.2	425.2
初级工	工时	154.7	183.7	212.6
合计	工时	454.9	594.1	733.1
混凝土	m³	103	103	103
水	m³	70	70	120
其他材料费	%	4	4	4
振动器 1.1kW	台时	23.00	38.88	54.75
风水枪	台时	8.00	4.00	2.00
其他机械费	%	20	20	20
混凝土拌制	m³	103	103	103
混凝土运输	m³	103	103	103
编号		40017	40018	40019

注：1.适用于抽水站、扬水站或泵站：

(1)工作水头≤10m；

(2)工作水头＞10m，装机容量≤500kW或泵径≤1m。

2.下部、中部、上部的划分：

(1)下部：指底板自底面与天然或人工基础接触面起至进出水流道(管)底部接触面；有廊道的，至主廊道底板面层止的浇筑层间部分；厂房、副厂房、过道间的地坪和设备基础；

(2)中部：指底部与上部界线之间的各分部工程；

(3)上部：指岸、翼墙顶面线以上，公路、工作桥大梁搁置面以上需要另设脚手层施工的部分；厂房、副厂房、过道间的地坪面层以上的建筑物安装工程项目，以及出水管管顶面层以上的施工部分。

四－5　地下厂房衬砌

适用范围：地下厂房顶拱及边墙。

单位：$100m^3$

项目	单位	厂房宽度（m）					
		≤15			15～20		
		衬砌厚度（m）					
		0.6	0.9	1.2	0.8	1.1	1.4
工长	工时	11.9	9.5	8.9	10.2	9.1	8.8
高级工	工时	19.8	15.8	14.8	17.1	15.2	14.7
中级工	工时	214.2	171.2	159.8	184.4	164.1	158.4
初级工	工时	150.7	120.5	112.5	129.8	115.4	111.4
合计	工时	396.6	317.0	296.0	341.5	303.8	293.3
混凝土	m^3	103	103	103	103	103	103
水	m^3	45	30	20	35	25	20
其他材料费	%	2	2	2	2	2	2
混凝土泵　$30m^3/h$	台时	11.69	10.43	9.90	10.66	9.97	9.75
振动器　1.1kW	台时	35.12	31.27	29.80	32.02	29.95	29.23
风水枪	台时	17.87	15.84	15.19	14.10	13.20	12.87
其他机械费	%	15	15	15	15	15	15
混凝土拌制	m^3	103	103	103	103	103	103
混凝土运输	m^3	103	103	103	103	103	103
编号		40020	40021	40022	40023	40024	40025

注：1. 厂房上、下部构筑物按四－3节厂房定额及规定计算；

2. 坝内式厂房的顶拱、边墙采用本节定额编号40034计算，但人工定额乘以0.8系数。

续表

项　　目	单位	厂　房　宽　度 (m)					
		20～25			25～30		
		衬　砌　厚　度 (m)					
		1.0	1.3	1.6	1.2	1.5	1.8
工　　长	工时	9.2	8.6	8.1	8.7	8.4	8.1
高 级 工	工时	15.4	14.3	13.4	14.4	14.0	13.4
中 级 工	工时	166.4	154.6	145.3	155.7	151.5	145.2
初 级 工	工时	117.1	108.8	102.2	109.6	106.6	102.2
合　　计	工时	308.1	286.3	269.0	288.4	280.5	268.9
混 凝 土	m^3	103	103	103	103	103	103
水	m^3	25	20	15	20	20	15
其他材料费	%	2	2	2	2	2	2
混凝土泵 30m^3/h	台时	10.16	9.83	9.71	9.86	9.75	9.50
振 动 器 1.1kW	台时	30.47	29.50	29.14	29.60	29.26	28.53
风 水 枪	台时	11.74	11.32	11.09	10.15	9.92	9.69
其他机械费	%	15	15	15	15	15	15
混凝土拌制	m^3	103	103	103	103	103	103
混凝土运输	m^3	103	103	103	103	103	103
编　　号		40026	40027	40028	40029	40030	40031

续表

项目	单位	厂房宽度(m)		
		>30		
		衬砌厚度(m)		
		1.4	1.7	2.0
工长	工时	8.5	8.2	7.9
高级工	工时	14.3	13.7	13.1
中级工	工时	154.0	147.5	141.7
初级工	工时	108.4	103.8	99.7
合计	工时	285.2	273.2	262.4
混凝土	m^3	103	103	103
水	m^3	20	15	15
其他材料费	%	2	2	2
混凝土泵 $30m^3/h$	台时	9.71	9.62	9.46
振动器 1.1kW	台时	28.90	28.86	28.34
风水枪	台时	8.99	8.80	8.64
其他机械费	%	15	15	15
混凝土拌制	m^3	103	103	103
混凝土运输	m^3	103	103	103
编号		40032	40033	40034

四－6 隧洞衬砌

工作内容:仓面清洗,装拆混凝土导管(混凝土泵入仓),平仓振捣,钢筋、模板维护,混凝土养护及人工凿毛。

(1) 混凝土泵入仓浇筑

单位:100m³

项目	单位	开挖断面 (m²)					
		≤10			10～30		
		衬砌厚度 (cm)					
		30	50	70	50	70	90
工长	工时	20.1	18.1	15.7	16.1	14.1	12.7
高级工	工时	33.6	30.2	26.3	26.9	23.6	21.3
中级工	工时	362.1	326.3	283.3	290.4	254.6	229.5
初级工	工时	254.8	229.6	199.3	204.4	179.1	161.5
合计	工时	670.6	604.2	524.6	537.8	471.4	425.0
混凝土	m³	103	103	103	103	103	103
水	m³	85	55	40	55	40	30
其他材料费	%	0.5	0.5	0.5	0.5	0.5	0.5
振动器 1.1kW	台时	44.74	40.05	34.98	40.05	30.60	27.85
风水枪	台时	30.40	29.52	20.20	29.52	20.20	15.52
混凝土泵 30m³/h	台时	12.85	11.51	10.05	9.98	8.70	7.91
其他机械费	%	3	3	3	3	3	3
混凝土拌制	m³	103	103	103	103	103	103
混凝土运输	m³	103	103	103	103	103	103
编号		40035	40036	40037	40038	40039	40040

续表

项目	单位	开挖断面（m^2）					
		30～100			>100		
		衬砌厚度（cm）					
		50	70	90	70	90	110
工长	工时	15.3	12.7	11.2	12.4	10.9	10.1
高级工	工时	25.6	21.1	18.6	20.6	18.3	16.9
中级工	工时	276.1	227.5	200.8	222.3	197.2	182.9
初级工	工时	194.3	160.1	141.2	156.4	138.8	128.7
合计	工时	511.3	421.4	371.8	411.7	365.2	338.6
混凝土	m^3	103	103	103	103	103	103
水	m^3	55	40	30	40	30	25
其他材料费	%	0.5	0.5	0.5	0.5	0.5	0.5
振动器 1.1kW	台时	40.05	29.19	25.70	28.20	24.81	23.40
风水枪	台时	29.52	20.20	15.52	20.20	12.44	10.64
混凝土泵 $30m^3/h$	台时	9.98	8.32	7.32	8.02	7.07	6.65
其他机械费	%	3	3	3	3	3	3
混凝土拌制	m^3	103	103	103	103	103	103
混凝土运输	m^3	103	103	103	103	103	103
编号		40041	40042	40043	40044	40045	40046

(2) 人工入仓浇筑

单位:100m³

项目	单位	开挖断面 (m²)				
		≤5		5~10		
		衬砌厚度 (cm)				
		20	30	30	40	50
工长	工时	29.9	28.2	27.3	24.9	22.3
高级工	工时	49.8	46.9	45.4	41.5	37.2
中级工	工时	538.0	507.0	490.8	448.1	402.3
初级工	工时	378.6	356.7	345.4	315.3	283.1
合计	工时	996.3	938.8	908.9	829.8	744.9
混凝土	m³	103	103	103	103	103
水	m³	130	85	85	65	55
其他材料费	%	0.5	0.5	0.5	0.5	0.5
振动器 1.1kW	台时	49.97	44.74	44.74	40.05	34.98
风水枪	台时	50.80	30.40	30.40	29.52	20.20
其他机械费	%	3	3	3	3	3
混凝土拌制	m³	103	103	103	103	103
混凝土运输	m³	103	103	103	103	103
编号		40047	40048	40049	40050	40051

四－7 竖井衬砌

适用范围:竖井及调压井。

单位:100m³

项目	单位	衬砌厚度(cm)			
		50	70	90	110
工长	工时	18.5	16.5	15.7	15.1
高级工	工时	61.8	55.1	52.5	50.5
中级工	工时	302.5	270.0	257.1	247.3
初级工	工时	234.7	209.4	199.3	191.7
合计	工时	617.5	551.0	524.6	504.6
混凝土	m^3	103	103	103	103
水	m^3	55	40	30	25
其他材料费	%	0.5	0.5	0.5	0.5
振动器 1.1kW	台时	40.05	30.60	26.60	25.25
风水枪	台时	19.08	13.20	10.16	8.32
其他机械费	%	5	5	5	5
混凝土拌制	m^3	103	103	103	103
混凝土运输	m^3	103	103	103	103
编号		40052	40053	40054	40055

注:本定额是按溜筒下料拟定的。如用其他方式,可增加混凝土垂直运输。

四－8　混凝土面板

适用范围:堆石坝、砂砾石坝、岸坡等的防渗面板。

单位:100m^3

项　　目	单位	数　量
工　　长	工时	15.7
高 级 工	工时	31.4
中 级 工	工时	169.5
初 级 工	工时	279.3
合　　计	工时	495.9
混 凝 土	m^3	103
水	m^3	160
其他材料费	%	4
振 动 器 1.1kW	台时	38.29
其他机械费	%	5
混凝土拌制	m^3	103
混凝土运输	m^3	103
编　　号		40056

四－9 溢流面

适用范围：溢流段的溢流面。

工作内容：浇筑、凿毛、清洗、抹面、养护等。

单位：100m³

项　　目	单位	数　量
工　　长	工时	11.3
高 级 工	工时	18.9
中 级 工	工时	199.9
初 级 工	工时	147.1
合　　计	工时	377.2
混 凝 土	m^3	103
水	m^3	120
其他材料费	%	1
振 动 器 1.1kW	台时	23.50
风 水 枪	台时	13.60
其他机械费	%	8
混凝土拌制	m^3	103
混凝土运输	m^3	103
编　　号		40057

四－10 底 板

适用范围：溢流堰、护坦、铺盖、阻滑板、闸底板、趾板等。

单位：100m³

项目	单位	厚度（cm）		
		100	200	400
工长	工时	15.6	11.0	7.7
高级工	工时	20.9	14.6	10.2
中级工	工时	276.7	193.5	135.6
初级工	工时	208.8	146.1	102.3
合计	工时	522.0	365.2	255.8
混凝土	m^3	103	103	103
水	m^3	120	100	70
其他材料费	%	0.5	0.5	0.5
振动器 1.1kW	台时	40.05	40.05	40.05
风水枪	台时	14.92	10.44	7.31
其他机械费	%	3	3	3
混凝土拌制	m^3	103	103	103
混凝土运输	m^3	103	103	103
编号		40058	40059	40060

注：当溢流堰堰高＞4m时，则选四－1节坝定额。

四－11 明 渠

适用范围：引水、泄水、灌溉渠道及隧洞进出口明挖段的边坡、底板，土壤基础上的槽形整体。

单位：100m³

项目	单位	衬砌厚度（cm）		
		15	25	35
工长	工时	24.9	19.1	15.3
高级工	工时	41.5	31.8	25.6
中级工	工时	332.0	255.0	204.5
初级工	工时	431.6	331.5	265.9
合计	工时	830.0	637.4	511.3
混凝土	m³	103	103	103
水	m³	180	180	140
其他材料费	%	1	1	1
振动器 1.1kW	台时	44.00	44.00	35.60
风水枪	台时	44.00	29.32	22.00
其他机械费	%	11	11	11
混凝土拌制	m³	103	103	103
混凝土运输	m³	103	103	103
编号		40061	40062	40063

注：对于土壤基础上的槽形整体或明渠，风水枪台时均改为2.00，用水量乘以0.7系数。

四－12 暗 渠

适用范围：直墙圆拱形暗渠、矩形暗渠，涵洞等。

单位：100m³

项 目	单位	衬 砌 厚 度 (cm)		
		40	50	60
工 长	工时	14.7	12.5	10.9
高 级 工	工时	24.5	20.8	18.1
中 级 工	工时	269.5	229.4	199.8
初 级 工	工时	181.3	154.3	134.4
合 计	工时	490.0	417.0	363.2
混 凝 土	m^3	103	103	103
水	m^3	65	55	45
其他材料费	%	0.5	0.5	0.5
振 动 器 1.1kW	台时	43.26	35.60	28.00
风 水 枪	台时	27.52	21.39	17.99
其他机械费	%	10	10	10
混凝土拌制	m^3	103	103	103
混凝土运输	m^3	103	103	103
编 号		40064	40065	40066

四－13 墩

适用范围：水闸闸墩、溢洪道闸墩、桥墩、靠船墩、渡槽墩、镇支墩等。

单位：100m^3

项目	单位	数量
工长	工时	11.7
高级工	工时	15.5
中级工	工时	209.7
初级工	工时	151.5
合计	工时	388.4
混凝土	m^3	103
水	m^3	70
其他材料费	%	2
振动器 1.5kW	台时	20.00
变频机组 8.5kVA	台时	10.00
风水枪	台时	5.36
其他机械费	%	18
混凝土拌制	m^3	103
混凝土运输	m^3	103
编号		40067

注：当墩厚＞4m时，则选四－1节坝定额。

四－14 墙

适用范围：坝体内截水墙、齿墙、心墙，斜墙，挡土墙，板桩墙，导水墙，防浪墙，胸墙，地面板式直墙，圬工砌体外包混凝土等。

单位：100m³

项目	单位	墙厚（cm）					
		20	30	60	90	120	150
工长	工时	17.3	13.5	10.5	8.2	7.5	7.0
高级工	工时	40.5	31.6	24.6	19.0	17.7	16.3
中级工	工时	323.5	252.9	197.1	152.4	141.3	130.1
初级工	工时	196.4	153.5	119.7	92.6	85.8	79.0
合计	工时	577.7	451.5	351.9	272.2	252.3	232.4
混凝土	m^3	103	103	103	103	103	103
水	m^3	180	160	140	120	120	120
其他材料费	%	2	2	2	2	2	2
振动器 1.1kW	台时	49.50	49.50	40.05	40.05	18.00	18.00
风水枪	台时	12.36	12.36	10.00	10.00	4.49	4.49
混凝土泵 $30m^3/h$	台时	11.66	10.10	8.75	7.65	6.02	6.02
其他机械费	%	13	13	13	13	13	13
混凝土拌制	m^3	103	103	103	103	103	103
混凝土运输	m^3	103	103	103	103	103	103
编号		40068	40069	40070	40071	40072	40073

注：1.本节定额按混凝土泵入仓拟定。如采用人工入仓，则按下表增加人工并取消混凝土输送泵：

单位：100m³

项目	单位	墙厚（cm）					
		20	30	60	90	120	150
增加初级工	工时	171.8	165.1	158.5	151.8	145.2	138.6

2.当墙厚＞200cm时，则选四－13节墩定额。

四－15 渡槽槽身

单位:100m³

项目	单位	矩形、U形				箱形
		平均壁厚（cm）				
		10	20	30	40	
工长	工时	31.5	27.1	23.3	19.5	29.1
高级工	工时	73.4	63.2	54.3	45.6	67.9
中级工	工时	587.5	505.7	434.8	364.4	542.8
初级工	工时	356.7	307.0	264.0	221.2	329.6
合计	工时	1049.1	903.0	776.4	650.7	969.4
混凝土	m^3	103	103	103	103	103
水	m^3	190	180	170	160	180
其他材料费	%	3	3	3	3	3
振动器 1.1kW	台时	44.00	44.00	44.00	44.00	44.00
风水枪	台时	2.00	2.00	2.00	2.00	2.00
其他机械费	%	14	14	14	14	14
混凝土拌制	m^3	103	103	103	103	103
混凝土运输	m^3	103	103	103	103	103
编号		40074	40075	40076	40077	40078

四－16 混凝土管

适用范围：圆形倒虹吸管、压力管道及各种现浇线型涵管。

单位：$100m^3$

项目	单位	管道内径（m）			
		≤1		1～2	
		管壁厚度（m）			
		0.2	0.3	0.3	0.4
工长	工时	24.3	19.1	16.4	15.1
高级工	工时	56.7	44.6	38.1	35.3
中级工	工时	453.7	357.0	304.9	282.6
初级工	工时	275.4	216.7	185.1	171.6
合计	工时	810.1	637.4	544.5	504.6
混凝土	m^3	103	103	103	103
水	m^3	180	170	170	160
其他材料费	%	0.5	0.5	0.5	0.5
振动器 1.1kW	台时	44.00	44.00	44.00	44.00
风水枪	台时	44.00	28.40	26.00	18.40
其他机械费	%	10	10	10	10
混凝土拌制	m^3	103	103	103	103
混凝土运输	m^3	103	103	103	103
编号		40079	40080	40081	40082

续表

项目	单位	管道内径（m）				
		2～3		3～4		
		管壁厚度（m）				
		0.4	0.5	0.5	0.6	0.7
工长	工时	13.7	12.4	11.2	9.8	7.2
高级工	工时	32.1	29.0	26.0	22.8	16.7
中级工	工时	256.6	232.0	208.2	182.2	133.8
初级工	工时	155.8	140.9	126.4	110.6	81.3
合计	工时	458.2	414.3	371.8	325.4	239.0
混凝土	m^3	103	103	103	103	103
水	m^3	160	150	150	140	130
其他材料费	%	0.5	0.5	0.5	0.5	0.5
振动器 1.1kW	台时	44.00	35.60	35.60	35.60	35.60
风水枪	台时	18.40	14.80	14.00	11.84	10.00
其他机械费	%	10	10	10	10	10
混凝土拌制	m^3	103	103	103	103	103
混凝土运输	m^3	103	103	103	103	103
编号		40083	40084	40085	40086	40087

四－17 拱

适用范围：渡槽、桥梁。

单位：100m³

项目	单位	肋拱（含横系梁）	板拱
工长	工时	26.1	18.8
高级工	工时	78.3	56.5
中级工	工时	495.8	358.1
初级工	工时	269.6	194.7
合计	工时	869.8	628.1
混凝土	m^3	103	103
水	m^3	120	120
其他材料费	%	3	3
振动器 1.1kW	台时	44.00	44.00
风水枪	台时	2.00	2.00
其他机械费	%	20	20
混凝土拌制	m^3	103	103
混凝土运输	m^3	103	103
编号		40088	40089

四－18 排 架

适用范围:渡槽、变电站、桥梁。

单位:$100m^3$

项目	单位	单根立柱横断面积 (m^2)			
		0.2	0.3	0.4	0.5
工长	工时	24.6	21.5	19.3	18.5
高级工	工时	73.8	64.7	57.8	55.5
中级工	工时	467.4	409.5	366.0	351.2
初级工	工时	254.2	222.7	199.0	191.0
合计	工时	820.0	718.4	642.1	616.2
混凝土	m^3	103	103	103	103
水	m^3	180	160	140	120
其他材料费	%	3	3	3	3
振动器 1.1kW	台时	44.00	44.00	35.60	35.60
风水枪	台时	2.00	2.00	2.00	2.00
其他机械费	%	20	20	20	20
混凝土拌制	m^3	103	103	103	103
混凝土运输	m^3	103	103	103	103
编号		40090	40091	40092	40093

注:排架高度大于25m时,人工和振动器乘以1.07系数;

排架高度小于10m时,人工和振动器乘以0.93系数。

四－19 回填混凝土

适用范围：隧洞回填：施工支洞封堵及塌方回填混凝土。

露天回填：露天各部位回填混凝土。

填腹：箱形拱填腹及一般填腹。

单位：100m³

项目	单位	隧洞回填	露天回填	填腹
工长	工时	12.0	10.0	10.4
高级工	工时	15.9	13.3	13.8
中级工	工时	215.1	179.3	186.8
初级工	工时	155.4	129.5	134.9
合计	工时	398.4	332.1	345.9
混凝土	m³	103	103	103
水	m³	45	45	20
其他材料费	%	0.5	0.5	0.5
振动器 1.1kW	台时	40.05	40.05	20.00
风水枪	台时	4.00	4.00	6.00
其他机械费	%	8	8	8
混凝土拌制	m³	103	103	103
混凝土运输	m³	103	103	103
编号		40094	40095	40096

四－20 二期混凝土

单位:100m³

项目	单位	厂房二期	闸门槽二期
工长	工时	31.5	70.5
高级工	工时	104.9	235.1
中级工	工时	598.0	1339.8
初级工	工时	314.7	705.2
合计	工时	1049.1	2350.6
混凝土	m^3	103	103
水	m^3	100	140
其他材料费	%	3	3
振动器 1.1kW	台时	40.43	90.64
风水枪	台时	8.00	16.00
其他机械费	%	11	11
混凝土拌制	m^3	103	103
混凝土运输	m^3	103	103
编号		40097	40098

四－21 其他混凝土

适用范围：基础：排架基础、一般设备基础等。

护坡框格：堤、坝、河岸块石护坡的混凝土框格。

细部结构：除本章其他现浇混凝土之外的细部结构、小体积、梁、板、柱等。

单位：$100m^3$

项目	单位	基础	护坡框格	细部结构
工长	工时	10.9	20.7	29.9
高级工	工时	18.1	62.2	99.6
中级工	工时	188.5	386.7	567.7
初级工	工时	145.0	221.0	298.8
合计	工时	362.5	690.6	996.0
混凝土	m^3	103	103	103
水	m^3	120	120	120
其他材料费	%	2.0	2.0	2.0
振动器 1.1kW	台时	20.00	44.50	35.60
风水枪	台时	26.00	14.92	7.44
其他机械费	%	10	10	10
混凝土拌制	m^3	103	103	103
混凝土运输	m^3	103	103	103
编号		40099	40100	40101

四－22 预制渡槽槽身

工作内容：模板制作、安装、拆除，混凝土拌制、场内运输、浇筑、养护、堆放。

单位：$100m^3$

项　　目	单位	U 形	矩形肋板式
工　　长	工时	205.9	42.5
高 级 工	工时	669.1	138.3
中 级 工	工时	2573.5	531.7
初 级 工	工时	1698.5	350.9
合　　计	工时	5147.0	1063.4
锯　　材	m^3	0.88	3.04
组合钢模板	kg	344.52	
型　　钢	kg	748.94	
卡 扣 件	kg	139.20	
铁　　件	kg	217.40	42.82
预埋铁件	kg	354.36	
电 焊 条	kg	1.23	
铁　　钉	kg	4.23	10.55
混 凝 土	m^3	102	102
水	m^3	180	180
其他材料费	%	3	3
振 动 器 1.1kW	台时	44.00	44.00
搅 拌 机 $0.4m^3$	台时	18.36	18.36
胶 轮 车	台时	92.80	92.80
载重汽车 5t	台时	3.64	0.60
电 焊 机 25kVA	台时	1.40	
振 动 器 平板式 2.2kW	台时		26.46
其他机械费	%	15	15
编　　号		40102	40103

四－23 预制混凝土拱、拱波、横系梁及排架

适用范围：渡槽、桥梁或变电站等。

工作内容：模板制作、安装、拆除，混凝土拌制、场内运输、浇筑、养护、堆放。

单位：100m³

项目	单位	矩形拱肋	横系梁	双曲拱波
工长	工时	41.1	61.8	115.9
高级工	工时	133.5	201.0	376.6
中级工	工时	513.5	773.0	1448.5
初级工	工时	338.9	510.2	956.0
合计	工时	1027.0	1546.0	2897.0
锯材	m^3	0.39	0.40	
组合钢模板	kg	85.43		
专用钢模板	kg		122.40	88.80
型钢	kg	59.20		55.89
卡扣件	kg	41.69		
铁件	kg	30.13	40.90	
预埋铁件	kg	1968.34	2735.00	
电焊条	kg	6.90	9.59	
铁钉	kg	1.49	1.80	
混凝土	m^3	102	102	102
水	m^3	180	180	180
其他材料费	%	2	2	2
振动器 1.1kW	台时	44.00	44.00	44.00
搅拌机 0.4m^3	台时	18.36	18.36	18.36
胶轮车	台时	92.80	92.80	92.80
载重汽车 5t	台时	0.52	0.64	0.52
电焊机 25kVA	台时	7.88	10.96	
其他机械费	%	15	15	15
编号		40104	40105	40106

续表

项　　目	单位	箱形拱肋	腹拱肋	排　架
工　长	工时	198.5	82.6	53.8
高 级 工	工时	644.9	268.6	174.9
中 级 工	工时	2480.5	1033.0	672.8
初 级 工	工时	1637.1	681.8	444.0
合　计	工时	4961.0	2066.0	1345.5
锯　材	m^3	0.52	0.68	0.20
组合钢模板	kg	510.29		128.67
专用钢模板	kg		91.98	
型　钢	kg	350.27	70.35	51.55
卡 扣 件	kg	224.37	147.17	75.91
铁　件	kg	18.22		
预埋铁件	kg	5600.00		479.55
电 焊 条	kg	27.86		1.68
铁　钉	kg	1.11	2.03	0.66
混 凝 土	m^3	102	102	102
水	m^3	180	180	180
其他材料费	%	2	2	2
振 动 器 1.1kW	台时	44.00	44.00	44.00
搅 拌 机 $0.4m^3$	台时	18.36	18.36	18.36
胶 轮 车	台时	92.80	92.80	92.80
载重汽车 5t	台时	2.88	0.88	0.62
电 焊 机 25kVA	台时	32.20		1.92
其他机械费	%	15	15	15
编　号		40107	40108	40109

四－24 预制混凝土块

适用范围：截流用预制块。

工作内容：木模板制作、安装，浇筑、养护、预制块吊移。

单位：100m^3

项目	单位	数量
工长	工时	48.8
高级工	工时	158.5
中级工	工时	609.5
初级工	工时	402.3
合计	工时	1219.1
锯材	m^3	1.17
铁件	kg	20.00
铁钉	kg	16.00
混凝土	m^3	102
水	m^3	80
其他材料费	%	0.5
塔式起重机 10t	台时	10.00
振动器 1.1kW	台时	35.00
载重汽车 5t	台时	1.44
其他机械费	%	1
混凝土拌制	m^3	102
混凝土运输	m^3	102
编号		40110

四－25　混凝土板预制及砌筑

适用范围：渠道护坡、护底。

工作内容：预制：模板制安、拆除、修理，混凝土拌和、场内运输、浇筑、养护、堆放。

砌筑：冲洗、拌浆、砌筑、勾缝。

单位：100m³

项目	单位	预制			
		厚度 (cm)			
		4～8	8～12	12～16	16～20
工长	工时	70.8	69.7	67.7	65.4
高级工	工时	230.1	226.5	220.0	212.7
中级工	工时	885.0	871.0	846.0	818.0
初级工	工时	584.1	574.8	558.3	539.9
合计	工时	1770.0	1742.0	1692.0	1636.0
专用钢模板	kg	116.41	91.94	81.16	75.67
铁件	kg	24.59	17.79	14.83	13.25
混凝土构件	m³				
混凝土	m³	102	102	102	102
水泥砂浆	m³				
水	m³	240	240	240	240
其他材料费	%	1	1	1	1
搅拌机 0.4m³	台时	18.36	18.36	18.36	18.36
胶轮车	台时	92.80	92.80	92.80	92.80
载重汽车 5t	台时	1.60	1.28	1.12	1.04
振动器 平板式2.2kW	台时	35.56	29.92	26.80	24.00
其他机械费	%	7	7	7	7
编号		40111	40112	40113	40114

续表

项目	单位	砌筑			
		厚度 (cm)			
		4～8	8～12	12～16	16～20
工长	工时	45.4	32.9	27.5	24.4
高级工	工时	147.6	107.0	89.3	79.3
中级工	工时	567.5	411.5	343.5	305.0
初级工	工时	374.5	271.6	226.7	201.3
合计	工时	1135.0	823.0	687.0	610.0
专用钢模板	kg				
铁件	kg				
混凝土构件	m^3	(90)	(90)	(90)	(90)
混凝土	m^3				
水泥砂浆	m^3	23.70	20.40	19.00	18.20
水	m^3				
其他材料费	%	0.5	0.5	0.5	0.5
搅拌机 $0.4m^3$	台时				
胶轮车	台时				
载重汽车 5t	台时				
振动器 平板式 2.2kW	台时				
其他机械费	%				
编号		40115	40116	40117	40118

四－26 缆索吊装预制混凝土槽身、排架、拱肋、梁

工作内容:构件吊装、校正、固定、焊接、二期混凝土浇筑、填缝灌浆。

单位:100m³

项目	单位	槽身	排架	矩形拱肋	箱形拱肋	梁
工长	工时	48.6	50.1	75.2	82.9	21.9
高级工	工时	534.6	551.4	827.3	911.4	241.2
中级工	工时	1036.8	1069.5	1604.5	1767.7	467.9
初级工	工时					
合计	工时	1620.0	1671.0	2507.0	2762.0	731.0
锯材	m³	1.47	2.00	1.21	1.21	0.70
组合钢模板	kg	24.39	25.20	4.43		
型钢	kg		9.75	4.69		
钢板	kg			158.06		
卡扣件	kg	12.22	15.33	6.20		
铁件	kg	15.03		30.31	47.39	
钢筋	kg		626.85			
电焊条	kg	27.65	23.24	36.96	42.45	
混凝土构件	m³	(100)	(100)	(100)	(100)	(100)
环氧砂浆	m³	0.10			0.56	
膨胀混凝土	m³	6.46	7.35	1.74		
其他材料费	%	0.5	0.5	0.5	0.5	0.5
电焊机 25kVA	台时	31.60	26.56	42.24	48.28	
卷扬机 3t	台时	49.00	27.00	132.00	150.70	
简易缆索机 40t	台时	32.00	41.10	41.20	45.75	15.52
其他机械费	%	1	1	1	1	1
混凝土拌制	m³	6.46	7.35	1.74		
混凝土运输	m³	6.46	7.35	1.74		
编号		40119	40120	40121	40122	40123

注:1.本节简易缆索起重机跨距按实际选取;

2.双曲拱波吊装采用矩形拱肋子目;

3.腹拱肋吊装采用箱形拱肋子目。

四－27 混凝土管安装

适用范围:露天铺设的水泵站出水管、倒虹管及其他低压输水管。

工作内容:测量、就位、接头胶圈安放、抹砂浆。

单位:100延长米

项目	单位	平段				
		管道内径 (m)				
		0.8	1.0	1.2	1.4	1.6
工长	工时	15.9	21.3	23.9	34.5	39.8
高级工	工时	135.5	180.6	203.2	293.5	338.7
中级工	工时	139.4	185.9	209.2	302.1	348.6
初级工	工时	107.6	143.4	161.3	233.1	268.9
合计	工时	398.4	531.2	597.6	863.2	996.0
锯材	m^3	1.00	1.00	1.00	2.00	2.00
型钢	kg	8.00	10.00	12.00	14.00	17.00
铁丝	kg	27.00	34.00	40.00	47.00	55.00
混凝土管	m	(100.00)	(100.00)	(100.00)	(100.00)	(100.00)
水泥砂浆	m^3	1.00	1.00	1.00	1.00	1.00
橡胶止水圈	根	21.00	21.00	21.00	26.00	26.00
其他材料费	%	3	3	3	3	3
卷扬机 3t	台时	30.00	40.00	45.00	60.00	65.00
电动葫芦 3t	台时	55.00	75.00	85.00	120.00	130.00
其他机械费	%	10	10	10	10	10
编号		40124	40125	40126	40127	40128

续表

项　　目	单位	斜　　段				
		管　道　内　径　(m)				
		0.8	1.0	1.2	1.4	1.6
工　　长	工时	23.9	34.5	37.2	50.5	58.4
高 级 工	工时	203.2	293.5	316.1	428.9	496.7
中 级 工	工时	209.2	302.1	325.3	441.6	511.3
初 级 工	工时	161.3	233.1	251.0	340.6	394.4
合　　计	工时	597.6	863.2	929.6	1261.6	1460.8
锯　　材	m^3	1.00	2.00	2.00	2.00	3.00
型　　钢	kg	12.00	16.00	19.00	22.00	25.00
铁　　丝	kg	40.00	52.00	61.00	71.00	82.00
混凝土管	m	(100.00)	(100.00)	(100.00)	(100.00)	(100.00)
水泥砂浆	m^3	1.00	1.00	1.00	1.00	1.00
橡胶止水圈	根	21.00	21.00	21.00	26.00	26.00
其他材料费	%	3	3	3	3	3
卷扬机 3t	台时	40.00	55.00	65.00	90.00	100.00
电动葫芦 3t	台时	85.00	115.00	125.00	175.00	200.00
其他机械费	%	10	10	10	10	10
编　　号		40129	40130	40131	40132	40133

四－28 搅拌机拌制混凝土

工作内容：场内配运水泥、骨料，投料、加水、加外加剂、搅拌、出料、清洗。

单位：$100m^3$

项目	单位	搅拌机出料（m^3）	
		0.4	0.8
工长	工时		
高级工	工时		
中级工	工时	122.5	91.1
初级工	工时	162.4	120.7
合计	工时	284.9	211.8
零星材料费	%	2	2
搅拌机	台时	18.00	8.64
胶轮车	台时	83.00	83.00
编号		40134	40135

注：胶轮车斗容 $0.12m^3$ 左右，其他斗容近似的手推车，均适用本定额。

四－29　搅拌楼拌制混凝土

工作内容：储料、配料、分料、搅拌、加水、加外加剂、出料、机械清洗。

单位：100m³

项目	单位	搅拌楼容量 (m³)				
		2×1.0	2×1.5	3×1.5	2×3.0	4×3.0
工长	工时	2.3	1.7	1.1	0.9	0.5
高级工	工时	2.3	1.7	1.1	0.9	0.5
中级工	工时	17.1	13.1	8.0	6.6	4.1
初级工	工时	23.5	18.0	11.0	9.1	5.5
合计	工时	45.2	34.5	21.2	17.5	10.6
零星材料费	%	5	5	5	5	5
搅拌楼	台时	2.87	2.00	1.42	1.18	0.59
骨料系统	组时	2.87	2.00	1.42	1.18	0.59
水泥系统	组时	2.87	2.00	1.42	1.18	0.59
编号		40136	40137	40138	40139	40140

四－30　强制式搅拌楼拌制混凝土

工作内容：输入配合比程序、进料、加水、加外加剂、拌和、出料、机械清洗。

单位：100m^3

项　　目	单位	搅拌楼容量（m^3）	
		1×2.0	2×2.5
工　　长	工时	2.2	1.0
高 级 工	工时	2.2	2.0
中 级 工	工时	15.6	7.2
初 级 工	工时	13.3	6.2
合　　计	工时	33.3	16.4
零星材料费	%	5	5
搅 拌 楼	台时	1.67	0.77
骨料系统	组时	1.67	0.77
水泥系统	组时	1.67	0.77
编　　号		40141	40142

四－31　胶轮车运混凝土

工作内容：装、运、卸、清洗。

单位：100m^3

项　　目	单位	运　距　(m)					增运50m
		50	100	200	300	400	
工　　长	工时						
高 级 工	工时						
中 级 工	工时						
初 级 工	工时	74.4	99.6	156.0	212.5	268.9	28.2
合　　计	工时	74.4	99.6	156.0	212.5	268.9	28.2
零星材料费	%	6	6	6	6	6	
胶 轮 车	台时	56.00	75.00	117.50	160.00	202.50	21.25
编　　号		40143	40144	40145	40146	40147	40148

注：洞内运输，人工、胶轮车定额乘以1.5系数。

四－32 斗车运混凝土

工作内容：装、运、卸、清洗。

单位：$100m^3$

项目	单位	运距（m）					增运50m
		100	200	300	400	500	
工长	工时						
高级工	工时						
中级工	工时						
初级工	工时	74.4	100.9	126.2	152.7	178.5	12.9
合计	工时	74.4	100.9	126.2	152.7	178.5	12.9
零星材料费	%	6	6	6	6	6	
V型斗车 $0.6m^3$	台时	28.00	38.00	47.50	57.50	66.70	4.60
编号		40149	40150	40151	40152	40153	40154

注：洞内运输运距≤100m，人工、斗车定额乘以1.25系数；运距＞100m，人工、斗车定额乘以1.33系数。

四－33 机动翻斗车运混凝土

工作内容:装、运、卸、空回。

单位:100m³

项目	单位	运距(m) 100	200	300	400	500	增运100m
工长	工时						
高级工	工时						
中级工	工时	36.5	36.5	36.5	36.5	36.5	
初级工	工时	29.9	29.9	29.9	29.9	29.9	
合计	工时	66.4	66.4	66.4	66.4	66.4	
零星材料费	%	5	5	5	5	5	
机动翻斗车 1t	台时	19.35	22.60	25.65	28.45	31.20	2.65
编号		40155	40156	40157	40158	40159	40160

注:洞内运输,人工、机械定额乘1.25系数。

四－34 内燃机车运混凝土

适用范围：配合缆机、门塔机直接入仓。

工作内容：等装、等卸、重运、空回、冲洗。

单位：100m³

项目	单位	运距（m）				增运 100m
		200	400	600	800	
工长	工时					
高级工	工时					
中级工	工时	5.2	6.0	6.9	7.8	0.4
初级工	工时	2.8	3.3	3.7	4.2	0.3
合计	工时	8.0	9.3	10.6	12.0	0.7
零星材料费	%	15	15	15	15	
内燃机车 88kW	台时	3.50	4.35	5.10	6.10	0.25
平车 10t	台时	10.50	13.05	15.30	18.30	0.75
混凝土吊罐 $3m^3$	台时	7.00	8.70	10.20	12.20	0.50
编号		40161	40162	40163	40164	40165

注：1. 混凝土吊罐按拖运 $3m^3$ 计，如拖运 $6m^3$ 吊罐，人工、机械定额乘以 0.578 系数，机车功率及平板车吨位数按实际配备计算；

2. 本定额适用于起重机吊混凝土罐直接入仓，如将吊罐混凝土卸入溜筒转运时，人工、机械定额均乘以 1.2 系数。

四－35 自卸汽车运混凝土

适用范围：配合搅拌楼或设有贮料箱装车。

工作内容：装车、运输、卸料、空回、清洗。

单位：100m³

项目		单位	运距（km）				增运
			0.5	1	2	3	0.5km
工长		工时					
高级工		工时					
中级工		工时	13.8	13.8	13.8	13.8	
初级工		工时	7.4	7.4	7.4	7.4	
合计		工时	21.2	21.2	21.2	21.2	
零星材料费		%	5	5	5	5	
自卸汽车	3.5t	台时	16.16	20.39	26.91	31.82	2.93
	5t	台时	12.11	15.30	20.16	23.94	2.25
	8t	台时	9.18	11.48	14.31	16.74	1.22
	10t	台时	8.60	10.76	13.41	15.66	1.13
	15t	台时	5.72	7.20	8.96	10.44	0.77
	20t	台时	4.59	5.76	7.16	8.37	0.63
编号			40166	40167	40168	40169	40170

注：洞内运输，人工、机械定额乘以1.25系数。

四－36 溜槽运送混凝土

工作内容：开、关贮料斗活门，扒料，冲洗料斗溜槽。

单位：100m³

项目	单位	溜槽斜长（m）			增运
		5	7	9	2m
工长	工时				
高级工	工时				
中级工	工时				
初级工	工时	31.9	35.2	39.2	4.0
合计	工时	31.9	35.2	39.2	4.0
零星材料费	%	20	20	20	
编号		40171	40172	40173	40174

注：溜槽摊销费已计入零星材料费。

四－37 胶带机运送混凝土

适用范围：贮料斗斗门给料。

工作内容：给料、运输、卸料、清洗皮带。

单位：100m³

项目	单位	胶带宽度（mm）			
		800	1000	1200	1400
工长	工时				
高级工	工时				
中级工	工时	6.0	4.3	3.0	2.6
初级工	工时	3.3	2.3	1.6	1.4
合计	工时	9.3	6.6	4.6	4.0
零星材料费	%	1	1	1	1
给料机 电磁式	台时	0.50	0.35	0.20	0.15
胶带输送机	组时	0.50	0.35	0.20	0.15
编号		40175	40176	40177	40178

四－38　搅拌车运混凝土

适用范围：配合搅拌楼(机)直接装车。

工作内容：装车、运输、卸料、空回、清洗。

单位：100m^3

项　　目	单位	运距(km)				增运
		0.5	1	2	3	0.5km
工　　长	工时					
高 级 工	工时					
中 级 工	工时	14.4	14.4	14.4	14.4	
初 级 工	工时	6.8	6.8	6.8	6.8	
合　　计	工时	21.2	21.2	21.2	21.2	
零星材料费	%	2	2	2	2	
搅 拌 车　3m^3	台时	15.45	18.19	21.86	24.79	1.50
编　　号		40179	40180	40181	40182	40183

注：1. 如采用 6m^3 混凝土搅拌车，机械定额乘以 0.52 系数；

2. 洞内运输，人工、机械定额乘以 1.25 系数。

四－39 塔、胎带机运送混凝土

适用范围：配合胶带机或贮料斗（胎带机）。

工作内容：给料、运输、卸料、清洗皮带。

单位：100m³

项目	单位	塔带机	胎带机
工长	工时	0.1	0.4
高级工	工时	0.2	1.8
中级工	工时	0.3	2.3
初级工	工时	0.7	5.9
合计	工时	1.3	10.4
零星材料费	%	1	1
塔带机 TC/TB 2400	台时	0.56	
胎带机	台时		0.88
载重汽车 15t	台时		0.06
汽车起重机 25t	台时		0.06
编号		40184	40185

注：胎带机若配合胶带机进料，则取消载重汽车、汽车起重机。

四－40 缆索起重机吊运混凝土

适用范围：内燃机车或汽车运混凝土罐。

单位：100m³

项目	单位	混凝土吊罐（m³）					
		3			6		
		提升50m 滑行50m	提升每增50m	滑行每增50m	提升50m 滑行50m	提升每增50m	滑行每增50m
工长	工时						
高级工	工时	7.9	0.6	0.6	4.5	0.4	0.4
中级工	工时	16.7	1.4	1.4	9.7	0.8	0.8
初级工	工时						
合计	工时	24.6	2.0	2.0	14.2	1.2	1.2
零星材料费	%	6			6		
缆索起重机 20t	台时	1.95	0.20	0.10	1.13	0.12	0.06
混凝土吊罐	台时	1.95	0.20	0.10	1.13	0.12	0.06
编号		40186	40187	40188	40189	40190	40191

注：1.缆索起重机跨距按实际选取；

2.不适用于高速缆机。

四－41 门座式起重机吊运混凝土

适用范围：内燃机车或汽车运混凝土吊罐。

单位：100m³

项目	单位	混凝土吊罐（m³）					
		6			3		
		吊高（m）					
		≤10	10～30	>30	≤10	10～30	>30
工长	工时						
高级工	工时	2.5	3.2	3.6	2.8	3.6	4.2
中级工	工时	7.0	8.9	10.1	7.7	10.1	11.5
初级工	工时	2.5	3.2	3.6	2.8	3.6	4.2
合计	工时	12.0	15.3	17.3	13.3	17.3	19.9
零星材料费	%	6	6	6	6	6	6
门座起重机 1260/60 型	台时	1.25	1.65	1.90			
门座起重机 540/30 型	台时				2.30	2.95	3.45
混凝土吊罐	台时	1.25	1.65	1.90	2.30	2.95	3.45
编号		40192	40193	40194	40195	40196	40197

注：适用于吊罐直接入仓，如卸入溜筒转运，人工、机械定额乘以1.25系数。

四－42 塔式起重机吊运混凝土

适用范围：内燃机车或汽车运混凝土吊罐。

单位：100m³

项目	单位	混凝土吊罐 (m³)					
		6			3		
		吊高 (m)					
		≤10	10～30	>30	≤10	10～30	>30
工长	工时						
高级工	工时	2.4	2.9	3.5	2.7	3.3	3.9
中级工	工时	7.2	8.8	10.3	7.9	10.0	11.5
初级工	工时	2.4	2.9	3.5	2.7	3.3	3.9
合计	工时	12.0	14.6	17.3	13.3	16.6	19.3
零星材料费	%	6	6	6	6	6	6
塔式起重机 1800/60 型	台时	1.25	1.65	1.90			
塔式起重机 25t	台时				2.15	2.80	3.25
塔式起重机 6t	台时						
混凝土吊罐	台时	1.25	1.65	1.90	2.15	2.80	3.25
编号		40198	40199	40200	40201	40202	40203

注：适用于混凝土罐直接入仓，如卸入溜筒转运，人工、机械定额乘以 1.25 系数。

续表

项目	单位	混凝土吊罐 (m^3)					
		1.6			0.65		
		吊高 (m)					
		≤10	10~30	>30	≤10	10~30	>30
工长	工时						
高级工	工时	6.4	8.1	9.7	15.9	18.7	21.4
中级工	工时	19.1	24.3	29.1	47.9	56.2	64.1
初级工	工时	6.4	8.1	9.7	15.9	18.7	21.4
合计	工时	31.9	40.5	48.5	79.7	93.6	106.9
零星材料费	%	6	6	6	6	6	6
塔式起重机 1800/60型	台时						
塔式起重机 25t	台时						
塔式起重机 6t	台时	4.45	5.65	6.75	11.05	13.20	14.85
混凝土吊罐	台时	4.45	5.65	6.75	11.05	13.20	14.85
编号		40204	40205	40206	40207	40208	40209

四－43 挖掘机吊运混凝土、块石

适用范围：挖掘机改装的起重机、内燃机车或汽车运送混凝土 $3m^3$ 吊罐。

工作内容：指挥、挂脱吊钩、吊运、卸料入仓或贮料斗，装石入钢丝网、冲洗毛石、吊回空网和混凝土罐、清洗。

单位：$100m^3$

项目	单位	吊运混凝土 吊高（m） ≤15	吊运混凝土 吊高（m） >15	吊运块石
工长	工时			
高级工	工时			
中级工	工时	7.6	10.7	18.2
初级工	工时	3.7	5.2	9.0
合计	工时	11.3	15.9	27.2
零星材料费	%	10	10	5
挖掘机 $4m^3$	台时	1.60	2.30	4.05
混凝土吊罐 $3m^3$	台时	1.60	2.30	
编号		40210	40211	40212

注：1.适用于吊罐直接入仓，如卸入溜筒转运，人工、机械定额乘以1.25系数；

2.块石按松方计。

四－44 平洞衬砌混凝土运输

适用范围：用于平洞衬砌的混凝土运输。

工作内容：装料、平洞内外或井内运输、卸料、组车、空回。

单位：$100m^3$

项目	单位	平洞段		斜井段	竖井段
		运距 200m	增运 100m	≤900m	≤100m
工长	工时				
高级工	工时				
中级工	工时				
初级工	工时	70.0	4.0	12.0	12.0
合计	工时	70.0	4.0	12.0	12.0
零星材料费	%	2		2	2
V型斗车 $1.0m^3$	台时	91.60	4.80	32.40	
电瓶机车 5t	台时	7.60	0.70		
移动胶带机 500×10	台时	7.60			
双筒绞车	台时			5.50	5.50
吊桶 $2m^3$	台时				11.00
其他机械费	%	3		5	5
编号		40213	40214	40215	40216

注：1. 运距按洞内洞外运距之和计算；

2. 当竖井井深＞100m时，可参考冶金、煤炭建井定额；

3. 绞车按井深、斜井倾角选型，详见第二章说明中绞车选型表；

4. 通过斜井或竖井向平洞内运输混凝土时，采用斜井段（或竖井段）加平洞段定额计算。

四－45　斜、竖井衬砌混凝土运输

适用范围：斜井：用于斜井衬砌时，斜井段混凝土运输，井深≤900m，倾角≤30°。

竖井：用于竖井衬砌时，竖井段混凝土运输，井深≤100m。

工作内容：井口30m装料、斜（竖）井运输、卸料、空回。

单位：$100m^3$

项　　目	单位	斜　井	竖　井
工　　长	工时		
高 级 工	工时		
中 级 工	工时		
初 级 工	工时	65.0	82.0
合　　计	工时	65.0	82.0
零星材料费	%	2	2
V型斗车　$1.0m^3$	台时	64.50	
吊　　桶　$2.0m^3$	台时		21.00
单筒绞车	台时	8.10	10.50
移动胶带机　500×10	台时	8.10	
其他机械费	%	5	5
编　　号		40217	40218

注：1. 当竖井井深＞100m时，可参考冶金、煤炭建井定额；

2. 绞车按井深、倾角选型，详见第二章说明中绞车选型表。

四－46 斜坡道吊运混凝土

工作内容：贮料斗滑槽装斗车、吊运、卸料、滑槽出料、清洗。

单位：$100m^3$

项目	单位	吊运斜距（m）				增运
		20	30	40	50	5m
工长	工时					
高级工	工时	5.0	6.2	7.7	8.4	0.6
中级工	工时	9.2	11.3	14.2	15.4	1.2
初级工	工时	13.6	16.9	21.1	22.9	1.7
合计	工时	27.8	34.4	43.0	46.7	3.5
零星材料费	%	6	6	6	6	
卷扬机 10t	台时	4.28	5.29	6.30	7.23	0.42
V型斗车 $1.0m^3$	台时	4.28	5.29	6.30	7.23	0.42
编号		40219	40220	40221	40222	40223

四－47 胶轮车运混凝土预制板

工作内容：装、运、卸、堆、空回。

单位：$100m^3$

项目	单位	装运 50m	增运 25m
工长	工时		
高级工	工时		
中级工	工时		
初级工	工时	252.3	14.6
合计	工时	252.3	14.6
零星材料费	%	4	
胶轮车	台时	190.00	11.00
编号		40224	40225

注：本节定额适用于运距≤200m。

四-48 人工装手扶拖拉机运混凝土预制板

工作内容：装、运、卸、堆、空回。

单位：100m³

项目	单位	运距（m）				增运50m
		50	100	200	300	
工长	工时					
高级工	工时					
中级工	工时					
初级工	工时	176.6	176.6	176.6	176.6	
合计	工时	176.6	176.6	176.6	176.6	
零星材料费	%	3	3	3	3	
手扶拖拉机 11kW	台时	52.91	54.64	58.10	61.32	1.26
编号		40226	40227	40228	40229	40230

四－49 简易龙门式起重机吊运预制混凝土构件

适用范围：单件重小于 40t 的预制混凝土渡槽槽壳、拱肋、排架等大型构件由预制场至安装地点运输。

工作内容：装、平运 200m 以内、卸。

单位：$100m^3$ 混凝土构件

项目	单位	槽壳	拱肋	其他
工长	工时			
高级工	工时	23.7	40.4	20.9
中级工	工时	65.5	111.8	57.8
初级工	工时	23.7	40.4	20.9
合计	工时	112.9	192.6	99.6
锯材	m^3	0.30	0.30	0.20
铁件	kg	12.00	12.00	8.00
其他材料费	%	10	10	10
龙门起重机 简易 40t	台时	12.00	20.50	10.50
其他机械费	%	10	10	10
编号		40231	40232	40233

四－50 汽车运预制混凝土构件

工作内容:装车、运输、卸车并按指定地点堆放等。

单位:100m³ 混凝土构件

项目	单位	一般混凝土构件			
		运距(km)			增运1km
		1	2	3	
工长	工时				
高级工	工时				
中级工	工时	43.2	43.2	43.2	
初级工	工时	43.3	43.3	43.3	
合计	工时	86.5	86.5	86.5	
锯材	m³	0.10	0.10	0.10	
铁件	kg	12.00	12.00	12.00	
其他材料费	%	3	3	3	
汽车起重机 10t	台时				
汽车起重机 5t	台时	13.00	13.00	13.00	
自卸汽车 20t	台时				
载重汽车 10t	台时	23.00	26.08	29.04	2.85
其他机械费	%	1	1	1	
编号		40234	40235	40236	40237

续表

项　　目	单位	截流用预制块			
		运　距（km）			增运1km
		1	2	3	
工　　长	工时				
高 级 工	工时				
中 级 工	工时	19.4	19.4	19.4	
初 级 工	工时	19.4	19.4	19.4	
合　　计	工时	38.8	38.8	38.8	
锯　　材	m^3				
铁　　件	kg				
其他材料费	%				
汽车起重机　10t	台时	5.83	5.83	5.83	
汽车起重机　5t	台时				
自卸汽车　20t	台时	9.00	11.50	13.89	1.39
载重汽车　10t	台时				
其他机械费	%	1	1	1	
编　　号		40238	40239	40240	40241

四－51 胶轮车运沥青混凝土

适用范围:人工。

工作内容:装、运、卸、清理等。

单位:100m³

项目	单位	运距(m)					增运
		50	100	200	300	400	50m
工长	工时						
高级工	工时						
中级工	工时						
初级工	工时	96.7	129.5	202.8	276.3	349.6	36.7
合计	工时	96.7	129.5	202.8	276.3	349.6	36.7
零星材料费	%	6	6	6	6	6	
胶轮车	台时	72.80	97.50	152.75	208.00	263.25	27.63
编号		40242	40243	40244	40245	40246	40247

四－52 斗车运沥青混凝土

适用范围:人工。

工作内容:装、运、卸、清理等。

单位:100m³

项目	单位	运距(m)					增运
		50	100	200	300	400	50m
工长	工时						
高级工	工时						
中级工	工时						
初级工	工时	79.5	96.7	131.2	164.1	198.5	16.8
合计	工时	79.5	96.7	131.2	164.1	198.5	16.8
零星材料费	%	6	6	6	6	6	
V型斗车 0.6m³	台时	29.90	36.40	49.40	61.75	74.75	5.98
编号		40248	40249	40250	40251	40252	40253

四－53 机动翻斗车运沥青混凝土

工作内容:装、运、卸、空回。

单位:100m³

项目	单位	运距(m)					增运100m
		100	200	300	400	500	
工长	工时						
高级工	工时						
中级工	工时	47.5	47.5	47.5	47.5	47.5	
初级工	工时	38.9	38.9	38.9	38.9	38.9	
合计	工时	86.4	86.4	86.4	86.4	86.4	
零星材料费	%	5	5	5	5	5	
机动翻斗车 1t	台时	25.16	29.38	33.35	36.99	40.56	3.45
编号		40254	40255	40256	40257	40258	40259

四－54 止 水

单位:100 延长米

项目	单位	铜片止水	铁片止水	塑料止水	橡胶止水	菱形接缝
工长	工时	25.5	8.9	7.4	8.1	32.5
高级工	工时	178.7	62.5	51.9	57.2	227.8
中级工	工时	153.2	53.6	44.4	49.0	195.2
初级工	工时	153.2	53.6	44.4	49.0	195.2
合计	工时	510.6	178.6	148.1	163.3	650.7
沥青	t	1.70	1.70			2.40
木柴	t	0.57	0.57			0.80
紫铜片 厚15mm	kg	561.00				
白铁皮 厚0.82mm	kg		203.00			
塑料止水带	m			103.00		
橡胶止水带	m				103.00	
铜电焊条	kg	3.12				
焊锡	kg		4.20			
铁钉	kg		1.80			
伸缩节	节					67.00
镀锌铁管	m					210.00
混凝土管 U形	m					108.00
钢筋	kg					330.00
铁件	kg					52.00
水泥	kg					200.00
其他材料费	%	1	1	1	1	1
电焊机 25kVA	台时	13.48				
胶轮车	台时	8.80	7.60			12.40
编号		40260	40261	40262	40263	40264

注:紫铜片规格为0.0015m×0.4m×1.5m,损耗率5%;

白铁皮规格为0.00082m×0.3m×20m,损耗率5%。

四－55　沥青砂柱止水

工作内容:清洗缝面、熔化沥青、烤砂、拌和、洗模、拆模、安装。

单位:100 延长米

项　目	单位	重量配合比					
		1:2			2:1		
		直径 (cm)					
		10	20	30	10	20	30
工长	工时	9.5	18.6	33.5	9.4	18.2	32.8
高级工	工时	66.4	130.3	234.7	65.7	127.8	229.6
中级工	工时	57.0	111.8	201.2	56.4	109.6	196.8
初级工	工时	57.0	111.8	201.2	56.4	109.6	196.8
合计	工时	189.9	372.5	670.6	187.9	365.2	656.0
沥青	t	0.50	2.00	4.50	0.85	3.40	7.65
木柴	t	0.33	1.33	3.00	0.57	2.27	5.13
砂	m^3	0.69	2.76	6.21	0.29	1.16	2.61
其他材料费	%	1	1	1	1	1	1
胶轮车	台时	6.00	23.60	53.20	5.20	20.80	47.20
编号		40265	40266	40267	40268	40269	40270

注:1.定额不包括外模制作的人工和材料;

2.重量配合比指沥青:砂。

四－56 渡槽止水及支座

工作内容：止水：模板制安、拆除、修理，填料配制、填塞、养护。

支座：放线、定位、校正、焊接、安装。

项目	单位	止水			支座
		100 延长米			个
		环氧粘橡皮	木屑水泥	胶泥填料	盆式橡胶支座
工长	工时	41.8	13.3	15.7	1.7
高级工	工时	292.8	93.4	110.0	12.3
中级工	工时	251.0	80.1	94.2	10.6
初级工	工时	251.0	80.1	94.2	10.6
合计	工时	836.6	266.9	314.1	35.2
锯材	m^3	0.30	0.88		
型钢	kg				48.64
预埋铁件	kg		83.00		
铁钉	kg		2.60		
电焊条	kg				3.11
环氧树脂	kg	65.92			
甲苯	kg	9.95			
二丁脂	kg	9.95		27.24	
乙二胺	kg	5.84			
沥青	kg	136.00			
煤焦油	kg			272.40	
水	m^3	37.00	6.00		
聚氯乙烯粉	kg			27.24	
硬脂酸钙	kg			2.72	
粉煤灰	kg			27.24	
木屑	kg		804.00		
麻丝	kg		13.40		
水泥	kg	168.00	1770.00		
砂	m^3	0.25			
橡胶支座	个				1.00
钢筋	kg				9.30
麻絮	kg	92.00			
橡胶止水带	m	105.00			
其他材料费	%	1	1	1	1
电焊机 25kVA	台时				1.48
编号		40271	40272	40273	40274

四－57 趾板止水

适用范围:碾压堆石坝混凝土面板与趾板间的止水。

工作内容:底座清刷、烘干、涂料、嵌缝、固定扣板(或面膜)以及沥青杉板制安、橡胶止水带铺设、止水铜片制安。 单位:100m

项目	单位	三道止水	二道止水
工长	工时	51.5	17.3
高级工	工时	360.9	121.3
中级工	工时	309.4	104.0
初级工	工时	309.4	104.0
合计	工时	1031.2	346.6
塑性填料	t	5.67	3.42
底料	t		0.12
PVC板 厚6mm	m^2	58.90	
氯丁橡胶膜	m^2		47.30
氯丁橡胶管 Φ50mm	m	103.00	
氯丁橡胶棒 Φ25mm	m	206.00	
橡胶止水带	m	103.00	103.00
紫铜片 厚1mm	kg	497.00	
铜电焊条	kg	3.10	
锯材	m^3	0.56	0.28
沥青	t	0.50	
木柴	t	0.55	0.20
镀锌角钢	kg	777.00	
其他材料费	%	0.5	0.5
胶轮车	台时	16.00	8.00
电焊机 25kVA	台时	13.48	
编号		40275	40276

注:1.三道止水是指塑性填料、橡胶止水、铜片止水,表面用扣板保护、镀锌角钢固定,适用于较高坝体;

2.二道止水是指塑性填料、橡胶止水,表面用氯丁橡胶薄膜保护,适用于较低的堤坝。

四－58 防水层

工作内容：抹水泥砂浆：清洗、拌和、抹面。
涂沥青：清洗、熔化、浇涂、搭拆跳板。
麻布沥青：清洗、熔化、裁铺麻布、浇涂、搭拆跳板。
青麻沥青：清洗、熔化、浸刷塞缝、浇涂沥青。

单位：100m²

项目	单位	抹水泥砂浆			涂沥青	
		立面	平面	拱面	立面拱面	平面
工长	工时	4.5	3.1	7.8	3.4	2.5
高级工	工时	31.1	21.7	54.6	23.5	17.5
中级工	工时	26.7	18.5	46.8	20.1	14.9
初级工	工时	26.7	18.5	46.8	20.1	14.9
合计	工时	89.0	61.8	156.0	67.1	49.8
沥青	t				0.29	0.26
麻布	m²					
煤沥青	t					
木柴	t				0.10	0.09
麻刀	t					
砂	m³	3.33	2.61	2.61		
水泥	t	1.52	1.14	1.14		
水	m³	1.00	1.00	1.00		
其他材料费	%	3	3	3	3	3
胶轮车	台时	5.44	4.28	4.28		
编号		40277	40278	40279	40280	40281

注：1. 砌体倾斜与水平交角 30°以下为平面，大于 30°为立面；
2. 抹水泥砂浆适用于料石砌体，如抹条片石砌体，人工定额乘以 1.3 系数。

续表

项　　目	单位	麻布沥青		青麻沥青
		一布二油	二布三油	
工　　长	工时	5.1	7.4	18.2
高　级　工	工时	35.8	52.1	127.5
中　级　工	工时	30.7	44.6	109.4
初　级　工	工时	30.7	44.6	109.4
合　　计	工时	102.3	148.7	364.5
沥　　青	t	0.59	0.59	0.87
麻　　布	m^2	120.00	240.00	
煤　沥　青	t			1.73
木　　柴	t	0.16	0.21	0.91
麻　　刀	t			0.44
砂	m^3			
水　　泥	t			
水	m^3			
其他材料费	%	3	3	3
胶　轮　车	台时			
编　　号		40282	40283	40284

四－59　伸缩缝

工作内容：沥青油毛毡：清洗缝面、熔化、涂刷沥青、铺油毡。
沥青木板：木板制作、熔化、涂沥青、安装。

单位：100m²

项　　目	单位	沥青油毛毡			沥青木板
		一毡二油	二毡三油	三毡四油	
工　　长	工时	6.0	8.9	11.8	11.5
高 级 工	工时	42.2	62.5	83.0	80.4
中 级 工	工时	36.3	53.6	71.1	68.9
初 级 工	工时	36.3	53.6	71.1	68.9
合　　计	工时	120.8	178.6	237.0	229.7
锯　　材	m^3				2.20
油 毛 毡	m^2	115.00	226.00	340.00	
沥　　青	t	1.22	1.83	2.44	1.24
木　　柴	t	0.42	0.63	0.84	0.42
其他材料费	%	1	1	1	1
胶 轮 车	台时	1.68	2.68	3.48	3.36
编　　号		40285	40286	40287	40288

四－60 钢筋制作与安装

适用范围：水工建筑物各部位及预制构件。

工作内容：回直、除锈、切断、弯制、焊接、绑扎及加工场至施工场地运输。

单位：1t

项　　目	单位	数　　量
工　　长	工时	10.3
高 级 工	工时	28.8
中 级 工	工时	36.0
初 级 工	工时	27.8
合　　计	工时	102.9
钢　　筋	t	1.02
铁　　丝	kg	4.00
电 焊 条	kg	7.22
其他材料费	%	1
钢筋调直机　14kW	台时	0.60
风 砂 枪	台时	1.50
钢筋切断机　20kW	台时	0.40
钢筋弯曲机　Φ6～40	台时	1.05
电 焊 机　25kVA	台时	10.00
对 焊 机　150 型	台时	0.40
载重汽车　5t	台时	0.45
塔式起重机　10t	台时	0.10
其他机械费	%	2
编　　号		40289

注：定额中钢筋含加工损耗，不包括搭接长度及施工架立筋用量。

四－61 沥青混凝土面板

适用范围：沥青混凝土防渗面板。

工作内容：沥青混凝土拌制、运输1.5km、现场浇筑及养护等。

单位：100m³

项目	单位	坡面		平面		运输增减0.5km
		开级配	密级配	开级配	密级配	
工长	工时	16.0	21.5	12.8	17.2	
高级工	工时	48.1	64.6	38.5	51.7	
中级工	工时	120.8	168.6	96.6	134.8	
初级工	工时	88.7	125.5	71.0	100.4	
合计	工时	273.6	380.2	218.9	304.1	
沥青混凝土	m³	103	103	103	103	
其他材料费	%	0.5	0.5	0.5	0.5	
搅拌楼 LB－1000型	台时	5.24	5.62	5.24	5.62	
骨料沥青系统	组时	5.24	5.62	5.24	5.62	
卷扬台车	台时	6.35	9.52			
摊铺机 GTLY750	台时	6.35	9.52	3.81	5.71	
喂料小车	台时	6.35	9.52			
汽车起重机 10t	台时	6.35	9.52	6.35	9.52	
卷扬机 5t	台时	6.35	9.52			
拖拉机 88kW	台时	6.35	9.52	1.91	2.86	
振动碾 1.5t	台时	6.35	9.52	1.91	2.86	
载重汽车 10t	台时	26.00	28.00	26.00	28.00	2.12
保温罐 1.5m³	台时	52.00	56.00	52.00	56.00	4.24
其他机械费	%	0.5	0.5	0.5	0.5	
编号		40290	40291	40292	40293	40294

四－62　沥青混凝土心墙

(1)人工摊铺、机械碾压

工作内容：模板转运、立拆模、清理、修整；
沥青混凝土拌和、运输、铺筑及养护；
施工层铺筑前的处理。

单位：$100m^3$

项　　目	单位	立　模	铺　筑
工　　长	工时		5.5
高　级　工	工时	33.8	18.3
中　级　工	工时	33.8	49.3
初　级　工	工时	150.5	180.7
合　　计	工时	218.1	253.8
组合钢模板	kg	75.48	
卡　扣　件	kg	118.60	
沥青混凝土	m^3		105
其他材料费	%	0.5	0.5
搅　拌　楼　LB-1000型	台时		6.56
骨料沥青系统	组时		6.56
振　动　碾　BW90AD	台时		1.67
载重汽车　5t	台时	19.73	
自卸汽车　保温8t	台时		11.34
其他机械费	%	2	2
编　　号		40295	40296

注：本定额是按心墙厚100cm拟定，若厚度不同时立模定额按下表系数调整：

心墙平均厚度(cm)	50	60	70	80	90	100	110	120
调整系数	2.00	1.67	1.43	1.25	1.11	1.00	0.91	0.83

(2)机械摊铺碾压

工作内容:沥青混凝土拌和、运输、铺筑及养护;
沥青混凝土施工层铺筑前的处理;
过渡料铺筑。

单位:100m^3

项　　目	单位	沥青混凝土	过渡料
工　　长	工时	7.8	1.6
高 级 工	工时	25.8	5.3
中 级 工	工时	69.6	14.2
初 级 工	工时	53.3	10.9
合　　计	工时	156.5	32.0
沥青混凝土	m^3	105	
过 渡 料	m^3		115
其他材料费	%	0.5	0.5
搅 拌 楼 LB-1000型	台时	6.56	
骨料沥青系统	组时	6.56	
摊 铺 机 DF130C	台时	1.85	1.85
振 动 碾 BW90AD	台时	1.67	
振 动 碾 BW120AD-3	台时		1.67
自卸汽车 保温8t	台时	11.34	
装 载 机 3m^3	台时	1.85	1.85
其他机械费	%	2	2
过渡料运输	m^3		115
编　　号		40297	40298

注:若摊铺机仅摊铺沥青混凝土时,则沥青混凝土定额中的人工乘以1.4、摊铺机乘以3.0。

四－63 涂 层

适用范围：涂于底面石垫层或层间结合面上。

工作内容：打扫表面杂物、浮土，人工配制、挑运、涂刷、用红外线加热器或硅碳棒加热沥青混凝土接缝。

单位：100m^2

项目	单位	乳化沥青		稀释沥青	热沥青涂层	封闭层沥青胶	岸边接头	
		开级配	密级配				热沥青胶	再生胶粉沥青胶
工长	工时	0.4	0.2	1.8	2.2	2.9	2.9	5.8
高级工	工时	2.8	1.4	13.0	15.4	20.3	20.3	40.6
中级工	工时	2.4	1.2	11.2	13.1	17.3	17.3	34.9
初级工	工时	2.4	1.2	11.2	13.1	17.3	17.3	34.9
合计	工时	8.0	4.0	37.2	43.8	57.8	57.8	116.2
涂层	m^2	102	102	102	102	102	102	102
其他材料费	%	1	1	1	1	1	1	1
编号		40299	40300	40301	40302	40303	40304	40305

四－64　无砂混凝土垫层铺筑

工作内容：人工配料、机械拌和、翻斗车运输、卷扬机牵引运料车至坝面，人工摊铺。

单位：100m^3

项　　目	单位	数　量
工　　长	工时	56.6
高 级 工	工时	268.7
中 级 工	工时	311.1
初 级 工	工时	777.9
合　　计	工时	1414.3
混 凝 土	m^3	103
其他材料费	%	0.5
搅 拌 机　0.25m^3	台时	34.30
摊 铺 机　TX150	台时	33.80
机动翻斗车　1t	台时	38.20
卷 扬 机　5t	台时	26.75
振 动 器　平板式2.2kW	台时	33.80
其他机械费	%	0.5
编　　号		40306

四－65　斜墙碎石垫层面涂层

工作内容：沥青配制、运输、涂刷及坝面清扫等。

单位：100m²

项　　目	单位	乳化沥青	稀释沥青
工　　长	工时	0.4	1.1
高 级 工	工时	1.9	4.7
中 级 工	工时	7.3	18.3
初 级 工	工时	5.0	12.4
合　　计	工时	14.6	36.5
沥　　青 60#	kg	51.00	62.00
柴　　油	kg		143.00
水	m^3	0.15	
烧　　碱	kg	0.61	
洗 衣 粉	kg	0.82	
水 玻 璃	kg	0.61	
其他材料费	%	10	10
编　　号		40307	40308

第五章 模板工程

说　明

一、本章包括平面模板、曲面模板、异形模板、滑模、钢模台车等模板定额共25节，适用于各种水工建筑物现浇混凝土模板。

二、模板定额的计量单位“$100m^2$”为立模面面积，即混凝土与模板的接触面积。

三、立模面面积的计量，除有其他说明外，应按满足建筑物体形及施工分缝要求所需的立模面计算。

四、模板定额的工作内容

1.木模板制作：板条锯断、刨光、裁口，骨架(或圆弧板带)锯断、刨光，板条骨架拼钉，板面刨光、修正。

2.木立柱、围令制作：枋木锯断、刨平、打孔。

3.木桁(排)架制作：枋木锯断、凿榫、打孔，砍刨拼装，上螺栓、夹板。

4.钢架制作：型材下料、切割、打孔、组装、焊接。

5.预埋铁件制作：拉筋切断、弯曲、套扣，型材下料、切割、组装、焊接。

6.模板运输：包括模板、立柱、围令及桁(排)架等，自工地加工厂或存放场运输至安装工作面。

“铁件”和“混凝土柱(指预制混凝土柱)”均按成品预算价格计算。

五、模板材料均按预算消耗量计算，包括了制作、安装、拆除、维修的损耗和消耗，并考虑了周转和回收。

六、模板定额中的材料，除模板本身外，还包括支撑模板的立柱、围令、桁(排)架及铁件等。对于悬空建筑物(如渡槽槽身)的模板，计算到支撑模板结构的承重梁(或枋木)为止，承重梁以下的支撑结构未包括在本定额内。

七、滑模定额中的材料仅包括轨面以下的材料，即轨道和安装轨道所用的埋件、支架和铁件。钢模台车定额中未计入轨面以下部分，轨道和安装轨道所用的埋件等应计入其他临时工程。

滑模、针梁模板和钢模台车的行走机构、构架、模板及其支撑型钢，为拉滑模板或台车行走及支立模板所配备的电动机、卷扬机、千斤顶等动力设备，均作为整体设备以工作台时计入定额。

八、坝体廊道模板，均采用一次性（一般为建筑物结构的一部分）预制混凝土模板。

预制混凝土模板材料量按工程实际需要计算，其预制、安装直接套用《水利建筑工程预算定额》“第四章 混凝土工程”中相应的混凝土预制定额和预制混凝土构件安装定额。

五－1 悬臂组合钢模板

适用范围：各种混凝土坝、厂房下部结构等大体积混凝土的直立平面、倾斜平面、坝体纵横缝键槽。

工作内容：钢架制作、面板拼装，预埋铁件制作，模板运输；模板安装、拆除、除灰、刷脱模剂，维修、倒仓。

单位：$100m^2$

项目		单位	制作	安装、拆除
工长		工时	3.9	9.5
高级工		工时	10.7	8.9
中级工		工时	22.8	68.6
初级工		工时	9.6	8.9
合计		工时	47.0	95.9
组合钢模板		kg	98.59	
型钢		kg	483.02	
卡扣件		kg	16.75	
铁件		kg	25.40	
预埋铁件		kg		229.03
电焊条		kg	10.63	3.72
其他材料费		%	2	5
型钢剪断机	13kW	台时	0.94	
钢筋切断机	20kW	台时	0.12	
钢筋弯曲机	Φ6～40	台时	0.31	
汽车起重机	8t	台时		8.89
载重汽车	5t	台时	0.35	
电焊机	25kVA	台时	7.85	2.00
其他机械费		%	5	15
编号			50001	50002

注：1. 向仓内倾斜的立模面，“安装、拆除”每 $100m^2$ 立模面，人工和汽车起重机定额乘 1.15 系数；

2. 用于坝体纵、横缝键槽部位时，“制作”人工、材料、机械乘 1.10 系数；“安装、拆除”人工和设备乘 1.25 系数；

3. 坝体纵、横缝键槽立模面面积计算，按各立模面在竖直平面上的投影面积计算（即与无键槽的纵、横缝立模面面积计算相同）。

五－2 普通标准钢模板

适用范围：直墙、挡土墙、防浪墙、闸墩、底板、趾板、柱、梁、板等。

工作内容：预埋铁件制作，模板运输；模板安装、拆除、除灰、刷脱模剂，维修、倒仓，拉筋割断。

单位：100m²

项目	单位	制作	安装、拆除
工长	工时	1.1	17.0
高级工	工时	3.7	82.7
中级工	工时	4.1	119.6
初级工	工时	1.4	
合计	工时	10.3	219.3
组合钢模板	kg	79.57	
型钢	kg	42.97	
卡扣件	kg	25.33	
铁件	kg	1.50	
预埋铁件	kg		121.68
混凝土柱	m^3		0.28
电焊条	kg	0.50	1.98
其他材料费	%	2	2
钢筋切断机 20kW	台时	0.06	
汽车起重机 5t	台时		14.17
载重汽车 5t	台时	0.36	
电焊机 25kVA	台时	0.70	2.00
其他机械费	%	5	5
编号		50003	50004

注：1.底板、趾板为岩石基础时，“安装、拆除”人工乘1.20系数，其他材料费按8%计算；

2.用于混凝土柱、梁、板时，“安装、拆除”材料不计预埋铁件和混凝土柱，“安装、拆除”人工乘1.25系数。

五－3 普通平面木模板

适用范围：混凝土坝、厂房下部结构等大体积混凝土的直立面、斜面；混凝土墙、墩等。

工作内容：模板制作，立柱、围令制作，预埋铁件制作，模板运输；模板安装、拆除、除灰、刷脱模剂，维修、倒仓，拉筋割断。

单位：100m²

项目	单位	制作	安装、拆除
工长	工时	4.0	10.7
高级工	工时	11.7	7.2
中级工	工时	32.6	108.0
初级工	工时	12.4	26.9
合计	工时	60.7	152.8
锯材	m^3	2.24	
铁件	kg	20.69	
铁钉	kg	4.23	1.17
铁丝	kg		1.04
预埋铁件	kg		312.82
混凝土柱	m^3		0.99
电焊条	kg		5.08
其他材料费	%	2	2
圆盘锯	台时	4.55	
双面刨床	台时	3.80	
钢筋切断机 20kW	台时	0.16	
钢筋弯曲机 Φ6～40	台时	0.43	
汽车起重机 5t	台时		11.60
载重汽车 5t	台时	1.63	
电焊机 25kVA	台时		6.51
其他机械费	%	5	5
编号		50005	50006

注：应优先选用钢模板，不适宜采用钢模板或采用木模板费用更低时可采用本定额。

五－4　普通曲面模板

适用范围：混凝土墩头、进水口侧和下收缩曲面等弧形柱面。

工作内容：钢架制作、面板拼装，预埋铁件制作，模板运输；模板安装、拆除、除灰、刷脱模剂，维修、倒仓，拉筋割断。

单位：$100m^2$

项　　目	单位	制　作	安装、拆除
工　　长	工时	4.4	13.7
高 级 工	工时	14.3	57.6
中 级 工	工时	29.4	162.3
初 级 工	工时	11.6	36.1
合　　计	工时	59.7	269.7
锯　　材	m^3	0.34	
组合钢模板	kg	104.07	
型　　钢	kg	488.06	
卡 扣 件	kg	41.90	
铁　　件	kg	35.17	
预埋铁件	kg		350.36
电 焊 条	kg	10.74	5.69
其他材料费	%	2	2
型钢剪断机　13kW	台时	0.95	
型材弯曲机	台时	1.49	
钢筋切断机　20kW	台时	0.18	
钢筋弯曲机　Φ6～40	台时	0.48	
汽车起重机　8t	台时		12.50
载重汽车　5t	台时	0.42	
电 焊 机　25kVA	台时	7.93	2.00
其他机械费	%	5	10
编　　号		50007	50008

五－5 尾水肘管模板

适用范围：水轮机混凝土尾水肘管（弯管段）模板。

工作内容：木模板制作，木排架制作，预埋铁件制作，整体试拼装，模板运输。

（1） 制 作

单位：$100m^2$

项目	单位	肘管进口直径 D_4 (m)						
		2.00	4.00	6.00	8.00	10.00	12.00	14.00
工长	工时	72.2	80.0	87.8	95.6	103.4	111.2	119.0
高级工	工时	341.1	380.1	419.1	458.1	497.1	536.1	575.2
中级工	工时	478.1	540.5	602.9	665.3	727.7	790.1	852.5
初级工	工时	209.1	240.3	271.5	302.7	333.9	365.1	396.4
合计	工时	1100.5	1240.9	1381.3	1521.7	1662.1	1802.5	1943.1
锯材	m^3	7.06	8.11	9.16	10.21	11.27	12.32	13.37
组合钢模板	kg	28.59	28.59	28.59	28.59	28.59	28.59	28.59
型钢	kg	402.56	554.48	706.39	858.30	1010.22	1162.13	1314.05
卡扣件	kg	49.84	87.91	125.98	164.06	202.13	240.20	278.27
铁件	kg	231.74	276.22	320.71	365.19	409.67	454.15	498.63
铁钉	kg	41.91	41.91	41.91	41.91	41.91	41.91	41.91
电焊条	kg	2.00	2.00	2.00	2.00	2.00	2.00	2.00
其他材料费	%	2	2	2	2	2	2	2

续表

项目	单位	肘管进口直径 D_4 (m)						
		2.00	4.00	6.00	8.00	10.00	12.00	14.00
圆盘锯	台时	11.31	12.89	14.47	16.06	17.64	19.22	20.80
双面刨床	台时	6.87	7.38	7.88	8.39	8.90	9.41	9.92
小型带锯	台时	2.06	2.06	2.06	2.06	2.06	2.06	2.06
型钢剪断机 13kW	台时	0.24	0.32	0.41	0.50	0.59	0.68	0.77
钢筋切断机 20kW	台时	0.16	0.16	0.16	0.16	0.16	0.16	0.16
钢筋弯曲机 Φ6～40	台时	0.42	0.42	0.42	0.42	0.42	0.42	0.42
汽车起重机 8t	台时	9.44	10.85	12.26	13.66	15.07	16.48	17.89
载重汽车 5t	台时	2.44	2.80	3.16	3.52	3.88	4.23	4.59
电焊机 25kVA	台时	2.16	2.16	2.16	2.16	2.16	2.16	2.16
其他机械费	%	5	5	5	5	5	5	5
编号		50009	50010	50011	50012	50013	50014	50015

工作内容：模板及排架安装、拆除，模板除灰、刷脱模剂，维修、倒仓，拉筋割断。

(2) 安装、拆除

单位：100m²

项目	单位	肘管进口直径 D_4 (m)						
		2.00	4.00	6.00	8.00	10.00	12.00	14.00
工长	工时	52.2	60.0	67.8	75.5	83.3	91.1	98.9
高级工	工时	156.6	179.9	203.3	226.6	250.0	273.4	296.7
中级工	工时	313.1	359.8	406.6	453.3	500.0	546.7	593.4
初级工	工时	104.4	119.9	135.5	151.1	166.7	182.2	197.8
合计	工时	626.3	719.6	813.2	906.5	1000.0	1093.4	1186.8
铁钉	kg	15.36	18.31	21.26	24.21	27.16	30.11	33.06
铁丝	kg	8.34	9.93	11.51	13.10	14.68	16.27	17.85
预埋铁件	kg	309.84	309.84	309.84	309.84	309.84	309.84	309.84
混凝土柱	m^3	0.61	0.61	0.61	0.61	0.61	0.61	0.61
电焊条	kg	6.04	6.04	6.04	6.04	6.04	6.04	6.04
其他材料费	%	2	2	2	2	2	2	2
汽车起重机 8t	台时	23.19	26.66	30.12	33.58	37.04	40.50	43.96
电焊机 25kVA	台时	6.51	6.51	6.51	6.51	6.51	6.51	6.51
其他机械费	%	10	10	10	10	10	10	10
编号		50016	50017	50018	50019	50020	50021	50022

五－6 蜗壳模板

适用范围：水轮机混凝土蜗壳模板。

工作内容：木模板制作，木排架制作，预埋铁件制作，模板运输。

(1) 制 作

单位：100m²

项 目	单位	水轮机转轮直径 D_1 (m)						
		1.00	2.00	4.00	6.00	8.00	10.00	12.00
工长	工时	19.9	19.9	19.9	19.9	19.9	19.9	19.9
高级工	工时	44.9	45.3	46.1	46.9	47.7	48.5	49.3
中级工	工时	194.1	195.3	197.7	200.1	202.5	204.9	207.3
初级工	工时	23.6	25.8	30.1	34.5	38.8	43.2	47.5
合计	工时	282.5	286.3	293.8	301.4	308.9	316.5	324.0
锯材	m³	3.54	3.94	4.75	5.56	6.36	7.17	7.98
组合钢模板	kg	25.23	25.23	25.23	25.23	25.23	25.23	25.23
型钢	kg	195.19	251.97	365.53	479.09	592.65	706.21	819.77
卡扣件	kg	25.35	40.31	70.24	100.17	130.10	160.02	189.95
铁件	kg	54.12	70.38	102.88	135.39	167.89	200.40	232.90
铁钉	kg	9.88	9.88	9.88	9.88	9.88	9.88	9.88
电焊条	kg	2.00	2.00	2.00	2.00	2.00	2.00	2.00
其他材料费	%	2	2	2	2	2	2	2

续表

项目	单位	水轮机转轮直径 D_1 (m)						
		1.00	2.00	4.00	6.00	8.00	10.00	12.00
圆盘锯	台时	5.73	6.34	7.55	8.77	9.98	11.19	12.41
双面刨床	台时	6.05	6.64	7.81	8.98	10.15	11.32	12.49
小型带锯	台时	0.94	0.94	0.94	0.94	0.94	0.94	0.94
型钢剪断机 13kW	台时	0.27	0.27	0.27	0.27	0.27	0.27	0.27
钢筋切断机 20kW	台时	0.15	0.15	0.15	0.15	0.15	0.15	0.15
钢筋弯曲机 Φ6～40	台时	0.38	0.38	0.38	0.38	0.38	0.38	0.38
载重汽车 5t	台时	1.84	1.98	2.27	2.55	2.84	3.13	3.41
电焊机 25kVA	台时	2.25	2.25	2.25	2.25	2.25	2.25	2.25
其他机械费	%	5	5	5	5	5	5	5
编号		50023	50024	50025	50026	50027	50028	50029

注:蜗壳截取范围为自水轮机轴线起向上游 $1.3D_1$。

工作内容：模板及排架安装、拆除，模板除灰、刷脱模剂，维修、倒仓，拉筋割断。

(2) 安装、拆除

单位：100m²

项目	单位	水轮机转轮直径 D_1 (m)						
		1.00	2.00	4.00	6.00	8.00	10.00	12.00
工长	工时	67.4	67.4	67.4	67.4	67.4	67.4	67.4
高级工	工时	359.1	370.3	392.7	415.1	437.5	459.9	482.3
中级工	工时	483.2	488.8	500.0	511.2	522.4	533.6	544.8
初级工	工时	7.5	13.1	24.3	35.5	46.7	57.9	69.1
合计	工时	917.2	939.6	984.4	1029.2	1074.0	1118.8	1163.6
铁钉	kg	3.46	3.46	3.46	3.46	3.46	3.46	3.46
铁丝	kg	3.08	3.08	3.08	3.08	3.08	3.08	3.08
预埋铁件	kg	279.88	279.88	279.88	279.88	279.88	279.88	279.88
混凝土柱	m³	0.67	0.67	0.67	0.67	0.67	0.67	0.67
电焊条	kg	4.55	4.55	4.55	4.55	4.55	4.55	4.55
其他材料费	%	2	2	2	2	2	2	2
汽车起重机 8t	台时	27.00	29.01	31.03	33.04	35.06	37.08	39.09
电焊机 25kVA	台时	6.51	6.51	6.51	6.51	6.51	6.51	6.51
其他机械费	%	10	10	10	10	10	10	10
编号		50030	50031	50032	50033	50034	50035	50036

五－7　进水口上收缩曲面模板

适用范围：进水口上部收缩曲面。

工作内容：钢架制作、面板拼装，预埋铁件制作，模板运输；模板及排架安装、拆除，模板除灰、刷脱模剂，维修、倒仓，拉筋割断。

单位：$100m^2$

项　　目	单位	制　作	安装、拆除
工　　长	工时	4.9	32.2
高 级 工	工时	15.4	135.1
中 级 工	工时	32.0	245.8
初 级 工	工时	13.3	
合　　计	工时	65.6	413.1
锯　　材	m^3	0.34	
组合钢模板	kg	104.07	
型　　钢	kg	735.84	
卡 扣 件	kg	166.64	
铁　　件	kg	35.17	
预埋铁件	kg		245.25
电 焊 条	kg	10.74	5.69
其他材料费	%	2	2
型钢剪断机　13kW	台时	1.43	
型材弯曲机	台时	1.49	
钢筋切断机　20kW	台时	0.13	
钢筋弯曲机　Φ6～40	台时	0.33	
汽车起重机　8t	台时		17.79
载重汽车　5t	台时	0.51	
电 焊 机　25kVA	台时	11.96	2.00
其他机械费	%	5	10
编　　号		50037	50038

注：进水口下、侧收缩曲面采用“普通曲面模板”定额。

五－8 坝体孔洞顶面模板

适用范围:坝体孔洞顶部平面模板。

工作内容:预埋铁件制作,模板运输;模板及排架安装、拆除,模板除灰、刷脱模剂,维修、倒仓,拉筋割断。

单位:100m²

项目	单位	制作	安装、拆除
工长	工时	1.1	25.7
高级工	工时	3.6	114.9
中级工	工时	3.9	214.5
初级工	工时	1.0	
合计	工时	9.6	355.1
组合钢模板	kg	75.49	
型钢	kg	313.40	
卡扣件	kg	166.13	
铁件	kg	1.50	
预埋铁件	kg		85.18
电焊条	kg	1.13	1.98
其他材料费	%	2	2
型钢剪断机 13kW	台时	0.61	
钢筋切断机 20kW	台时	0.04	
钢筋弯曲机 Φ6～40	台时	0.12	
汽车起重机 8t	台时		15.18
载重汽车 5t	台时	0.25	
电焊机 25kVA	台时	5.09	2.00
其他机械费	%	5	5
编号		50039	50040

五－9 键槽模板

适用范围：混凝土零星键槽。

工作内容：模板制作，预埋铁件制作，模板运输；模板安装、拆除、除灰、刷脱模剂，维修。

单位：$100m^2$

项目	单位	制作	安装、拆除
工长	工时	5.8	10.4
高级工	工时	1.9	
中级工	工时	51.7	137.1
初级工	工时	9.7	
合计	工时	69.1	147.5
锯材	m^3	2.02	
铁钉	kg	38.70	1.18
其他材料费	%	2	2
圆盘锯	台时	4.17	
双面刨床	台时	4.55	
汽车起重机 5t	台时		2.00
载重汽车 5t	台时	0.54	
其他机械费	%	5	5
编号		50041	50042

注：1. 键槽模板“安装、拆除”定额以拼装在该部位的平面模板上为准；

2. 键槽部位平面模板的立模面积计算，不扣除被键槽模板遮盖的面积；

3. 混凝土坝体纵、横缝键槽模板见五－1节“悬臂组合钢模板”。

五－10 牛腿模板

适用范围：坝顶混凝土牛腿，坝前进水孔口、平台等的混凝土牛腿。

工作内容：钢围令及钢支架制作，预埋铁件制作，模板运输；钢支架安装，模板安装、拆除、除灰、刷脱模剂，维修、倒仓，拉筋割断。

单位：100m²

项目	单位	制作	安装、拆除
工长	工时	15.5	33.2
高级工	工时	52.4	38.5
中级工	工时	100.9	264.3
初级工	工时	51.4	38.5
合计	工时	220.2	374.5
组合钢模板	kg	63.17	
型钢	kg	219.83	
卡扣件	kg	18.08	
铁件	kg	4.24	
预埋铁件	kg		6313.80
电焊条	kg	56.14	51.30
其他材料费	%	2	2
型钢剪断机　13kW	台时	8.13	
钢筋切断机　20kW	台时	1.23	
钢筋弯曲机　Φ6～40	台时	3.22	
汽车起重机　8t	台时		25.65
载重汽车　5t	台时	2.41	
电焊机　25kVA	台时	46.89	48.67
其他机械费	%	5	15
编号		50043	50044

五－11 矩形渡槽槽身模板

适用范围:矩形渡槽槽身。

工作内容:木模板制作,预埋铁件制作,模板运输;模板安装、拆除、除灰、刷脱模剂,维修、倒仓,拉筋割断。

单位:100m²

项目	单位	制作	安装、拆除
工长	工时	1.4	15.4
高级工	工时	6.6	74.9
中级工	工时	12.1	164.7
初级工	工时	1.9	2.6
合计	工时	22.0	257.6
锯材	m^3	0.24	
组合钢模板	kg	74.45	
型钢	kg	70.04	
卡扣件	kg	39.21	
铁件	kg	7.88	
预埋铁件	kg		61.71
混凝土柱	m^3		0.06
电焊条	kg	0.50	1.00
其他材料费	%	2	2
圆盘锯	台时	0.38	
双面刨床	台时	0.40	
型钢剪断机 13kW	台时	0.14	
钢筋切断机 20kW	台时	0.03	
汽车起重机 5t	台时		9.76
载重汽车 5t	台时	0.23	
电焊机 25kVA	台时	1.14	2.00
其他机械费	%	5	5
编号		50045	50046

五－12　箱形渡槽槽身模板

适用范围：箱形渡槽槽身。

工作内容：木模板制作，预埋铁件制作，模板运输；模板安装、拆除、除灰、刷脱模剂，维修、倒仓，拉筋割断。

单位：100m²

项　　目	单位	制　作	安装、拆除
工　　长	工时	1.3	15.6
高 级 工	工时	6.1	83.0
中 级 工	工时	9.7	176.6
初 级 工	工时	1.7	2.6
合　　计	工时	18.8	277.8
锯　　材	m^3	0.26	
组合钢模板	kg	74.44	
型　　钢	kg	69.69	
卡 扣 件	kg	39.51	
铁　　件	kg	3.13	
预埋铁件	kg		49.49
混凝土柱	m^3		0.05
电 焊 条	kg	0.50	0.80
其他材料费	%	2	2
圆 盘 锯	台时	0.42	
双面刨床	台时	0.44	
型钢剪断机　13kW	台时	0.14	
钢筋切断机　20kW	台时	0.03	
钢筋弯曲机　Φ6～40	台时	0.07	
汽车起重机　5t	台时		11.38
载重汽车　5t	台时	0.22	
电 焊 机　25kVA	台时	1.13	2.00
其他机械费	%	5	5
编　　号		50047	50048

五－13　U形渡槽槽身模板

适用范围：U形渡槽槽身。

工作内容：木模板制作，钢支架制作，预埋铁件制作，模板运输；模板及钢支架安装、拆除，模板除灰、刷脱模剂，维修、倒仓，拉筋割断。

单位：$100m^2$

项目	单位	制作	安装、拆除
工长	工时	2.6	28.2
高级工	工时	9.5	90.8
中级工	工时	18.4	209.9
初级工	工时	4.2	26.4
合计	工时	34.7	355.3
锯材	m^3	0.32	
组合钢模板	kg	73.50	
型钢	kg	124.95	
卡扣件	kg	27.79	
铁件	kg	61.79	
预埋铁件	kg		41.65
电焊条	kg	1.65	0.68
其他材料费	%	2	2
圆盘锯	台时	0.53	
双面刨床	台时	0.51	
型钢剪断机　13kW	台时	0.24	
钢筋切断机　20kW	台时	0.02	
钢筋弯曲机　Φ6～40	台时	0.06	
汽车起重机　5t	台时		13.01
载重汽车　5t	台时	0.23	
电焊机　25kVA	台时	2.03	2.00
其他机械费	%	5	5
编号		50049	50050

五－14 圆形隧洞衬砌木模板

适用范围：圆形、马蹄形隧洞及渐变段混凝土衬砌。

工作内容：木模板制作，木排架制作，预埋铁件制作，模板运输。

(1) 制 作

单位：100m^2

项 目	单位	曲 面	堵 头	键 槽
工 长	工时	5.0	6.5	5.2
高 级 工	工时	25.6	13.0	11.0
中 级 工	工时	68.4	54.7	37.7
初 级 工	工时	20.9	14.1	9.0
合 计	工时	119.9	88.3	62.9
锯 材	m^3	3.54	2.64	1.92
铁 件	kg	233.56	58.39	56.05
铁 钉	kg	20.00	7.19	8.00
其他材料费	%	2	2	2
圆 盘 锯	台时	5.96	4.29	3.20
双 面 刨 床	台时	5.50	3.74	2.79
小 型 带 锯	台时	1.40		
载 重 汽 车 5t	台时	1.18	0.72	0.53
其他机械费	%	5	5	5
编 号		50051	50052	50053

注：1. 用于渐变段时“曲面”模板人工、材料、机械乘 1.30 系数；

2. 当隧洞直径（衬砌后）<5.0m 时，“制作”定额乘 0.90 系数。

工作内容：模板及排架安装、拆除，模板除灰、刷脱模剂，维修、倒仓，拉筋割断。

（2） 安装、拆除

单位：$100m^2$

项目	单位	曲面	堵头	键槽
工长	工时	105.9	17.0	23.0
高级工	工时	122.2	34.0	23.0
中级工	工时	472.6	208.4	175.8
初级工	工时	287.1	68.0	46.1
合计	工时	987.8	327.4	267.9
铁钉	kg	5.00	1.80	2.00
其他材料费	%	2	2	2
汽车起重机 5t	台时	11.09	4.00	4.00
其他机械费	%	5	5	5
编号		50054	50055	50056

注：1. 用于渐变段时“曲面”模板人工乘 1.05 系数；

2. 当隧洞直径（衬砌后）＜5.0m 时，“安装、拆除”定额乘 0.90 系数；

3. 应优先选用钢模板，不适宜采用钢模板或采用木模板费用更低时可采用本定额。

五－15　圆形隧洞衬砌钢模板

适用范围：圆形及马蹄形隧洞混凝土衬砌(渐变段见五－14节)。

工作内容：木模板制作，钢架制作，预埋铁件制作，模板运输。

(1)　制　作

单位：100m²

项　目	单位	曲　面	堵　头	键　槽
工　　长	工时	0.5	5.2	5.8
高 级 工	工时	1.5	15.6	1.8
中 级 工	工时	2.9	64.6	51.6
初 级 工	工时	2.2	11.9	8.0
合　　计	工时	7.1	97.3	67.2
锯　　材	m^3	0.22	2.14	2.05
组合钢模板	kg	76.59		
型　　钢	kg	78.63	67.21	
卡 扣 件	kg	25.35		
铁　　件	kg	29.35		
铁　　钉	kg		10.57	11.77
电 焊 条	kg	4.11		
其他材料费	%	2	2	2
圆 盘 锯	台时		3.50	3.35
双面刨床	台时		3.43	3.28
型钢剪断机　13kW	台时	0.73	0.22	
型材弯曲机	台时	1.69		
钢筋切断机　20kW	台时	0.03		
钢筋弯曲机　Φ6～40	台时	0.07		
载重汽车　5t	台时	0.19	0.59	0.54
电 焊 机　25kVA	台时	4.83		
其他机械费	%	5	5	5
编　　号		50057	50058	50059

注：当隧洞直径(衬砌后)≥6.0m时，“曲面”定额乘1.08系数；洞径≥10.0m时，乘1.20系数。

工作内容:模板及钢架安装、拆除,模板除灰、刷脱模剂,维修、倒仓,拉筋割断。

(2) 安装、拆除

单位:$100m^2$

项目	单位	曲面	堵头	键槽
工长	工时	22.0	26.9	21.5
高级工	工时	66.0	53.7	43.0
中级工	工时	386.8	219.1	187.9
初级工	工时		53.7	43.0
合计	工时	474.8	353.4	295.4
预埋铁件	kg	244.37		
混凝土柱	m^3	0.32		
电焊条	kg	1.99		
其他材料费	%	2		
汽车起重机 5t	台时	14.38	4.00	4.00
电焊机 25kVA	台时	2.00		
其他机械费	%	5	5	5
编号		50060	50061	50062

注:1. 用于弯段时曲面模板“安装、拆除”人工乘1.20系数;

2. 当隧洞直径(衬砌后)≥6.0m时,“曲面”定额乘1.08系数;洞径≥10.0m时,乘1.20系数。

五－16　圆形隧洞衬砌针梁模板

适用范围：圆形隧洞混凝土衬砌。

工作内容：场内运输、安装、调试、拆除；运行（就位，架立、拆除模板，移位），维护保养。

单位：100m²

项　　目	单位	衬　砌　内　径　(m)				
		4	6	8	10	12
工　　长	工时	4.1	4.3	4.5	4.7	5.0
高 级 工	工时	78.1	57.8	48.9	44.4	41.9
中 级 工	工时	20.8	22.3	23.8	25.3	26.7
初 级 工	工时	18.3	18.9	19.6	20.2	20.8
合　　计	工时	121.3	103.3	96.8	94.6	94.4
针梁模板台车　＜60t	台时	43.60				
60～95t	台时		29.24			
95～130t	台时			22.41		
130～180t	台时				18.58	
＞180t	台时					16.03
载重汽车　15t	台时	0.08	0.09	0.09	0.10	0.11
汽车起重机　25t	台时	1.69	1.86	2.03	2.20	2.37
电 焊 机　25kVA	台时	1.01	1.12	1.22	1.32	1.42
其他机械费	%	5	5	5	5	5
编　　号		50063	50064	50065	50066	50067

注：立模面面积按内曲面面积计算。

五－17 直墙圆拱形隧洞衬砌钢模板

适用范围：直墙圆拱形隧洞混凝土衬砌。

工作内容：木模板制作，钢架制作，预埋铁件制作，模板运输。

(1) 制 作

单位：100m^2

项目	单位	顶拱		边墙		底板	键槽
		圆弧面	堵头	墙面	堵头	堵头	
工长	工时	0.5	5.2	0.8	4.4	4.5	5.8
高级工	工时	1.4	15.6	3.6	13.2	13.6	1.8
中级工	工时	2.8	64.6	3.9	56.8	56.8	51.6
初级工	工时	2.1	11.9	1.5	8.8	11.0	8.0
合计	工时	6.8	97.3	9.8	83.2	85.9	67.2
锯材	m^3	0.22	2.14		2.14	2.44	2.05
组合钢模板	kg	76.59		70.54			
型钢	kg	65.52	67.21	65.03	67.21		
卡扣件	kg	25.35		25.35			
铁件	kg	24.46		0.19		56.26	
铁钉	kg		10.57		10.57	10.57	11.77
电焊条	kg	3.43		0.50			
其他材料费	%	2	2	2	2	2	2
圆盘锯	台时		3.50		3.50	3.95	3.35
双面刨床	台时		3.43		3.43	3.98	3.28
型钢剪断机 13kW	台时	0.60	0.22	0.13	0.22		
型材弯曲机	台时	1.41					
钢筋切断机 20kW	台时			0.05			
钢筋弯曲机 Φ6～40	台时			0.13			
载重汽车 5t	台时	0.17	0.59	0.38	0.59	0.69	0.54
电焊机 25kVA	台时	4.03		1.06			
其他机械费	%	5	5	5	5	5	5
编号		50068	50069	50070	50071	50072	50073

注：当隧洞衬砌后的横断面面积≥35m^2 时，“顶拱圆弧面”和“边墙墙面”定额乘1.08系数；横断面面积≥80m^2 时，乘 1.20 系数。

工作内容：模板及钢架安装、拆除，模板除灰、刷脱模剂，维修、倒仓，拉筋割断。

（2） 安装、拆除

单位：100m²

项目	单位	顶拱		边墙		底板	键槽
		圆弧面	堵头	墙面	堵头	堵头	
工长	工时	20.0	25.6	12.9	21.5	20.5	20.5
高级工	工时	60.0	51.2	38.7	43.0	41.0	41.0
中级工	工时	351.6	208.7	241.4	186.1	178.9	178.9
初级工	工时		51.2		43.0	41.0	41.0
合计	工时	431.6	336.7	293.0	293.6	281.4	281.4
预埋铁件	kg	244.37		97.19			
混凝土柱	m³	0.32		0.32			
电焊条	kg	1.99		1.58			
其他材料费	%	2		2			
汽车起重机 5t	台时	13.08	4.00	12.26	4.00	2.00	4.00
电焊机 25kVA	台时	2.00		3.12			
其他机械费	%	5	5	5	5	5	5
编号		50074	50075	50076	50077	50078	50079

注：1. 用于弯段时曲面模板“安装、拆除”人工乘1.20系数；

2. 当隧洞衬砌后的横断面面积≥35m² 时，“顶拱圆弧面”和“边墙墙面”定额乘1.08系数，横断面面积≥80m² 时，乘1.20系数。

五－18　直墙圆拱形隧洞衬砌钢模台车

适用范围：直墙圆拱形隧洞边墙和顶拱混凝土衬砌。

工作内容：场内运输、安装、调试、拆除；运行（就位，架立、拆除模板，移位），维护保养。

单位：100m²

项目		单位	衬砌后断面面积（m²）						
			10	20	40	70	110	150	200
工长		工时	4.0	4.1	4.1	4.2	4.3	4.5	4.7
高级工		工时	65.0	52.8	41.9	35.0	32.1	30.8	30.0
中级工		工时	72.9	60.9	50.1	43.1	40.4	39.2	38.6
初级工		工时	17.9	18.3	18.5	18.7	18.9	19.4	19.9
合计		工时	159.8	136.3	114.6	101.0	95.7	93.9	93.2
钢模台车	＜30t	台时	53.07						
	30～50t	台时		40.01					
	50～70t	台时			28.85				
	70～100t	台时				22.28			
	100～130t	台时					18.17		
	130～160t	台时						15.84	
	＞160t	台时							13.98
载重汽车	15t	台时	0.06	0.07	0.07	0.08	0.09	0.09	0.10
汽车起重机	25t	台时	2.11	2.27	2.32	2.40	2.47	2.65	2.83
电焊机	25kVA	台时	1.27	1.36	1.39	1.43	1.48	1.59	1.70
其他机械费		%	5	5	5	5	5	5	5
编号			50080	50081	50082	50083	50084	50085	50086

注：1. 立模面面积按边墙墙面和顶拱圆弧面计算；

2. 底板混凝土衬砌采用“直墙圆拱形隧洞衬砌钢模板”中相应定额。

五－19　直墙圆拱形涵洞模板

适用范围：直墙圆拱形涵洞。

工作内容：木模板制作，钢架制作，预埋铁件制作，模板运输。

(1)　制　作

单位：100m²

项　　目	单位	顶拱		边墙		底板	键　槽
		圆弧面	堵头	墙面	堵头	堵头	
工　　长	工时	1.2	5.1	0.8	4.4	4.5	5.8
高　级　工	工时	3.6	15.3	3.4	13.2	13.6	1.8
中　级　工	工时	7.2	63.9	3.6	56.8	57.0	51.6
初　级　工	工时	4.3	11.5	0.9	8.9	10.1	8.0
合　　计	工时	16.3	95.8	8.7	83.3	85.2	67.2
锯　　材	m³	0.22	2.14		2.14	2.50	2.05
组合钢模板	kg	76.59		70.54			
型　　钢	kg	60.72	49.46	59.13	48.95	7.93	
卡　扣　件	kg	25.57	30.30	27.70	34.90	2.65	
铁　　件	kg	16.33		0.67		3.20	
铁　　钉	kg		10.57		10.57	10.57	11.77
电　焊　条	kg	1.34		0.50			
其他材料费	%	2	2	2	2	2	2
圆　盘　锯	台时		3.50		3.50	4.14	3.35
双面刨床	台时		3.43		3.43	3.89	3.64
型钢剪断机　13kW	台时	0.27		0.12			
型材弯曲机	台时	2.33					
钢筋切断机　20kW	台时	0.01		0.04			
钢筋弯曲机　Φ6～40	台时	0.02		0.12			
载重汽车　5t	台时	0.18	0.60	0.24	0.60	0.67	0.54
电　焊　机　25kVA	台时	0.79		0.96			
其他机械费	%	5	5	5	5	5	5
编　　号		50087	50088	50089	50090	50091	50092

工作内容：模板及钢架安装、拆除，模板除灰、刷脱模剂，维修、倒仓，拉筋割断。

（2）安装、拆除

单位：100m²

项　　目	单位	顶　拱		边　墙		底板堵头	键　槽
		圆弧面	堵头	墙面	堵头		
工　　长	工时	16.9	9.0	10.8	7.6	20.5	23.1
高　级　工	工时	50.8	27.0	32.5	22.7	41.0	
中　级　工	工时	305.5	213.0	196.9	190.9	177.4	195.4
初　级　工	工时					41.0	
合　　计	工时	373.2	249.0	240.2	221.2	279.9	218.5
预埋铁件	kg	125.13		85.59			
混凝土柱	m^3	0.06		0.15			
电　焊　条	kg	2.03		1.39			
其他材料费	%	2		2			
汽车起重机　5t	台时	15.84	4.00	11.43	4.00	2.00	4.00
电　焊　机　25kVA	台时	3.13		2.00			
其他机械费	%	5	5	5	5	5	5
编　　号		50093	50094	50095	50096	50097	50098

五－20　矩形涵洞模板

适用范围：矩形涵洞。

工作内容：木模板制作，钢架制作，预埋铁件制作，模板运输。

(1) 制　作

单位：$100m^2$

项　　目	单位	组合钢模板	堵　头	键　槽
工　　长	工时	0.7	4.4	5.8
高 级 工	工时	2.8	13.2	1.8
中 级 工	工时	3.1	56.8	51.6
初 级 工	工时	0.8	8.9	8.0
合　　计	工时	7.4	83.3	67.2
锯　　材	m^3		2.14	2.05
组合钢模板	kg	70.54		
型　　钢	kg	50.62	58.33	
卡 扣 件	kg	27.03	19.18	
铁　　件	kg	0.20		
铁　　钉	kg		10.57	11.77
电 焊 条	kg	0.50		
其他材料费	%	2	2	2
圆 盘 锯	台时		3.50	3.35
双面刨床	台时		3.43	3.28
型钢剪断机　13kW	台时	0.10		
钢筋切断机　20kW	台时	0.03		
钢筋弯曲机　Φ6～40	台时	0.09		
载重汽车　5t	台时	0.20	0.60	0.54
电 焊 机　25kVA	台时	0.82		
其他机械费	%	5	5	5
编　　号		50099	50100	50101

工作内容：模板及钢架安装、拆除，模板除灰、刷脱模剂，维修、倒仓，拉筋割断。

(2) 安装、拆除

单位：$100m^2$

项　　目	单位	组合钢模板	堵　头	键　槽
工　　长	工时	16.7	7.9	23.1
高 级 工	工时	48.8	23.8	
中 级 工	工时	179.5	198.4	195.4
初 级 工	工时			
合　　计	工时	245.0	230.1	218.5
预埋铁件	kg	76.56		
混凝土柱	m^3	0.19		
电 焊 条	kg	1.24		
其他材料费	%	2		
汽车起重机　5t	台时	11.54	4.00	4.00
电 焊 机　25kVA	台时	2.00		
其他机械费	%	5	5	5
编　　号		50102	50103	50104

五－21 圆形涵洞模板

适用范围:圆形涵洞。

工作内容:木模板制作,钢架制作,预埋铁件制作,模板运输。

(1) 制 作

单位:100m²

项目	单位	组合钢模板	堵头	键槽
工长	工时	2.1	7.3	5.8
高级工	工时	8.2	14.5	12.3
中级工	工时	9.4	62.0	41.2
初级工	工时	2.0	12.4	8.0
合计	工时	21.7	96.2	67.3
锯材	m^3	0.22	2.14	2.05
组合钢模板	kg	90.70		
型钢	kg	44.21	39.22	
卡扣件	kg	25.90	21.51	
铁件	kg	6.42		
铁钉	kg		10.57	11.77
电焊条	kg	0.97		
其他材料费	%	2	2	2
圆盘锯	台时		3.50	3.35
双面刨床	台时		3.43	3.28
型钢剪断机 13kW	台时	0.09		
型材弯曲机	台时	1.86		
钢筋切断机 20kW	台时	0.03		
钢筋弯曲机 Φ6～40	台时	0.08		
载重汽车 5t	台时	0.28	0.59	0.54
电焊机 25kVA	台时	0.72		
其他机械费	%	5	5	5
编号		50105	50106	50107

工作内容:模板及钢架安装、拆除,模板除灰、刷脱模剂,维修、倒仓,拉筋割断。

(2) 安装、拆除

单位:100m²

项目	单位	组合钢模板	堵头	键槽
工长	工时	24.7	9.0	16.1
高级工	工时	49.5	27.0	14.4
中级工	工时	279.0	214.5	159.2
初级工	工时			28.8
合计	工时	353.2	250.5	218.5
预埋铁件	kg	60.32		
混凝土柱	m^3	0.20		
电焊条	kg	0.98		
其他材料费	%	2		
汽车起重机 5t	台时	15.84	4.00	4.00
电焊机 25kVA	台时	2.00		
其他机械费	%	5	5	5
编号		50108	50109	50110

五－22　明渠衬砌模板

适用范围：引水、泄水、灌溉渠道及隧洞进出口明挖段的边坡、底板。

工作内容：木模板制作，预埋铁件制作，模板运输。

（1）制　作

单位：100m²

项　　目	单位	边坡模板		堵　头
		岩石坡(陡于1:0.75)	土　坡	
工　　长	工时	2.3		4.3
高 级 工	工时	10.1		12.8
中 级 工	工时	10.9	2.0	53.7
初 级 工	工时	3.1		11.1
合　　计	工时	26.4	2.0	81.9
锯　　材	m^3			2.14
组合钢模板	kg	78.61		
型　　钢	kg	42.97	13.00	30.14
卡 扣 件	kg	25.33		
铁　　件	kg	2.99		12.64
铁　　钉	kg			10.57
电 焊 条	kg	0.95	0.29	0.66
其他材料费	%	2	2	2
圆 盘 锯	台时			3.68
双面刨床	台时			3.33
型钢剪断机　13kW	台时		0.02	0.06
钢筋切断机　20kW	台时	0.14		
钢筋弯曲机　Φ6～40	台时	0.38		
载重汽车　5t	台时	0.77	0.01	0.59
电 焊 机　25kVA	台时	0.70	0.30	1.08
其他机械费	%	5	5	5
编　　号		50111	50112	50113

工作内容:模板安装、拆除、除灰、刷脱模剂,维修、倒仓,拉筋割断。

(2) 安装、拆除

单位:100m²

项目	单位	边坡模板		堵头
		岩石坡(陡于1:0.75)	土坡	
工长	工时	11.53		20.48
高级工	工时	69.20		40.95
中级工	工时	182.86	13.0	178.91
初级工	工时		13.0	40.95
合计	工时	263.59	26.0	281.29
预埋铁件	kg	139.06		
混凝土柱	m^3	0.66		
电焊条	kg	4.52		
其他材料费	%	2		
汽车起重机 5t	台时	12.25		4.00
电焊机 25kVA	台时	2.00		
其他机械费	%	5		5
编号		50114	50115	50116

五－23 竖井滑模

适用范围：竖井混凝土衬砌。

工作内容：场内运输，安装、调试；拉滑模板，维护保养。

单位：100m^2

项目		单位	竖井内径（m）					
			5	7	10	13	15	18
工长		工时	18.4	14.3	11.0	9.4	8.6	7.8
高级工		工时	65.5	58.2	50.7	48.2	46.6	45.2
中级工		工时	72.6	72.1	69.8	69.6	69.1	69.0
初级工		工时	21.5	21.5	21.5	22.1	22.1	22.2
合计		工时	178.0	166.1	153.0	149.3	146.4	144.2
滑模台车	<25t	台时	36.38					
	25～40t	台时		25.98				
	40～60t	台时			18.19			
	60～85t	台时				13.99		
	85～110t	台时					12.13	
	>110t	台时						10.11
载重汽车	15t	台时	0.09	0.12	0.17	0.22	0.26	0.31
汽车起重机	25t	台时	0.57	0.57	0.57	0.57	0.57	0.57
卷扬机	5t	台时	2.30	2.30	2.30	2.30	2.30	2.30
电焊机	25kVA	台时	0.69	0.69	0.69	0.69	0.69	0.69
其他机械费		%	5	5	5	5	5	5
编号			50117	50118	50119	50120	50121	50122

五－24 溢流面滑模

适用范围：溢流面混凝土。

工作内容：场内运输；轨道及埋件制作、安装；滑模安装、调试、拆除；拉滑模板，维护保养。

单位：100m²

项目		单位	分缝宽度 (m)	
			≤10	>10
工长		工时	41.1	30.4
高级工		工时	117.1	86.6
中级工		工时	191.8	145.9
初级工		工时	104.4	81.9
合计		工时	454.4	344.8
型钢		kg	355.91	284.73
铁件		kg	7.26	5.81
预埋铁件		kg	124.39	99.52
电焊条		kg	10.47	8.38
其他材料费		%	2	2
滑模台车	<10t	台时	35.71	
	>10t	台时		23.81
型钢剪断机	13kW	台时	0.24	0.19
型材弯曲机		台时	4.03	3.22
钢筋切断机	20kW	台时	0.06	0.05
汽车起重机	5t	台时	0.12	0.10
载重汽车	15t	台时	0.17	0.23
载重汽车	5t	台时	12.16	9.73
汽车起重机	25t	台时	1.97	1.45
电焊机	25kVA	台时	11.88	9.54
其他机械费		%	5	5
编号			50123	50124

五－25 混凝土面板滑模

适用范围：堆石坝混凝土面板。

工作内容：木模板制作，钢支架制作，预埋铁件制作，模板运输；模板安装、拆除、除灰、刷脱模剂，维修、倒仓，拉筋割断。

(1) 侧 模

单位：$100m^2$

项目	单位	制作	安装、拆除
工长	工时	1.8	20.5
高级工	工时	5.4	54.9
中级工	工时	18.4	144.8
初级工	工时	12.7	54.9
合计	工时	38.3	275.1
锯材	m^3	1.64	
型钢	kg	78.09	
铁件	kg	141.66	
预埋铁件	kg		1432.16
电焊条	kg	1.72	1.27
其他材料费	%	2	2
圆盘锯	台时	2.80	
双面刨床	台时	1.88	
型钢剪断机 13kW	台时	0.16	
钢筋切断机 20kW	台时	0.74	
载重汽车 5t	台时	1.04	
电焊机 25kVA	台时	2.97	2.00
其他机械费	%	5	5
编号		50125	50126

工作内容：场内运输、安装、调试、拆除；拉滑模板，维护保养。

(2) 滑 模

单位：100m^2

项目	单位	分缝宽度（m）	
		≤10	>10
工长	工时	10.5	7.3
高级工	工时	34.0	24.2
中级工	工时	37.3	26.7
初级工	工时	9.8	7.3
合计	工时	91.6	65.5
滑模台车 <10t	台时	17.86	
>10t	台时		11.90
载重汽车 15t	台时	0.15	0.17
汽车起重机 25t	台时	1.35	1.00
电焊机 25kVA	台时	1.16	0.95
其他机械费	%	5	5
编号		50127	50128

第六章

砂石备料工程

说　　明

一、本章定额包括天然砂石料开采及加工、人工砂石料开采及加工、砂石料运输、石料开采加工及运输共41节。

二、本章定额计量单位，除注明者外，开采、运输等节一般为成品方(堆方、码方)，砂石料加工等节按成品重量(t)计算。计量单位间的换算如无实测资料时，可参考表6-1数据。

表6-1　　砂石料密度参考表

砂石料类别	天然砂石料			人工砂石料		
	松散砂砾混合料	分级砾石	砂	碎石原料	成品碎石	成品砂
密度(t/m³)	1.74	1.65	1.55	1.76	1.45	1.50

三、本章定额砂石料规格及标准说明

砂石料：指砂砾料、砂、砾石、碎石、骨料等的统称。

砂砾料：指未经加工的天然砂卵石料。

骨料：指经过加工分级后可用于混凝土制备的砂、砾石和碎石的统称。

砂：指粒径小于或等于5 mm的骨料。

砾石：指砂砾料经加工分级后粒径大于5mm的卵石。

碎石：指经破碎、加工分级后粒径大于5 mm的骨料。

碎石原料：指未经破碎、加工的岩石开采料。

超径石：指砂砾料中大于设计骨料最大粒径的卵石。

块石：指长、宽各为厚度的2～3倍，厚度大于20cm的石块。

片石：指长、宽各为厚度的3倍以上，厚度大于15cm的石块。

毛条石：指一般长度大于60cm的长条形四棱方正的石料。

料石：指毛条石经过修边打荒加工，外露面方正，各相邻面正交，表面凹凸不超过10mm的石料。

四、砂石加工定额适用范围

1.六－10节天然砂砾料筛洗定额工作内容包括砂砾料筛分、清洗、成品运输和堆存，适用于天然砂砾料加工。如天然砂砾料场单独设置预筛工序时，该定额应作相应调整。

2.如砂砾料中的超径石需要通过破碎后加以利用，应根据施工组织设计确定的超径石破碎成品粒度的要求及破碎车间的生产规模，选用六－11节超径石破碎定额。该定额也适用于中间砾石级的破碎。超径石及中间砾石的破碎量占成品总量的百分数，应根据施工组织设计砂石料级配平衡计算确定。

3.人工砂石料加工定额的采用

六－14节制碎石定额适用于单独生产碎石的加工工艺。如生产碎石的同时，附带生产人工砂，其数量不超过10%，也可采用本节定额。

六－15节制砂定额适用于单独生产人工砂的加工工艺。

六－16节制碎石和砂定额适用于同时生产碎石和人工砂，且产砂量比例通常超过总量11%的加工工艺。

人工砂石料加工定额表内“碎石原料开采、运输”数量计算式中的“N_i”符号，表示碎石原料的含泥率。六－14节还包括原料中小于5mm的石屑含量。

当人工砂石料加工的碎石原料含泥量N_i超过5%，需考虑增加预洗工序时，可采用六－13节含泥碎石预洗定额，并乘以下系数编制预洗工序单价：制碎石1.22；制人工砂1.34。

4.制砂定额的棒磨机钢棒消耗量“40kg/100t成品”系按花岗岩类原料拟定。当原料不同时，钢棒消耗量按表6-2系数（以符号“K”表示）进行调整。

表 6-2　　　　　　**钢棒消耗定额调整系数表**

项　　目	石灰岩	花岗岩、玢岩 辉绿岩	流纹岩 安山岩	硬质 石英砂岩
调整系数 K	0.3	1.0	2.0	3.0
钢棒耗量(kg/100t 成品)	12	40	80	120

5. 人工砂石料加工定额中破碎机械生产效率系按中等硬度岩石拟定。如加工不同硬度岩石时,破碎机械台时量按表 6-3 系数进行调整。

表 6-3　　　　　　**破碎机械定额调整系数表**

项　　目	软岩石	中等硬度岩石	坚硬岩石
	抗压强度(MPa)		
	40～80	80～160	>160
调整系数	0.85～0.95	1	1.05～1.10

6. 天然砂砾料场由于级配不平衡需补充人工砂石料时,其补充部分的人工砂石料加工可采用六 - 14 节至六 - 16 节定额。

7. 根据施工组织设计,如骨料在进入搅拌楼之前需设置二次筛洗时,可采用六 - 35 节骨料二次筛洗定额计算其工序单价。如只需对其中某一级骨料进行二次筛洗,则可按其数量所占比例折算该工序加工费用。

8. 根据施工组织设计砂石加工厂的预筛粗碎车间与成品筛洗车间距离超过 200m 时,应按半成品料运输方式及相关定额计算单价。

五、砂石加工厂规模

砂石加工厂规模由施工组织设计确定。根据施工组织设计规范规定,砂石加工厂的生产能力应按混凝土高峰时段(3～5 个月)月平均骨料所需用量及其他砂石料需用量计算。砂石加工厂生产时间,通常为每日二班制,高峰时三班制,每月有效工作可按 360

小时计算。小型工程砂石加工厂一班制生产时，每月有效工作可按 180 小时计算。

计算出需要成品的小时生产能力后计及损耗，即可求得按进料量计的砂石加工厂小时处理能力，据此套用相应定额。

六、胶带输送机计量单位折算

本章砂石料加工定额中，胶带输送机用量以“米时”计。台时与米时按以下方法折算：

带宽 $B=500$mm，　带长 $L=30$m，　1 台时 = 30 米时

带宽 $B=650$mm，　带长 $L=50$m，　1 台时 = 50 米时

带宽 $B=800$mm，　带长 $L=75$m，　1 台时 = 75 米时

带宽 $B\geqslant1000$mm，　带长 $L=100$m，　1 台时 = 100 米时

七、砂石料单价计算

1．根据施工组织设计确定的砂石备料方案和工艺流程，按本章相应定额计算各加工工序单价，然后累计计算成品单价。

骨料成品单价自开采、加工、运输一般计算至搅拌楼前调节料仓或与搅拌楼上料胶带输送机相接为止。

砂石料加工过程中如需进行超径砾石破碎或含泥碎石原料预洗，以及骨料需进行二次筛洗时，可按本章有关定额子目计算其费用，摊入骨料成品单价。

2．天然砂砾料加工过程中，由于生产或级配平衡需要进行中间工序处理的砂石料，包括级配余料、级配弃料、超径弃料等，应以料场勘探资料和施工组织设计级配平衡计算结果为依据。

计算砂石料单价时，弃料处理费用应按处理量与骨料总量的比例摊入骨料成品单价。余弃料单价应为选定处理工序处的砂石料单价。在预筛时产生的超径石弃料单价，可按六－10 节定额中的人工和机械台时数量各乘 0.2 系数计价，并扣除用水。若余弃料需转运至指定弃料地点时，其运输费用应按本章有关定额子目计算，并按比例摊入骨料成品单价。

3. 料场覆盖层剥离和无效层处理，按一般土石方工程定额计算费用，并按设计工程量比例摊入骨料成品单价。

八、本章定额已考虑砂石料开采、加工、运输、堆存等损耗因素，使用定额时不得加计。

九、机械挖运松散状态下的砂砾料，采用六－22 至六－34 节运砂砾料定额时，其中人工及挖装机械乘 0.85 系数。

十、六－9 节采砂船挖砂砾料定额，运距超过 10km 时，超过部分增运 1km 的拖轮、砂驳台时定额乘 0.85 系数。

六－1　人工开采砂砾料

工作内容：挖，装，运，卸，堆存，空回。

（1）　水上开采

单位：$100m^3$ 成品堆方

项　　目	单位	挖　装　运　卸　50m					增运10m
		含　砾　石　率　（%）					
		≤10及砂	10～30	30～50	50～70	＞70	
工　　长	工时						
高 级 工	工时						
中 级 工	工时						
初 级 工	工时	251	271	290	313	340	27
合　　计	工时	251	271	290	313	340	27
零星材料费	%	1	1	1	1	1	
编　　号		60001	60002	60003	60004	60005	60006

（2）　水下开采

单位：$100m^3$ 成品堆方

项　　目	单位	挖　装　运　卸　50m					增运10m
		含　砾　石　率　（%）					
		≤10及砂	10～30	30～50	50～70	＞70	
工　　长	工时						
高 级 工	工时						
中 级 工	工时						
初 级 工	工时	294	318	342	371	404	27
合　　计	工时	294	318	342	371	404	27
零星材料费	%	1	1	1	1	1	
编　　号		60007	60008	60009	60010	60011	60012

六－2 人工筛分砂石料

适用范围:经筛分后的堆存料。

工作内容:上料,过筛,堆存。

单位:$100m^3$ 成品堆方

项目	单位	三层筛	四层筛
工长	工时		
高级工	工时		
中级工	工时		
初级工	工时	162	184
合计	工时	162	184
零星材料费	%	3	3
编号		60013	60014

六－3 人工溜洗骨料

适用范围:经筛分后的骨料。

工作内容:上料,翻洗,堆存。

(1) 洗砂砾石

单位:$100m^3$ 成品堆方

项目	单位	砂	砂石粒径 (mm)		
			5～20	20～40	40～80
工长	工时				
高级工	工时				
中级工	工时				
初级工	工时	288	140	170	212
合计	工时	288	140	170	212
水	m^3	150	100	100	100
其他材料费	%	20	20	20	20
编号		60015	60016	60017	60018

(2) 洗碎石

单位:100m³ 成品堆方

项目	单位	碎石粒径 (mm)		
		5～20	20～40	40～80
工长	工时			
高级工	工时			
中级工	工时			
初级工	工时	168	204	255
合计	工时	168	204	255
水	m^3	100	100	100
其他材料费	%	20	20	20
编号		60019	60020	60021

六－4 人工运砂石料

适用范围:经开采加工的堆存料。

工作内容:装,运,卸,堆存,空回。

单位:100m³ 成品堆方

项目	单位	装运卸 50m				增运 10m	
		砂	砾石	碎石	砂砾料	骨料	砂砾料
工长	工时						
高级工	工时						
中级工	工时						
初级工	工时	193	207	213	285	20	27
合计	工时	193	207	213	285	20	27
零星材料费	%	2	2	2	2		
编号		60022	60023	60024	60025	60026	60027

六－5 人工装砂石料胶轮车运输

工作内容：装，运，卸，堆存，空回。

单位：100m³ 成品堆方

项目	单位	挖装运卸 50m				增运 50m
		砂	砾石	碎石	砂砾料	
工长	工时					
高级工	工时					
中级工	工时					
初级工	工时	139	160	169	176	17
合计	工时	139	160	169	176	17
零星材料费	%	2	2	2	2	
胶轮车	台时	61.80	62.40	62.40	62.40	9.50
编号		60028	60029	60030	60031	60032

六－6 人工装砂石料斗车运输

工作内容：装，运，卸，堆存，空回。

单位：100m³ 成品堆方

项目	单位	挖装运卸 50m				增运 50m
		砂	砾石	碎石	砂砾料	
工长	工时					
高级工	工时					
中级工	工时					
初级工	工时	80	90	94	97	11
合计	工时	80	90	94	97	11
零星材料费	%	4	4	4	4	
V型斗车 0.6m³	台时	18.00	18.00	18.00	18.00	4.80
编号		60033	60034	60035	60036	60037

六－7　索式挖掘机挖砂砾料

工作内容:挖,卸,堆存。

(1)　$1m^3$ 索式挖掘机

单位:$100m^3$ 成品堆方

项　　目	单位	水　上	水　下
工　　长	工时		
高 级 工	工时		
中 级 工	工时		
初 级 工	工时	10	12
合　　计	工时	10	12
零星材料费	%	8	8
挖 掘 机 $1m^3$	台时	1.27	1.52
推 土 机 74kW	台时	0.64	0.76
编　　号		60038	60039

(2)　$2m^3$ 索式挖掘机

单位:$100m^3$ 成品堆方

项　　目	单位	水　上	水　下
工　　长	工时		
高 级 工	工时		
中 级 工	工时		
初 级 工	工时	7	8
合　　计	工时	7	8
零星材料费	%	8	8
挖 掘 机 $2m^3$	台时	0.82	0.98
推 土 机 74kW	台时	0.41	0.49
编　　号		60040	60041

(3) 3m³ 索式挖掘机

单位:100m³ 成品堆方

项目	单位	水上	水下
工长	工时		
高级工	工时		
中级工	工时		
初级工	工时	5	6
合计	工时	5	6
零星材料费	%	7	7
挖掘机 3m³	台时	0.60	0.72
推土机 88kW	台时	0.30	0.36
编号		60042	60043

(4) 4m³ 索式挖掘机

单位:100m³ 成品堆方

项目	单位	水上	水下
工长	工时		
高级工	工时		
中级工	工时		
初级工	工时	4	5
合计	工时	4	5
零星材料费	%	7	7
挖掘机 4m³	台时	0.50	0.60
推土机 88kW	台时	0.25	0.30
编号		60044	60045

六－8　液压反铲挖掘机挖砂砾料

工作内容：挖，卸，堆存。

（1）　2m³ 反铲挖掘机

单位：100m³ 成品堆方

项　目	单位	水　上	水　下
工　长	工时		
高 级 工	工时		
中 级 工	工时		
初 级 工	工时	4	5
合　计	工时	4	5
零星材料费	%	10	10
挖 掘 机　2m³	台时	0.51	0.61
推 土 机　74kW	台时	0.26	0.31
编　号		60046	60047

（2）　3m³ 反铲挖掘机

单位：100m³ 成品堆方

项　目	单位	水　上	水　下
工　长	工时		
高 级 工	工时		
中 级 工	工时		
初 级 工	工时	3	4
合　计	工时	3	4
零星材料费	%	10	10
挖 掘 机　3m³	台时	0.38	0.46
推 土 机　88kW	台时	0.19	0.23
编　号		60048	60049

(3) 4m³ 反铲挖掘机

单位:100m³ 成品堆方

项目	单位	水上	水下
工长	工时		
高级工	工时		
中级工	工时		
初级工	工时	3	3
合计	工时	3	3
零星材料费	%	10	10
挖掘机 4m³	台时	0.30	0.36
推土机 88kW	台时	0.15	0.18
编号		60050	60051

六－9 采砂船挖砂砾料

适用范围：采挖水深≤7m。

工作内容：挖装，运输，卸至码头，空回，移位，转运上岸。

（1） $120m^3$ 链斗式

单位：$100m^3$ 成品堆方

项目		单位	运距 1km				增运 1km
			砂	砾石率（%）			
				≤10	10～15	>15	
工长		工时					
高级工		工时					
中级工		工时	2	2	2	3	
初级工		工时	3	3	3	4	
合计		工时	5	5	5	7	
零星材料费		%	2	2	2	2	
采砂船	$120m^3$	台时	0.83	0.92	1.10	1.32	
拖轮	125kW	台时	1.51	1.60	1.77	1.99	0.33
砂驳	$60m^3$	台时	1.51	1.60	1.77	1.99	0.33
输砂趸船	800t/h	台时	0.20	0.20	0.20	0.20	
胶带输送机	800mm	组时	0.20	0.20	0.20	0.20	
其他机械费		%	3	3	3	3	
编号			60052	60053	60054	60055	60056

（2） 150m³ 链斗式

单位:100m³ 成品堆方

项目	单位	运距 1km				增运 1km
		砂	砾石率（%）			
			≤10	10～15	＞15	
工长	工时					
高级工	工时					
中级工	工时	1	2	2	2	
初级工	工时	2	2	3	3	
合计	工时	3	4	5	5	
零星材料费	%	2	2	2	2	
采砂船 150m³	台时	0.67	0.71	0.89	0.93	
拖轮 125kW	台时	1.34	1.39	1.57	1.61	0.33
砂驳 60m³	台时	1.34	1.39	1.57	1.61	0.33
输砂趸船 800t/h	台时	0.20	0.20	0.20	0.20	
胶带输送机 800mm	组时	0.20	0.20	0.20	0.20	
其他机械费	%	3	3	3	3	
编号		60057	60058	60059	60060	60061

适用范围：采挖水深≤12m。

工作内容：挖装，运输，卸至码头，空回，移位，转运上岸。

（3） 250m³ 链斗式

单位：100m³ 成品堆方

项目	单位	运距 1km				增运 1km
		砂	砾石率（%）			
			≤10	10～15	>15	
工长	工时					
高级工	工时					
中级工	工时	2	2	3	3	
初级工	工时	3	3	3	4	
合计	工时	5	5	6	7	
零星材料费	%	2	2	2	2	
采砂船 250m³	台时	0.40	0.45	0.50	0.60	
拖轮 353kW	台时	0.67	0.72	0.77	0.87	0.11
砂驳 180m³	台时	0.67	0.72	0.77	0.87	0.11
输砂趸船 1500t/h	台时	0.11	0.11	0.11	0.11	
胶带输送机 1200mm	组时	0.11	0.11	0.11	0.11	
其他机械费	%	3	3	3	3	
编号		60062	60063	60064	60065	60066

适用范围：采挖水深≤20m。

工作内容：挖装，运输，卸至码头，空回，移位，转运上岸。

(4) 750m³ 链斗式

单位：100m³ 成品堆方

项目	单位	运距 1km				增运1km
		砂	砾石率（%）			
			≤10	10～15	＞15	
工长	工时					
高级工	工时					
中级工	工时	1	1	1	1	
初级工	工时	1	1	1	1	
合计	工时	2	2	2	2	
零星材料费	%	3	3	3	3	
采砂船 750m³	台时	0.13	0.15	0.18	0.22	
拖轮 353kW	台时	0.40	0.42	0.44	0.49	0.11
砂驳 180m³	台时	0.40	0.42	0.44	0.49	0.11
输砂趸船 1500t/h	台时	0.11	0.11	0.11	0.11	
胶带输送机 1200mm	组时	0.11	0.11	0.11	0.11	
其他机械费	%	3	3	3	3	
编号		60067	60068	60069	60070	60071

六－10　天然砂砾料筛洗

适用范围：天然砂砾料筛洗。

工作内容：上料，筛洗，成品运输，堆存。

(1)　处理能力 60～110t/h

单位：100t 成品

项　　目	单位	筛组×处理能力　(t/h)	
		1×60	1×110
工　　长	工时		
高　级　工	工时		
中　级　工	工时	10	9
初　级　工	工时	15	11
合　　计	工时	25	20
砂砾料采运*	t	110	110
水	m^3	120	120
其他材料费	%	1	1
圆振动筛　1200×3600	台时	2.15	
圆振动筛　3－1200×3600	台时	2.15	
圆振动筛　1500×3600	台时		1.18
圆振动筛　3－1500×3600	台时		1.18
砂石洗选机　XL－450	台时	2.15	
砂石洗选机　XL－914	台时		1.18
槽式给料机　1100×2700	台时	2.15	1.18
胶带运输机　$B=500$	m·h	410	246
胶带运输机　$B=650$	m·h	308	414
推　土　机　88kW	台时	0.80	0.80
其他机械费	%	5	5
编　　号		60072	60073

注：*1.有超径石处理或砾石中间破碎时，砂砾料采运量改为 113t。

2.有超径石处理同时有砾石中间破碎时，砂砾料采运量改为 116t。

适用范围：天然砂砾料筛洗。

工作内容：上料，筛洗，机械脱水，成品运输，堆存。

(2) 处理能力220～1100t/h

单位:100t成品

项　　目	单位	筛组×处理能力 (t/h)				
		1×220	2×220	3×220	4×220	5×220
工　长	工时					
高级工	工时					
中级工	工时	6	3	3	2	2
初级工	工时	8	5	4	4	3
合　计	工时	14	8	7	6	5
砂砾料采运*	t	110	110	110	110	110
水	m^3	120	120	120	120	120
其他材料费	%	1	1	1	1	1
圆振动筛 1500×3600	台时	0.59	0.29	0.20		
圆振动筛 1800×3600	台时				0.15	0.23
圆振动筛 1800×4200	台时	1.17	1.17	1.17	1.17	1.17
螺旋分级机 1500	台时	0.59	0.59	0.59	0.59	0.59
直线脱水筛 1500×4800	台时	0.59	0.29			
直线脱水筛 1800×4800	台时			0.20	0.29	0.23
槽式给料机 1100×2700	台时	0.59	0.59	0.59	0.59	0.59
胶带运输机 $B=500$	m·h	106	50			
胶带运输机 $B=650$	m·h	134	50	51	34	36
胶带运输机 $B=800$	m·h	252	171	145	53	38
胶带运输机 B=1000	m·h		34	26	97	89
摇臂堆料机 $500m^3/h$	台时			0.20	0.15	0.23
推土机 88kW	台时	0.80	0.80	0.80	0.80	0.80
其他机械费	%	5	5	5	5	5
编　号		60074	60075	60076	60077	60078

六－11　超径石破碎

适用范围：天然砂砾料筛洗厂超径石处理及砾石破碎。

工作内容：进料，破碎，返回筛分。

(1)　成品粒度 $d<150mm$

单位：100t 成品

项　　目	单位	粗碎机台数×处理能力　(t/h)			
		1×40	1×60	1×80	1×160
工　　长	工时				
高 级 工	工时				
中 级 工	工时	4	3	2	1
初 级 工	工时	5	3	2	1
合　　计	工时	9	6	4	2
旋回破碎机　500/70	台时				0.74
颚式破碎机　600×900	台时			1.48	
颚式破碎机　500×750	台时		1.97		
颚式破碎机　400×600	台时	2.95			
胶带运输机　$B=500$	m·h	118	79	60	
胶带运输机　$B=650$	m·h				59
其他机械费	%	1	1	1	1
编　　号		60079	60080	60081	60082

(2) 成品粒度 $d<80mm$

单位:100t 成品

项　　目	单位	粗碎机台数×处理能力 (t/h)				
		1×20	2×20	1×60	1×80	1×160
工　　长	工时					
高 级 工	工时					
中 级 工	工时	9	4	4	3	1
初 级 工	工时	9	5	5	3	2
合　　计	工时	18	9	9	6	3
旋回破碎机 500/70	台时					0.74
颚式破碎机 600×900	台时				1.48	
颚式破碎机 500×750	台时			1.97		
颚式破碎机 400×600	台时	5.90	5.90			1.48
颚式破碎机 250×1000	台时			1.97	1.48	
胶带运输机 $B=500$	m·h	295	248	216	192	
胶带运输机 $B=650$	m·h					103
其他机械费	%	1	1	1	1	1
编　　号		60083	60084	60085	60086	60087

(3) 成品粒度 $d<40$mm

单位:100t 成品

项　　目	单位	粗碎机台数×处理能力 (t/h)				
		1×20	1×40	1×60	1×80	1×160
工　　长	工时					
高 级 工	工时					
中 级 工	工时	12	6	4	3	1
初 级 工	工时	14	7	5	3	2
合　　计	工时	26	13	9	6	3
旋回破碎机 500/70	台时					0.74
圆锥破碎机 1750	台时					0.74
颚式破碎机 600×900	台时				1.48	
颚式破碎机 500×750	台时			1.97		
颚式破碎机 400×600	台时	5.90	2.95			
颚式破碎机 250×1000	台时	5.90	5.90	3.74	2.96	
胶带运输机 $B=500$	m·h	295	248	216	192	
胶带运输机 $B=650$	m·h					103
其他机械费	%	1	1	1	1	1
编　　号		60088	60089	60090	60091	60092

六－12 碎石原料开采

工作内容:钻孔、爆破、撬移、解小、堆集、清面。

(1) 风钻钻孔一般爆破

单位:100m³ 成品堆方

项目	单位	岩石级别			
		Ⅶ－Ⅷ	Ⅸ－Ⅹ	Ⅺ－Ⅻ	ⅩⅢ－ⅩⅣ
工长	工时	1.1	1.3	1.7	2.3
高级工	工时				
中级工	工时	9.0	13.5	20.5	32.3
初级工	工时	43.5	51.2	61.9	78.2
合计	工时	53.6	66.0	84.1	112.8
合金钻头	个	0.87	1.33	1.95	2.79
炸药	kg	21.08	26.17	31.19	36.16
雷管	个	18.02	22.37	26.65	30.91
导线 火线	m	51.47	63.90	76.16	88.31
电线	m	94.37	117.15	139.62	161.90
其他材料费	%	10	10	10	10
风钻 手持式	台时	3.71	6.05	9.99	16.89
其他机械费	%	10	10	10	10
编号		60093	60094	60095	60096

(2) 100型潜孔钻钻孔深孔爆破

单位:100m³ 成品堆方

项　　目	单位	岩石级别			
		Ⅶ－Ⅷ	Ⅸ－Ⅹ	Ⅺ－Ⅻ	ⅩⅢ－ⅩⅣ
工　　长	工时	0.7	0.8	1.0	1.1
高 级 工	工时				
中 级 工	工时	5.1	6.2	7.4	8.7
初 级 工	工时	17.3	20.3	23.8	28.1
合　　计	工时	23.1	27.3	32.2	37.9
合金钻头	个	0.08	0.12	0.17	0.24
钻　　头 100型	个	0.12	0.17	0.24	0.33
冲 击 器	个	0.01	0.02	0.02	0.03
炸　　药	kg	31.53	35.51	39.94	44.89
火 雷 管	个	8.72	10.24	11.76	13.27
电 雷 管	个	5.47	6.19	7.02	7.96
导 火 线	m	18.32	21.50	24.69	27.88
导 电 线	m	47.01	52.20	58.09	64.79
其他材料费	%	15	15	15	15
风　　钻 手持式	台时	1.14	1.55	1.96	2.37
潜 孔 钻 100型	台时	1.51	2.09	2.95	4.21
其他机械费	%	10	10	10	10
编　　号		60097	60098	60099	60100

（3） 150型潜孔钻钻孔深孔爆破

单位：100m³ 成品堆方

项　　目	单位	岩石级别			
		Ⅶ－Ⅷ	Ⅸ－Ⅹ	Ⅺ－Ⅻ	ⅩⅢ－ⅩⅣ
工　　长	工时	0.6	0.7	0.9	1.0
高 级 工	工时				
中 级 工	工时	4.7	5.7	6.7	7.9
初 级 工	工时	15.7	18.2	21.0	24.3
合　　计	工时	21.0	24.6	28.6	33.2
合金钻头	个	0.08	0.12	0.17	0.24
钻　　头 150型	个	0.04	0.05	0.08	0.11
冲 击 器	个	0.01	0.01	0.01	0.01
炸　　药	kg	34.53	38.88	43.73	49.14
火 雷 管	个	8.72	10.24	11.76	13.27
电 雷 管	个	3.55	4.00	4.51	5.10
导 火 线	m	18.32	21.50	24.69	27.88
导 电 线	m	34.98	38.46	42.42	46.93
其他材料费	%	15	15	15	15
风　　钻 手持式	台时	1.14	1.55	1.96	2.37
潜 孔 钻 150型	台时	0.88	1.24	1.77	2.56
其他机械费	%	10	10	10	10
编　　号		60101	60102	60103	60104

（4） 液压履带钻钻孔深孔爆破(Φ64～76mm)

单位:100m³ 成品堆方

项　　目	单位	岩石级别			
		Ⅶ－Ⅷ	Ⅸ－Ⅹ	Ⅺ－Ⅻ	ⅩⅢ－ⅩⅣ
工　　长	工时	0.7	0.8	0.9	1.0
高 级 工	工时				
中 级 工	工时	5.3	6.4	7.6	8.8
初 级 工	工时	16.1	18.3	20.7	23.1
合　　计	工时	22.1	25.5	29.2	32.9
合金钻头	个	0.08	0.12	0.17	0.24
进口钻头　Φ64～76	个	0.03	0.04	0.05	0.05
钻　　杆	m	0.05	0.05	0.06	0.07
炸　　药	kg	27.51	30.99	34.87	39.19
火 雷 管	个	8.72	10.24	11.76	13.27
电 雷 管	个	9.26	10.50	11.93	13.57
导 火 线	m	18.32	21.50	24.69	27.88
导 电 线	m	73.14	81.70	91.45	102.53
其他材料费	%	25	25	25	25
风　　钻　手持式	台时	1.14	1.55	1.96	2.37
液压履带钻	台时	0.35	0.44	0.55	0.68
其他机械费	%	10	10	10	10
编　　号		60105	60106	60107	60108

(5) 液压履带钻钻孔深孔爆破(Φ89～102mm)

单位:100m³ 成品堆方

项　　目	单位	岩石级别			
		Ⅶ－Ⅷ	Ⅸ－Ⅹ	Ⅺ－Ⅻ	ⅩⅢ－ⅩⅣ
工　　长	工时	0.6	0.7	0.8	0.9
高 级 工	工时				
中 级 工	工时	5.1	6.1	7.2	8.4
初 级 工	工时	15.5	17.6	19.8	22.2
合　　计	工时	21.2	24.4	27.8	31.5
合金钻头	个	0.08	0.12	0.17	0.24
进口钻头　Φ89～102	个	0.02	0.02	0.03	0.03
钻　　杆	m	0.03	0.03	0.04	0.04
炸　　药	kg	31.53	35.51	39.94	44.89
火 雷 管	个	8.72	10.24	11.76	13.27
电 雷 管	个	5.47	6.19	7.02	7.96
导 火 线	m	18.32	21.50	24.69	27.88
导 电 线	m	47.01	52.20	58.09	64.79
其他材料费	%	25	25	25	25
风　　钻　手持式	台时	1.14	1.55	1.96	2.37
液压履带钻	台时	0.31	0.37	0.47	0.60
其他机械费	%	10	10	10	10
编　　号		60109	60110	60111	60112

六－13　含泥碎石预洗

适用范围：碎石厂粗碎后预筛同时洗泥，原料含泥量5%～12%。

工作内容：水冲，筛下碎石搓洗，脱水，皮带运出。

单位:100t成品

项　目	单位	工厂规模(按进料计处理能力　t/h/台)					
		30/1	100/1	300/1	500/2	700/3	900/4
工　长	工时						
高级工	工时						
中级工	工时	5.25	1.54	0.51	0.62	0.44	0.43
初级工	工时	5.25	3.08	1.02	0.62	0.44	0.43
合　计	工时	10.50	4.62	1.53	1.24	0.88	0.86
水	m^3	150	150	150	150	150	150
其他材料费	%	15	15	15	15	15	15
槽式洗矿机　1070×4600	台时	5.13					
槽式洗矿机　1800×6900	台时		1.54				
槽式洗矿机　2400×8300	台时			0.51	0.62	0.66	0.68
胶带运输机　$B=500$	m·h	260					
胶带运输机　$B=650$	m·h		231	92			
胶带运输机　$B=800$	m·h				62	51	
胶带运输机　$B=1000$	m·h						39
其他机械费	%	5	5	5	5	5	5
编　号		60113	60114	60115	60116	60117	60118

六－14　制碎石

适用范围：混凝土所需碎石加工。

工作内容：上料，粗碎，预筛，中碎，筛洗，成品堆存。

(1)　颚式破碎机

单位：100t 成品

项　　目	单位	粗碎机台数×处理能力　(t/h)				
		1×20	2×20	1×60	1×80	2×60
工　　长	工时					
高　级　工	工时					
中　级　工	工时	34	21	17	15	12
初　级　工	工时	43	27	21	19	14
合　　计	工时	77	48	38	34	26
碎石料采运	t	128×(1＋原料含泥率 N_i)				
水	m^3	100	100	100	100	100
其他材料费	%	1	1	1	1	1
颚式破碎机　600×900	台时				1.78	
颚式破碎机　500×750	台时			2.36		2.36
颚式破碎机　400×600	台时	7.10	7.10			
颚式破碎机　250×1000	台时	7.10	7.10	4.72	3.55	4.72
槽式给料机　1100×2700	台时	7.10	3.55	2.36	1.78	1.18
圆振动筛　1200×3600	台时	7.10	3.55	2.36	1.78	
圆振动筛　1500×3600	台时					1.18
圆振动筛　3－1200×3600	台时	7.10	3.55	2.36	1.78	
圆振动筛　3－1500×3600	台时					1.18
砂石洗选机　XL－450	台时	7.10	3.55	2.36	1.78	
砂石洗选机　XL－914	台时					1.18
胶带运输机　$B=500$	m·h	512	608	533	472	368
胶带运输机　$B=650$	m·h	672	656	554	512	395
推土机　88kW	台时	0.4	0.4	0.4	0.4	0.4
其他机械费	%	2	2	2	2	2
编　　号		60119	60120	60121	60122	60123

(2) 旋回破碎机

单位:100t 成品

项目	单位	粗碎机台数×处理能力 (t/h)					
		1×160	1×300	1×500	1×700	1×900	1×1200
工长	工时						
高级工	工时						
中级工	工时	10	6	5	4	4	4
初级工	工时	12	8	7	6	6	5
合计	工时	22	14	12	10	10	9
碎石料采运	t	128×(1+原料含泥率 N_i)					
水	m^3	100	100	100	100	100	100
其他材料费	%	1	1	1	1	1	1
旋回破碎机 1200/170	台时						0.12
旋回破碎机 900/130	台时			0.28	0.20	0.16	
旋回破碎机 700/100	台时		0.47				
旋回破碎机 500/70	台时	0.89					
圆锥破碎机 2200	台时				0.20	0.32	0.24
圆锥破碎机 1750	台时	0.89	0.47	0.28			
重型筛 1750×3500	台时	0.89	0.47	0.28	0.40	0.32	0.24
圆振动筛 1800×4800	台时			1.14	1.20	1.28	1.44
圆振动筛 1500×3600	台时	1.78	1.89				
螺旋分级机 1500	台时			0.56	0.60	0.64	0.72
砂石洗选机 XL-914	台时	0.89	0.95				
槽式给料机 1100×2700	台时	0.89	0.95	1.14	1.20	1.28	1.44
胶带运输机 $B=500$	m·h	316	81	31			
胶带运输机 $B=650$	m·h	336	119	46	79	43	
胶带运输机 $B=800$	m·h		247	228	134	102	144
胶带运输机 $B=1000$	m·h			77	114	120	43
胶带运输机 $B=1200$	m·h						67
推土机 88kW	台时	0.40	0.40	0.40	0.40	0.40	0.40
其他机械费	%	2	2	2	2	2	2
编号		60124	60125	60126	60127	60128	60129

六-15 制 砂

适用范围：制混凝土用砂。

工作内容：上料，粗碎，细碎，筛洗，棒磨制砂，堆存脱水。

(1) 处理能力22～44t/h

单位：100t成品

项 目	单位	粗碎机台数×处理能力 (t/h)	
		1×22	2×22
工 长	工时		
高 级 工	工时		
中 级 工	工时	77	51
初 级 工	工时	77	52
合 计	工时	154	103
碎石料采运	t	141×(1+原料含泥率 N_i)	
水	m^3	200	200
钢棒消耗**	kg	40K	40K
其他材料费	%	0.5	0.5
颚式破碎机 400×600	台时	7.14	7.14
颚式破碎机 250×1000	台时	7.14	7.14
圆锥破碎机 900	台时	7.14	
圆锥破碎机 1200	台时		3.57
棒 磨 机 1500×3000	台时	7.14	7.14
圆 振 动 筛 1200×3600	台时	7.14	3.57
圆 振 动 筛 3-1200×3600	台时	7.14	3.57
砂石洗选机 XL-450	台时	14.28	10.71
槽式给料机 1100×2700	台时	7.14	3.57
胶带运输机 $B=500$	m·h	1327	569
胶带运输机 $B=650$	m·h	2970	1580
推 土 机 88kW	台时	0.80	0.80
其他机械费	%	2	2
编 号		60130	60131

注：**不同岩石需乘钢棒消耗调整系数K。

(2) 处理能力 100~200t/h

单位:100t成品

项　　目	单位	粗碎机台数×处理能力 (t/h)	
		1×100	2×100
工　　长	工时		
高 级 工	工时		
中 级 工	工时	28	18
初 级 工	工时	29	18
合　　计	工时	57	36
碎石料采运	t	141×(1+原料含泥率 N_i)	
水	m^3	200	200
钢棒消耗**	kg	40K	40K
其他材料费	%	0.5	0.5
颚式破碎机 600×900	台时	1.57	1.57
颚式破碎机 250×1000	台时	1.57	1.57
圆锥破碎机 1750	台时	1.57	1.57
棒 磨 机 2100×3600	台时	3.00	3.00
反击破碎机 1000×1000	台时	1.57	1.57
重 型 筛 1750×3500	台时	1.57	0.78
圆振动筛 1500×3600	台时	1.57	1.57
圆振动筛 1800×4800	台时	1.57	1.57
螺旋分级机 1500	台时	4.71	4.71
直线振动筛 1800×4800	台时	1.57	0.78
槽式给料机 1100×2700	台时	1.57	1.57
胶带运输机 $B=500$	m·h	139	139
胶带运输机 $B=650$	m·h	667	327
胶带运输机 $B=800$	m·h	459	365
推 土 机 88kW	台时	0.80	0.80
其他机械费	%	2	2
编　　号		60132	60133

(3) 处理能力300～400t/h

单位:100t成品

项目	单位	粗碎机台数×处理能力 (t/h)	
		1×300	1×400
工　　长	工时		
高 级 工	工时		
中 级 工	工时	14	12
初 级 工	工时	15	13
合　　计	工时	29	25
碎石料采运	t	141×(1+原料含泥率 N_i)	
水	m^3	200	200
钢棒消耗**	kg	$40K$	$40K$
其他材料费	%	0.5	0.5
旋回破碎机　700/100	台时	0.50	0.39
圆锥破碎机　1750	台时	1.50	0.39
圆锥破碎机　2200	台时		0.78
棒 磨 机　2100×3600	台时	3.00	3.00
反击破碎机　1200×1000	台时	0.50	0.78
重 型 筛　1750×3500	台时	0.50	0.39
圆振动筛　1500×3600	台时	1.50	1.17
圆振动筛　1800×4800	台时	1.50	1.17
螺旋分级机　1500	台时	4.71	4.71
直线振动筛　1800×4800	台时	1.00	0.78
槽式给料机　1100×2700	台时	1.50	1.17
胶带运输机　$B=500$	m·h	167	139
胶带运输机　$B=650$	m·h	269	240
胶带运输机　$B=800$	m·h	290	252
推 土 机　88kW	台时	0.80	0.80
其他机械费	%	2	2
编　　号		60134	60135

(4) d<40mm 砾石制砂

适用范围:利用筛洗后的天然砾石制砂。

工作内容:上料,细碎,棒磨制砂,转运,堆存脱水。

单位:100t 成品

项目		单位	棒磨机台数×处理能力 (t/h)				
			1×20	1×50	2×50	3×50	4×50
工长		工时					
高级工		工时					
中级工		工时	46	31	17	14	11
初级工		工时	46	31	17	14	11
合计		工时	92	62	34	28	22
砾石料		t	128				
水		m^3	200	200	200	200	200
钢棒消耗**		kg	40K	40K	40K	40K	40K
其他材料费		%	0.5	0.5	0.5	0.5	0.5
圆锥破碎机	900	台时	7.14				
圆锥破碎机	1200	台时		3.00			
圆锥破碎机	1750	台时			1.50	1.50	1.50
棒磨机	1500×3000	台时	7.14				
棒磨机	2100×3600	台时		3.00	3.00	3.00	3.00
反击破碎机	1200×1000	台时			1.50	1.00	0.75
砂石洗选机	XL-914	台时	7.14				
螺旋分级机	1500	台时		3.00	3.00	3.00	3.00
直线振动筛	1800×4800	台时	7.14	3.00	3.00	2.00	1.50
振动给料机	45DA	台时	7.14	3.00	3.00	3.00	3.00
胶带运输机	$B=500$	m·h	571	270	75	75	75
胶带运输机	$B=650$	m·h	1642	750	360	235	176
胶带运输机	$B=800$	m·h			248	210	195
推土机	88kW	台时	0.80	0.80	0.80	0.80	0.80
其他机械费		%	2	2	2	2	2
编号			60136	60137	60138	60139	60140

注:砾石粒度 $d<20$mm 时,应不计破碎机定额,人工定额乘以 0.7 系数。

六－16 制碎石和砂

适用范围：制混凝土用碎石和砂。

工作内容：上料，粗、中、细碎，筛洗，棒磨制砂，成品堆存。

(1) 处理能力40t/h

单位:100t成品

项　目	单位	粗碎机台数×处理能力	
		1×40 (t/h)	
		碎　石	砂
工　长	工时		
高级工	工时		
中级工	工时	27	21
初级工	工时	27	81
合　计	工时	54	102
碎石料采运	t	$111\times(1+N_i)$	$141\times(1+N_i)$
水	m^3	100	200
钢棒消耗**	kg		$40K$
其他材料费	%	1	0.5
颚式破碎机 400×600	台时	3.26	3.26
颚式破碎机 250×1000	台时	6.53	6.53
圆锥破碎机 900	台时		6.53
棒磨机 1500×3000	台时		6.53
圆振动筛 1200×3600	台时	3.26	3.26
圆振动筛 3－1200×3600	台时	3.26	3.26
砂石洗选机 XL－450	台时		13.06
槽式给料机 1100×2700	台时	3.26	3.26
胶带运输机 $B=500$	m·h	620	1208
胶带运输机 $B=650$	m·h	686	2285
推土机 88kW	台时	0.40	0.80
其他机械费	%	5	2
编　号		60141	60142

注：**不同岩石钢棒消耗应乘调整系数K。

（2） 处理能力100t/h

单位:100t成品

项　　目	单位	粗碎机台数×处理能力			
		1×100　(t/h)			
		小磨机制砂		大磨机制砂	
		碎　石	砂	碎　石	砂
工　　长	工时				
高 级 工	工时				
中 级 工	工时	15	25	15	25
初 级 工	工时	16	45	16	45
合　　计	工时	31	70	31	70
碎石料采运	t	碎石为111×$(1+N_i)$,砂为141×$(1+N_i)$			
水	m^3	100	200	100	200
钢棒消耗**	kg		40K		40K
其他材料费	%	1	0.5	1	0.5
颚式破碎机　600×900	台时	1.28	1.28	1.28	1.28
颚式破碎机　250×1000	台时	1.28	1.28	1.28	1.28
圆锥破碎机　1750	台时		3.17		2.58
棒 磨 机　2100×3600	台时				2.58
棒 磨 机　1500×3000	台时		6.34		
圆振动筛　1200×3600	台时	1.28	1.28	1.28	1.28
圆振动筛　3－1500×3600	台时	1.28	1.28	1.28	1.28
砂石洗选机　XL－914	台时		9.51		7.74
槽式给料机　1100×2700	台时	1.28	1.28	1.28	1.28
胶带运输机　$B=500$	m·h	435	748	416	671
胶带运输机　$B=650$	m·h	447	1205	441	1071
推 土 机　88kW	台时	0.40	0.80	0.40	0.80
其他机械费	%	5	2	5	2
编　　号		60143	60144	60145	60146

(3) 处理能力200t/h

单位:100t成品

项目	单位	粗碎机台数×处理能力 2×100 (t/h)			
		小磨机制砂		大磨机制砂	
		碎石	砂	碎石	砂
工长	工时				
高级工	工时				
中级工	工时	9	20	9	20
初级工	工时	11	22	11	22
合计	工时	20	42	20	42
碎石料采运	t	碎石为111×(1+N_i),砂为141×(1+N_i)			
水	m^3	100	200	100	200
钢棒消耗**	kg		40K		40K
其他材料费	%	1	0.5	1	0.5
颚式破碎机 600×900	台时	1.28	1.28	1.28	1.28
圆锥破碎机 1750	台时	0.64	2.78	0.64	1.94
棒磨机 2100×3600	台时				2.58
棒磨机 1500×3000	台时		6.40		
圆振动筛 1200×3600	台时	1.28	1.28	1.28	1.28
圆振动筛 3－1500×3600	台时	1.28	1.28	1.28	1.28
砂石洗选机 XL－914	台时		10.67		7.74
槽式给料机 1100×2700	台时	0.64	0.64	0.64	0.64
胶带运输机 $B=500$	m·h	263	690	250	512
胶带运输机 $B=650$	m·h	270	758	265	568
胶带运输机 $B=800$	m·h		256		413
推土机 88kW	台时	0.40	0.80	0.40	0.80
其他机械费	%	5	2	5	2
编号		60147	60148	60149	60150

(4) 处理能力 300～700t/h

单位:100t 成品

项目	单位	粗碎机台数×处理能力 (t/h)					
		1×300		1×500		1×700	
		碎石	砂	碎石	砂	碎石	砂
工长	工时						
高级工	工时						
中级工	工时	7	16	6	13	4	10
初级工	工时	9	16	7	13	6	10
合计	工时	16	32	13	26	10	20
碎石料采运	t	碎石为 111×(1+N_i),砂为 141×(1+N_i)					
水	m^3	100	200	100	200	100	200
钢棒消耗**	kg		40K		40K		40K
其他材料费	%	1	0.5	1	0.5	1	0.5
旋回破碎机 900/130	台时			0.25	0.25	0.18	0.18
旋回破碎机 700/100	台时	0.42	0.42				
圆锥破碎机 2200	台时				0.83	0.18	0.77
圆锥破碎机 1750	台时	0.42	1.80	0.25	0.25		
反击破碎机 1000×1000	台时				0.83		1.19
棒磨机 2100×3600	台时		2.78		2.50		2.37
重型筛 1750×3500	台时	0.42	0.42	0.25	0.25	0.36	0.36
圆振动筛 1500×4800	台时	1.68	1.68				
圆振动筛 2100×4800	台时			1.00	1.00	1.08	1.08
螺旋分级机 1500	台时		5.55		4.14		4.16
直线振动筛 1500×4800	台时		1.39		0.83		1.19
槽式给料机 1100×2700	台时	0.84	0.84	0.75	0.75	0.72	0.72
胶带运输机 $B=500$	m·h	79	246	30	179		119
胶带运输机 $B=650$	m·h	116	464	45	252	77	255
胶带运输机 $B=800$	m·h	241	423	222	387	130	308
胶带运输机 $B=1000$	m·h			75	75	112	111
推土机 88kW	台时	0.40	0.80	0.40	0.80	0.40	0.80
其他机械费	%	5	2	5	2	5	2
编号		60151	60152	60153	60154	60155	60156

（5） 处理能力 900～1200t/h

单位:100t 成品

项　　目	单位	粗碎石机台数×处理能力　(t/h)			
		1×900		1×1200	
		碎　石	砂	碎　石	砂
工　　长	工时				
高 级 工	工时				
中 级 工	工时	3	8	3	7
初 级 工	工时	5	8	4	7
合　　计	工时	8	16	7	14
碎石料采运	t	碎石为 111×(1+N_i),砂为 141×(1+N_i)			
水	m^3	100	200	100	200
钢棒消耗**	kg		40K		40K
其他材料费	%	1	0.5	1	0.5
旋回破碎机　1200/170	台时			0.10	0.10
旋回破碎机　900/130	台时	0.14	0.14		
圆锥破碎机　2200	台时	0.28	0.74	0.20	0.90
反击破碎机　1200×1000	台时		0.93		1.04
棒 磨 机　2100×3600	台时		2.31		2.43
重 型 筛　1750×3500	台时	0.28	0.28	0.20	0.20
圆振动筛　2100×4800	台时	1.11	1.11	1.00	1.00
螺旋分级机　1500	台时		4.16		4.16
直线振动筛　1800×4800	台时		0.46		0.69
槽式给料机　1100×2700	台时	0.56	0.56	0.60	0.60
胶带运输机　B=500	m·h		139		122
胶带运输机　B=650	m·h	42	181		122
胶带运输机　B=800	m·h	99	262	141	210
胶带运输机　B=1000	m·h	116	117	42	94
胶带运输机　B=1200	m·h			66	65
推 土 机　88kW	台时	0.40	0.80	0.40	0.80
其他机械费	%	5	2	5	2
编　　号		60157	60158	60159	60160

六－17　拖轮运骨料

工作内容:进料,胶带输送机装砂驳,运输,卸除,空回。

单位:100m³ 成品堆方

项　　目	单位	运距 (km)			增运1km
		3	4	5	
工　　长	工时				
高 级 工	工时				
中 级 工	工时				
初 级 工	工时	9	11	12	
合　　计	工时	9	11	12	
零星材料费	%	1	1	1	
电磁给料机	台时	0.72	0.72	0.72	
胶带输送机　800～1000mm	组时	0.36	0.36	0.36	
拖　　轮　353kW	台时	0.84	1.00	1.16	0.11
砂　　驳　180m³	台时	0.84	1.00	1.16	0.11
其他机械费	%	3	3	3	
编　　号		60161	60162	60163	60164

六－18 胶带输送机运砂石料

工作内容：漏斗进料，运输，堆存。

单位：100m³ 成品堆方

项目	单位	砂砾料、碎石原料			
		胶带宽度（mm）			
		800	1000	1200	1400
工长	工时				
高级工	工时				
中级工	工时				
初级工	工时	4	3	2	2
合计	工时	4	3	2	2
零星材料费	%	15	15	15	15
电磁给料机	组时	0.29	0.18	0.13	0.10
胶带输送机	组时	0.29	0.18	0.13	0.10
推土机 132kW	台时	0.14	0.09	0.06	0.05
堆料机	台时	0.29	0.18	0.13	0.10
其他机械费	%	3	3	3	3
编号		60165	60166	60167	60168

注：胶带机长度，根据实际运距配量。

续表

项目	单位	骨料			
		胶带宽度（mm）			
		800	1000	1200	1400
工长	工时				
高级工	工时				
中级工	工时				
初级工	工时	5	3	2	2
合计	工时	5	3	2	2
零星材料费	%	15	15	15	15
电磁给料机	组时	0.35	0.21	0.14	0.11
胶带输送机	组时	0.35	0.21	0.14	0.11
推土机 132kW	台时	0.17	0.11	0.07	0.05
堆料机	台时	0.35	0.21	0.14	0.11
其他机械费	%	3	3	3	3
编号		60169	60170	60171	60172

六－19 胶带输送机装骨料自卸汽车运输

适用范围：廊道斗门喂料，胶带输送机送料装车。

工作内容：装、运、卸、空回。

单位：100m³ 成品堆方

项目		单位	运距（km）					增运
			1	2	3	4	5	1km
工长		工时						
高级工		工时						
中级工		工时						
初级工		工时	8.4	8.4	8.4	8.4	8.4	
合计		工时	8.4	8.4	8.4	8.4	8.4	
零星材料费		%	2	2	2	2	2	
胶带输送机	800mm	组时	0.45	0.45	0.45	0.45	0.45	
自卸汽车	8t	台时	4.30	5.86	7.29	8.64	9.93	1.19
	10t	台时	3.72	4.97	6.11	7.19	8.22	0.95
	12t	台时	3.19	4.23	5.18	6.08	6.94	0.79
	15t	台时	2.66	3.49	4.25	4.97	5.66	0.64
	18t	台时	2.41	3.10	3.73	4.33	4.91	0.53
	20t	台时	2.22	2.84	3.41	3.95	4.47	0.48
	25t	台时	1.88	2.38	2.84	3.27	3.68	0.38
	27t	台时	1.78	2.24	2.67	3.07	3.45	0.35
	32t	台时	1.59	1.98	2.34	2.67	3.00	0.30
	45t	台时	1.32	1.60	1.86	2.10	2.32	0.21
编号			60173	60174	60175	60176	60177	60178

六－20 胶带输送机装砂砾料自卸汽车运输

适用范围：水上运输，砂驳经胶带输送机直接给料装车。

工作内容：装、运、卸、空回。

单位：100m³ 成品堆方

项目		单位	运距（km）					增运
			1	2	3	4	5	1km
工长		工时						
高级工		工时						
中级工		工时						
初级工		工时	11.8	11.8	11.8	11.8	11.8	
合计		工时	11.8	11.8	11.8	11.8	11.8	
零星材料费		%	2	2	2	2	2	
胶带输送机	800mm	组时	0.63	0.63	0.63	0.63	0.63	
自卸汽车	8t	台时	4.72	6.36	7.87	9.29	10.66	1.26
	10t	台时	4.11	5.43	6.63	7.77	8.86	1.00
	12t	台时	3.55	4.65	5.65	6.60	7.51	0.84
	15t	台时	2.99	3.87	4.67	5.43	6.16	0.67
	18t	台时	2.72	3.45	4.12	4.75	5.36	0.56
	20t	台时	2.53	3.18	3.79	4.35	4.90	0.50
	25t	台时	2.17	2.70	3.18	3.63	4.07	0.40
	27t	台时	2.07	2.55	3.00	3.42	3.83	0.37
	32t	台时	1.86	2.27	2.65	3.01	3.35	0.31
	45t	台时	1.58	1.88	2.14	2.40	2.64	0.22
编号			60179	60180	60181	60182	60183	60184

六－21 人工装砂石料自卸汽车运输

工作内容：装、运、卸、空回。

单位：100m³ 成品堆方

项目	单位	装运卸 1km			
		砂	砾石	碎石	砂砾石
工长	工时				
高级工	工时				
中级工	工时				
初级工	工时	119.0	196.0	215.6	165.2
合计	工时	119.0	196.0	215.6	165.2
零星材料费	%	1	1	1	1
自卸汽车 5t	台时	12.19	16.43	18.23	18.55
8t	台时	8.80	12.61	13.50	14.94
编号		60185	60186	60187	60188

续表

项目	单位	增运 1km			
		砂	砾石	碎石	砂砾石
工长	工时				
高级工	工时				
中级工	工时				
初级工	工时				
合计	工时				
零星材料费	%				
自卸汽车 5t	台时	1.73	1.91	1.97	2.01
8t	台时	1.08	1.19	1.23	1.26
编号		60189	60190	60191	60192

六－22　$1m^3$ 挖掘机装砂石料自卸汽车运输

工作内容：挖装、运输、卸除、空回。

(1)　运骨料

单位：$100m^3$ 成品堆方

项　　目		单位	运　距 (km)					增运1km
			1	2	3	4	5	
工　　长		工时						
高 级 工		工时						
中 级 工		工时						
初 级 工		工时	4.7	4.7	4.7	4.7	4.7	
合　　计		工时	4.7	4.7	4.7	4.7	4.7	
零星材料费		%	1	1	1	1	1	
挖 掘 机	$1m^3$	台时	0.70	0.70	0.70	0.70	0.70	
推 土 机	74kW	台时	0.35	0.35	0.35	0.35	0.35	
自卸汽车	5t	台时	8.47	11.01	13.32	15.59	17.77	2.00
	8t	台时	5.42	7.05	8.52	9.97	11.37	1.20
	10t	台时	5.04	6.44	7.72	8.94	10.10	1.07
编　　号			60193	60194	60195	60196	60197	60198

(2) 运砂砾料

单位:100m³ 成品堆方

项目		单位	运距(km)					增运1km
			1	2	3	4	5	
工长		工时						
高级工		工时						
中级工		工时						
初级工		工时	5.8	5.8	5.8	5.8	5.8	
合计		工时	5.8	5.8	5.8	5.8	5.8	
零星材料费		%	1	1	1	1	1	
挖掘机	$1m^3$	台时	0.87	0.87	0.87	0.87	0.87	
推土机	74kW	台时	0.44	0.44	0.44	0.44	0.44	
自卸汽车	5t	台时	8.57	11.22	13.66	15.97	18.17	2.03
	8t	台时	5.67	7.32	8.85	10.29	11.67	1.27
	10t	台时	5.28	6.68	7.97	9.19	10.36	1.07
编号			60199	60200	60201	60202	60203	60204

(3) 运碎石原料

单位:100m³ 成品堆方

项目		单位	运距(km)					增运1km
			1	2	3	4	5	
工长		工时						
高级工		工时						
中级工		工时						
初级工		工时	9.8	9.8	9.8	9.8	9.8	
合计		工时	9.8	9.8	9.8	9.8	9.8	
零星材料费		%	2	2	2	2	2	
挖掘机	1m³	台时	1.47	1.47	1.47	1.47	1.47	
推土机	88kW	台时	0.74	0.74	0.74	0.74	0.74	
自卸汽车	5t	台时	10.41	13.40	16.16	18.75	21.24	2.29
	8t	台时	7.07	8.93	10.65	12.26	13.81	1.43
编号			60205	60206	60207	60208	60209	60210

六－23　$2m^3$挖掘机装砂石料自卸汽车运输

工作内容：挖装、运输、卸除、空回。

(1) 运骨料

单位：$100m^3$成品堆方

项目		单位	运距（km）					增运1km
			1	2	3	4	5	
工长		工时						
高级工		工时						
中级工		工时						
初级工		工时	2.9	2.9	2.9	2.9	2.9	
合计		工时	2.9	2.9	2.9	2.9	2.9	
零星材料费		%	1	1	1	1	1	
挖掘机	$2m^3$	台时	0.44	0.44	0.44	0.44	0.44	
推土机	74kW	台时	0.22	0.22	0.22	0.22	0.22	
自卸汽车	10t	台时	4.78	6.18	7.46	8.68	9.84	1.07
	12t	台时	4.10	5.27	6.34	7.35	8.32	0.89
	15t	台时	3.38	4.31	5.17	5.98	6.75	0.71
	18t	台时	3.01	3.79	4.50	5.17	5.82	0.60
	20t	台时	2.78	3.48	4.12	4.73	5.31	0.54
编号			60211	60212	60213	60214	60215	60216

（2） 运砂砾料

单位：100m³ 成品堆方

项目	单位	运距（km）					增运1km
		1	2	3	4	5	
工长	工时						
高级工	工时						
中级工	工时						
初级工	工时	3.7	3.7	3.7	3.7	3.7	
合计	工时	3.7	3.7	3.7	3.7	3.7	
零星材料费	%	1	1	1	1	1	
挖掘机 $2m^3$	台时	0.56	0.56	0.56	0.56	0.56	
推土机 74kW	台时	0.28	0.28	0.28	0.28	0.28	
自卸汽车 8t	台时	5.33	6.99	8.52	9.96	11.34	1.27
10t	台时	4.86	6.27	7.56	8.78	9.94	1.07
12t	台时	4.40	5.63	6.76	7.83	8.85	0.94
15t	台时	3.64	4.62	5.53	6.37	7.19	0.75
18t	台时	3.33	4.15	4.91	5.62	6.30	0.63
20t	台时	3.08	3.83	4.53	5.18	5.82	0.56
编号		60217	60218	60219	60220	60221	60222

(3) 运碎石原料

单位:100m³ 成品堆方

项目		单位	运距(km)					增运1km
			1	2	3	4	5	
工长		工时						
高级工		工时						
中级工		工时						
初级工		工时	5.3	5.3	5.3	5.3	5.3	
合计		工时	5.3	5.3	5.3	5.3	5.3	
零星材料费		%	2	2	2	2	2	
挖掘机	$2m^3$	台时	0.79	0.79	0.79	0.79	0.79	
推土机	88kW	台时	0.40	0.40	0.40	0.40	0.40	
自卸汽车	8t	台时	6.27	8.13	9.84	11.46	13.01	1.43
	10t	台时	5.64	7.13	8.50	9.80	11.03	1.14
	12t	台时	4.91	6.16	7.30	8.38	9.41	0.96
	15t	台时	4.10	5.10	6.01	6.87	7.70	0.76
编号			60223	60224	60225	60226	60227	60228

六－24　$3m^3$挖掘机装砂石料自卸汽车运输

工作内容：挖装、运输、卸除、空回。

(1)　运骨料

单位：$100m^3$成品堆方

项　　目		单位	运距（km）					增运
			1	2	3	4	5	1km
工　　长		工时						
高级工		工时						
中级工		工时						
初级工		工时	2.3	2.3	2.3	2.3	2.3	
合　　计		工时	2.3	2.3	2.3	2.3	2.3	
零星材料费		%	1	1	1	1	1	
挖掘机	$3m^3$	台时	0.34	0.34	0.34	0.34	0.34	
推土机	88kW	台时	0.17	0.17	0.17	0.17	0.17	
自卸汽车	15t	台时	3.23	4.16	5.02	5.83	6.60	0.71
	18t	台时	2.97	3.75	4.47	5.14	5.79	0.60
	20t	台时	2.68	3.38	4.02	4.63	5.21	0.54
	25t	台时	2.21	2.77	3.28	3.77	4.23	0.43
	27t	台时	2.05	2.56	3.04	3.49	3.92	0.40
	32t	台时	1.78	2.21	2.62	3.00	3.36	0.33
编　　号			60229	60230	60231	60232	60233	60234

(2) 运砂砾料

单位:100m³ 成品堆方

项目		单位	运距(km)					增运1km
			1	2	3	4	5	
工长		工时						
高级工		工时						
中级工		工时						
初级工		工时	2.7	2.7	2.7	2.7	2.7	
合计		工时	2.7	2.7	2.7	2.7	2.7	
零星材料费		%	1	1	1	1	1	
挖掘机	$3m^3$	台时	0.40	0.40	0.40	0.40	0.40	
推土机	88kW	台时	0.20	0.20	0.20	0.20	0.20	
自卸汽车	12t	台时	4.29	5.52	6.65	7.72	8.74	0.94
	15t	台时	3.44	4.42	5.32	6.17	6.99	0.75
	18t	台时	3.17	3.99	4.74	5.46	6.14	0.63
	20t	台时	2.93	3.68	4.38	5.03	5.66	0.56
	25t	台时	2.46	3.07	3.64	4.17	4.68	0.45
	27t	台时	2.31	2.90	3.43	3.92	4.40	0.41
	32t	台时	2.00	2.46	2.90	3.30	3.69	0.35
编号			60235	60236	60237	60238	60239	60240

(3) 运碎石原料

单位:100m³ 成品堆方

项目		单位	运距 (km)					增运 1km
			1	2	3	4	5	
工长		工时						
高级工		工时						
中级工		工时						
初级工		工时	3.8	3.8	3.8	3.8	3.8	
合计		工时	3.8	3.8	3.8	3.8	3.8	
零星材料费		%	2	2	2	2	2	
挖掘机	$3m^3$	台时	0.57	0.57	0.57	0.57	0.57	
推土机	103kW	台时	0.29	0.29	0.29	0.29	0.29	
自卸汽车	12t	台时	4.54	5.78	6.92	8.00	9.04	0.96
	15t	台时	3.81	4.81	5.72	6.58	7.41	0.76
	18t	台时	3.53	4.36	5.12	5.84	6.53	0.64
	20t	台时	3.18	3.92	4.61	5.25	5.88	0.57
	25t	台时	2.65	3.25	3.80	4.32	4.81	0.46
编号			60241	60242	60243	60244	60245	60246

六－25　$4m^3$挖掘机装砂石料自卸汽车运输

工作内容：挖装、运输、卸除、空回。

(1)　运骨料

单位：$100m^3$成品堆方

项　　目		单位	运距(km) 1	2	3	4	5	增运1km
工　　长		工时						
高级工		工时						
中级工		工时						
初级工		工时	1.7	1.7	1.7	1.7	1.7	
合　　计		工时	1.7	1.7	1.7	1.7	1.7	
零星材料费		%	1	1	1	1	1	
挖掘机	$4m^3$	台时	0.26	0.26	0.26	0.26	0.26	
推土机	88kW	台时	0.13	0.13	0.13	0.13	0.13	
自卸汽车	18t	台时	2.89	3.67	4.39	5.06	5.71	0.60
	20t	台时	2.61	3.31	3.95	4.56	5.14	0.54
	25t	台时	2.15	2.71	3.23	3.71	4.18	0.43
	27t	台时	1.99	2.51	2.99	3.44	3.87	0.40
	32t	台时	1.74	2.17	2.58	2.96	3.32	0.33
	45t	台时	1.39	1.70	1.99	2.26	2.51	0.24
编　　号			60247	60248	60249	60250	60251	60252

(2) 运砂砾料

单位:$100m^3$ 成品堆方

项目		单位	运距(km)					增运
			1	2	3	4	5	1km
工长		工时						
高级工		工时						
中级工		工时						
初级工		工时	2.1	2.1	2.1	2.1	2.1	
合计		工时	2.1	2.1	2.1	2.1	2.1	
零星材料费		%	1	1	1	1	1	
挖掘机	$4m^3$	台时	0.31	0.31	0.31	0.31	0.31	
推土机	88kW	台时	0.16	0.16	0.16	0.16	0.16	
自卸汽车	18t	台时	3.08	3.90	4.65	5.36	6.04	0.63
	20t	台时	2.84	3.59	4.29	4.94	5.58	0.56
	25t	台时	2.39	3.01	3.57	4.11	4.61	0.45
	27t	台时	2.25	2.83	3.36	3.86	4.34	0.41
	32t	台时	1.88	2.35	2.78	3.19	3.58	0.35
	45t	台时	1.49	1.81	2.12	2.40	2.68	0.25
编号			60253	60254	60255	60256	60257	60258

(3) 运碎石原料

单位:100m³ 成品堆方

项目		单位	运距 (km)					增运1km
			1	2	3	4	5	
工长		工时						
高级工		工时						
中级工		工时						
初级工		工时	2.9	2.9	2.9	2.9	2.9	
合计		工时	2.9	2.9	2.9	2.9	2.9	
零星材料费		%	2	2	2	2	2	
挖掘机	$4m^3$	台时	0.44	0.44	0.44	0.44	0.44	
推土机	132kW	台时	0.22	0.22	0.22	0.22	0.22	
自卸汽车	15t	台时	3.65	4.65	5.56	6.42	7.25	0.76
	18t	台时	3.24	4.07	4.84	5.55	6.24	0.64
	20t	台时	3.06	3.81	4.49	5.14	5.76	0.57
	25t	台时	2.56	3.16	3.71	4.23	4.72	0.46
	27t	台时	2.37	2.93	3.43	3.91	4.37	0.42
	32t	台时	2.09	2.55	2.98	3.39	3.78	0.36
编号			60259	60260	60261	60262	60263	60264

六－26　6m³ 挖掘机装砂石料自卸汽车运输

工作内容：挖装、运输、卸除、空回。

（1）运骨料

单位：100m³ 成品堆方

项　　目		单位	运距（km）					增运1km
			1	2	3	4	5	
工　　长		工时						
高 级 工		工时						
中 级 工		工时						
初 级 工		工时	1.3	1.3	1.3	1.3	1.3	
合　　计		工时	1.3	1.3	1.3	1.3	1.3	
零星材料费		%	1	1	1	1	1	
挖 掘 机	6m³	台时	0.20	0.20	0.20	0.20	0.20	
推 土 机	88kW	台时	0.10	0.10	0.10	0.10	0.10	
自卸汽车	32t	台时	1.72	2.16	2.56	2.94	3.30	0.33
	45t	台时	1.34	1.66	1.94	2.21	2.47	0.24
	65t	台时	1.03	1.25	1.46	1.65	1.84	0.17
编　　号			60265	60266	60267	60268	60269	60270

(2) 运砂砾料

单位:100m³ 成品堆方

项目		单位	运距(km)					增运1km
			1	2	3	4	5	
工长		工时						
高级工		工时						
中级工		工时						
初级工		工时	1.6	1.6	1.6	1.6	1.6	
合计		工时	1.6	1.6	1.6	1.6	1.6	
零星材料费		%	1	1	1	1	1	
挖掘机	6m³	台时	0.24	0.24	0.24	0.24	0.24	
推土机	103kW	台时	0.12	0.12	0.12	0.12	0.12	
自卸汽车	25t	台时	2.35	2.96	3.52	4.05	4.57	0.45
	27t	台时	2.21	2.79	3.32	3.82	4.30	0.41
	32t	台时	1.86	2.33	2.76	3.17	3.56	0.35
	45t	台时	1.43	1.76	2.07	2.35	2.62	0.25
	65t	台时	1.21	1.47	1.71	1.94	2.15	0.18
	77t	台时	1.06	1.27	1.47	1.67	1.85	0.15
编号			60271	60272	60273	60274	60275	60276

（3） 运碎石原料

单位:100m³ 成品堆方

项　　目		单位	运　　距 (km)					增运1km
			1	2	3	4	5	
工　　长		工时						
高 级 工		工时						
中 级 工		工时						
初 级 工		工时	2.3	2.3	2.3	2.3	2.3	
合　　计		工时	2.3	2.3	2.3	2.3	2.3	
零星材料费		%	2	2	2	2	2	
挖 掘 机	$6m^3$	台时	0.34	0.34	0.34	0.34	0.34	
推 土 机	132kW	台时	0.17	0.17	0.17	0.17	0.17	
自卸汽车	20t	台时	2.99	3.74	4.42	5.07	5.69	0.57
	25t	台时	2.52	3.12	3.67	4.19	4.68	0.46
	27t	台时	2.34	2.89	3.40	3.88	4.34	0.42
	32t	台时	2.07	2.54	2.97	3.37	3.76	0.36
	45t	台时	1.63	1.96	2.27	2.55	2.83	0.25
编　　号			60277	60278	60279	60280	60281	60282

六－27 1m³装载机装砂石料自卸汽车运输

工作内容：挖装、运输、卸除、空回。

（1） 运骨料

单位：100m³成品堆方

项目		单位	运距（km）					增运1km
			1	2	3	4	5	
工长		工时						
高级工		工时						
中级工		工时						
初级工		工时	6.5	6.5	6.5	6.5	6.5	
合计		工时	6.5	6.5	6.5	6.5	6.5	
零星材料费		%	1	1	1	1	1	
装载机	1m³	台时	1.23	1.23	1.23	1.23	1.23	
推土机	74kW	台时	0.62	0.62	0.62	0.62	0.62	
自卸汽车	5t	台时	8.65	11.33	13.83	16.18	18.44	2.00
	8t	台时	5.82	7.57	9.15	10.62	12.00	1.20
	10t	台时	5.56	6.96	8.24	9.46	10.62	1.07
编号			60283	60284	60285	60286	60287	60288

（2） 运砂砾料

单位:100m³ 成品堆方

项目		单位	运距（km）					增运1km
			1	2	3	4	5	
工长		工时						
高级工		工时						
中级工		工时						
初级工		工时	7.7	7.7	7.7	7.7	7.7	
合计		工时	7.7	7.7	7.7	7.7	7.7	
零星材料费		%	1	1	1	1	1	
装载机	$1m^3$	台时	1.45	1.45	1.45	1.45	1.45	
推土机	74kW	台时	0.73	0.73	0.73	0.73	0.73	
自卸汽车	5t	台时	9.23	11.89	14.33	16.63	18.84	2.03
	8t	台时	6.29	7.94	9.47	10.91	12.29	1.27
	10t	台时	5.89	7.29	8.58	9.80	10.97	1.07
编号			60289	60290	60291	60292	60293	60294

(3) 运碎石原料

单位:100m³ 成品堆方

项目	单位	运距 (km)					增运1km
		1	2	3	4	5	
工长	工时						
高级工	工时						
中级工	工时						
初级工	工时	10.3	10.3	10.3	10.3	10.3	
合计	工时	10.3	10.3	10.3	10.3	10.3	
零星材料费	%	2	2	2	2	2	
装载机 $1m^3$	台时	1.94	1.94	1.94	1.94	1.94	
推土机 88kW	台时	0.97	0.97	0.97	0.97	0.97	
自卸汽车 5t	台时	11.01	14.00	16.76	19.35	21.83	2.29
8t	台时	7.62	9.49	11.21	12.82	14.37	1.43
编号		60295	60296	60297	60298	60299	60300

六－28　1.5m³ 装载机装砂石料自卸汽车运输

工作内容：挖装、运输、卸除、空回。

(1)　运骨料

单位：100m³ 成品堆方

项　　目		单位	运距（km）					增运1km
			1	2	3	4	5	
工　　长		工时						
高级工		工时						
中级工		工时						
初级工		工时	4.7	4.7	4.7	4.7	4.7	
合　　计		工时	4.7	4.7	4.7	4.7	4.7	
零星材料费		%	1	1	1	1	1	
装载机	1.5m³	台时	0.88	0.88	0.88	0.88	0.88	
推土机	74kW	台时	0.44	0.44	0.44	0.44	0.44	
自卸汽车	8t	台时	5.48	7.18	8.76	10.25	11.68	1.20
	10t	台时	5.21	6.61	7.90	9.11	10.27	1.07
	12t	台时	4.52	5.69	6.76	7.77	8.74	0.89
	15t	台时	3.76	4.70	5.55	6.36	7.14	0.71
编　　号			60301	60302	60303	60304	60305	60306

(2) 运砂砾料

单位:100m³ 成品堆方

项目	单位	运距(km)					增运1km
		1	2	3	4	5	
工长	工时						
高级工	工时						
中级工	工时						
初级工	工时	5.5	5.5	5.5	5.5	5.5	
合计	工时	5.5	5.5	5.5	5.5	5.5	
零星材料费	%	1	1	1	1	1	
装载机 1.5m³	台时	1.03	1.03	1.03	1.03	1.03	
推土机 74kW	台时	0.52	0.52	0.52	0.52	0.52	
自卸汽车 8t	台时	5.83	7.50	9.03	10.46	11.84	1.27
10t	台时	5.29	6.70	7.99	9.21	10.38	1.07
12t	台时	4.83	6.06	7.19	8.26	9.28	0.94
15t	台时	4.03	5.01	5.91	6.77	7.59	0.75
编号		60307	60308	60309	60310	60311	60312

(3) 运碎石原料

单位:100m³ 成品堆方

项目		单位	运距(km)					增运1km
			1	2	3	4	5	
工长		工时						
高级工		工时						
中级工		工时						
初级工		工时	7.3	7.3	7.3	7.3	7.3	
合计		工时	7.3	7.3	7.3	7.3	7.3	
零星材料费		%	2	2	2	2	2	
装载机	1.5m³	台时	1.37	1.37	1.37	1.37	1.37	
推土机	88kW	台时	0.69	0.69	0.69	0.69	0.69	
自卸汽车	8t	台时	6.95	8.81	10.53	12.14	13.69	1.43
	10t	台时	6.26	7.75	9.13	10.42	11.66	1.14
	12t	台时	5.49	6.73	7.88	8.96	9.99	0.96
编号			60313	60314	60315	60316	60317	60318

六－29　2m³装载机装砂石料自卸汽车运输

工作内容：挖装、运输、卸除、空回。

(1) 运骨料

单位：100m³成品堆方

项　　目		单位	运距(km)					增运1km
			1	2	3	4	5	
工　　长		工时						
高 级 工		工时						
中 级 工		工时						
初 级 工		工时	3.7	3.7	3.7	3.7	3.7	
合　　计		工时	3.7	3.7	3.7	3.7	3.7	
零星材料费		%	1	1	1	1	1	
装 载 机	2m³	台时	0.70	0.70	0.70	0.70	0.70	
推 土 机	74kW	台时	0.35	0.35	0.35	0.35	0.35	
自卸汽车	10t	台时	5.04	6.44	7.72	8.94	10.10	1.07
	12t	台时	4.39	5.56	6.63	7.64	8.61	0.89
	15t	台时	3.67	4.60	5.46	6.27	7.04	0.71
	18t	台时	3.38	4.15	4.87	5.54	6.19	0.60
	20t	台时	3.04	3.74	4.38	4.99	5.57	0.54
编　　号			60319	60320	60321	60322	60323	60324

（2） 运砂砾料

单位：100m³ 成品堆方

项目	单位	运距（km）					增运1km
		1	2	3	4	5	
工长	工时						
高级工	工时						
中级工	工时						
初级工	工时	4.4	4.4	4.4	4.4	4.4	
合计	工时	4.4	4.4	4.4	4.4	4.4	
零星材料费	%	1	1	1	1	1	
装载机 2m³	台时	0.82	0.82	0.82	0.82	0.82	
推土机 74kW	台时	0.41	0.41	0.41	0.41	0.41	
自卸汽车 8t	台时	5.62	7.27	8.80	10.24	11.62	1.27
10t	台时	5.10	6.51	7.80	9.02	10.18	1.07
12t	台时	4.68	5.91	7.04	8.11	9.13	0.94
15t	台时	3.92	4.90	5.81	6.65	7.47	0.75
18t	台时	3.61	4.43	5.19	5.89	6.57	0.63
20t	台时	3.33	4.09	4.79	5.44	6.07	0.56
编号		60325	60326	60327	60328	60329	60330

(3) 运碎石原料

单位:100m³ 成品堆方

项目		单位	运距(km)					增运1km
			1	2	3	4	5	
工长		工时						
高级工		工时						
中级工		工时						
初级工		工时	5.8	5.8	5.8	5.8	5.8	
合计		工时	5.8	5.8	5.8	5.8	5.8	
零星材料费		%	2	2	2	2	2	
装载机	$2m^3$	台时	1.09	1.09	1.09	1.09	1.09	
推土机	88kW	台时	0.55	0.55	0.55	0.55	0.55	
自卸汽车	8t	台时	6.61	8.48	10.19	11.80	13.35	1.43
	10t	台时	6.01	7.50	8.87	10.17	11.41	1.14
	12t	台时	5.30	6.54	7.68	8.76	9.80	0.96
	15t	台时	4.47	5.47	6.38	7.25	8.07	0.76
编号			60331	60332	60333	60334	60335	60336

六－30　3m³装载机装砂石料自卸汽车运输

工作内容：挖装、运输、卸除、空回。

(1)　运骨料

单位：100m³ 成品堆方

项目		单位	运距(km)					增运1km
			1	2	3	4	5	
工长		工时						
高级工		工时						
中级工		工时						
初级工		工时	2.6	2.6	2.6	2.6	2.6	
合计		工时	2.6	2.6	2.6	2.6	2.6	
零星材料费		%	1	1	1	1	1	
装载机	$3m^3$	台时	0.48	0.48	0.48	0.48	0.48	
推土机	88kW	台时	0.24	0.24	0.24	0.24	0.24	
自卸汽车	15t	台时	3.37	4.31	5.16	5.97	6.75	0.71
	18t	台时	3.14	3.91	4.63	5.30	5.95	0.60
	20t	台时	2.82	3.52	4.17	4.77	5.35	0.54
	25t	台时	2.35	2.91	3.43	3.91	4.38	0.43
	27t	台时	2.27	2.79	3.26	3.71	4.14	0.40
	32t	台时	1.99	2.43	2.83	3.21	3.57	0.33
编号			60337	60338	60339	60340	60341	60342

(2) 运砂砾料

单位:100m³ 成品堆方

项目		单位	运距(km)					增运 1km
			1	2	3	4	5	
工长		工时						
高级工		工时						
中级工		工时						
初级工		工时	3.0	3.0	3.0	3.0	3.0	
合计		工时	3.0	3.0	3.0	3.0	3.0	
零星材料费		%	1	1	1	1	1	
装载机	$3m^3$	台时	0.57	0.57	0.57	0.57	0.57	
推土机	88kW	台时	0.29	0.29	0.29	0.29	0.29	
自卸汽车	12t	台时	4.48	5.71	6.85	7.91	8.93	0.94
	15t	台时	3.58	4.57	5.48	6.33	7.14	0.75
	18t	台时	3.34	4.16	4.92	5.62	6.30	0.63
	20t	台时	3.09	3.84	4.53	5.19	5.82	0.56
	25t	台时	2.62	3.24	3.79	4.33	4.84	0.45
	27t	台时	2.46	3.04	3.58	4.07	4.56	0.41
	32t	台时	2.16	2.63	3.06	3.47	3.85	0.35
编号			60343	60344	60345	60346	60347	60348

（3） 运碎石原料

单位:100m³ 成品堆方

项目		单位	运距（km）					增运
			1	2	3	4	5	1km
工长		工时						
高级工		工时						
中级工		工时						
初级工		工时	3.9	3.9	3.9	3.9	3.9	
合计		工时	3.9	3.9	3.9	3.9	3.9	
零星材料费		%	2	2	2	2	2	
装载机	$3m^3$	台时	0.74	0.74	0.74	0.74	0.74	
推土机	103kW	台时	0.37	0.37	0.37	0.37	0.37	
自卸汽车	12t	台时	4.75	5.99	7.13	8.21	9.24	0.96
	15t	台时	4.04	5.03	5.95	6.81	7.64	0.76
	18t	台时	3.76	4.59	5.35	6.07	6.76	0.64
	20t	台时	3.39	4.13	4.82	5.47	6.08	0.57
	25t	台时	2.85	3.45	4.00	4.52	5.01	0.46
编号			60349	60350	60351	60352	60353	60354

六－31 $5m^3$装载机装砂石料自卸汽车运输

工作内容：挖装、运输、卸除、空回。

（1） 运骨料

单位：$100m^3$成品堆方

项目		单位	运距（km）					增运1km
			1	2	3	4	5	
工长		工时						
高级工		工时						
中级工		工时						
初级工		工时	1.6	1.6	1.6	1.6	1.6	
合计		工时	1.6	1.6	1.6	1.6	1.6	
零星材料费		%	1	1	1	1	1	
装载机	$5m^3$	台时	0.31	0.31	0.31	0.31	0.31	
推土机	88kW	台时	0.16	0.16	0.16	0.16	0.16	
自卸汽车	25t	台时	2.18	2.74	3.25	3.74	4.20	0.43
	27t	台时	2.11	2.63	3.11	3.56	3.99	0.40
	32t	台时	1.78	2.22	2.62	3.00	3.36	0.33
	45t	台时	1.46	1.77	2.05	2.32	2.58	0.24
编号			60355	60356	60357	60358	60359	60360

（2） 运砂砾料

单位：100m³ 成品堆方

项目	单位	运距（km）					增运1km
		1	2	3	4	5	
工长	工时						
高级工	工时						
中级工	工时						
初级工	工时	1.9	1.9	1.9	1.9	1.9	
合计	工时	1.9	1.9	1.9	1.9	1.9	
零星材料费	%	1	1	1	1	1	
装载机 5m³	台时	0.36	0.36	0.36	0.36	0.36	
推土机 103kW	台时	0.18	0.18	0.18	0.18	0.18	
自卸汽车 25t	台时	2.42	3.03	3.59	4.12	4.64	0.45
27t	台时	2.28	2.85	3.38	3.88	4.37	0.41
32t	台时	1.93	2.40	2.83	3.24	3.62	0.35
45t	台时	1.55	1.88	2.19	2.47	2.74	0.25
编号		60361	60362	60363	60364	60365	60366

(3) 运碎石原料

单位:100m³ 成品堆方

项目	单位	运距 (km)					增运1km
		1	2	3	4	5	
工长	工时						
高级工	工时						
中级工	工时						
初级工	工时	2.6	2.6	2.6	2.6	2.6	
合计	工时	2.6	2.6	2.6	2.6	2.6	
零星材料费	%	2	2	2	2	2	
装载机 $5m^3$	台时	0.48	0.48	0.48	0.48	0.48	
推土机 132kW	台时	0.24	0.24	0.24	0.24	0.24	
自卸汽车 18t	台时	3.41	4.24	5.01	5.72	6.41	0.64
20t	台时	3.07	3.82	4.50	5.15	5.77	0.57
25t	台时	2.61	3.21	3.76	4.28	4.77	0.46
27t	台时	2.42	2.97	3.48	3.96	4.42	0.42
32t	台时	2.16	2.63	3.06	3.46	3.85	0.36
编号		60367	60368	60369	60370	60371	60372

六－32　7m³装载机装砂石料自卸汽车运输

工作内容：挖装、运输、卸除、空回。

（1）运骨料

单位：100m³成品堆方

项目		单位	运距（km）					增运1km
			1	2	3	4	5	
工长		工时						
高级工		工时						
中级工		工时						
初级工		工时	1.2	1.2	1.2	1.2	1.2	
合计		工时	1.2	1.2	1.2	1.2	1.2	
零星材料费		%	1	1	1	1	1	
装载机	7m³	台时	0.23	0.23	0.23	0.23	0.23	
推土机	88kW	台时	0.12	0.12	0.12	0.12	0.12	
自卸汽车	32t	台时	1.72	2.15	2.56	2.94	3.30	0.33
	45t	台时	1.36	1.67	1.95	2.22	2.48	0.24
	65t	台时	1.06	1.28	1.49	1.68	1.87	0.17
	77t	台时	0.93	1.12	1.29	1.46	1.61	0.14
编号			60373	60374	60375	60376	60377	60378

（2） 运砂砾料

单位：100m³ 成品堆方

项目	单位	运距（km）					增运1km
		1	2	3	4	5	
工长	工时						
高级工	工时						
中级工	工时						
初级工	工时	1.4	1.4	1.4	1.4	1.4	
合计	工时	1.4	1.4	1.4	1.4	1.4	
零星材料费	%	1	1	1	1	1	
装载机 $7m^3$	台时	0.27	0.27	0.27	0.27	0.27	
推土机 103kW	台时	0.14	0.14	0.14	0.14	0.14	
自卸汽车 32t	台时	1.86	2.32	2.76	3.16	3.55	0.35
45t	台时	1.45	1.77	2.08	2.35	2.63	0.25
65t	台时	1.19	1.45	1.69	1.92	2.13	0.18
77t	台时	1.06	1.27	1.47	1.66	1.84	0.15
编号		60379	60380	60381	60382	60383	60384

(3) 运碎石原料

单位:100m³ 成品堆方

项目	单位	运距 (km)					增运1km
		1	2	3	4	5	
工长	工时						
高级工	工时						
中级工	工时						
初级工	工时	1.9	1.9	1.9	1.9	1.9	
合计	工时	1.9	1.9	1.9	1.9	1.9	
零星材料费	%	2	2	2	2	2	
装载机 7m³	台时	0.35	0.35	0.35	0.35	0.35	
推土机 132kW	台时	0.18	0.18	0.18	0.18	0.18	
自卸汽车 25t	台时	2.47	3.07	3.62	4.13	4.63	0.46
27t	台时	2.29	2.84	3.35	3.83	4.29	0.42
32t	台时	2.05	2.52	2.94	3.35	3.74	0.36
45t	台时	1.63	1.96	2.27	2.55	2.83	0.25
编号		60385	60386	60387	60388	60389	60390

六－33　9.6m³装载机装砂石料自卸汽车运输

工作内容：挖装、运输、卸除、空回。

(1)　运砂砾料

单位：100m³成品堆方

项　　目		单位	运距 (km)					增运1km
			1	2	3	4	5	
工　　长		工时						
高 级 工		工时						
中 级 工		工时						
初 级 工		工时	1.1	1.1	1.1	1.1	1.1	
合　　计		工时	1.1	1.1	1.1	1.1	1.1	
零星材料费		%	1	1	1	1	1	
装 载 机	9.6m³	台时	0.21	0.21	0.21	0.21	0.21	
推 土 机	132kW	台时	0.11	0.11	0.11	0.11	0.11	
自卸汽车	45t	台时	1.39	1.72	2.01	2.30	2.57	0.25
	65t	台时	1.13	1.35	1.58	1.77	1.97	0.18
	77t	台时	0.97	1.19	1.38	1.55	1.71	0.15
编　　号			60391	60392	60393	60394	60395	60396

(2) 运碎石原料

单位:100m³ 成品堆方

项目		单位	运距(km)					增运1km
			1	2	3	4	5	
工长		工时						
高级工		工时						
中级工		工时						
初级工		工时	1.4	1.4	1.4	1.4	1.4	
合计		工时	1.4	1.4	1.4	1.4	1.4	
零星材料费		%	2	2	2	2	2	
装载机	9.6m³	台时	0.27	0.27	0.27	0.27	0.27	
推土机	162kW	台时	0.14	0.14	0.14	0.14	0.14	
自卸汽车	32t	台时	1.95	2.41	2.84	3.25	3.63	0.36
	45t	台时	1.56	1.89	2.20	2.48	2.76	0.25
	65t	台时	1.14	1.37	1.59	1.78	1.98	0.18
	77t	台时	1.02	1.21	1.39	1.56	1.72	0.15
编号			60397	60398	60399	60400	60401	60402

六-34 10.7m³装载机装砂石料自卸汽车运输

工作内容:挖装、运输、卸除、空回。

(1) 运砂砾料

单位:100m³ 成品堆方

项目		单位	运距(km)					增运1km
			1	2	3	4	5	
工长		工时						
高级工		工时						
中级工		工时						
初级工		工时	1.0	1.0	1.0	1.0	1.0	
合计		工时	1.0	1.0	1.0	1.0	1.0	
零星材料费		%	1	1	1	1	1	
装载机	10.7m³	台时	0.19	0.19	0.19	0.19	0.19	
推土机	132kW	台时	0.10	0.10	0.10	0.10	0.10	
自卸汽车	45t	台时	1.38	1.70	2.00	2.28	2.55	0.25
	65t	台时	1.10	1.34	1.55	1.75	1.95	0.18
	77t	台时	0.96	1.18	1.37	1.54	1.70	0.15
编号			60403	60404	60405	60406	60407	60408

(2) 运碎石原料

单位:100m³ 成品堆方

项目		单位	运距 (km)					增运1km
			1	2	3	4	5	
工长		工时						
高级工		工时						
中级工		工时						
初级工		工时	1.3	1.3	1.3	1.3	1.3	
合计		工时	1.3	1.3	1.3	1.3	1.3	
零星材料费		%	2	2	2	2	2	
装载机	10.7m³	台时	0.25	0.25	0.25	0.25	0.25	
推土机	162kW	台时	0.13	0.13	0.13	0.13	0.13	
自卸汽车	45t	台时	1.48	1.81	2.11	2.40	2.67	0.25
	65t	台时	1.13	1.36	1.57	1.77	1.97	0.18
	77t	台时	1.01	1.20	1.38	1.55	1.71	0.15
	108t	台时	0.83	0.97	1.10	1.22	1.34	0.11
编号			60409	60410	60411	60412	60413	60414

六－35　骨料二次筛分

适用范围：在粗骨料进入搅拌楼地面预冷（调节）仓前进行再次筛分冲洗。

工作内容：上料，筛分，冲洗，脱水，各级成品骨料输送入仓。

单位：100t 成品

项　　目	单位	车间规模(按进料计处理能力 (t/h))				
		200	300	500	700	900
		混凝土系统生产能力 (m^3/h)				
		90	140	230	320	410
工　　长	工时					
高 级 工	工时					
中 级 工	工时	1.54	1.03	0.92	0.66	0.51
初 级 工	工时	1.54	1.03	0.92	0.66	0.51
合　　计	工时	3.08	2.06	1.84	1.32	1.02
水	m^3	40	40	40	40	40
其他材料费	%	5	5	5	5	5
圆振动筛　1200×3600	台时	2.31				
圆振动筛　1500×4800	台时		1.54			
圆振动筛　1800×4800	台时			0.92		0.68
圆振动筛　2400×6000	台时				0.66	0.17
螺旋分级机　1000	台时	0.77	0.51			
螺旋分级机　1200	台时			0.31		
螺旋分级机　1500	台时				0.22	0.17
振动给料机　GZ6S	台时	6.15	4.10	3.70	3.52	3.40
胶带运输机　$B=500$	m·h	338	226	74		
胶带运输机　$B=650$	m·h	162	108	80	88	60
胶带运输机　$B=800$	m·h			46	22	26
胶带运输机　$B=1000$	m·h				33	26
其他机械费	%	5	5	5	5	5
编　　号		60415	60416	60417	60418	60419

六－36 块片石开采

工作内容：钻孔、爆破、撬移、解小、捡集、码方、清面。

（1） 机械开采、人工清渣

单位：100m^3 成品码方

项目		单位	岩石级别		
			Ⅷ～Ⅹ	Ⅺ～Ⅻ	ⅩⅢ～ⅩⅣ
工长		工时	8.7	9.3	10.1
高级工		工时			
中级工		工时	9.5	20.1	35.7
初级工		工时	418.2	435.3	457.0
合计		工时	436.4	464.7	502.8
合金钻头		个	1.60	2.57	3.68
炸药		kg	32.83	41.13	47.69
雷管		个	28.06	35.15	40.76
导线	火线	m	80.18	100.43	116.46
	电线	m	146.99	184.12	213.51
其他材料费		%	15	15	15
风钻	手持式	台时	7.22	13.17	22.27
其他机械费		%	10	10	10
编号			60420	60421	60422

(2) 机械开采、机械清渣

单位:100m³ 成品码方

项目		单位	岩石级别		
			Ⅷ～Ⅹ	Ⅺ～Ⅻ	ⅩⅢ～ⅩⅣ
工长		工时	5.8	6.4	7.1
高级工		工时			
中级工		工时	12.4	23.0	38.7
初级工		工时	272.6	289.7	311.5
合计		工时	290.8	319.1	357.3
合金钻头		个	1.60	2.57	3.68
炸药		kg	32.83	41.13	47.69
雷管		个	28.06	35.15	40.76
导线	火线	m	80.18	100.43	116.46
	电线	m	146.99	184.12	213.51
其他材料费		%	15	15	15
风钻	手持式	台时	7.22	13.17	22.27
推土机	88kW	台时	3.01	3.01	3.01
其他机械费		%	10	10	10
编号			60423	60424	60425

六－37 人工开采条、料石

工作内容：开采、清凿、堆存、清渣。

（1） 开采毛条石

单位：100m³ 清料方

项目	单位	岩石级别		
		Ⅷ～Ⅹ	Ⅺ～Ⅻ	ⅩⅢ～ⅩⅣ
工长	工时	37.9	47.3	59.1
高级工	工时			
中级工	工时	341.4	426.0	531.7
初级工	工时	1517.0	1893.4	2363.0
合计	工时	1896.3	2366.7	2953.8
炸药	kg	3.30	5.50	9.17
雷管	个	16.50	27.50	45.83
导火线	m	20.90	35.20	58.67
其他材料费	%	25	25	25
编号		60426	60427	60428

（2） 开采料石

单位：100m³ 清料方

项目	单位	岩石级别		
		Ⅷ～Ⅹ	Ⅺ～Ⅻ	ⅩⅢ～ⅩⅣ
工长	工时	77.2	96.3	124.4
高级工	工时			
中级工	工时	2264.5	2824.6	3565.3
初级工	工时	1517.0	1893.4	2528.4
合计	工时	3858.7	4814.3	6218.1
炸药	kg	3.30	5.50	9.17
雷管	个	16.50	27.50	45.83
导火线	m	20.90	35.20	58.67
其他材料费	%	25	25	25
编号		60429	60430	60431

六－38 人工捡集块片石

工作内容：撬石、解小、码方。

单位：100m³ 成品码方

项目	单位	数量
工长	工时	
高级工	工时	
中级工	工时	
初级工	工时	306.5
合计	工时	306.5
零星材料费	%	1
编号		60432

六－39 胶轮车运石料

工作内容：装、运、卸、堆存、空回。

单位：100m³ 成品码方

项目	单位	装运卸100m		增运50m	
		块(片)石	条料石	块(片)石	条料石
工长	工时				
高级工	工时				
中级工	工时				
初级工	工时	170.1	284.2	17.5	29.2
合计	工时	170.1	284.2	17.5	29.2
零星材料费	%	2	2		
胶轮车	台时	67.50	112.50	11.25	18.79
编号		60433	60434	60435	60436

六－40　V型斗车运石料

工作内容:装、运、卸、堆存、空回。

单位:100m³ 成品码方

项　目	单位	装运卸 100m		增运 50m	
		块(片)石	条料石	块(片)石	条料石
工　长	工时				
高级工	工时				
中级工	工时				
初级工	工时	140.0	193.2	7.5	11.8
合　计	工时	140.0	193.2	7.5	11.8
零星材料费	%	2	2		
斗　车　$1m^3$	台时	45.00	62.10	2.42	3.83
编　号		60437	60438	60439	60440

六－41　人工装车自卸汽车运块石

工作内容:装、运、卸、堆存、空回。

单位:100m³ 成品码方

项　目	单位	运距 (km)					增运
		1	2	3	4	5	1km
工　长	工时						
高级工	工时						
中级工	工时						
初级工	工时	147.0	147.0	147.0	147.0	147.0	
合　计	工时	147.0	147.0	147.0	147.0	147.0	
零星材料费	%	1	1	1	1	1	
自卸汽车　5t	台时	21.06	23.93	26.56	29.04	31.42	2.19
8t	台时	16.83	18.62	20.26	21.82	23.30	1.37
编　号		60441	60442	60443	60444	60445	60446

水 利 部 文 件

水总〔2002〕116号

关于发布《水利建筑工程预算定额》、《水利建筑工程概算定额》、《水利工程施工机械台时费定额》及《水利工程设计概(估)算编制规定》的通知

各流域机构,部直属各设计院,各省、自治区、直辖市水利(水务)厅(局),各计划单列市水利(水务)局,新疆生产建设兵团水利局,中国水电工程总公司,武警水电指挥部:

为适应建立社会主义市场经济体制的需要,合理确定和有效控制水利工程基本建设投资,提高投资效益,由我部水利建设经济定额站组织编制的《水利建筑工程预算定额》、《水利建筑工程概算定额》、《水利工程施工机械台时费定额》及《水利工程设计概(估)算编制规定》,已经

审查批准，现予以颁布，自2002年7月1日起执行。原水利电力部、能源部和水利部于1986年颁布的《水利水电建筑工程预算定额》、1988年颁发的《水利水电建筑工程概算定额》、1991年颁发的《水利水电施工机械台班费定额》及1998年颁发的《水利工程设计概（估）算费用构成及计算标准》同时废止。

此次颁布的定额及规定由水利部水利建设经济定额站负责解释。在执行过程中如有问题请及时函告水利部水利建设经济定额站。

中华人民共和国水利部

二〇〇二年三月六日

主题词：水利　工程　建筑　定额△　通知

抄送：国家发展计划委员会。

水利部办公厅　　　　2002年4月1日印发

总　目　录

上　　册

下　　册

总 说 明

一、《水利建筑工程预算定额》，分为土方工程、石方工程、砌石工程、混凝土工程、模板工程、砂石备料工程、钻孔灌浆及锚固工程、疏浚工程、其他工程，共九章及附录。

二、本定额适用于大中型水利工程项目，是编制《水利建筑工程概算定额》的基础。可作为编制水利工程招标标底和投标报价的参考。

三、本定额适用于海拔高程小于或等于2000m地区的工程项目。海拔高程大于2000m的地区，根据水利枢纽工程所在地的海拔高程及规定的调整系数计算。海拔高程应以拦河坝或水闸顶部的海拔高程为准，没有拦河坝或水闸的，以厂房顶部海拔高程为准。一个建设项目，只采用一个调整系数。

高原地区人工、机械定额调整系数表

项目	海 拔 高 程 (m)					
	2000～2500	2500～3000	3000～3500	3500～4000	4000～4500	4500～5000
人工	1.10	1.15	1.20	1.25	1.30	1.35
机械	1.25	1.35	1.45	1.55	1.65	1.75

四、本定额不包括冬季、雨季和特殊地区气候影响施工的因素及增加的设施费用。

五、本定额按一日三班作业施工、每班八小时工作制拟定。若部分工程项目采用一日一班或两班制的，定额不作调整。

六、本定额的"工作内容"，仅扼要说明各章节的主要施工过程及工序。次要的施工过程及工序和必要的辅助工作所需的人工、材料、机械也已包括在定额内。

七、定额中人工、机械用量是指完成一个定额子目内容,所需的全部人工和机械。包括基本工作、准备与结束、辅助生产、不可避免的中断、必要的休息、工程检查、交接班、班内工作干扰、夜间施工工效影响、常用工具和机械的维修、保养、加油、加水等全部工作。

八、定额中人工是指完成该定额子目工作内容所需的人工耗用量。包括基本用工和辅助用工,并按其所需技术等级,分别列示出工长、高级工、中级工、初级工的工时及其合计数。

九、材料消耗定额(含其他材料费、零星材料费),是指完成一个定额子目内容所需的全部材料耗用量。

1.材料定额中,未列示品种、规格的,可根据设计选定的品种、规格计算,但定额数量不得调整。凡材料已列示了品种、规格的,编制预算单价时不予调整。

2.材料定额中,凡一种材料名称之后,同时并列了几种不同型号规格的,如石方工程导线的火线和电线,表示这种材料只能选用其中一种型号规格的定额进行计价。

3.材料定额中,凡一种材料分几种型号规格与材料名称同时并列的,如石方工程中同时并列导火线和导电线,则表示这些名称相同,规格不同的材料都应同时计价。

4.其他材料费和零星材料费,是指完成一个定额子目的工作内容,所必需的未列量材料费。如工作面内的脚手架、排架、操作平台等的摊销费,地下工程的照明费,混凝土工程的养护用材料,石方工程的钻杆、空心钢等以及其他用量较少的材料。

5.材料从分仓库或相当于分仓库材料堆放地至工作面的场内运输所需的人工、机械及费用,已包括在各定额子目中。

十、机械台时定额(含其他机械费),是指完成一个定额子目工作内容所需的主要机械及次要辅助机械使用费。

1. 机械定额中，凡数量以“组时”表示的，其机械数量等，均按设计选定计算，定额数量不予调整。

2. 机械定额中，凡一种机械名称之后，同时并列几种型号规格的，如运输定额中的自卸汽车等，表示这种机械只能选用其中一种型号、规格的定额进行计价。

3. 机械定额中，凡一种机械分几种型号规格与机械名称同时并列的，表示这些名称相同规格不同的机械定额都应同时进行计价。

4. 其他机械费，是指完成一个定额子目工作内容所必需的次要机械使用费。如混凝土浇筑现场运输中的次要机械；疏浚工程中的油驳等辅助生产船舶等。

十一、本定额中其他材料费、零星材料费、其他机械费，均以费率形式表示，其计算基数如下：

1. 其他材料费，以主要材料费之和为计算基数；

2. 零星材料费，以人工费、机械费之和为计算基数；

3. 其他机械费，以主要机械费之和为计算基数。

十二、定额用数字表示的适用范围

1. 只用一个数字表示的，仅适用于该数字本身。当需要选用的定额介于两子目之间时，可用插入法计算。

2. 数字用上下限表示的，如 2000～2500，适用于大于 2000、小于或等于 2500 的数字范围。

十三、各章的挖掘机定额，均按液压挖掘机拟定。

十四、各章的汽车运输定额，适用于水利工程施工路况 10km 以内的场内运输。运距超过 10km 时，超过部分按增运 1km 的台时数乘 0.75 系数计算。

十五、各章定额均按不含超挖超填量制定。

目　录

第七章　钻孔灌浆及锚固工程

第八章　疏浚工程

第九章 其他工程

附　　录

第七章

钻孔灌浆及锚固工程

说　　明

一、本章包括钻灌浆孔、帷幕灌浆、固结灌浆、回填灌浆、劈裂灌浆、高压喷射灌浆、接缝灌浆、防渗墙造孔及浇筑、振冲桩、冲击钻造灌注桩孔、灌注混凝土桩、减压井、锚杆支护、预应力锚索、喷混凝土、喷浆、挂钢筋网等共49节。

二、基础处理工程定额的地层划分

1. 钻孔工程定额,按一般石方工程定额十六级分类法中Ⅴ～ⅩⅣ级拟定,对大于ⅩⅣ级岩石,可参照有关资料拟定定额。

2. 冲击钻钻孔定额,按地层特征划分为11类。

3. 钻混凝土工程除节内注明外,一般按粗骨料的岩石级别计算。

三、灌浆工程定额中的水泥用量系预算基本量。如有实际资料,可按实际消耗量调整。

四、钻机钻灌浆孔、坝基岩石帷幕灌浆、压水试验等节定额

1. 终孔孔径大于91mm或孔深超过70m时改用300型钻机。

2. 在廊道或隧洞内施工时,人工、机械定额乘以表7-1所列系数。

表7-1

廊道或隧洞高度(m)	0～2.0	2.0～3.5	3.5～5.0	>5.0
系　　数	1.19	1.10	1.07	1.05

五、地质钻机钻灌不同角度的灌浆孔或观测孔、试验孔时,人工、机械、合金片、钻头和岩芯管定额乘以表7-2所列系数。

表 7-2

钻孔与水平夹角	0°～60°	60°～75°	75°～85°	85°～90°
系　数	1.19	1.05	1.02	1.00

六、检查孔按灌浆方法和灌浆后的 *Lu* 值，选用相应定额计算。

七、在有架子的平台上钻孔，平台到地面孔口高差超过 2.0m 时，钻机和人工定额乘以 1.05 系数。

八、本章灌浆压力划分标准为：高压＞3MPa，中压 1.5～3MPa，低压＜1.5MPa。

九、本章各节灌浆定额中水泥强度等级的选择应符合设计要求，设计未明确的，可按以下标准选择：回填灌浆 32.5、帷幕与固结灌浆 32.5、接缝灌浆 42.5、劈裂灌浆 32.5、高喷灌浆 32.5。

十、锚筋桩可参照本章相应的锚杆定额。定额中的锚杆附件包括垫板、三角铁和螺帽等。

十一、锚杆(索)定额中的锚杆(索)长度是指嵌入岩石的设计有效长度。按规定应留的外露部分及加工过程中的损耗，均已计入定额。

十二、喷浆(混凝土)定额的计量，以喷后的设计有效面积(体积)计算，定额已包括了回弹及施工损耗量。

七－1　钻机钻岩石层灌浆孔——自下而上灌浆法

适用范围：露天作业，帷幕灌浆孔、固结灌浆孔、排水孔、水位观测孔。

工作内容：钻孔、孔位转移。

单位：100m

项　　目	单位	岩　石　级　别			
		Ⅴ～Ⅷ	Ⅸ～Ⅹ	Ⅺ～Ⅻ	ⅩⅢ～ⅩⅣ
工　　长	工时	13	18	27	45
高 级 工	工时	25	37	54	90
中 级 工	工时	88	129	190	316
初 级 工	工时	126	184	272	452
合　　计	工时	252	368	543	903
合金钻头	个	5.9			
合 金 片	kg	0.4			
金刚石钻头	个		3.0	3.6	4.5
扩 孔 器	个		2.1	2.5	3.2
岩 芯 管	m	2.4	3.0	4.5	5.7
钻　　杆	m	2.2	2.6	3.9	4.9
钻杆接头	个	2.3	2.9	4.4	5.5
水	m^3	500	600	750	1000
其他材料费	%	16	15	13	11
地质钻机　150型	台时	72	105	155	258
其他机械费	%	5	5	5	5
编　　号		70001	70002	70003	70004

注：1.钻浆砌石，可按料石相同的岩石等级定额计算；

2.钻混凝土可按粗骨料相同的岩石等级计算；

3.本定额是按平均孔深30～50m拟定的。若平均孔深小于30m或大于50m，人工和钻机定额乘下列系数：

孔　深 (m)	≤30	30～50	50～70	70～90	>90
系　　数	0.94	1.00	1.07	1.17	1.31

4.终孔孔径大于91mm时，钻机改为300型。

5.钻试验孔，人工、钻机定额乘1.1系数；钻观测孔，人工、钻机定额乘1.25系数。

七－2 钻机钻岩石层灌浆孔——自上而下灌浆法

适用范围：露天作业，帷幕灌浆孔、固结灌浆孔。

工作内容：钻孔、钻灌交替、扫孔、孔位转移。

单位：100m

项目	单位	岩石级别			
		Ⅴ～Ⅷ	Ⅸ～Ⅹ	Ⅺ～Ⅻ	ⅩⅢ～ⅩⅣ
工长	工时	21	27	36	54
高级工	工时	43	54	72	108
中级工	工时	149	190	251	377
初级工	工时	214	272	359	539
合计	工时	427	543	718	1078
合金钻头	个	8.9			
合金片	kg	0.6			
金刚石钻头	个		4.0	4.6	5.5
扩孔器	个		2.8	3.2	3.9
岩芯管	m	3.6	4.2	5.7	6.9
钻杆	m	3.3	3.7	5.0	6.0
钻杆接头	个	3.5	4.1	5.6	6.7
水	m^3	700	800	950	1200
其他材料费	%	16	15	13	11
地质钻机 150型	台时	122	155	205	308
其他机械费	%	5	5	5	5
编号		70005	70006	70007	70008

注：1. 钻浆砌石，可按料石相同的岩石等级定额计算；

2. 钻混凝土可按粗骨料相同的岩石等级计算；

3. 本定额是按平均孔深30～50m拟定的。若平均孔深小于30m或大于50m，人工和钻机定额乘下列系数：

孔深（m）	≤30	30～50	50～70	70～90	>90
系数	0.94	1.00	1.07	1.17	1.31

4. 终孔孔径大于91mm时，钻机改为300型。

5. 钻检查孔及先导孔，人工、钻机定额乘以1.20系数。

七－3 风钻钻灌浆孔

适用范围：露天作业，孔深小于8m的固结灌浆孔、排水孔。

工作内容：孔位转移、接拉风管、钻孔。

单位：100m

项目	单位	岩石级别			
		Ⅴ～Ⅷ	Ⅸ～Ⅹ	Ⅺ～Ⅻ	XⅢ～XⅣ
工长	工时	2	3	5	7
高级工	工时				
中级工	工时	28	36	52	80
初级工	工时	51	67	96	141
合计	工时	81	106	153	228
合金钻头	个	2.20	2.59	3.22	4.10
空心钢	kg	1.08	1.39	2.01	3.33
水	m^3	7.00	9.00	14.00	22.00
其他材料费	%	14	13	11	9
风钻	台时	19.0	24.6	35.4	53.1
其他机械费	%	15	14	12	10
编号		70009	70010	70011	70012

注：1.钻垂直孔使用手持式风钻，钻水平孔、倒向孔使用气腿式风钻，台时费单价按工程量比例综合计算；

2.洞内作业，人工、机械乘1.15系数。

七－4　坝基岩石帷幕灌浆——自下而上灌浆法

适用范围：露天作业，一排帷幕，自下而上分段灌浆。

工作内容：洗孔、压水、制浆、灌浆、封孔、孔位转移。

单位：100m

项目	单位	透水率（Lu）							
		≤2	2～4	4～6	6～8	8～10	10～20	20～50	50～100
工长	工时	35	35	36	46	57	68	80	95
高级工	工时	56	57	58	73	91	108	127	151
中级工	工时	208	212	219	276	341	405	478	567
初级工	工时	396	404	416	524	648	771	908	1077
合计	工时	695	708	729	919	1137	1352	1593	1890
水泥	t	2.5	3.5	4.5	6.5	8.5	10.0	12.0	15.0
水	m^3	470	490	510	530	550	640	930	1410
其他材料费	%	15	15	14	14	13	13	12	12
灌浆泵　中压泥浆	台时	126.4	128.8	132.5	167.0	206.7	245.9	289.7	343.6
灰浆搅拌机	台时	126.4	128.8	132.5	167.0	206.7	245.9	289.7	343.6
地质钻机　150型	台时	12	12	12	12	12	12	12	12
胶轮车	台时	13.2	18.0	23.4	33.6	44.4	51.6	62.4	78.0
其他机械费	%	5	5	5	5	5	5	5	5
编号		70013	70014	70015	70016	70017	70018	70019	70020

注:1.钻探机作上下灌浆塞用;

2.二排、三排(指排数,不是指排序数)帷幕乘以下调整系数:

排数	人工、灌浆泵	水泥、胶轮车	水
二排	0.97	0.75	0.96
三排	0.94	0.53	0.92

3.对于重要的挡水建筑物的帷幕灌浆,应增加灌浆自动记录仪,其台时数量与灌浆泵台时数量之比例为:单孔记录仪为1:1,多路灌浆监测装置为0.2:1;

4.设计要求采用磨细水泥灌浆的,水泥品种应采用干磨磨细水泥。

七－5　坝基岩石帷幕灌浆——自上而下灌浆法

适用范围:露天作业,一排帷幕,自上而下分段灌浆。

工作内容:洗孔、压水、制浆、灌浆、扫孔、钻灌交替、封孔、孔位转移。

单位:100m

项目	单位	透水率(Lu)							
		≤2	2～4	4～6	6～8	8～10	10～20	20～50	50～100
工长	工时	35	35	36	46	57	68	80	95
高级工	工时	56	57	58	73	91	108	127	151
中级工	工时	340	344	351	408	473	537	610	699
初级工	工时	396	404	416	524	648	771	908	1077
合计	工时	827	840	861	1051	1269	1484	1725	2022
水泥	t	2.5	3.5	4.5	6.5	8.5	10.0	12.0	15.0
水	m^3	470	490	510	530	550	640	930	1410
其他材料费	%	15	15	14	14	13	13	12	12
灌浆泵　中压泥浆	台时	153.4	155.9	159.5	194.0	233.7	272.9	316.7	370.6
灰浆搅拌机	台时	153.4	155.9	159.5	194.0	233.7	272.9	316.7	370.6
地质钻机　150型	台时	16	16	16	16	16	16	16	16
胶轮车	台时	13.2	18.0	23.4	33.6	44.4	51.6	62.4	78.0
其他机械费	%	5	5	5	5	5	5	5	5
编号		70021	70022	70023	70024	70025	70026	70027	70028

注:1.钻探机作上下灌浆塞用;

2.二排、三排(指排数,不是指排序数)帷幕乘以下调整系数:

排　　数	人工、灌浆泵	水泥、胶轮车	水
二　　排	0.97	0.75	0.96
三　　排	0.94	0.53	0.92

3.对于重要的挡水建筑物的帷幕灌浆,应增加灌浆自动记录仪,其台时数量与灌浆泵台时数量之比例为:单孔记录仪为1:1,多路灌浆监测装置为0.2:1;

4.设计要求采用磨细水泥灌浆的,水泥品种应采用干磨磨细水泥。

七－6 孔口封闭灌浆

适用范围：自上而下孔口封闭循环灌浆，孔径75mm以内，孔深100m以内。

工作内容：灌浆前冲孔、简易压水试验、制浆、灌浆、封孔、孔位转移。

单位：100m

项目	单位	单位干料耗量（t/m）					
		0.01	0.05	0.1	0.5	1.0	5.0
工长	工时	34	43	52	56	66	126
高级工	工时	101	129	157	168	197	378
中级工	工时	202	258	314	336	393	756
初级工	工时	338	431	524	560	656	1259
合计	工时	675	861	1047	1120	1312	2519
水泥	t	1.10	5.35	10.5	52.5	105.0	525.0
水	m^3	104	111	116	150	231	938
钻杆	m	6.7	6.7	6.7	6.7	6.7	6.7
其他材料费	%	2	2	2	2	2	2
地质钻机 150型	台时	161	218	274	296	355	578
灌浆泵 高压泥浆	台时	131	160	188	199	228	387
灰浆搅拌机	台时	131	160	188	199	228	387
载重汽车 5t	台时	1	1	2	9	18	88
其他机械费	%	1	1	1	1	1	1
编号		70029	70030	70031	70032	70033	70034

七－7 基础固结灌浆

工作内容：冲洗、压水、制浆、灌浆、封孔、孔位转移。

单位：100m

项目	单位	透水率（Lu）						
		≤2	2～4	4～6	6～8	8～10	10～20	20～50
工长	工时	20	20	21	22	23	25	26
高级工	工时	32	32	34	35	37	40	42
中级工	工时	120	122	126	132	140	150	156
初级工	工时	228	231	239	251	265	285	296
合计	工时	400	405	420	440	465	500	520
水泥	t	2.1	3.0	3.8	5.5	7.2	8.5	10.2
水	m^3	406	453	490	535	588	640	930
其他材料费	%	15	15	14	14	13	13	12
灌浆泵 中压泥浆	台时	80	81	84	88	93	100	104
灰浆搅拌机	台时	80	81	84	88	93	100	104
胶轮车	台时	12	16	21	30	41	46	57
其他机械费	%	5	5	5	5	5	5	5
编号		70035	70036	70037	70038	70039	70040	70041

七－8 隧洞固结灌浆

工作内容：简易工作平台搭拆、洗孔、压水、制浆、灌浆、封孔、孔位转移。

单位：100m

项目	单位	透水率 (Lu)						
		≤2	2～4	4～6	6～8	8～10	10～20	20～50
工长	工时	16	17	18	19	20	21	22
高级工	工时	25	26	28	30	33	34	35
中级工	工时	96	100	104	112	122	127	133
初级工	工时	182	190	198	212	232	240	253
合计	工时	319	333	348	373	407	422	443
水泥	t	2.0	2.8	3.6	5.2	6.8	8.0	9.6
水	m^3	322	358	388	427	469	512	744
其他材料费	%	15	15	14	14	13	13	12
灌浆泵 中压泥浆	台时	60	62	64	66	70	75	79
灰浆搅拌机	台时	60	62	64	66	70	75	79
胶轮车	台时	30	42	48	65	84	96	115
其他机械费	%	5	5	5	5	5	5	5
编号		70042	70043	70044	70045	70046	70047	70048

注：1. 隧洞超前灌浆可采用本定额；

2. 隧洞高度不同时，人工、机械定额乘以下列系数：

隧洞高度 (m)	≤5	5～8	>8
系数	1.00	1.04	1.10

3. 调压井灌浆，人工、机械定额乘 0.9 系数。

七－9 回填灌浆

适用范围：高压管道回填灌浆适用于钢板与混凝土接触面回填灌浆。隧洞回填灌浆适用于混凝土与岩石接触面回填灌浆。

工作内容：隧洞回填灌浆：预埋灌浆管、简易平台搭拆、风钻通孔、制浆、灌浆、封孔、检查孔钻孔、压浆检查等。

高压管道回填灌浆：开孔、焊接灌浆管、制浆、灌浆、拆除灌浆管、质量检查等。

单位：$100m^2$

项目		单位	隧洞	高压管道
工长		工时	9	14
高级工		工时	12	19
中级工		工时	53	83
初级工		工时	101	160
合计		工时	175	276
水泥		t	2.2	1.1
水		m^3	40	25
灌浆管		m	14	5
电焊条		kg		1.3
钢板		kg		6.0
砂		m^3	1.5	
其他材料费		%	15	15
灌浆泵	中压砂浆	台时	35	
	中压泥浆	台时		46
灰浆搅拌机		台时	35	46
电焊机	25kVA	台时		4
手风钻		台时	4	
胶轮车		台时	26	13
载重汽车	5t	台时	0.6	0.6
其他机械费		%	10	10
编号			70049	70050

注：1．隧洞回填灌浆按顶拱120°角的拱背面积计算工程量；

2．高压管道回填灌浆按钢管外径面积计算工程量。

七－10　压水试验

适用范围:一个压力点法适用于固结灌浆检查孔压水试验,三压力五阶段法适用于帷幕灌浆检查孔压水试验。

工作内容:冲洗孔内岩粉、稳定水位、起下试验栓塞、观测压水试验、填写记录等。

单位:试段

项　　目	单位	一个压力点	三压力五阶段
工　　长	工时	2	3
高 级 工	工时	14	20
中 级 工	工时	13	23
初 级 工	工时		
合　　计	工时	29	46
水	m^3	50	50
其他材料费	%	15	15
灌 浆 泵　中压泥浆	台时	8.03	12.05
地 质 钻 机	台时	3.03	4.82
其他机械费	%	10	10
编　　号		70051	70052

注:1. 一个压力点法的工程量(试段数量)计算方法:每孔段数×固结灌浆孔数×5%,每孔段数=孔深÷5(取整数);

2. 三压力五阶段工程量(试段数量)计算方法:每孔段数×帷幕灌浆孔数×10%,每孔段数=孔深÷5(取整数)。

七－11　压浆检查

适用范围:隧洞及竖井回填灌浆检查孔。

工作内容:简易平台搭拆、制浆、灌浆、封孔等。

单位:100个孔

项　　目	单位	数　量
工　　长	工时	39
高 级 工	工时	195
中 级 工	工时	390
初 级 工	工时	156
合　　计	工时	780
水　　泥	t	0.97
水	m^3	50
其他材料费	%	15
灌 浆 泵　低压泥浆	台时	185
灰浆搅拌机	台时	185
其他机械费	%	10
编　　号		70053

七－12 钻机钻土坝(堤)灌浆孔

适用范围:露天作业,垂直孔,孔深50m以内。

工作内容:泥浆固壁钻进:固定孔位,准备,泥浆制备、运送、固壁,钻孔,记录,孔位转移。

套管固壁钻进:固定孔位,准备,钻孔,下套管,记录,拔套管,孔位转移。

单位:100m

项目	单位	泥浆固壁钻进	套管固壁钻进
工长	工时	23	35
高级工	工时	23	35
中级工	工时	33	49
初级工	工时	389	583
合计	工时	468	702
水	m^3	800	
粘土	t	17.00	
合金钻头	个	1.50	2.50
合金片	kg	0.20	0.40
岩芯管	m	1.50	8.00
钻杆	m	1.50	2.00
钻杆接头	个	1.40	1.90
其他材料费	%	14	13
地质钻机 150型	台时	50	75
灌浆泵 中压泥浆	台时	50	
泥浆搅拌机	台时	12	
其他机械费	%	5	5
编号		70054	70055

七－13　土坝(堤)劈裂灌浆

工作内容：检查钻孔、制浆、灌浆、劈裂观测、冒浆处理、记录、复灌、封孔、孔位转移。

(1)　灌粘土浆

单位：100m

项　　目	单位	单位孔深干料灌入量　(t/m)			
		0.5	1.0	1.5	2.0
工　　长	工时	43	55	79	111
高 级 工	工时	69	87	127	178
中 级 工	工时	261	328	475	668
初 级 工	工时	495	622	903	1269
合　　计	工时	868	1092	1584	2226
水	m^3	138.0	171.0	239.0	306.0
粘　　土	t	50.0	91.0	148.0	206.0
水 玻 璃	kg	300.0	450.0	750.0	1050.0
其他材料费	%	13	11	9	8
灌 浆 泵　中压泥浆	台时	32	47	78	110
泥浆搅拌机	台时	31	56	92	128
胶 轮 车	台时	49	96	142	176
其他机械费	%	5	5	5	5
编　　号		70056	70057	70058	70059

(2) 灌水泥粘土浆

单位:100m

项　　目	单位	单位孔深干料灌入量 (t/m)			
		0.5	1.0	1.5	2.0
工　　长	工时	43	55	79	111
高 级 工	工时	69	87	127	178
中 级 工	工时	261	328	475	668
初 级 工	工时	446	560	813	1142
合　　计	工时	819	1030	1494	2099
水	m^3	138.0	171.0	239.0	306.0
粘　　土	t	38.0	68.0	111.0	155.0
水　　泥	t	14.2	27.4	40.7	53.9
其他材料费	%	11	9	7	6
灌 浆 泵　中压泥浆	台时	32	47	78	110
泥浆搅拌机	台时	31	56	92	128
胶 轮 车	台时	117	225	334	443
其他机械费	%	5	5	5	5
编　　号		70060	70061	70062	70063

七－14 钻机钻(高压喷射)灌浆孔

适用范围:露天作业、垂直孔、孔深40m以内,孔径不小于130mm。

工作内容:固定孔位,准备、泥浆制备、运送,固壁,钻孔,记录,孔位转移。

单位:100m

项目	单位	地层类别		
		粘土、砂	砾石	卵石
工长	工时	25	28	36
高级工	工时	25	28	36
中级工	工时	35	40	50
初级工	工时	422	470	597
合计	工时	507	566	719
粘土	t	18	42	132
砂子	m^3			40
铁砂	kg			1080
铁砂钻头	个			13
合金钻头	个	2.0	4.0	
合金片	kg	0.5	2.0	
岩芯管	m	2.0	3.0	5.0
钻杆	m	2.5	3.0	6.0
钻杆接头	个	2.4	2.8	5.6
水	m^3	800	1200	1400
其他材料费	%	13	11	10
地质钻机 150型	台时	60	90	225
泥浆泵 HB80/10型	台时	60	90	225
泥浆搅拌机	台时	24	30	42
其他机械费	%	5	5	5
编号		70064	70065	70066

七－15　高压摆喷灌浆

适用范围：无水头情况下，三管法施工。

工作内容：高喷台车就位，安装孔口，安管路，喷射灌浆，管路冲洗，台车移开，回灌。

单位：100m

项目	单位	地层类别			
		粘土	砂	砾石	卵石
工长	工时	33	25	29	38
高级工	工时	53	40	47	59
中级工	工时	199	149	174	224
初级工	工时	378	284	331	425
合计	工时	663	498	581	746
水泥	t	30	35	40	50
粘土	t				17
砂子	m^3				10
水	m^3	600	700	750	950
水玻璃	t				1.25
锯材	m^3	0.15	0.15	0.15	0.15
喷射管	m^3	1.8	1.5	1.5	2.0
电焊条	kg	5.0	5.0	5.0	7.5
高压胶管	m	8.0	6.0	8.0	10.0
普通胶管	m	8.0	7.0	7.0	10.0
其他材料费	%	5	5	5	4

续表

项　　目	单位	地　层　类　别			
		粘　土	砂	砾　石	卵　石
高压水泵　75kW	台时	40	30	35	50
空　压　机　37kW	台时	40	30	35	50
搅　灌　机　WJG－80	台时	40	30	35	50
卷　扬　机　5t	台时	40	30	35	50
泥　浆　泵　HB80/10 型	台时	40	30	35	50
孔口装置	台时	40	30	35	50
高喷台车	台时	40	30	35	50
螺旋输送机　168×5	台时	40	30	35	50
电　焊　机　25kVA	台时	12	12	12	16
胶　轮　车	台时	336	392	420	504
其他机械费	%	3	3	3	2
编　　号		70067	70068	70069	70070

注：1. 有水头情况下喷灌，除按设计要求增加速凝剂外，人工及机械（不含电焊机）数量乘 1.05 系数；

2. 本定额按灌纯水泥浆（卵石及漂石地层浆液中加粘土、砂）制定，如设计采用其他浆液或掺合料（如粉煤灰），浆液材料应调整；

3. 高压定喷、旋喷定额可按高压摆喷定额分别乘 0.75、1.25 的系数；

4. 孔口装置即旋、定、摆、提升装置。

七－16 坝基砂砾石帷幕灌浆

适用范围：循环钻灌法。

工作内容：钻孔、制浆、灌浆、封孔、检查孔钻孔及灌浆、孔位转移。

单位：100m

项目	单位	干料耗量（t/m）					
		0.5	1.0	2.0	3.0	4.0	5.0
工长	工时	134	155	178	250	296	339
高级工	工时	806	930	1069	1499	1774	2034
中级工	工时	671	775	890	1250	1479	1695
初级工	工时	1074	1241	1425	1999	2366	2712
合计	工时	2685	3101	3562	4998	5915	6780
合金钻头	个	20.9	20.9	20.9	20.9	20.9	20.9
铁砂钻头	个	20.9	20.9	20.9	20.9	20.9	20.9
合金片	kg	0.57	0.57	0.57	0.57	0.57	0.57
铁砂	t	0.66	0.66	0.66	0.66	0.66	0.66
水泥	t	24.47	44.94	88.94	144.90	202.65	255.15
粘土	t	24.47	44.94	88.94	144.90	202.65	255.15
水	m^3	840	1050	1365	1575	1995	2310
其他材料费	%	10	10	9	9	8	8
地质钻机 300型	台时	532	595	644	879	1005	1125
灌浆泵 中压泥浆	台时	355	397	429	585	670	750
泥浆搅拌机	台时	355	397	429	585	670	750
灰浆搅拌机	台时	355	397	429	585	670	750
胶轮车	台时	200	225	245	335	390	490
其他机械费	%	2	2	2	2	2	2
编号		70071	70072	70073	70074	70075	70076

七－17　灌注孔口管

适用范围：砂砾石帷幕灌浆。

工作内容：制浆、下管、止浆环浇制、孔内注浆、待凝、打孔、记录等。

(1)　覆盖层

单位：孔

项　目	单位	孔口管长 (m)			
		5	10	20	40
工　长	工时	1	3	6	15
高级工	工时	3	6	11	29
中级工	工时	11	23	45	117
初级工	工时	12	26	51	131
合　计	工时	27	58	113	292
水　泥	t	0.08	0.10	0.15	0.20
水	m^3	26	36	50	70
合金钻头	个	0.36	0.72	1.44	2.88
合金片	kg	0.02	0.03	0.06	0.13
钢　管　Φ100	m	5.90	11.50	22.40	44.60
钻　杆	m	0.15	0.31	0.61	1.23
其他材料费	%	10	10	10	10
地质钻机　300型	台时	6.3	13.9	27.5	54.8
灌浆泵　中压泥浆	台时	1.0	1.5	1.8	3.2
灰浆搅拌机	台时	0.6	1.0	1.3	2.6
其他机械费	%	5	5	5	5
编　号		70077	70078	70079	70080

注：本节定额未包括孔口管段的钻孔及灌浆。

适用范围：岩石基础帷幕灌浆孔口封闭。

工作内容：配管、制浆、注浆、待凝、下孔口管、扫孔等。

(2) 岩石基础

单位：孔

项目	单位	孔口管长 (m)			
		5	10	20	40
工长	工时	1	1	2	4
高级工	工时	1	2	4	8
中级工	工时	5	9	16	30
初级工	工时	5	10	18	34
合计	工时	12	22	40	76
钢管 Φ75	m	5.4	10.8	21.6	43.2
合金钻头	个	0.36	0.72	1.44	2.88
水泥	t	0.2	0.2	0.3	0.3
水	m^3	20	30	50	90
其他材料费	%	15	15	15	15
地质钻机 150型	台时	2.4	4.7	9.1	18.0
灌浆泵 高压泥浆	台时	1.2	1.8	2.3	3.4
灰浆搅拌机	台时	1.0	1.5	2.0	3.0
其他机械费	%	5	5	5	5
编号		70081	70082	70083	70084

注：本节定额未包括孔口管段的钻孔及灌浆。

七－18 地下连续墙成槽——冲击钻机成槽法

适用范围：墙厚 0.8m，孔深 40m 以内，防渗墙、防冲墙、承重墙、支护墙等。

工作内容：制备泥浆、钻进、出渣、清孔换浆、记录。

单位：100 折算米

项目	单位	地层									
		粘土	砂壤土	粉细砂	中粗砂	砾石	卵石	漂石	岩石		混凝土
									<10 MPa	10～30 MPa	
工长	工时	69	60	150	128	122	143	166	149	317	90
高级工	工时	296	257	623	535	510	598	693	622	1323	376
中级工	工时	426	398	873	749	713	837	970	870	1852	526
初级工	工时	438	414	848	728	693	812	942	845	1798	512
合计	工时	1229	1129	2494	2140	2038	2390	2771	2486	5290	1504
锯材	m^3	0.8	0.8	0.8	0.8	0.8	0.8	0.8	0.8	0.8	0.8
钢材	kg	76	61	245	145	133	212	265	199	455	94
电焊条	kg	57	46	185	110	100	161	201	151	344	71
粘土	t	65	68	147	124	112	147	180	158	158	91
碱粉	kg	526	544	1179	998	907	1179	1451	1270	1270	726
水	m^3	480	480	1040	880	800	1040	1280	1120	1920	640
其他材料费	%	1	1	1	1	1	1	1	1	1	1

续表

项目	单位	地层									
		粘土	砂壤土	粉细砂	中粗砂	砾石	卵石	漂石	岩石		混凝土
									＜10 MPa	10～30 MPa	
冲击钻机 CZ－22	台时	143	125	284	218	200	270	315	300	686	141
泥浆搅拌机	台时	101	104	225	191	173	225	277	243	243	139
泥浆泵 3PN	台时	50	52	113	95	87	113	139	121	121	69
电焊机 25kVA	台时	72	58	209	137	125	181	227	188	431	89
空压机 $6m^3/min$	台时	19	19	19	19	19	19	19	19	19	19
自卸汽车 5t	台时	6	6	14	12	11	14	17	15	27	9
载重汽车 5t	台时	15	13	48	28	26	41	52	39	89	18
汽车起重机 16t	台时	13	13	13	13	13	13	13	13	13	13
其他机械费	%	4	3	4	4	4	5	4	4	4	4
编号		70085	70086	70087	70088	70089	70090	70091	70092	70093	70094

注：1. 折算米计算公式：折算米 $=\frac{LH}{d}$，式中，L——槽长(m)，H——平均槽深(m)，d——槽底厚度(m)；

2. 墙体连接如采用钻凿法，需增加钻凿混凝土工程量及费用，混凝土工程量的计算方法：

钻凿混凝土(m)$=(n-1)H$，式中，n 为墙段个数，H 为平均墙深(m)；

3. 不同墙厚时，人工、材料(不包括锯材)、机械(不包括空压机、汽车起重机)分别乘以下系数并调整冲击钻机机型：

墙厚	0.6	0.8	1.0	1.2	1.3	1.4
人工、冲击钻机	0.70	1.00	1.15	1.50	1.75	2.00
材料、其余机械	0.70	1.00	1.35	1.70	1.95	2.20
机型	CZ－22	CZ－22	CZ－30	CZ－30	CZ－30	CZ－30

4. 不同孔深时，人工、钢材、电焊条、冲击钻机、电焊机分别乘以系数：

孔深	≤40m	≤50m	≤60m	≤70m	≤80m
系数	1.00	1.10	1.20	1.35	1.50

5. 粒径 600～800mm 的漂石需套用相应定额增加钻爆处理费用；

6. 孤石或 30MPa 以上的坚硬岩石除套用本节定额外，还需按七－23 节定额增加钻爆处理费用。

七－19 地下连续墙成槽——冲击反循环钻机成槽法

适用范围：墙厚 0.8m，孔深 40m 以内，防渗墙、防冲墙、承重墙、支护墙等。

工作内容：制备泥浆、钻进、出渣、清孔换浆、泥浆回收、记录。

单位：100 折算米

项目	单位	地层							
		砂壤土	粉细砂	中粗砂	砾石	卵石	岩石		混凝土
							＜10 MPa	10～30 MPa	
工长	工时	46	89	60	78	100	79	159	60
高级工	工时	179	356	240	310	400	317	634	242
中级工	工时	203	386	259	336	433	343	687	262
初级工	工时	346	653	439	569	734	582	1162	444
合计	工时	774	1484	998	1293	1667	1321	2642	1008
锯材	m^3	0.7	0.7	0.7	0.7	0.7	0.7	0.7	0.7
钢材	kg	55	147	91	119	166	119	239	101
电焊条	kg	41	111	69	90	126	90	248	67
合金耐磨块	kg	18	49	30	40	56	40	80	34
膨润土	t	15	20	17	18	20	14	17	18
碱粉	kg	766	979	843	907	1010	702	833	849
外加剂 CMC	kg	77	98	84	91	101	70	83	89
水	m^3	440	720	560	640	720	560	840	560
其他材料费	%	1	1	1	1	1	1	1	1

续表

项目	单位	地层							
		砂壤土	粉细砂	中粗砂	砾石	卵石	岩石		混凝土
							<10 MPa	10～30 MPa	
冲击循环钻 CZF－1200	台时	100	192	136	160	216	180	360	130
泥浆净化机 JHB－200	台时	100	192	136	160	216	180	360	130
高速搅拌机 NJ－1500	台时	13	16	14	15	17	12	14	25
泥浆泵 3PN	台时	13	16	14	15	17	12	14	25
电焊机 25kVA	台时	47	168	105	100	145	137	271	71
自卸汽车 5t	台时	4	5	4	4	5	3	4	4
载重汽车 5t	台时	9	24	15	19	27	19	39	16
汽车起重机 16t	台时	13	13	13	13	13	13	13	13
其他机械费	%	4	4	4	4	4	4	4	4
编号		70095	70096	70097	70098	70099	70100	70101	70102

注:1. 折算米计算公式:折算米$=\frac{LH}{d}$,式中,L——槽长(m),H——平均槽深(m),d——槽底厚度(m);

2. 墙体连接如采用钻凿法,需增加钻凿混凝土工程量及费用,混凝土工程量的计算方法:

钻凿混凝土(m)$=(n-1)H$,式中,n——墙段个数,H——平均墙深(m);

3. 不同墙厚时，人工、材料(不包括锯材)、机械(不包括汽车起重机)分别乘以下系数并调整冲击反循环钻机机型：

墙　　厚	0.6	0.8	1.0	1.2	1.3	1.4
人工、冲击循环钻、泥浆净化机	0.70	1.00	1.35	1.50	1.75	2.00
材料及其余机械	0.70	1.00	1.35	1.70	1.95	2.20
机　　型	CZF－1200	CZF－1200	CZF－1200	CZF－1500	CZF－1500	CZF－1500

4. 不同孔深时，人工、钢材、电焊条、冲击反循环钻机、电焊机分别乘以系数：

孔　　深	≤40m	≤50m	≤60m	≤70m	≤80m
系　　数	1.00	1.10	1.20	1.35	1.50

5. 孤石或30MPa以上的坚硬岩石除套用本节定额外，还需按七－23节定额增加钻爆处理费用。

七－20 地下连续墙成槽——液压开槽机开槽法

适用范围：土质地基。

工作内容：导轨铺拆、导向槽安拆、开槽、清孔、制浆、换浆、出渣等。

(1) 孔深≤10m

单位：$100m^2$

项目	单位	墙厚（cm）							
		22				30			
		土质级别							
		Ⅰ	Ⅱ	Ⅲ	Ⅳ	Ⅰ	Ⅱ	Ⅲ	Ⅳ
工长	工时	17	18	19	21	18	18	20	22
高级工	工时	51	52	57	64	53	54	60	66
中级工	工时	95	105	115	129	96	109	119	132
初级工	工时	163	175	192	214	166	181	198	220
合计	工时	326	350	383	428	333	362	397	440
枕木	m^3	0.17	0.17	0.17	0.17	0.17	0.17	0.17	0.17
钢材	kg	59.5	59.5	50.5	50.5	59.5	59.5	50.5	50.5

续表

项目	单位	墙厚（cm）							
		22				30			
		土质级别							
		Ⅰ	Ⅱ	Ⅲ	Ⅳ	Ⅰ	Ⅱ	Ⅲ	Ⅳ
碱粉	kg	38	38	38	38	51	51	51	51
粘土	t	7.5	7.5	7.5	7.5	10.5	10.5	10.5	10.5
胶管	m	2	2	2	2	3	3	3	3
水	m^3	80	80	80	80	112	112	112	112
其他材料费	%	5	5	5	5	5	5	5	5
液压开槽机	台时	9.8	13.2	16.8	21.6	10.7	13.7	17.4	23.4
泥浆泵 3PN	台时	12.0	15.0	18.0	23.4	12.6	15.6	19.2	25.8
泥浆搅拌机	台时	12.0	15.0	18.0	23.4	12.6	15.6	19.2	25.8
其他机械费	%	5	5	5	5	5	5	5	5
编号		70103	70104	70105	70106	70107	70108	70109	70110

(2) 孔深≤15m

单位:100m²

项目	单位	墙厚(cm)							
		22				30			
		土质级别							
		Ⅰ	Ⅱ	Ⅲ	Ⅳ	Ⅰ	Ⅱ	Ⅲ	Ⅳ
工长	工时	14	15	16	18	15	15	17	19
高级工	工时	42	45	49	55	44	47	51	57
中级工	工时	84	89	98	110	80	93	101	114
初级工	工时	141	149	163	184	139	155	170	190
合计	工时	281	298	326	367	278	310	339	380
枕木	m^3	0.14	0.14	0.14	0.14	0.14	0.14	0.14	0.14
钢材	kg	45.4	45.4	39.4	39.4	45.4	45.4	39.4	39.4
碱粉	kg	38	38	38	38	51	51	51	51
粘土	t	7.5	7.5	7.5	7.5	10.5	10.5	10.5	10.5
胶管	m	2	2	2	2	3	3	3	3
水	m^3	80	80	80	80	112	112	112	112
其他材料费	%	5	5	5	5	5	5	5	5
液压开槽机	台时	9.5	12.6	16.2	21.0	10.8	13.8	17.4	22.8
泥浆泵 3PN	台时	10.8	14.4	18.0	23.4	11.4	15.6	19.2	24.6
泥浆搅拌机	台时	10.8	14.4	18.0	23.4	11.4	15.6	19.2	24.6
其他机械费	%	5	5	5	5	5	5	5	5
编号		70111	70112	70113	70114	70115	70116	70117	70118

(3) 孔深≤20m

单位：$100m^2$

项目	单位	墙厚（cm）							
		22				30			
		土质级别							
		Ⅰ	Ⅱ	Ⅲ	Ⅳ	Ⅰ	Ⅱ	Ⅲ	Ⅳ
工长	工时	11	12	13	15	11	13	14	16
高级工	工时	32	36	39	45	34	38	43	48
中级工	工时	64	71	79	90	61	68	76	90
初级工	工时	106	119	131	149	106	119	133	155
合计	工时	213	238	262	299	212	238	266	309
枕木	m^3	0.10	0.10	0.10	0.10	0.10	0.10	0.10	0.10
钢材	kg	30.9	30.9	26.9	26.9	30.9	30.9	26.9	26.9
碱粉	kg	38	38	38	38	51	51	51	51
粘土	t	7.5	7.5	7.5	7.5	10.5	10.5	10.5	10.5
胶管	m	2	2	2	2	3	3	3	3
水	m^3	80	80	80	80	112	112	112	112
其他材料费	%	5	5	5	5	5	5	5	5
液压开槽机	台时	9.0	12.6	15.6	21.6	9.6	13.8	17.4	22.2
泥浆泵 3PN	台时	10.2	13.8	17.4	23.4	10.8	15.0	19.2	24.0
泥浆搅拌机	台时	10.2	13.8	17.4	23.4	10.8	15.0	19.2	24.0
其他机械费	%	5	5	5	5	5	5	5	5
编号		70119	70120	70121	70122	70123	70124	70125	70126

(4) 孔深≤30m

单位:100m²

项目	单位	墙厚(cm)							
		22				30			
		土质级别							
		Ⅰ	Ⅱ	Ⅲ	Ⅳ	Ⅰ	Ⅱ	Ⅲ	Ⅳ
工长	工时	9	10	11	13	10	11	13	15
高级工	工时	26	30	33	39	30	33	38	44
中级工	工时	52	60	71	78	52	61	67	79
初级工	工时	87	99	116	130	92	106	118	138
合计	工时	174	199	231	260	184	211	236	276
枕木	m^3	0.07	0.07	0.07	0.07	0.07	0.07	0.07	0.07
钢材	kg	24.2	24.2	20.2	20.2	24.2	24.2	20.2	20.2
碱粉	kg	38	38	38	38	51	51	51	51
粘土	t	7.5	7.5	7.5	7.5	10.5	10.5	10.5	10.5
胶管	m	2	2	2	2	3	3	3	3
水	m^3	80	80	80	80	112	112	112	112
其他材料费	%	5	5	5	5	5	5	5	5
液压开槽机	台时	11.5	15.4	19.3	24.3	12.5	16.5	20.0	25.6
泥浆泵 3PN	台时	12.7	16.9	21.2	26.8	13.7	18.2	22.0	28.2
泥浆搅拌机	台时	12.7	16.9	21.2	26.8	13.7	18.2	22.0	28.2
其他机械费	%	8	8	8	8	8	8	8	8
编号		70127	70128	70129	70130	70131	70132	70133	70134

（5） 孔深≤40m

单位：100m²

项目	单位	墙厚（cm）							
		22				30			
		土质级别							
		Ⅰ	Ⅱ	Ⅲ	Ⅳ	Ⅰ	Ⅱ	Ⅲ	Ⅳ
工长	工时	8	8	10	12	9	10	12	14
高级工	工时	23	25	31	34	27	29	37	40
中级工	工时	46	59	61	76	44	58	61	74
初级工	工时	77	94	103	122	80	96	110	127
合计	工时	154	186	205	244	160	193	220	255
枕木	m^3	0.05	0.05	0.05	0.05	0.05	0.05	0.05	0.05
钢材	kg	17.4	17.4	14.4	14.4	17.4	17.4	14.4	14.4
碱粉	kg	38	38	38	38	51	51	51	51
粘土	t	7.5	7.5	7.5	7.5	10.5	10.5	10.5	10.5
胶管	m	2	2	2	2	3	3	3	3
水	m^3	80	80	80	80	112	112	112	112
其他材料费	%	5	5	5	5	5	5	5	5
液压开槽机	台时	13.0	17.7	21.7	26.0	13.9	18.5	22.9	27.8
泥浆泵 3PN	台时	14.3	19.5	23.8	28.6	15.3	20.4	25.2	30.6
泥浆搅拌机	台时	14.3	19.5	23.8	28.6	15.3	20.4	25.2	30.6
其他机械费	%	10	10	10	10	10	10	10	10
编号		70135	70136	70137	70138	70139	70140	70141	70142

七－21 地下连续墙成槽——射水成槽机成槽法

适用范围：土质地基。

工作内容：导轨铺拆、护筒埋设、制浆、射水成槽、导向管安拆、孔位转移、清渣等。

（1） 孔深≤10m

单位：$100m^2$

项目	单位	墙厚（cm）											
		22				35				42			
		土质级别											
		Ⅰ	Ⅱ	Ⅲ	Ⅳ	Ⅰ	Ⅱ	Ⅲ	Ⅳ	Ⅰ	Ⅱ	Ⅲ	Ⅳ
工长	工时	19	21	23	27	20	22	24	29	20	22	26	32
高级工	工时	58	63	71	81	60	66	74	87	63	69	79	99
中级工	工时	117	127	141	162	121	132	148	175	125	137	159	197
初级工	工时	195	212	236	270	202	220	247	291	208	228	264	329
合计	工时	389	423	471	540	403	440	493	582	416	456	528	657
钢材	kg	15.5	15.5	15.5	15.5	15.5	15.5	15.5	15.5	15.5	15.5	15.5	15.5
枕木	m^3	0.20	0.20	0.20	0.20	0.20	0.20	0.20	0.20	0.20	0.20	0.20	0.20
钢护筒	kg	39	39	39	39	41	41	41	41	42	42	42	42
粘土	t	7.4	7.4	7.4	7.4	11.8	11.8	11.8	11.8	14.2	14.2	14.2	14.2
碱粉	kg	37	37	37	37	59	59	59	59	71	71	71	71

续表

项目	单位	墙厚（cm）											
		22				35				42			
		土质级别											
		Ⅰ	Ⅱ	Ⅲ	Ⅳ	Ⅰ	Ⅱ	Ⅲ	Ⅳ	Ⅰ	Ⅱ	Ⅲ	Ⅳ
水	m^3	80	80	80	80	128	128	128	128	154	154	154	154
其他材料费	%	5	5	5	5	5	5	5	5	5	5	5	5
射水成槽机	台时	6.6	10.3	15.4	23.1	7.8	12.0	17.4	27.4	8.8	13.2	21.1	35.2
泥浆搅拌机	台时	7.8	12.0	18.0	27.0	8.4	13.2	19.2	30.0	9.0	13.8	23.2	38.8
泥浆泵 3PN	台时	7.8	12.0	18.0	27.0	8.4	13.2	19.2	30.0	9.0	13.8	23.2	38.8
其他机械费	%	5	5	5	5	5	5	5	5	5	5	5	5
编号		70143	70144	70145	70146	70147	70148	70149	70150	70151	70152	70153	70154

（2） 孔深≤15m

单位：100m²

项目	单位	墙厚（cm）											
		22				35				42			
		土质级别											
		Ⅰ	Ⅱ	Ⅲ	Ⅳ	Ⅰ	Ⅱ	Ⅲ	Ⅳ	Ⅰ	Ⅱ	Ⅲ	Ⅳ
工长	工时	16	18	21	25	17	19	22	27	17	20	24	31
高级工	工时	50	56	63	76	52	58	67	83	54	60	72	94
中级工	工时	100	111	127	151	104	117	135	165	108	121	145	187
初级工	工时	166	185	212	252	173	194	224	275	179	202	241	312
合计	工时	332	370	423	504	346	388	448	550	358	403	482	624
钢材	kg	12.4	12.4	12.4	12.4	12.4	12.4	12.4	12.4	12.4	12.4	12.4	12.4
枕木	m³	0.16	0.16	0.16	0.16	0.16	0.16	0.16	0.16	0.16	0.16	0.16	0.16
钢护筒	kg	31	31	31	31	33	33	33	33	34	34	34	34
粘土	t	7.4	7.4	7.4	7.4	11.8	11.8	11.8	11.8	14.2	14.2	14.2	14.2
碱粉	kg	37	37	37	37	59	59	59	59	71	71	71	71
水	m³	80	80	80	80	128	128	128	128	154	154	154	154
其他材料费	%	5	5	5	5	5	5	5	5	5	5	5	5
射水成槽机	台时	7.6	11.7	17.6	26.4	8.6	13.3	20.0	31.1	9.8	14.6	23.5	39.1
泥浆搅拌机	台时	8.3	12.9	19.3	29.0	9.5	14.6	22.0	34.2	10.7	16.1	25.8	43.0
泥浆泵 3PN	台时	8.3	12.9	19.3	29.0	9.5	14.6	22.0	34.2	10.7	16.1	25.8	43.0
其他机械费	%	5	5	5	5	5	5	5	5	5	5	5	5
编号		70155	70156	70157	70158	70159	70160	70161	70162	70163	70164	70165	70166

（3） 孔深≤20m

单位：$100m^2$

项目	单位	墙厚（cm） 22 土质级别 Ⅰ	Ⅱ	Ⅲ	Ⅳ	35 Ⅰ	Ⅱ	Ⅲ	Ⅳ	42 Ⅰ	Ⅱ	Ⅲ	Ⅳ
工长	工时	13	15	18	23	13	16	19	25	14	17	21	29
高级工	工时	40	46	55	68	42	49	60	77	44	51	65	89
中级工	工时	79	92	110	137	84	99	119	154	87	103	130	177
初级工	工时	132	154	183	228	140	164	198	256	146	171	216	296
合计	工时	264	307	366	456	279	328	396	512	291	342	432	591
钢材	kg	8.9	8.9	8.9	8.9	8.9	8.9	8.9	8.9	8.9	8.9	8.9	8.9
枕木	m^3	0.12	0.12	0.12	0.12	0.12	0.12	0.12	0.12	0.12	0.12	0.12	0.12
钢护筒	kg	22	22	22	22	23	23	23	23	24	24	24	24
粘土	t	7.4	7.4	7.4	7.4	11.8	11.8	11.8	11.8	14.2	14.2	14.2	14.2
碱粉	kg	37	37	37	37	59	59	59	59	71	71	71	71
水	m^3	80	80	80	80	128	128	128	128	154	154	154	154
其他材料费	%	5	5	5	5	5	5	5	5	5	5	5	5
射水成槽机	台时	8.4	13.0	19.6	29.3	9.8	15.2	22.7	35.4	11.0	16.5	26.4	44.0
泥浆搅拌机	台时	9.2	14.3	21.5	32.3	10.7	16.7	25.0	38.9	12.1	18.2	29.0	48.4
泥浆泵 3PN	台时	9.2	14.3	21.5	32.3	10.7	16.7	25.0	38.9	12.1	18.2	29.0	48.4
其他机械费	%	5	5	5	5	5	5	5	5	5	5	5	5
编号		70167	70168	70169	70170	70171	70172	70173	70174	70175	70176	70177	70178

七－22 混凝土防渗墙浇筑

适用范围:混凝土防渗墙槽孔混凝土浇筑。

工作内容:搭拆浇筑平台、装拆导管、浇筑、墙顶混凝土凿除等。

单位:$100m^3$

项目	单位	数量
工长	工时	15
高级工	工时	59
中级工	工时	212
初级工	工时	295
合计	工时	581
水下混凝土	m^3	103
钢导管	kg	10
橡皮板	kg	20
锯材	m^3	0.62
其他材料费	%	3
搅拌机 $0.4m^3$	台时	18.5
胶轮车	台时	85.5
汽车起重机 8t	台时	15
载重汽车 5t	台时	0.5
其他机械费	%	2
混凝土运输	m^3	103
编号		70179

注:本节定额未包括施工附加量及超填量。计算施工附加量时接头系数 K_1、墙顶系数 K_2 及因扩孔增加的超填系数 K_3 如下:

(1)接头系数 K_1

液压开槽机及射水成槽机造孔，$K_1=1.00$

冲击钻造孔：

采用钻凿(铣削)法 $K_1=1+\frac{D}{L_1-D}$

采用接头管(套接)法 $K_1=1+\frac{\pi D}{4L_1}$

(2)墙顶系数 K_2

$$K_2=1+\frac{0.5}{H}$$

式中：D——墙厚(m)；

L_1——槽孔长度；

H——墙深；

L——防渗墙长。

(3)扩孔系数 K_3

液压开槽机及射水成槽机造孔，$K_3=1.05\sim1.10$。

冲击钻造孔：漂石、卵石地层采用1.20，砂、砾石地层采用1.15，其他地层采用1.10。

(4)综合系数 K

$$K=K_1\times K_2\times K_3$$

七－23 预裂爆破

适用范围：地下连续墙漂石、孤石及坚硬岩石地层。

工作内容：爆破筒（或聚能药包）制作、安放、爆破。

单位：$100m^2$

项目	单位	爆破方法	
		钻孔孔内爆破	聚能爆破
工长	工时	94	214
高级工	工时	160	800
中级工	工时	160	800
初级工	工时	94	214
合计	工时	508	2028
毫秒雷管	个	160	352
乳化炸药	kg	240	880
无缝钢管	kg	45	
钢板	kg	24	
铁皮	kg		678
电焊条	kg	24	96
其他材料费	%	8	3
电焊机 25kVA	台时	40	160
钢筋切断机 10kW	台时	8	
其他机械费	%	2	2
编号		70180	70181

注：1. 钻孔内爆破定额子目未包括钻孔；

2. 钻孔工程量(m)＝预裂面积(m^2)÷孔距，孔距可采用1.2m。

七－24　振冲碎石桩

适用范围:软基处理。

工作内容:准备、造孔、填料、冲孔等。

(1)　孔深≤8m

单位:100m

项　　目	单位	地　　层				
		粉细砂	中粗砂	砂壤土	淤　泥	粘　土
工　　长	工时	5	6	7	8	11
高 级 工	工时	8	8	10	13	15
中 级 工	工时	43	47	54	67	86
初 级 工	工时	46	50	58	71	104
合　　计	工时	102	111	129	159	216
卵(碎)石	m^3	96	94	92	96	90
其他材料费	%	5	5	5	5	5
汽车起重机　16t	台时	12.8	13.9	16.0	19.5	25.4
振 冲 器　ZCQ－30	台时	10.0	11.1	13.2	16.7	26.8
离心水泵　14kW	台时	10.0	11.1	13.2	16.7	26.8
污 水 泵　4kW	台时	10.0	11.1	13.2	16.7	26.8
装 载 机　$1m^3$	台时	10.0	11.1	13.2	16.7	26.8
其他机械费	%	5	5	5	5	5
编　　号		70182	70183	70184	70185	70186

(2) 孔深≤20m

单位:100m

项目	单位	地层				
		粉细砂	中粗砂	砂壤土	淤　泥	粘　土
工　　长	工时	6	6	7	9	12
高　级　工	工时	9	10	11	14	19
中　级　工	工时	47	51	60	73	100
初　级　工	工时	50	55	64	79	107
合　　计	工时	112	122	142	175	238
卵（碎）石	m^3	126	123	120	126	114
其他材料费	%	5	5	5	5	5
汽车起重机　25t	台时	12.8	13.9	16.0	19.5	25.4
振　冲　器　ZCQ－75	台时	10.0	11.1	13.2	16.7	26.8
离心水泵　22kW	台时	10.0	11.1	13.2	16.7	26.8
污　水　泵　7.5kW	台时	10.0	11.1	13.2	16.7	26.8
装　载　机　$1m^3$	台时	10.0	11.1	13.2	16.7	26.8
其他机械费	%	5	5	5	5	5
编　　号		70187	70188	70189	70190	70191

七－25 振冲水泥碎石桩

适用范围：砂砾石层。

工作内容：吊车移动、就位、桩孔定位，现场清理，安装振冲器，接换振冲头，造孔，拌料，填料，冲孔，填写记录。

单位：100m

项目	单位	孔深（m）	
		≤8	≤20
工长	工时	17	20
高级工	工时	23	27
中级工	工时	27	31
初级工	工时	270	310
合计	工时	337	388
碎石 5～50mm	m^3	110	110
水泥	t	21	21
其他材料费	%	4	4
汽车起重机 16t	台时	16	18
振冲器 ZCQ－75	台时	15	17
离心水泵 14kW	台时	15	17
污水泵 4kW	台时	15	17
装载机 $1m^3$	台时	15	17
灌浆泵 低压泥浆	台时	15	17
搅拌机 $0.4m^3$	台时	15	17
潜水泵 2.2kW	台时	15	17
其他机械费	%	5	5
编号		70192	70193

七－26 冲击钻造灌注桩孔

适用范围:冲击钻机造孔、桩深60m以内,桩径0.8m。

工作内容:井口护筒埋设、钻机安装、转移孔位、造孔、出渣、制作固壁泥浆、清孔。

单位:100m

项目	单位	地层						
		粘土	砂壤土	粉细砂	砾石	卵石	漂石	岩石
工长	工时	68	65	146	106	149	162	193
高级工	工时	270	260	584	425	597	650	771
中级工	工时	744	713	1606	1169	1644	1786	2119
初级工	工时	270	260	584	425	597	650	770
合计	工时	1352	1298	2920	2125	2987	3248	3853
锯材	m^3	0.2	0.2	0.2	0.2	0.2	0.2	0.2
钢材	kg	84	70	270	160	265	437	308
钢板 4mm	m^2	1.3	1.3	1.3	1.3	1.3	1.3	1.3
铁丝	kg	5.5	5.5	5.5	5.5	5.5	5.5	5.5
粘土	t	80	108	108	108	108	108	108
碱粉	kg	334	450	450	450	450	450	450
电焊条	kg	63	53	204	120	201	332	234
水	m^3	1050	1050	1050	1050	1050	1050	1050
其他材料费	%	3	3	2	2	2	2	2

续表

项目	单位	地层						
		粘土	砂壤土	粉细砂	砾石	卵石	漂石	岩石
冲击钻机 CZ-22型	台时	167	154	365	256	360	406	496
电焊机 30kVA	台时	84	77	244	160	240	290	310
泥浆泵 3PN	台时	53	70	70	70	70	70	70
泥浆搅拌机	台时	105	140	140	140	140	140	140
汽车起重机 25t	台时	8	8	8	8	8	8	8
自卸汽车 5t	台时	26	26	26	26	26	26	26
载重汽车 5t	台时	17	15	53	31	51	86	60
其他机械费	%	3	3	2	2	2	2	2
编号		70194	70195	70196	70197	70198	70199	70200

注:1. 不同桩径,人工、电焊条、钢材、钢板、冲击钻机、电焊机、自卸汽车乘以下系数:

桩径(m)	0.6	0.6~0.7	0.7~0.8	0.8~0.9	0.9~1.0	1.0~1.1	1.1~1.2	1.2~1.3
系数	0.8	0.9	1.0	1.27	1.43	1.59	1.76	1.93

2. 孔深小于40m时,人工、机械乘0.9系数;

3. 本节岩石系指抗压强度<10MPa的岩石。

七－27 灌注混凝土桩

适用范围：泥浆固壁、机械造孔的灌注桩。

工作内容：钢筋制作、焊接绑扎、吊装入孔，安拆导管及漏斗，混凝土配料、拌和、运输、灌注、凿除混凝土桩头。

项目	单位	混凝土 (100m³)	钢筋 (t)
工长	工时	37	8
高级工	工时	112	23
中级工	工时	127	26
初级工	工时	469	98
合计	工时	745	155
水下混凝土	m³	103	
圆钢筋	t		1.03
电焊条	kg		8.0
其他材料费	%	2	1
搅拌机 0.4m³	台时	18.5	
卷扬机 5t	台时	30	
电焊机 25kVA	台时		9.0
钢筋调直机 14kW	台时		0.7
钢筋弯曲机 Φ40mm	台时		1.2
钢筋切断机 20kW	台时		0.5
汽车起重机 20t	台时		2.4
载重汽车 5t	台时	2.4	0.2
胶轮车	台时	85.5	
其他机械费	%	3	8
混凝土运输	m³	103	
编号		70201	70202

注：本节混凝土用量未包括施工附加量及超填量。

七－28 坝体接缝灌浆

适用范围:混凝土坝体。

工作内容:管道安装,开灌浆孔,装灌浆盒、通水检查、冲洗、压水试验、制浆、灌浆、平衡通水及防堵通水。

单位:100m^2

项目	单位	预埋铁管法	塑料拔管法
工长	工时	6	5
高级工	工时	30	23
中级工	工时	50	42
初级工	工时	26	22
合计	工时	112	92
黑铁管 Φ25mm	m	147	10
灌浆盒	个	21	
塑料管 Φ23mm	m		7
管件	个	58	6
水泥	t	1	1
水	m^3	200	200
其他材料费	%	15	20
灌浆泵 中压泥浆	台时	1.5	1.5
灰浆搅拌机	台时	1.5	1.5
离心水泵 30kW	台时	9.8	9.8
胶轮车	台时	20.4	17.5
载重汽车 5t	台时	0.60	0.60
其他机械费	%	5	5
编号		70203	70204

七－29　预埋骨料灌浆

适用范围：混凝土衬砌。

工作内容：预埋骨料及灌浆管、风钻通孔、制浆、灌浆、封孔。

单位：$100m^3$

项　　　目	单位	数　　量
工　　长	工时	42
高 级 工	工时	92
中 级 工	工时	69
初 级 工	工时	1197
合　　计	工时	1400
水　　泥	t	40.8
砂　　子	m^3	12.6
水	m^3	20
灌 浆 管	m	34
卵（碎）石	m^3	110
其他材料费	%	2
灌 浆 泵　中压砂浆	台时	50
灰浆搅拌机	台时	50
自卸汽车　5t	台时	20
其他机械费	%	10
编　　号		70205

七－30 垂线孔钻孔及工作管制作安装

适用范围：露天作业，孔深40m以内。

工作内容：机台搭拆、钻孔、工作管加工与安装、孔位转移、记录等。

单位：100m

项目	单位	岩石级别		
		Ⅶ～Ⅷ	Ⅸ～Ⅹ	Ⅺ～Ⅻ
工长	工时	480	531	586
高级工	工时	2764	3052	3372
中级工	工时	1454	1607	1775
初级工	工时	1494	1651	1824
合计	工时	6192	6841	7557
铁砂钻头 Φ275	个		2.88	3.29
金刚石钻头 Φ219	个		8.98	11.09
金刚石钻头 Φ168	个		0.83	1.03
扩孔器 Φ219	个		4.00	5.00
扩孔器 Φ168	个		0.37	0.46
合金钻头 Φ275	个	6.16		
合金钻头 Φ219	个	26.00		
合金钻头 Φ168	个	11.44		
合金钻头 复式Φ168	个	4.32		
合金钻头 复式Φ219	个	2.88		
合金片	kg	5.16		
铁砂	t		0.41	0.47

续表

项目	单位	岩石级别		
		Ⅶ～Ⅷ	Ⅸ～Ⅹ	Ⅺ～Ⅻ
岩芯管 Φ273	m	1.12	1.04	1.17
岩芯管 Φ219	m	7.60	4.64	5.24
岩芯管 Φ168	m	2.24	6.72	7.59
工作管 Φ130～168	m	110	110	110
导向管 Φ273	m	16	16	16
锯材	m^3	2.12	2.12	2.12
水	m^3	3600	3800	4050
其他材料费	%	5	5	5
地质钻机 500型	台时	1091	1247	1425
灌浆泵 中压泥浆	台时	11	12	14
灰浆搅拌机	台时	11	12	14
其他机械费	%	3	3	3
编号		70206	70207	70208

注:1.孔深超过40m,人工、机械乘下表调整系数:

孔深 (m)	40m以内	60m以内	80m以内
调整系数	1.00	1.20	1.40

2.洞内作业,人工、机械乘1.2系数。

七－31 减压井

适用范围:砂砾石层。

工作内容:井口护筒埋设、制浆、钻孔、清渣、下管、填料、冲洗、分段洗井、水位观测、一个点的抽水鉴定、孔位转移等。

单位:100m

项目		单位	地层					
			粘土	砂壤土	粉细砂	中粗砂	砾石	卵石
工长		工时	144	128	173	168	168	213
高级工		工时	488	437	589	571	572	725
中级工		工时	1609	1438	1942	1880	1883	2388
初级工		工时	632	565	763	738	740	938
合计		工时	2873	2568	3467	3357	3363	4264
锯材		m^3	2.20	2.20	2.20	2.20	2.20	2.20
反滤料		m^3	40.40	40.40	40.40	40.40	40.40	40.40
水		m^3	1019	1019	1019	1019	1019	1019
钢材		kg	69	56	124	118	146	146
碱粉		kg	300	300	300	300	300	300
钢管		m	105	105	105	105	105	105
粘土		t	70	70	70	70	70	70
其他材料费		%	10	10	10	10	10	10
冲击钻机	CZ－22型	台时	154	117	239	222	226	332
灌浆泵	中压泥浆	台时	46	46	46	46	46	46
泥浆搅拌机		台时	93	93	93	93	93	93
空压机	$6m^3/min$	台时	360	360	360	360	360	360
离心水泵	22kW	台时	360	360	360	360	360	360
卷扬机	3t	台时	360	360	360	360	360	360
其他机械费		%	5	5	5	5	5	5
编号			70209	70210	70211	70212	70213	70214

七－32 水位观测孔工程

适用范围：岩石基础、二根测管、三个观测段。

工作内容：配管、下管、加反滤料、洗孔、分段及管口封塞等。

单位：孔

项　　目	单位	孔深（m）			
		50	75	100	150
工　　长	工时	7.6	10.6	13.7	20.5
高 级 工	工时	22.8	31.9	41.0	61.5
中 级 工	工时	45.6	63.8	82.0	123.1
初 级 工	工时	76.0	106.3	136.8	205.1
合　　计	工时	152.0	212.6	273.5	410.2
镀锌钢管 Φ70	m	87	130	173	260
砾　　石	m^3	1.18	1.76	2.35	3.53
水泥砂浆 M7.5	m^3	0.44	0.65	0.96	1.31
土 工 布	m^2	4.5	6.8	9.0	13.5
沥　　青	kg	50	50	50	50
水	m^3	652	687	728	794
其他材料费	%	5	5	5	5
地质钻机 150型	台时	15	21	27	41
空压机 $6m^3/min$	台时	11.0	14.7	18.4	23.9
离心水泵	台时	11.0	14.7	18.4	23.9
其他机械费	%	5	5	5	5
编　　号		70215	70216	70217	70218

注：本节未包括钻孔(孔径219mm)，钻孔请选用七－1节定额，钻机用于下管。

七－33 地面砂浆锚杆——风钻钻孔

适用范围：露天作业。

工作内容：钻孔、锚杆制作、安装、制浆、注浆、锚定等。

（1） 锚杆长度 2m

单位：100 根

项目	单位	岩石级别			
		Ⅴ～Ⅷ	Ⅸ～Ⅹ	Ⅺ～Ⅻ	ⅩⅢ～ⅩⅣ
工长	工时	6	7	8	10
高级工	工时				
中级工	工时	41	48	57	72
初级工	工时	71	81	97	122
合计	工时	118	136	162	204
合金钻头	个	4.0	5.2	6.4	8.0
钢筋 Φ18	kg	441	441	441	441
Φ20	kg	544	544	544	544
Φ22	kg	658	658	658	658
锚杆附件	kg	144	144	144	144
水泥砂浆	m^3	0.23	0.23	0.23	0.23
其他材料费	%	3	3	3	3
风钻	台时	15.7	21.6	29.8	43.2
其他机械费	%	8	7	6	5
编号		70219	70220	70221	70222

(2) 锚杆长度3m

单位:100根

项目	单位	岩石级别			
		Ⅴ～Ⅷ	Ⅸ～Ⅹ	Ⅺ～Ⅻ	ⅩⅢ～ⅩⅣ
工长	工时	9	10	12	16
高级工	工时				
中级工	工时	59	70	85	110
初级工	工时	102	121	147	189
合计	工时	170	201	244	315
合金钻头	个	6.0	7.8	9.7	11.9
钢筋 Φ18	kg	650	650	650	650
Φ20	kg	803	803	803	803
Φ22	kg	971	971	971	971
Φ25	kg	1254	1254	1254	1254
锚杆附件	kg	144	144	144	144
水泥砂浆	m^3	0.34	0.34	0.34	0.34
其他材料费	%	3	3	3	3
风钻	台时	25.8	35.7	49.4	72.1
其他机械费	%	8	7	6	5
编号		70223	70224	70225	70226

(3) 锚杆长度4m

单位:100根

项目		单位	岩石级别			
			Ⅴ～Ⅷ	Ⅸ～Ⅹ	Ⅺ～Ⅻ	ⅩⅢ～ⅩⅣ
工长		工时	12	15	18	23
高级工		工时				
中级工		工时	86	103	126	165
初级工		工时	148	176	217	283
合计		工时	246	294	361	471
合金钻头		个	8.1	10.4	12.9	15.9
钢筋	Φ20	kg	1062	1062	1062	1062
	Φ22	kg	1285	1285	1285	1285
	Φ25	kg	1659	1659	1659	1659
	Φ28	kg	2081	2081	2081	2081
	Φ30	kg	2389	2389	2389	2389
锚杆附件		kg	144	144	144	144
水泥砂浆		m^3	0.45	0.45	0.45	0.45
其他材料费		%	3	3	3	3
风钻		台时	38.8	54.2	75.6	110.9
其他机械费		%	8	7	6	5
编号			70227	70228	70229	70230

(4) 锚杆长度5m

单位:100根

项目		单位	岩石级别			
			Ⅴ～Ⅷ	Ⅸ～Ⅹ	Ⅺ～Ⅻ	ⅩⅢ～ⅩⅣ
工长		工时	16	20	25	33
高级工		工时				
中级工		工时	113	138	174	233
初级工		工时	193	237	298	398
合计		工时	322	395	497	664
合金钻头		个	10.1	13.1	16.1	19.9
钢筋	Φ20	kg	1321	1321	1321	1321
	Φ22	kg	1598	1598	1598	1598
	Φ25	kg	2063	2063	2063	2063
	Φ28	kg	2589	2589	2589	2589
	Φ30	kg	2972	2972	2972	2972
锚杆附件		kg	144	144	144	144
水泥砂浆		m^3	0.57	0.57	0.57	0.57
其他材料费		%	3	3	3	3
风钻		台时	56.8	80.2	112.7	166.2
其他机械费		%	8	7	6	5
编号			70231	70232	70233	70234

七－34　地面药卷锚杆——风钻钻孔

适用范围：露天作业。

工作内容：钻孔、锚杆制作、安装、锚定等。

（1）　锚杆长度2m

单位：100根

项　　目	单位	岩石级别			
		Ⅴ～Ⅷ	Ⅸ～Ⅹ	Ⅺ～Ⅻ	ⅩⅢ～ⅩⅣ
工　　长	工时	5	6	8	10
高 级 工	工时				
中 级 工	工时	38	44	53	68
初 级 工	工时	65	76	91	116
合　　计	工时	108	126	152	194
合金钻头	个	4.0	5.2	6.4	8.0
钢　　筋　Φ18	kg	431	431	431	431
Φ20	kg	532	532	532	532
Φ22	kg	643	643	643	643
药　　卷	m	190	190	190	190
其他材料费	%	3	3	3	3
风　　钻	台时	15.7	21.6	29.8	43.2
其他机械费	%	8	7	6	5
编　　号		70235	70236	70237	70238

（2） 锚杆长度3m

单位:100根

项目		单位	岩石级别			
			Ⅴ～Ⅷ	Ⅸ～Ⅹ	Ⅺ～Ⅻ	XⅢ～XⅣ
工长		工时	8	10	12	15
高级工		工时				
中级工		工时	56	66	81	107
初级工		工时	95	114	140	182
合计		工时	159	190	233	304
合金钻头		个	6.0	7.8	9.7	11.9
钢筋	Φ18	kg	640	640	640	640
	Φ20	kg	791	791	791	791
	Φ22	kg	956	956	956	956
	Φ25	kg	1235	1235	1235	1235
药卷		m	285	285	285	285
其他材料费		%	3	3	3	3
风钻		台时	25.8	35.7	49.4	72.1
其他机械费		%	8	7	6	5
编号			70239	70240	70241	70242

(3) 锚杆长度4m

单位:100根

项目	单位	岩石级别			
		Ⅴ~Ⅷ	Ⅸ~Ⅹ	Ⅺ~Ⅻ	ⅩⅢ~ⅩⅣ
工长	工时	12	14	18	23
高级工	工时				
中级工	工时	82	99	122	161
初级工	工时	140	169	209	275
合计	工时	234	282	349	459
合金钻头	个	8.1	10.4	12.9	15.9
钢筋 Φ20	kg	1050	1050	1050	1050
Φ22	kg	1270	1270	1270	1270
Φ25	kg	1640	1640	1640	1640
Φ28	kg	2057	2057	2057	2057
Φ30	kg	2361	2361	2361	2361
药卷	m	380	380	380	380
其他材料费	%	3	3	3	3
风钻	台时	38.8	54.2	75.6	110.9
其他机械费	%	8	7	6	5
编号		70243	70244	70245	70246

(4) 锚杆长度5m

单位:100根

项目		单位	岩石级别			
			Ⅴ～Ⅷ	Ⅸ～Ⅹ	Ⅺ～Ⅻ	ⅩⅢ～ⅩⅣ
工长		工时	16	19	24	32
高级工		工时				
中级工		工时	108	134	170	229
初级工		工时	185	229	290	391
合计		工时	309	382	484	652
合金钻头		个	10.1	13.1	16.1	19.9
钢筋	Φ20	kg	1309	1309	1309	1309
	Φ22	kg	1583	1583	1583	1583
	Φ25	kg	2044	2044	2044	2044
	Φ28	kg	2566	2566	2566	2566
	Φ30	kg	2944	2944	2944	2944
药卷		m	475	475	475	475
其他材料费		%	3	3	3	3
风钻		台时	56.8	80.2	112.7	166.2
其他机械费		%	8	7	6	5
编号			70247	70248	70249	70250

七－35　地面砂浆锚杆——履带钻钻孔

适用范围：露天作业。

工作内容：钻孔、锚杆制作、安装、制浆、注浆、锚定等。

(1)　锚杆长度 6m

单位：100 根

项目	单位	岩石级别			
		Ⅴ～Ⅷ	Ⅸ～Ⅹ	Ⅺ～Ⅻ	ⅩⅢ～ⅩⅣ
工　　长	工时	9	9	9	9
高 级 工	工时				
中 级 工	工时	61	62	62	62
初 级 工	工时	105	105	106	107
合　　计	工时	175	176	177	178
钻　　头	个	1.10	1.16	1.21	1.26
钻　　杆	m	3.30	3.50	3.70	3.80
钢　　筋　Φ20	kg	1579	1579	1579	1579
Φ22	kg	1911	1911	1911	1911
Φ25	kg	2468	2468	2468	2468
Φ28	kg	3096	3096	3096	3096
Φ30	kg	3554	3554	3554	3554
锚杆附件	kg	144	144	144	144
水泥砂浆	m^3	0.95	0.95	0.95	0.95
其他材料费	%	3	3	3	3
液压履带钻	台时	10.01	11.11	12.13	13.34
其他机械费	%	20	20	20	20
编　　号		70251	70252	70253	70254

注：地下砂浆锚杆，人工及液压履带钻定额数量乘 1.15 系数。

（2） 锚杆长度 7m

单位:100 根

项　　目	单位	岩石级别			
		Ⅴ～Ⅷ	Ⅸ～Ⅹ	Ⅺ～Ⅻ	ⅩⅢ～ⅩⅣ
工　　长	工时	10	10	10	10
高 级 工	工时				
中 级 工	工时	69	69	70	70
初 级 工	工时	118	119	119	120
合　　计	工时	197	198	199	200
钻　　头	个	1.29	1.35	1.41	1.47
钻　　杆	m	3.90	4.10	4.30	4.40
钢　　筋 Φ22	kg	2225	2225	2225	2225
Φ25	kg	2872	2872	2872	2872
Φ28	kg	3604	3604	3604	3604
Φ30	kg	4137	4137	4137	4137
锚杆附件	kg	144	144	144	144
水泥砂浆	m^3	1.11	1.11	1.11	1.11
其他材料费	%	3	3	3	3
液压履带钻	台时	11.68	12.97	14.15	15.56
其他机械费	%	20	20	20	20
编　　号		70255	70256	70257	70258

(3) 锚杆长度8m

单位:100根

项目		单位	岩石级别			
			Ⅴ～Ⅷ	Ⅸ～Ⅹ	Ⅺ～Ⅻ	ⅩⅢ～ⅩⅣ
工长		工时	11	11	11	11
高级工		工时				
中级工		工时	77	77	77	78
初级工		工时	131	132	133	134
合计		工时	219	220	221	223
钻头		个	1.47	1.55	1.61	1.68
钻杆		m	4.40	4.60	4.80	5.00
钢筋	Φ25	kg	3277	3277	3277	3277
	Φ28	kg	4111	4111	4111	4111
	Φ30	kg	4719	4719	4719	4719
锚杆附件		kg	144	144	144	144
水泥砂浆		m^3	1.27	1.27	1.27	1.27
其他材料费		%	3	3	3	3
液压履带钻		台时	13.35	14.82	16.18	17.79
其他机械费		%	20	20	20	20
编号			70259	70260	70261	70262

（4） 锚杆长度9m

单位:100根

项目	单位	岩石级别			
		Ⅴ～Ⅷ	Ⅸ～Ⅹ	Ⅺ～Ⅻ	ⅩⅢ～ⅩⅣ
工长	工时	12	12	12	12
高级工	工时				
中级工	工时	84	85	85	86
初级工	工时	145	146	147	147
合计	工时	241	243	244	245
钻头	个	1.66	1.74	1.81	1.89
钻杆	m	5.00	5.20	5,40	5.70
钢筋 Φ25	kg	3682	3682	3682	3682
Φ28	kg	4619	4619	4619	4619
Φ30	kg	5302	5302	5302	5302
锚杆附件	kg	144	144	144	144
水泥砂浆	m^3	1.43	1.43	1.43	1.43
其他材料费	%	3	3	3	3
液压履带钻	台时	15.02	16.67	18.20	20.01
其他机械费	%	20	20	20	20
编号		70263	70264	70265	70266

(5) 锚杆长度 10m

单位:100 根

项目		单位	岩石级别			
			Ⅴ～Ⅷ	Ⅸ～Ⅹ	Ⅺ～Ⅻ	ⅩⅢ～ⅩⅣ
工长		工时	13	13	13	13
高级工		工时				
中级工		工时	92	93	93	94
初级工		工时	158	159	160	161
合计		工时	263	265	266	268
钻头		个	1.84	1.93	2.01	2.10
钻杆		m	5.50	5.80	6.00	6.30
钢筋	Φ25	kg	4086	4086	4086	4086
	Φ28	kg	5126	5126	5126	5126
	Φ30	kg	5885	5885	5885	5885
锚杆附件		kg	144	144	144	144
水泥砂浆		m^3	1.59	1.59	1.59	1.59
其他材料费		%	3	3	3	3
液压履带钻		台时	16.69	18.52	20.22	22.23
其他机械费		%	20	20	20	20
编号			70267	70268	70269	70270

注:孔深大于 10m 时,按此定额平均每米的人、材、机数量乘米数计算。

七－36 地面长砂浆锚杆——锚杆钻机钻孔

适用范围：露天作业。

工作内容：钻孔、锚杆制作、安装、制浆、灌浆、封孔等。

（1） 锚杆长度10m

单位：100根

项目		单位	岩石级别			
			Ⅴ～Ⅷ	Ⅸ～Ⅹ	Ⅺ～Ⅻ	ⅩⅢ～ⅩⅣ
工长		工时	25	32	42	57
高级工		工时	76	96	126	170
中级工		工时	179	225	295	398
初级工		工时	230	289	379	511
合计		工时	510	642	842	1136
钻头		个	10	15	21	31
冲击器		个	1.0	1.5	2.1	3.1
钻杆		kg	24	35	51	75
钢筋	Φ25	kg	3927	3927	3927	3927
	Φ28	kg	4927	4927	4927	4927
	Φ30	kg	5661	5661	5661	5661
水泥砂浆		m^3	3.8	3.8	3.8	3.8
其他材料费		%	5	5	5	5
锚杆钻机	MZ型	台时	59	85	125	184
灌浆泵	中压砂浆	台时	20	20	20	20
灰浆搅拌机		台时	20	20	20	20
风砂枪		台时	12	12	12	12
其他机械费		%	5	5	4	3
编号			70271	70272	70273	70274

（2） 锚杆长度 15m

单位:100 根

项目		单位	岩石级别			
			Ⅴ～Ⅷ	Ⅸ～Ⅹ	Ⅺ～Ⅻ	ⅩⅢ～ⅩⅣ
工长		工时	37	47	62	83
高级工		工时	111	140	184	249
中级工		工时	260	328	430	581
初级工		工时	334	421	553	748
合计		工时	742	936	1229	1661
钻头		个	15	22	32	47
冲击器		个	1.5	2.2	3.2	4.7
钻杆		kg	36	52	77	113
钢筋	Φ25	kg	5891	5891	5891	5891
	Φ30	kg	8492	8492	8492	8492
	Φ36	kg	12225	12225	12225	12225
水泥砂浆		m^3	5.8	5.8	5.8	5.8
其他材料费		%	5	5	5	5
锚杆钻机	MZ 型	台时	86	125	184	270
灌浆泵	中压砂浆	台时	25	25	25	25
灰浆搅拌机		台时	25	25	25	25
风砂枪		台时	21	21	21	21
电焊机	25kVA	台时	14	14	14	14
其他机械费		%	5	5	4	3
编号			70275	70276	70277	70278

（3） 锚杆长度20m

单位:100根

项　　目		单位	岩石级别			
			Ⅴ～Ⅷ	Ⅸ～Ⅹ	Ⅺ～Ⅻ	ⅩⅢ～ⅩⅣ
工　　长		工时	48	61	80	108
高级工		工时	145	183	241	325
中级工		工时	339	427	561	759
初级工		工时	435	550	722	976
合　　计		工时	967	1221	1604	2168
钻　　头		个	20	29	43	63
冲击器		个	2.0	2.9	4.3	6.3
钻　　杆		kg	48	70	102	150
钢　　筋	Φ25	kg	7854	7854	7854	7854
	Φ30	kg	11322	11322	11322	11322
	Φ36	kg	16300	16300	16300	16300
水泥砂浆		m^3	7.7	7.7	7.7	7.7
其他材料费		%	5	5	5	5
锚杆钻机	MZ型	台时	113	163	240	353
灌浆泵	中压砂浆	台时	30	30	30	30
灰浆搅拌机		台时	30	30	30	30
风砂枪		台时	28	28	28	28
电焊机	25kVA	台时	14	14	14	14
其他机械费		%	5	5	4	3
编　　号			70279	70280	70281	70282

(4) 锚杆长度 25m

单位:100 根

项目		单位	岩石级别			
			Ⅴ~Ⅷ	Ⅸ~Ⅹ	Ⅺ~Ⅻ	ⅩⅢ~ⅩⅣ
工长		工时	59	74	98	132
高级工		工时	177	223	292	395
中级工		工时	413	520	683	922
初级工		工时	531	669	878	1185
合计		工时	1180	1486	1951	2634
钻头		个	25	36	53	78
冲击器		个	2.5	3.6	5.3	7.8
钻杆		kg	60	87	128	188
钢筋	Φ25	kg	9818	9818	9818	9818
	Φ30	kg	14153	14153	14153	14153
	Φ36	kg	20375	20375	20375	20375
水泥砂浆		m^3	9.6	9.6	9.6	9.6
其他材料费		%	5	5	5	5
锚杆钻机	MZ型	台时	136	198	291	427
灌浆泵	中压砂浆	台时	35	35	35	35
灰浆搅拌机		台时	35	35	35	35
风砂枪		台时	35	35	35	35
电焊机	25kVA	台时	28	28	28	28
其他机械费		%	5	5	4	3
编号			70283	70284	70285	70286

(5) 锚杆长度 30m

单位:100 根

项目		单位	岩石级别			
			Ⅴ~Ⅷ	Ⅸ~Ⅹ	Ⅺ~Ⅻ	ⅩⅢ~ⅩⅣ
工长		工时	69	87	114	154
高级工		工时	208	261	342	461
中级工		工时	484	608	798	1075
初级工		工时	622	783	1025	1382
合计		工时	1383	1739	2279	3072
钻头		个	30	44	64	94
冲击器		个	3.0	4.4	6.4	9.4
钻杆		kg	72	104	153	226
钢筋	Φ25	kg	11781	11781	11781	11781
	Φ30	kg	16983	16983	16983	16983
	Φ36	kg	24449	24449	24449	24449
水泥砂浆		m^3	11.5	11.5	11.5	11.5
其他材料费		%	5	5	5	5
锚杆钻机	MZ型	台时	158	230	338	496
灌浆泵	中压砂浆	台时	40	40	40	40
灰浆搅拌机		台时	40	40	40	40
风砂枪		台时	42	42	42	42
电焊机	25kVA	台时	28	28	28	28
其他机械费		%	5	5	4	3
编号			70287	70288	70289	70290

七－37 地面砂浆锚杆(利用灌浆孔)

适用范围:露天作业,利用固结灌浆孔。

工作内容:扫孔、锚杆制作、安装、制浆、灌浆、封孔等。

单位:100 根

项目		单位	锚杆长度(m)				
			10	15	20	25	30
工长		工时	18	26	34	42	49
高级工		工时	55	79	103	126	148
中级工		工时	127	184	240	294	346
初级工		工时	164	237	309	377	444
合计		工时	364	526	686	839	987
钻头		个	5	8	10	13	15
冲击器		个	0.5	0.8	1.0	1.3	1.5
钻杆		kg	12	18	24	30	36
钢筋	Φ25	kg	3927	5891	7854	9818	11781
	Φ30	kg	5661	8492	11322	14153	16983
	Φ36	kg	8150	12225	16300	20375	24449
水泥砂浆		m^3	3.8	5.8	7.7	9.6	11.5
其他材料费		%	5	5	5	5	5
锚杆钻机	MZ 型	台时	29	43	56	68	79
灌浆泵	中压砂浆	台时	20	25	30	35	40
灰浆搅拌机		台时	20	25	30	35	40
风砂枪		台时	12	21	28	35	42
电焊机	25kVA	台时		14	14	28	28
其他机械费		%	5	5	5	5	5
编号			70291	70292	70293	70294	70295

七－38　加强长砂浆锚杆束——地质钻机钻孔

适用范围：露天作业。

工作内容：钻孔、锚杆束制作、安装、制浆、灌浆等。

(1)　锚杆长度10m

单位：100根

项目	单位	岩石级别			
		Ⅴ～Ⅷ	Ⅸ～Ⅹ	Ⅺ～Ⅻ	ⅩⅢ～ⅩⅣ
工　　长	工时	184	254	359	575
高 级 工	工时	368	507	717	1149
中 级 工	工时	1289	1776	2511	4023
初 级 工	工时	1841	2537	3587	5747
合　　计	工时	3682	5074	7174	11494
合金钻头　Φ150	个	59			
合 金 片	kg	4.0			
金刚石钻头　Φ150	个		30	36	45
扩 孔 器	个		21	25	32
岩 芯 管	m	24	30	45	57
钻　　杆	m	22	26	39	49
钻杆接头	个	23	29	44	55
钢　　筋　Φ28	kg	19362	19362	19362	19362
钢　　管　Φ25	m	918	918	918	918
水泥砂浆	m^3	14.7	14.7	14.7	14.7
水	m^3	5000	6000	7500	10000
电 焊 条	kg	88.5	88.5	88.5	88.5
其他材料费	%	15	14	13	11
地质钻机　300型	台时	864	1260	1860	3096
灌 浆 泵　中压砂浆	台时	70	70	70	70
灰浆搅拌机	台时	70	70	70	70
风 砂 枪	台时	48	48	48	48
电 焊 机　25kVA	台时	59	59	59	59
其他机械费	%	5	5	5	5
编　　号		70296	70297	70298	70299

注：本节定额按4×Φ28锚筋拟定，如设计采用锚筋根数、直径不相同，应按设计调整锚筋用量。

(2) 锚杆长度15m

单位:100根

项目		单位	岩石级别			
			Ⅴ～Ⅷ	Ⅸ～Ⅹ	Ⅺ～Ⅻ	XⅢ～XⅣ
工长		工时	275	379	537	860
高级工		工时	549	758	1073	1721
中级工		工时	1923	2654	3756	6025
初级工		工时	2748	3792	5367	8607
合计		工时	5495	7583	10733	17213
合金钻头	Φ150	个	89			
合金片		kg	6.0			
金刚石钻头	Φ150	个		45	54	68
扩孔器		个		32	38	48
岩芯管		m	36	45	68	86
钻杆		m	33	39	59	74
钻杆接头		个	35	41	66	83
钢筋	Φ28	kg	29215	29215	29215	29215
钢管	Φ25	m	1428	1428	1428	1428
水泥砂浆		m^3	22.1	22.1	22.1	22.1
水		m^3	7500	9000	11250	15000
电焊条		kg	217.5	217.5	217.5	217.5
其他材料费		%	15	14	13	11
地质钻机	300型	台时	1296	1890	2790	4644
灌浆泵	中压砂浆	台时	105	105	105	105
灰浆搅拌机		台时	105	105	105	105
风砂枪		台时	73	73	73	73
电焊机	25kVA	台时	145	145	145	145
其他机械费		%	5	5	5	5
编号			70300	70301	70302	70303

(3) 锚杆长度 20m

单位:100 根

项目	单位	岩石级别			
		Ⅴ～Ⅷ	Ⅸ～Ⅹ	Ⅺ～Ⅻ	ⅩⅢ～ⅩⅣ
工长	工时	365	505	715	1147
高级工	工时	731	1009	1429	2293
中级工	工时	2558	3532	5003	8027
初级工	工时	3655	5047	7146	11466
合计	工时	7309	10093	14293	22933
合金钻头 Φ150	个	118			
合金片	kg	8			
金刚石钻头 Φ150	个		60	72	90
扩孔器	个		42	50	64
岩芯管	m	48	60	90	114
钻杆	m	44	52	78	98
钻杆接头	个	46	54	88	110
钢筋 Φ28	kg	39068	39068	39068	39068
钢管 Φ25	m	1938	1938	1938	1938
水泥砂浆	m^3	29.4	29.4	29.4	29.4
水	m^3	10000	12000	15000	20000
电焊条	kg	261	261	261	261
其他材料费	%	15	14	13	11
地质钻机 300型	台时	1728	2520	3720	6192
灌浆泵 中压砂浆	台时	105	105	105	105
灰浆搅拌机	台时	105	105	105	105
风砂枪	台时	98	98	98	98
电焊机 25kVA	台时	174	174	174	174
其他机械费	%	5	5	5	5
编号		70304	70305	70306	70307

（4） 锚杆长度 25m

单位:100 根

项目	单位	岩石级别			
		Ⅴ～Ⅷ	Ⅸ～Ⅹ	Ⅺ～Ⅻ	ⅩⅢ～ⅩⅣ
工长	工时	456	630	893	1433
高级工	工时	912	1260	1785	2865
中级工	工时	3194	4412	6249	10029
初级工	工时	4563	6303	8928	14328
合计	工时	9125	12605	17855	28655
合金钻头 Φ150	个	148			
合金片	kg	10.0			
金刚石钻头 Φ150	个		75	90	113
扩孔器	个		53	63	80
岩芯管	m	60	75	113	143
钻杆	m	55	65	98	123
钻杆接头	个	58	68	110	138
钢筋 Φ28	kg	48921	48921	48921	48921
钢管 Φ25	m	2448	2448	2448	2448
水泥砂浆	m^3	36.8	36.8	36.8	36.8
水	m^3	12500	15000	18750	25000
电焊条	kg	390	390	390	390
其他材料费	%	15	14	13	11
地质钻机 300型	台时	2160	3150	4650	7740
灌浆泵 中压砂浆	台时	140	140	140	140
灰浆搅拌机	台时	140	140	140	140
风砂枪	台时	122	122	122	122
电焊机 25kVA	台时	260	260	260	260
其他机械费	%	5	5	5	5
编号		70308	70309	70310	70311

(5) 锚杆长度30m

单位:100根

项目	单位	岩石级别			
		Ⅴ～Ⅷ	Ⅸ～Ⅹ	Ⅺ～Ⅻ	ⅩⅢ～ⅩⅣ
工长	工时	547	756	1071	1719
高级工	工时	1094	1512	2142	3438
中级工	工时	3830	5291	7496	12032
初级工	工时	5471	7559	10709	17189
合计	工时	10942	15118	21418	34378
合金钻头 Φ150	个	177			
合金片	kg	12.0			
金刚石钻头 Φ150	个		90	108	135
扩孔器	个		63	75	96
岩芯管	m	72	90	135	171
钻杆	m	66	78	117	147
钻杆接头	个	69	87	132	165
钢筋 Φ28	kg	58774	58774	58774	58774
钢管 Φ25	m	2958	2958	2958	2958
水泥砂浆	m^3	44.1	44.1	44.1	44.1
水	m^3	15000	18000	22500	30000
电焊条	kg	433.5	433.5	433.5	433.5
其他材料费	%	15	14	13	11
地质钻机 300型	台时	2592	3780	5580	9288
灌浆泵 中压砂浆	台时	140	140	140	140
灰浆搅拌机	台时	140	140	140	140
风砂枪	台时	147	147	147	147
电焊机 25kVA	台时	289	289	289	289
其他机械费	%	5	5	5	5
编号		70312	70313	70314	70315

七－39 地下砂浆锚杆——风钻钻孔

适用范围：地下作业。

工作内容：钻孔、锚杆制作、安装、制浆、注浆、锚定等。

(1) 锚杆长度 2m

单位：100 根

项目	单位	岩石级别			
		Ⅴ～Ⅷ	Ⅸ～Ⅹ	Ⅺ～Ⅻ	ⅩⅢ～ⅩⅣ
工长	工时	8	9	11	14
高级工	工时				
中级工	工时	58	66	77	96
初级工	工时	99	113	133	164
合计	工时	165	188	221	274
合金钻头	个	4.0	5.2	6.4	8.0
钢筋 Φ18	kg	441	441	441	441
Φ20	kg	544	544	544	544
Φ22	kg	658	658	658	658
锚杆附件	kg	144	144	144	144
水泥砂浆	m^3	0.26	0.26	0.26	0.26
其他材料费	%	3	3	3	3
风钻 气腿式	台时	21.5	28.3	37.6	53.1
其他机械费	%	7	6	5	4
编号		70316	70317	70318	70319

（2） 锚杆长度3m

单位:100根

项　　目		单位	岩石级别			
			Ⅴ～Ⅷ	Ⅸ～Ⅹ	Ⅺ～Ⅻ	ⅩⅢ～ⅩⅣ
工　　长		工时	12	14	16	21
高 级 工		工时				
中 级 工		工时	82	95	115	146
初 级 工		工时	140	164	196	250
合　　计		工时	234	273	327	417
合金钻头		个	6.0	7.8	9.7	11.9
钢　　筋	Φ18	kg	650	650	650	650
	Φ20	kg	803	803	803	803
	Φ22	kg	971	971	971	971
	Φ25	kg	1254	1254	1254	1254
锚杆附件		kg	144	144	144	144
水泥砂浆		m^3	0.39	0.39	0.39	0.39
其他材料费		%	3	3	3	3
风　　钻	气腿式	台时	34.7	46.1	61.9	88.0
其他机械费		%	7	6	5	4
编　　号			70320	70321	70322	70323

(3) 锚杆长度4m

单位:100根

项目	单位	岩石级别			
		Ⅴ~Ⅷ	Ⅸ~Ⅹ	Ⅺ~Ⅻ	ⅩⅢ~ⅩⅣ
工长	工时	16	20	24	31
高级工	工时				
中级工	工时	115	136	166	214
初级工	工时	197	233	284	368
合计	工时	328	389	474	613
合金钻头	个	8.1	10.4	12.9	15.9
钢筋 Φ20	kg	1062	1062	1062	1062
Φ22	kg	1285	1285	1285	1285
Φ25	kg	1659	1659	1659	1659
Φ28	kg	2081	2081	2081	2081
Φ30	kg	2389	2389	2389	2389
锚杆附件	kg	144	144	144	144
水泥砂浆	m^3	0.52	0.52	0.52	0.52
其他材料费	%	3	3	3	3
风钻 气腿式	台时	51.4	69.2	93.7	134.3
其他机械费	%	7	6	5	4
编号		70324	70325	70326	70327

（4） 锚杆长度5m

单位:100根

项目		单位	岩石级别			
			Ⅴ～Ⅷ	Ⅸ～Ⅹ	Ⅺ～Ⅻ	ⅩⅢ～ⅩⅣ
工长		工时	21	26	32	43
高级工		工时				
中级工		工时	150	182	227	301
初级工		工时	257	312	389	516
合计		工时	428	520	648	860
合金钻头		个	10.1	13.1	16.1	19.9
钢筋	Φ20	kg	1321	1321	1321	1321
	Φ22	kg	1598	1598	1598	1598
	Φ25	kg	2063	2063	2063	2063
	Φ28	kg	2589	2589	2589	2589
	Φ30	kg	2972	2972	2972	2972
锚杆附件		kg	144	144	144	144
水泥砂浆		m^3	0.66	0.66	0.66	0.66
其他材料费		%	3	3	3	3
风钻	气腿式	台时	73.8	100.7	138.1	200.0
其他机械费		%	7	6	5	4
编号			70328	70329	70330	70331

七－40 地下药卷锚杆——风钻钻孔

适用范围:地下作业。

工作内容:钻孔、锚杆制作、装锚杆及药卷等。

(1) 锚杆长度 2m

单位:100 根

项目		单位	岩石级别			
			Ⅴ～Ⅷ	Ⅸ～Ⅹ	Ⅺ～Ⅻ	XⅢ～XⅣ
工长		工时	8	9	10	13
高级工		工时				
中级工		工时	54	62	74	93
初级工		工时	93	107	127	158
合计		工时	155	178	211	264
合金钻头		个	4.0	5.2	6.4	8.0
钢筋	Φ18	kg	431	431	431	431
	Φ20	kg	532	532	532	532
	Φ22	kg	643	643	643	643
药卷		m	190	190	190	190
其他材料费		%	3	3	3	3
风钻	气腿式	台时	21.5	28.3	37.6	53.1
其他机械费		%	7	6	5	4
编号			70332	70333	70334	70335

(2) 锚杆长度3m

单位:100根

项　　目	单位	岩石级别			
		Ⅴ～Ⅷ	Ⅸ～Ⅹ	Ⅺ～Ⅻ	ⅩⅢ～ⅩⅣ
工　　长	工时	11	13	16	20
高 级 工	工时				
中 级 工	工时	78	91	110	142
初 级 工	工时	134	156	190	244
合　　计	工时	223	260	316	406
合金钻头	个	6.0	7.8	9.7	11.9
钢　　筋 Φ18	kg	640	640	640	640
Φ20	kg	791	791	791	791
Φ22	kg	956	956	956	956
Φ25	kg	1235	1235	1235	1235
药　　卷	m	285	285	285	285
其他材料费	%	3	3	3	3
风　　钻 气腿式	台时	34.7	46.1	61.9	88.0
其他机械费	%	7	6	5	4
编　　号		70336	70337	70338	70339

(3) 锚杆长度 4m

单位:100 根

项目		单位	岩石级别			
			Ⅴ～Ⅷ	Ⅸ～Ⅹ	Ⅺ～Ⅻ	ⅩⅢ～ⅩⅣ
工长		工时	16	19	23	30
高级工		工时				
中级工		工时	110	132	162	210
初级工		工时	190	226	277	361
合计		工时	316	377	462	601
合金钻头		个	8.1	10.4	12.9	15.9
钢筋	Φ20	kg	1050	1050	1050	1050
	Φ22	kg	1270	1270	1270	1270
	Φ25	kg	1640	1640	1640	1640
	Φ28	kg	2057	2057	2057	2057
	Φ30	kg	2361	2361	2361	2361
药卷		m	380	380	380	380
其他材料费		%	3	3	3	3
风钻	气腿式	台时	51.4	69.2	93.7	134.3
其他机械费		%	7	6	5	4
编号			70340	70341	70342	70343

(4) 锚杆长度5m

单位:100根

项目	单位	岩石级别			
		Ⅴ～Ⅷ	Ⅸ～Ⅹ	Ⅺ～Ⅻ	ⅩⅢ～ⅩⅣ
工长	工时	21	25	32	42
高级工	工时				
中级工	工时	145	178	222	297
初级工	工时	247	304	381	508
合计	工时	413	507	635	847
合金钻头	个	10.1	13.1	16.1	19.9
钢筋 Φ20	kg	1309	1309	1309	1309
Φ22	kg	1583	1583	1583	1583
Φ25	kg	2044	2044	2044	2044
Φ28	kg	2566	2566	2566	2566
Φ30	kg	2944	2944	2944	2944
药卷	m	475	475	475	475
其他材料费	%	3	3	3	3
风钻 气腿式	台时	73.8	100.7	138.1	200.0
其他机械费	%	7	6	5	4
编号		70344	70345	70346	70347

七－41 地下砂浆锚杆——锚杆台车钻孔

适用范围：地下作业。

工作内容：钻孔、锚杆制作安装、砂浆拌制、封孔、锚定等。

(1) 锚杆长度3m

单位：100根

项目	单位	岩石级别			
		Ⅴ～Ⅷ	Ⅸ～Ⅹ	Ⅺ～Ⅻ	ⅩⅢ～ⅩⅣ
工长	工时	5	5	5	5
高级工	工时				
中级工	工时	36	36	37	37
初级工	工时	49	50	50	51
合计	工时	90	91	92	93
钻头	个	0.55	0.58	0.60	0.63
钻杆	kg	0.66	0.70	0.72	0.76
钢筋 Φ18	kg	650	650	650	650
Φ20	kg	803	803	803	803
Φ22	kg	971	971	971	971
Φ25	kg	1254	1254	1254	1254
锚杆附件	kg	144	144	144	144
水泥砂浆	m^3	0.39	0.39	0.39	0.39
其他材料费	%	5	5	5	5
锚杆台车 435H	台时	9.2	10.1	11.1	12.2
其他机械费	%	5	5	5	5
编号		70348	70349	70350	70351

(2) 锚杆长度4m

单位:100根

项目	单位	岩石级别			
		Ⅴ～Ⅷ	Ⅸ～Ⅹ	Ⅺ～Ⅻ	ⅩⅢ～ⅩⅣ
工长	工时	6	6	6	7
高级工	工时				
中级工	工时	51	51	52	52
初级工	工时	70	71	71	71
合计	工时	127	128	129	130
钻头	个	0.74	0.77	0.81	0.86
钻杆	kg	0.89	0.92	0.97	1.03
钢筋 Φ20	kg	1062	1062	1062	1062
Φ22	kg	1285	1285	1285	1285
Φ25	kg	1659	1659	1659	1659
Φ28	kg	2081	2081	2081	2081
Φ30	kg	2389	2389	2389	2389
锚杆附件	kg	144	144	144	144
水泥砂浆	m^3	0.52	0.52	0.52	0.52
其他材料费	%	5	5	5	5
锚杆台车 435H	台时	10.6	11.8	13.0	14.3
其他机械费	%	5	5	5	5
编号		70352	70353	70354	70355

(3) 锚杆长度5m

单位:100根

项目	单位	岩石级别			
		Ⅴ～Ⅷ	Ⅸ～Ⅹ	Ⅺ～Ⅻ	ⅩⅢ～ⅩⅣ
工长	工时	7	7	7	8
高级工	工时				
中级工	工时	60	60	61	62
初级工	工时	82	83	84	84
合计	工时	149	150	152	154
钻头	个	0.92	0.97	1.01	1.05
钻杆	kg	1.10	1.16	1.21	1.26
钢筋 Φ20	kg	1321	1321	1321	1321
Φ22	kg	1598	1598	1598	1598
Φ25	kg	2063	2063	2063	2063
Φ28	kg	2589	2589	2589	2589
Φ30	kg	2972	2972	2972	2972
锚杆附件	kg	144	144	144	144
水泥砂浆	m^3	0.66	0.66	0.66	0.66
其他材料费	%	5	5	5	5
锚杆台车 435H	台时	12.3	13.6	15.0	16.5
其他机械费	%	5	5	5	5
编号		70356	70357	70358	70359

七－42　地下砂浆锚杆——凿岩台车钻孔

适用范围：地下作业。

工作内容：钻孔、锚杆制作安装、砂浆拌制、封孔、锚定等。

(1)　锚杆长度 2m

单位：100 根

项　　目	单位	岩石级别			
		Ⅴ～Ⅷ	Ⅸ～Ⅹ	Ⅺ～Ⅻ	ⅩⅢ～ⅩⅣ
工　　长	工时	5	5	5	5
高 级 工	工时				
中 级 工	工时	37	37	37	37
初 级 工	工时	51	51	51	52
合　　计	工时	93	93	93	94
液压钻钻头	个	0.37	0.39	0.40	0.42
钢　　筋　Φ18	kg	441	441	441	441
Φ20	kg	544	544	544	544
Φ22	kg	658	658	658	658
锚杆附件	kg	144	144	144	144
水泥砂浆	m^3	0.26	0.26	0.26	0.26
其他材料费	%	5	5	5	5
凿岩台车　液压三臂	台时	1.44	1.56	1.68	1.81
其他机械费	%	20	20	20	20
编　　号		70360	70361	70362	70363

(2) 锚杆长度3m

单位:100根

项目	单位	岩石级别			
		Ⅴ～Ⅷ	Ⅸ～Ⅹ	Ⅺ～Ⅻ	ⅩⅢ～ⅩⅣ
工长	工时	6	6	6	6
高级工	工时				
中级工	工时	47	47	47	47
初级工	工时	64	64	65	65
合计	工时	117	117	118	118
液压钻钻头	个	0.55	0.58	0.60	0.63
钢筋 Φ18	kg	650	650	650	650
Φ20	kg	803	803	803	803
Φ22	kg	971	971	971	971
Φ25	kg	1254	1254	1254	1254
锚杆附件	kg	144	144	144	144
水泥砂浆	m^3	0.39	0.39	0.39	0.39
其他材料费	%	5	5	5	5
凿岩台车 液压三臂	台时	2.15	2.34	2.52	2.72
其他机械费	%	20	20	20	20
编号		70364	70365	70366	70367

(3) 锚杆长度4m

单位:100根

项目		单位	岩石级别			
			Ⅴ~Ⅷ	Ⅸ~Ⅹ	Ⅺ~Ⅻ	ⅩⅢ~ⅩⅣ
工长		工时	8	8	8	8
高级工		工时				
中级工		工时	62	62	62	62
初级工		工时	85	85	86	86
合计		工时	155	155	156	156
液压钻钻头		个	0.74	0.77	0.81	0.86
钢筋	Φ18	kg	860	860	860	860
	Φ20	kg	1062	1062	1062	1062
	Φ22	kg	1285	1285	1285	1285
	Φ25	kg	1659	1659	1659	1659
	Φ28	kg	2081	2081	2081	2081
	Φ30	kg	2389	2389	2389	2389
锚杆附件		kg	144	144	144	144
水泥砂浆		m^3	0.52	0.52	0.52	0.52
其他材料费		%	5	5	5	5
凿岩台车	液压三臂	台时	2.87	3.12	3.36	3.63
其他机械费		%	20	20	20	20
编号			70368	70369	70370	70371

（4） 锚杆长度 5m

单位:100 根

项目		单位	岩石级别			
			Ⅴ～Ⅷ	Ⅸ～Ⅹ	Ⅺ～Ⅻ	ⅩⅢ～ⅩⅣ
工长		工时	9	9	9	9
高级工		工时				
中级工		工时	71	72	72	72
初级工		工时	98	98	98	99
合计		工时	178	179	179	180
液压钻钻头		个	0.92	0.97	1.01	1.05
钢筋	Φ18	kg	1070	1070	1070	1070
	Φ20	kg	1321	1321	1321	1321
	Φ22	kg	1598	1598	1598	1598
	Φ25	kg	2063	2063	2063	2063
	Φ28	kg	2589	2589	2589	2589
	Φ30	kg	2972	2972	2972	2972
锚杆附件		kg	144	144	144	144
水泥砂浆		m^3	0.66	0.66	0.66	0.66
其他材料费		%	5	5	5	5
凿岩台车	液压三臂	台时	3.59	3.90	4.19	4.54
其他机械费		%	20	20	20	20
编号			70372	70373	70374	70375

注:孔深大于 5m 时,人工、材料定额量,按平均每米数量乘米数计算;凿岩台车台时数,按平均每米数量乘 1.20 系数再乘米数计算。

七－43　岩体预应力锚索——无粘结型

适用范围：岩石边坡（墙）预应力锚索。

工作内容：选孔位，清孔面，钻孔，固壁灌浆，扫孔，编索、运索、装索，孔口安装，浇筑混凝土垫墩，注浆，安装工作锚及限位板，张拉，外锚头保护，孔位转移等全部工作。

（1）　预应力1000kN级

单位：束

项　　目		单位	锚索长度（m）					
			15	20	30	40	50	60
工　　长		工时	10	12	17	21	25	30
高 级 工		工时	60	73	99	126	152	178
中 级 工		工时	70	85	116	145	177	208
初 级 工		工时	60	73	99	126	152	178
合　　计		工时	200	243	331	418	506	594
钢 绞 线	带PE套管	kg	147	190	280	371	461	551
锚　　具	OVM15－7	套	1.05	1.05	1.05	1.05	1.05	1.05
水　　泥		t	0.33	0.44	0.66	0.88	1.10	1.32
混 凝 土		m^3	1.20	1.20	1.20	1.20	1.20	1.20
钢　　筋		kg	30	30	30	30	30	30
金刚石钻头		个	0.72	0.96	1.44	1.92	2.40	2.88
扩 孔 器		个	0.50	0.66	0.99	1.32	1.65	1.98
岩 芯 管		m	0.71	0.94	1.41	1.88	2.35	2.82
钻　　杆		m	0.62	0.82	1.23	1.64	2.05	2.46
钻杆接头		个	0.68	0.90	1.35	1.80	2.25	2.70
水		m^3	72	96	144	192	240	288
波 纹 管	Φ70	m	15	21	31	42	52	63
灌 浆 管	Φ25	m	31	41	62	82	103	124
其他材料费		%	15	15	15	15	15	15

续表

项目	单位	锚索长度（m）					
		15	20	30	40	50	60
地质钻机 300型	台时	24	31	47	63	79	94
灌浆泵 中压砂浆	台时	6	7	9	11	13	15
灰浆搅拌机	台时	6	7	9	11	13	15
张拉千斤顶 YCW－150	台时	2	2	2	2	2	2
电动油泵 ZB4－500	台时	2	2	2	2	2	2
汽车起重机 8t	台时	1	1	2	3	3	3
风镐	台时	1	1	1	1	1	1
电焊机 25kVA	台时	2	2	2	2	2	2
载重汽车 5t	台时	1	1	2	2	2	2
其他机械费	%	18	18	18	18	18	18
编号		70376	70377	70378	70379	70380	70381

注：1.本节定额按Ⅺ－Ⅻ级岩石拟定，不同级别岩石定额乘以下调整系数，人工按地质钻机增(减)数的3.5倍调整：

岩石级别	Ⅴ～Ⅷ	Ⅸ～Ⅹ	ⅩⅢ～ⅩⅣ
金刚石钻头、扩孔器、岩芯管、钻杆	0.5	0.8	1.2
地质钻机	0.5	0.7	1.7

2.本节定额按一般固壁灌浆拟定，如设计要求结合固结灌浆，应增加人工、水泥、灌浆泵、灰浆搅拌机的数量(可按七－7节基础固结灌浆定额量的70%计)；

3.本节定额按全孔设波纹管拟定，如设计不设(或局部设)波纹管，则应取消(或减少)波纹管数量。

（2） 预应力 2000kN 级

单位：束

项　　目		单位	锚　索　长　度　(m)					
			15	20	30	40	50	60
工　　长		工时	12	14	20	24	29	34
高 级 工		工时	71	86	121	145	174	204
中 级 工		工时	82	99	141	168	203	237
初 级 工		工时	71	86	121	145	174	204
合　　计		工时	236	285	403	482	580	679
钢 绞 线	带 PE 套管	kg	248	326	481	636	791	946
锚　　具	OVM15－12	套	1.05	1.05	1.05	1.05	1.05	1.05
水　　泥		t	0.36	0.48	0.72	0.96	1.20	1.44
混 凝 土		m^3	1.40	1.40	1.40	1.40	1.40	1.40
钢　　筋		kg	35	35	35	35	35	35
金刚石钻头		个	0.72	0.96	1.44	1.92	2.40	2.88
扩 孔 器		个	0.50	0.66	0.99	1.32	1.65	1.98
岩 芯 管		m	0.71	0.94	1.41	1.88	2.35	2.82
钻　　杆		m	0.62	0.82	1.23	1.64	2.05	2.46
钻杆接头		个	0.68	0.90	1.35	1.80	2.25	2.70
水		m^3	72	96	144	192	240	288
波 纹 管	Φ90	m	15	21	31	42	52	63
灌 浆 管	Φ25	m	31	41	62	82	103	124
其他材料费		%	15	15	15	15	15	15

续表

项目	单位	锚索长度(m)					
		15	20	30	40	50	60
地质钻机 300型	台时	28	37	56	74	93	111
灌浆泵 中压砂浆	台时	6	6	7	8	9	10
灰浆搅拌机	台时	6	6	7	8	9	10
张拉千斤顶 YCW-250	台时	3	3	3	3	3	3
电动油泵 ZB4-500	台时	3	3	3	3	3	3
汽车起重机 8t	台时	1	1	2	3	3	3
风镐	台时	1	1	1	1	1	1
电焊机 25kVA	台时	2	2	2	2	2	2
载重汽车 5t	台时	2	2	3	3	3	3
其他机械费	%	18	18	18	18	18	18
编号		70382	70383	70384	70385	70386	70387

(3) 预应力3000kN级

单位:束

项　　目		单位	锚索长度(m)					
			15	20	30	40	50	60
工　　长		工时	14	17	23	29	34	40
高 级 工		工时	88	105	139	173	208	242
中 级 工		工时	102	122	162	203	242	282
初 级 工		工时	88	105	139	173	208	242
合　　计		工时	292	349	463	578	692	806
钢 绞 线	带PE套管	kg	393	515	761	1006	1252	1497
锚　　具	OVM15－19	套	1.05	1.05	1.05	1.05	1.05	1.05
水　　泥		t	0.40	0.53	0.79	1.05	1.31	1.57
混 凝 土		m^3	1.70	1.70	1.70	1.70	1.70	1.70
钢　　筋		kg	43	43	43	43	43	43
金刚石钻头		个	0.72	0.96	1.44	1.92	2.40	2.88
扩 孔 器		个	0.50	0.66	0.99	1.32	1.65	1.98
岩 芯 管		m	0.71	0.94	1.41	1.88	2.35	2.82
钻　　杆		m	0.62	0.82	1.23	1.64	2.05	2.46
钻杆接头		个	0.68	0.90	1.35	1.80	2.25	2.70
水		m^3	72	96	144	192	240	288
波 纹 管	Φ100	m	15	21	31	42	52	63
灌 浆 管	Φ25	m	31	41	62	82	103	124
其他材料费		%	15	15	15	15	15	15

续表

项　　目	单位	锚索长度（m）					
		15	20	30	40	50	60
地质钻机　300型	台时	34	45	70	93	116	138
灌浆泵　中压砂浆	台时	7	8	10	12	14	16
灰浆搅拌机	台时	7	8	10	12	14	16
张拉千斤顶　YCW－350	台时	4	4	4	4	4	4
电动油泵　ZB4－500	台时	4	4	4	4	4	4
汽车起重机　8t	台时	1	1	2	3	3	3
风镐	台时	1	1	1	1	1	1
电焊机　25kVA	台时	2	2	2	2	2	2
载重汽车　5t	台时	3	3	4	4	4	4
其他机械费	%	18	18	18	18	18	18
编　　号		70388	70389	70390	70391	70392	70393

七－44　岩体预应力锚索——粘结型

适用范围:岩石边坡(墙)预应力锚索。

工作内容:选孔位,清孔面,钻孔,固壁灌浆,扫孔,编索、运索、装索,孔口安装,浇筑混凝土垫墩、内锚段注浆,安装工作锚及限位板,张拉,自由段注浆,外锚头保护,孔位转移等全部工作。

(1)　预应力1000kN级

单位:束

项　　目	单位	锚索长度(m)					
		15	20	30	40	50	60
工　　长	工时	9	12	16	20	25	29
高 级 工	工时	56	68	95	121	147	174
中 级 工	工时	64	80	110	141	172	202
初 级 工	工时	56	68	95	121	147	174
合　　计	工时	185	228	316	403	491	579
钢 绞 线	kg	128	168	248	328	409	489
锚　　具　OVM15－7	套	1.05	1.05	1.05	1.05	1.05	1.05
水　　泥	t	0.33	0.44	0.66	0.88	1.10	1.32
混 凝 土	m^3	1.20	1.20	1.20	1.20	1.20	1.20
钢　　筋	kg	30	30	30	30	30	30
金刚石钻头	个	0.72	0.96	1.44	1.92	2.40	2.88
扩 孔 器	个	0.50	0.66	0.99	1.32	1.65	1.98
岩 芯 管	m	0.71	0.94	1.41	1.88	2.35	2.82
钻　　杆	m	0.62	0.82	1.23	1.64	2.05	2.46
钻杆接头	个	0.68	0.90	1.35	1.80	2.25	2.70
水	m^3	72	96	144	192	240	288
波 纹 管　Φ70	m	15	21	31	42	52	63
灌 浆 管　Φ25	m	31	41	62	82	103	124
其他材料费	%	15	15	15	15	15	15

续表

项目	单位	锚索长度 (m)					
		15	20	30	40	50	60
地质钻机 300型	台时	24	31	47	63	79	94
灌浆泵 中压砂浆	台时	4	5	7	9	11	13
灰浆搅拌机	台时	4	5	7	9	11	13
张拉千斤顶 YCW－150	台时	2	2	2	2	2	2
电动油泵 ZB4－500	台时	2	2	2	2	2	2
汽车起重机 8t	台时	1	1	2	3	3	3
风镐	台时	1	1	1	1	1	1
电焊机 25kVA	台时	2	2	2	2	2	2
载重汽车 5t	台时	1	1	2	2	2	2
其他机械费	%	18	18	18	18	18	18
编号		70394	70395	70396	70397	70398	70399

注:1.本节定额按Ⅺ～Ⅻ级岩石拟定,不同级别岩石定额乘以下调整系数,人工按地质钻机增(减)数的3.5倍调整:

岩石级别	Ⅴ～Ⅷ	Ⅸ～Ⅹ	ⅩⅢ～ⅩⅣ
金刚石钻头、扩孔器、岩芯管、钻杆	0.5	0.8	1.2
地质钻机	0.5	0.7	1.7

2.本节定额按一般固壁灌浆拟定,如设计要求结合固结灌浆,应增加人工、水泥、灌浆机、灰浆搅拌机的数量(可按七－7节基础固结灌浆定额量的70%计);

3.本节定额按全孔设波纹管拟定,如设计不设(或局部设)波纹管,则应取消(或减少)波纹管数量。

(2) 预应力2000kN级

单位:束

项目	单位	锚索长度(m)					
		15	20	30	40	50	60
工长	工时	11	13	19	23	28	33
高级工	工时	65	80	116	139	169	200
中级工	工时	77	94	134	163	196	234
初级工	工时	65	80	116	139	169	200
合计	工时	218	267	385	464	562	667
钢绞线	kg	222	292	430	569	708	847
锚具 OVM15－12	套	1.05	1.05	1.05	1.05	1.05	1.05
水泥	t	0.36	0.48	0.72	0.96	1.20	1.44
混凝土	m^3	1.40	1.40	1.40	1.40	1.40	1.40
钢筋	kg	35	35	35	35	35	35
金刚石钻头	个	0.72	0.96	1.44	1.92	2.40	2.88
扩孔器	个	0.50	0.66	0.99	1.32	1.65	1.98
岩芯管	m	0.71	0.94	1.41	1.88	2.35	2.82
钻杆	m	0.62	0.82	1.23	1.64	2.05	2.46
钻杆接头	个	0.68	0.90	1.35	1.80	2.25	2.70
水	m^3	72	96	144	192	240	288
波纹管 Φ90	m	15	21	31	42	52	63
灌浆管 Φ25	m	31	41	62	82	103	124
其他材料费	%	15	15	15	15	15	15

续表

项　　目	单位	锚索长度（m）					
		15	20	30	40	50	60
地质钻机　300型	台时	28	37	56	74	93	111
灌浆泵　中压砂浆	台时	4	5	7	9	11	13
灰浆搅拌机	台时	4	5	7	9	11	13
张拉千斤顶　YCW－250	台时	3	3	3	3	3	3
电动油泵　ZB4－500	台时	3	3	3	3	3	3
汽车起重机　8t	台时	1	1	2	3	3	3
风镐	台时	1	1	1	1	1	1
电焊机　25kVA	台时	2	2	2	2	2	2
载重汽车　5t	台时	2	2	2	3	3	3
其他机械费	%	18	18	18	18	18	18
编　　号		70400	70401	70402	70403	70404	70405

(3) 预应力3000kN级

单位:束

项目		单位	锚索长度 (m)					
			15	20	30	40	50	60
工长		工时	14	17	21	28	34	40
高级工		工时	81	98	133	167	201	235
中级工		工时	95	115	155	195	235	275
初级工		工时	81	98	133	167	201	235
合计		工时	271	328	442	557	671	785
钢绞线		kg	352	462	681	901	1121	1341
锚具	OVM15-19	套	1.05	1.05	1.05	1.05	1.05	1.05
水泥		t	0.40	0.53	0.79	1.05	1.31	1.57
混凝土		m^3	1.70	1.70	1.70	1.70	1.70	1.70
钢筋		kg	43	43	43	43	43	43
金刚石钻头		个	0.72	0.96	1.44	1.92	2.40	2.88
扩孔器		个	0.50	0.66	0.99	1.32	1.65	1.98
岩芯管		m	0.71	0.94	1.41	1.88	2.35	2.82
钻杆		m	0.62	0.82	1.23	1.64	2.05	2.46
钻杆接头		个	0.68	0.90	1.35	1.80	2.25	2.70
水		m^3	72	96	144	192	240	288
波纹管	Φ100	m	15	21	31	42	52	63
灌浆管	Φ25	m	31	41	62	82	103	124
其他材料费		%	15	15	15	15	15	15

续表

项目	单位	锚索长度(m)					
		15	20	30	40	50	60
地质钻机 300型	台时	34	45	70	93	116	138
灌浆泵 中压砂浆	台时	4	5	7	9	11	13
灰浆搅拌机	台时	4	5	7	9	11	13
张拉千斤顶 YCW-350	台时	4	4	4	4	4	4
电动油泵 ZB4-500	台时	4	4	4	4	4	4
汽车起重机 8t	台时	1	1	2	3	3	3
风镐	台时	1	1	1	1	1	1
电焊机 25kVA	台时	2	2	2	2	2	2
载重汽车 5t	台时	3	3	4	4	4	4
其他机械费	%	18	18	18	18	18	18
编号		70406	70407	70408	70409	70410	70411

七－45　混凝土预应力锚索

适用范围：混凝土结构双外锚头预应力锚索。

工作内容：钢管埋设，编索、运索、装索，安装工作锚具、钢垫板，注浆，张拉，外锚头保护等全部工作。

(1)　预应力1000kN级

单位：束

项目		单位	锚索长度 (m)					
			15	20	30	40	50	60
工长		工时	4	5	6	8	10	11
高级工		工时	25	29	38	47	56	66
中级工		工时	28	34	45	56	66	76
初级工		工时	25	29	38	47	56	66
合计		工时	82	97	127	158	188	219
钢绞线	带PE套管	kg	149	194	285	375	466	556
锚具	OVM15－7	套	2.10	2.10	2.10	2.10	2.10	2.10
钢管	Φ90	m	16	21	32	42	53	63
水泥		t	0.03	0.04	0.05	0.07	0.09	0.11
灌浆管	Φ25	m	31	41	62	82	103	124
其他材料费		%	12	12	12	12	12	12
灌浆泵	中压砂浆	台时	2	2	3	4	5	6
灰浆搅拌机		台时	2	2	3	4	5	6
张拉千斤顶	YCW－150	台时	2	2	2	2	2	2
电动油泵	ZB4－500	台时	2	2	2	2	2	2
电焊机	25kVA	台时	4	4	5	6	7	8
汽车起重机	8t	台时	1	1	2	2	3	3
载重汽车	5t	台时	1	1	2	2	2	2
其他机械费		%	18	18	18	18	18	18
编号			70412	70413	70414	70415	70416	70417

注：1.本节定额按双外锚头拟定，对于一端埋入基岩的单外锚头混凝土预应力锚索，可根据基岩段及混凝土段的锚索长度，参照七－43节及本节定额组合使用；

2.本节定额按无粘接型防护拟定，如为粘结型防护，带PE套管钢绞线改为一般钢绞线，数量乘0.89系数。

（2） 预应力2000kN级

单位：束

项目	单位	锚索长度（m）					
		15	20	30	40	50	60
工长	工时	5	6	7	9	10	12
高级工	工时	30	34	44	54	64	74
中级工	工时	34	40	52	63	74	85
初级工	工时	30	34	44	54	64	74
合计	工时	99	114	147	180	212	245
钢绞线 带PE套管	kg	256	333	488	643	798	953
锚具 OVM15－12	套	2.10	2.10	2.10	2.10	2.10	2.10
钢管 Φ110	m	16	21	32	42	53	63
水泥	t	0.04	0.06	0.08	0.11	0.14	0.17
灌浆管 Φ25	m	31	41	62	82	103	124
其他材料费	%	12	12	12	12	12	12
灌浆泵 中压砂浆	台时	2	2	3	4	5	6
灰浆搅拌机	台时	2	2	3	4	5	6
张拉千斤顶 YCW－250	台时	3	3	3	3	3	3
电动油泵 ZB4－500	台时	3	3	3	3	3	3
电焊机 25kVA	台时	4	4	5	6	7	8
汽车起重机 8t	台时	1	1	2	2	3	3
载重汽车 5t	台时	1	2	2	3	3	3
其他机械费	%	18	18	18	18	18	18
编号		70418	70419	70420	70421	70422	70423

(3) 预应力3000kN级

单位:束

项　　目		单位	锚　索　长　度　(m)					
			15	20	30	40	50	60
工　　长		工时	6	7	9	10	12	14
高 级 工		工时	35	40	51	62	73	84
中 级 工		工时	42	48	60	73	85	97
初 级 工		工时	35	40	51	62	73	84
合　　计		工时	118	135	171	207	243	279
钢 绞 线	带PE套管	kg	405	528	773	1018	1264	1509
锚　　具	OVM15－19	套	2.10	2.10	2.10	2.10	2.10	2.10
钢　　管	Φ125	m	16	21	32	42	53	63
水　　泥		t	0.05	0.07	0.11	0.14	0.18	0.22
灌 浆 管	Φ25	m	31	41	62	82	103	124
其他材料费		%	12	12	12	12	12	12
灌 浆 泵	中压砂浆	台时	2	2	3	4	5	6
灰浆搅拌机		台时	2	2	3	4	5	6
张拉千斤顶	YCW－350	台时	4	4	4	4	4	4
电动油泵	ZB4－500	台时	4	4	4	4	4	4
电 焊 机	25kVA	台时	4	4	5	6	7	8
汽车起重机	8t	台时	1	1	2	2	3	3
载重汽车	5t	台时	2	2	3	3	3	3
其他机械费		%	18	18	18	18	18	18
编　　号			70424	70425	70426	70427	70428	70429

七－46　岩石面喷浆

工作内容：凿毛、冲洗、配料、喷浆、修饰、养护。

（1）　地面喷浆

单位：100m²

项目	单位	有钢筋					无钢筋				
		厚度（cm）									
		1	2	3	4	5	1	2	3	4	5
工长	工时	5	5	6	6	6	4	5	5	6	6
高级工	工时	7	8	8	9	10	7	7	8	8	9
中级工	工时	36	39	42	46	49	34	36	40	43	46
初级工	工时	72	79	85	92	98	67	72	80	85	91
合计	工时	120	131	141	153	163	112	120	133	142	152
水泥	t	0.82	1.63	2.45	3.27	4.09	0.82	1.63	2.45	3.27	4.09
砂子	m³	1.22	2.45	3.67	4.89	6.12	1.22	2.45	3.67	4.89	6.12
水	m³	3	3	4	4	5	3	3	4	4	5
防水粉	kg	41	82	123	164	205	41	82	123	164	205
其他材料费	%	9	5	3	2	2	9	5	3	2	2
喷浆机 75L	台时	7.6	9.3	10.9	12.7	14.3	6.9	8.2	10.1	11.5	13.1
风水枪	台时	7.1	7.1	7.1	7.1	7.1	5.8	5.8	5.8	5.8	5.8
风镐	台时	20.0	20.0	20.0	20.0	20.0	20.0	20.0	20.0	20.0	20.0
其他机械费	%	1	1	1	1	1	1	1	1	1	1
编号		70430	70431	70432	70433	70434	70435	70436	70437	70438	70439

注：不用防水粉不计。

（2） 地下喷浆

单位：100m²

项目	单位	有钢筋					无钢筋				
		厚度（cm）									
		1	2	3	4	5	1	2	3	4	5
工长	工时	6	6	7	7	8	5	6	6	7	7
高级工	工时	8	9	10	11	12	8	8	9	10	11
中级工	工时	42	46	49	54	57	39	42	47	50	53
初级工	工时	84	92	99	107	114	79	85	93	99	107
合计	工时	140	153	165	179	191	131	141	155	166	178
水泥	t	0.82	1.63	2.45	3.27	4.09	0.82	1.63	2.45	3.27	4.09
砂子	m^3	1.22	2.45	3.67	4.89	6.12	1.22	2.45	3.67	4.89	6.12
水	m^3	3	3	4	4	5	3	3	4	4	5
防水粉	kg	41	82	123	164	205	41	82	123	164	205
其他材料费	%	9	5	3	2	2	9	5	3	2	2
喷浆机 75L	台时	8.7	10.7	12.5	14.6	16.4	7.9	9.4	11.6	13.2	15.1
风水枪	台时	8.2	8.2	8.2	8.2	8.2	6.7	6.7	6.7	6.7	6.7
风镐	台时	24.0	24.0	24.0	24.0	24.0	24.0	24.0	24.0	24.0	24.0
其他机械费	%	1	1	1	1	1	1	1	1	1	1
编号		70440	70441	70442	70443	70444	70445	70446	70447	70448	70449

七－47 混凝土面喷浆

工作内容：凿毛、冲洗、配料、喷浆、修饰、养护。

(1) 地面喷浆

单位：$100m^2$

项目	单位	有钢筋					无钢筋				
		厚度（cm）									
		1	2	3	4	5	1	2	3	4	5
工长	工时	5	5	6	6	6	4	5	5	6	6
高级工	工时	7	8	8	9	9	7	7	8	8	9
中级工	工时	37	40	42	45	48	34	37	39	42	44
初级工	工时	74	79	84	89	95	68	73	78	83	88
合计	工时	123	132	140	149	158	113	122	130	139	147
水泥	t	0.73	1.45	2.18	2.91	3.64	0.73	1.45	2.18	2.91	3.64
砂子	m^3	1.09	2.18	3.27	4.36	5.45	1.09	2.18	3.27	4.36	5.45
水	m^3	3	3	4	4	5	3	3	4	4	5
防水粉	kg	37	73	109	146	182	37	73	109	146	182
其他材料费	%	10	5	4	3	2	10	5	4	3	2
喷浆机 75L	台时	6.5	7.9	9.2	10.6	12.0	5.8	7.1	8.4	9.7	10.9
风水枪	台时	5.9	5.9	5.9	5.9	5.9	4.1	4.1	4.1	4.1	4.1
风镐	台时	25.0	25.0	25.0	25.0	25.0	25.0	25.0	25.0	25.0	25.0
其他机械费	%	1	1	1	1	1	1	1	1	1	1
编号		70450	70451	70452	70453	70454	70455	70456	70457	70458	70459

注：不用防水粉不计。

（2） 地下喷浆

单位：100m^2

项目	单位	有钢筋					无钢筋				
		厚度（cm）									
		1	2	3	4	5	1	2	3	4	5
工长	工时	6	6	6	7	7	5	6	6	6	7
高级工	工时	9	9	10	10	11	8	8	9	10	10
中级工	工时	43	47	49	53	56	40	43	46	49	52
初级工	工时	86	93	99	105	111	81	86	92	98	103
合计	工时	144	155	164	175	185	134	143	153	163	172
水泥	t	0.73	1.45	2.18	2.91	3.64	0.73	1.45	2.18	2.91	3.64
砂子	m^3	1.09	2.18	3.27	4.36	5.45	1.09	2.18	3.27	4.36	5.45
水	m^3	3	3	4	4	5	3	3	4	4	5
防水粉	kg	37	73	109	146	182	37	73	109	146	182
其他材料费	%	10	5	4	3	2	10	5	4	3	2
喷浆机 75L	台时	7.5	9.1	10.6	12.2	13.8	6.7	8.2	9.7	11.2	12.5
风水枪	台时	6.8	6.8	6.8	6.8	6.8	4.7	4.7	4.7	4.7	4.7
风镐	台时	30.0	30.0	30.0	30.0	30.0	30.0	30.0	30.0	30.0	30.0
其他机械费	%	1	1	1	1	1	1	1	1	1	1
编号		70460	70461	70462	70463	70464	70465	70466	70467	70468	70469

七－48　喷混凝土

工作内容：凿毛、配料、上料、拌和、喷射、处理回弹料、养护。

(1)　地面护坡

单位：$100m^3$

项目		单位	有钢筋			无钢筋		
			喷射厚度（cm）					
			5～10	10～15	15～20	5～10	10～15	15～20
工长		工时	40	31	26	40	31	26
高级工		工时	60	47	40	59	47	39
中级工		工时	301	236	198	298	233	195
初级工		工时	602	472	395	596	466	391
合计		工时	1003	786	659	993	777	651
水泥		t	55.62	55.62	55.62	54.69	54.69	54.69
砂子		m^3	77.50	77.50	77.50	75.60	75.60	75.60
小石		m^3	72.60	72.60	72.60	70.90	70.90	70.90
速凝剂		t	1.87	1.87	1.87	1.83	1.83	1.83
水		m^3	45	45	45	45	45	45
其他材料费		%	3	3	3	3	3	3
喷射机	$4\sim5m^3/h$	台时	53.05	48.22	43.84	52.01	47.28	42.98
搅拌机	强制式 $0.25m^3$	台时	53.05	48.22	43.84	52.01	47.28	42.98
胶带输送机	800×30	台时	53.05	48.22	43.84	52.01	47.28	42.98
风镐		台时	200.00	133.40	100.00	200.00	133.40	100.00
其他机械费		%	5	5	5	5	5	5
编号			70470	70471	70472	70473	70474	70475

（2） 平洞支护

单位：100m³

项目	单位	有钢筋			无钢筋		
		喷射厚度（cm）					
		5～10	10～15	15～20	5～10	10～15	15～20
工长	工时	47	37	31	47	36	30
高级工	工时	71	55	46	70	55	46
中级工	工时	354	276	231	350	273	229
初级工	工时	707	553	463	701	547	457
合计	工时	1179	921	771	1168	911	762
水泥	t	57.94	57.94	57.94	55.62	55.62	55.62
砂子	m^3	79.80	79.80	79.80	77.70	77.70	77.70
小石	m^3	74.77	74.77	74.77	72.87	72.87	72.87
速凝剂	t	1.92	1.92	1.92	1.88	1.88	1.88
水	m^3	47	47	47	47	47	47
其他材料费	%	3	3	3	3	3	3
喷射机 4～5m^3/h	台时	61.00	55.46	50.41	59.81	54.37	49.43
搅拌机 强制式 0.25m^3	台时	61.00	55.46	50.41	59.81	54.37	49.43
胶带输送机 800×30	台时	61.00	55.46	50.41	59.81	54.37	49.43
风镐	台时	240.00	160.08	120.00	240.00	160.08	120.00
其他机械费	%	5	5	5	5	5	5
编号		70476	70477	70478	70479	70480	70481

(3) 6°～30°斜井支护

单位:100m^3

项目	单位	有钢筋			无钢筋		
		喷射厚度（cm）					
		5～10	10～15	15～20	5～10	10～15	15～20
工长	工时	50	39	32	49	38	32
高级工	工时	74	58	48	74	58	48
中级工	工时	371	290	243	368	287	240
初级工	工时	743	580	486	736	574	480
合计	工时	1238	967	809	1227	957	800
水泥	t	57.94	57.94	57.94	55.62	55.62	55.62
砂子	m^3	79.80	79.80	79.80	77.70	77.70	77.70
小石	m^3	74.77	74.77	74.77	72.87	72.87	72.87
速凝剂	t	1.92	1.92	1.92	1.88	1.88	1.88
水	m^3	47	47	47	47	47	47
其他材料费	%	3	3	3	3	3	3
喷射机 4～5m^3/h	台时	61.00	55.46	50.41	59.81	54.37	49.43
搅拌机 强制式 0.25m^3	台时	61.00	55.46	50.41	59.81	54.37	49.43
胶带输送机 800×30	台时	61.00	55.46	50.41	59.81	54.37	49.43
风镐	台时	240.00	160.08	120.00	240.00	160.08	120.00
其他机械费	%	5	5	5	5	5	5
编号		70482	70483	70484	70485	70486	70487

（4） 30°～75°斜井支护

单位：100m³

项目	单位	有钢筋			无钢筋		
		喷射厚度（cm）					
		5～10	10～15	15～20	5～10	10～15	15～20
工长	工时	54	42	35	54	42	35
高级工	工时	81	64	53	80	63	52
中级工	工时	407	318	266	403	314	263
初级工	工时	814	635	532	806	629	526
合计	工时	1356	1059	886	1343	1048	876
水泥	t	57.94	57.94	57.94	55.62	55.62	55.62
砂子	m^3	79.80	79.80	79.80	77.70	77.70	77.70
小石	m^3	74.77	74.77	74.77	72.87	72.87	72.87
速凝剂	t	1.92	1.92	1.92	1.88	1.88	1.88
水	m^3	47	47	47	47	47	47
其他材料费	%	3	3	3	3	3	3
喷射机 4～5m^3/h	台时	61.00	55.46	50.41	59.81	54.37	49.43
搅拌机 强制式 0.25m^3	台时	61.00	55.46	50.41	59.81	54.37	49.43
胶带输送机 800×30	台时	61.00	55.46	50.41	59.81	54.37	49.43
风镐	台时	240.00	160.08	120.00	240.00	160.08	120.00
其他机械费	%	5	5	5	5	5	5
编号		70488	70489	70490	70491	70492	70493

七－49　钢筋网制作及安装

适用范围：洞内拱顶支护。

工作内容：回直、除锈、切筋、加工场至工地运输、焊接。

单位：t

项　　目	单　　位	数　　量
工　　长	工时	4
高 级 工	工时	
中 级 工	工时	42
初 级 工	工时	47
合　　计	工时	93
钢　　筋	t	1.02
电 焊 条	kg	7.90
其他材料费	%	1
钢筋调直机　14kW	台时	0.67
风 砂 枪	台时	1.80
钢筋切断机　20kW	台时	0.45
电 焊 机　20～25kVA	台时	9.50
载重汽车　5t	台时	0.18
其他机械费	%	2
编　　号		70494

第八章

疏浚工程

说　明

一、本章定额包括绞吸、链斗、抓斗及铲斗式挖泥船，吹泥船，水力冲挖机组及其他共六节。适用于对河、湖、渠、沿海机械疏浚及吹填工程。

二、土、砂分类

1. 绞吸、链斗、抓斗、铲斗式挖泥船，吹泥船开挖水下方的泥土及粉细砂分为Ⅰ～Ⅶ类，中、粗砂各分为松散、中密、紧密三类，详见附录4土、砂分级表。

2. 水力冲挖机组的土类划分为Ⅰ～Ⅳ类，详见附录4水力冲挖机组土类划分表。

三、本章定额的计量单位，除注明者外，均按水下自然方计算。

四、工况级别的确定：本章的挖泥船、吹泥船定额均按一级工况制定。当在开挖区、排（运、卸）泥（砂）区整个作业范围内，受有超限风浪、雨雾、潮汐、水位、流速及行船避让、木排流放、冰凌以及水下芦苇、树根、障碍物等自然条件和客观原因，而直接影响正常施工生产和增加施工难度的时间，应根据当地水文、气象、工程地质资料，通航河道的通航要求，所选船舶的适应能力等，进行统计分析，以确定该影响及增加施工难度的时间，按其占总工期历时的比例，确定工况级别，并按表8-1所列系数调整相应的定额。

五、链斗、抓斗、铲斗式挖泥船，其拖轮、泥驳运卸泥（砂）的运距，指自开挖区中心至卸泥（砂）区中心的航程，其中心均按泥（砂）方量的分布状况计算确定。

六、绞吸式挖泥船、链斗式挖泥船及吹泥船，均按名义生产率划分船型；抓斗、铲斗式挖泥船系按斗容划分。

表 8-1

工况级别	绞吸式挖泥船		链斗、抓斗、铲斗式挖泥船、吹泥船	
	平均每班客观影响时间(h)	工况系数	平均每班客观影响时间(h)	工况系数
一	≤1.0	1.00	≤1.3	1.00
二	≤1.5	1.10	≤1.8	1.12
三	≤2.1	1.21	≤2.4	1.27
四	≤2.6	1.34	≤2.9	1.44
五	≤3.0	1.50	≤3.4	1.64

七、挖泥船定额的人工是指从事辅助工作的用工。不包括陆上排泥管线的安装、拆除、排泥场围堰填筑和维修用工。

八、绞吸式挖泥船

1. 排泥管:包括水上浮筒管(含浮筒一组、钢管及胶套管各一根,简称浮筒管)及陆上排泥管(简称岸管),分别按管径、组长或根长划分,详见各定额表。

2. 人工:是指从事辅助工作的用工,如对排泥管线的巡视、检修、维护等。当挖泥船定额需要调整时,人工定额亦做相应的调整。

3. 排泥管线长度:是指自挖泥(砂)区中心至排泥(砂)区中心,浮筒管、潜管、岸管各管线长度之和。其中,浮筒管因受水流影响,与挖泥船、岸管连接而弯曲的需要,按浮筒管中心长度乘以 1.4 的系数。岸管如受地形、地物影响,可据实计算其长度。如所需排泥管线长度介于两定额子目之间时,按“插入法”计算。

各种排泥管线的组(根)时定额,按下式计算后列入定额表中:

排泥管组(根)时定额=排泥管线长÷每(组)根长×挖泥船艘时定额

使用潜管时,应根据设计长度、所需管径及构成,按前式计算方法列入定额表中。

计算的排泥管组(根)数,均按四舍五入方法取至整数。

4.本定额均按非潜管制定,如使用潜管时,按该定额子目的人工、挖泥船及配套船舶定额均乘以1.04的系数。但所用潜管的潜、浮所需的动力装置及充水、充气、控制设备等,应根据管径、长度等,另行计列。

5.如设计总开挖泥(砂)层厚度或分层开挖底层部分的开挖层厚,大于或等于绞刀直径的0.5倍,而小于绞刀直径的0.9倍时,按表8-2所列系数调整挖泥船、配套船舶及人工定额;如设计总开挖泥(砂)层厚度小于绞刀直径的0.5倍时,则不执行本定额。

表 8-2

开挖层厚(m)/绞刀直径(m)	≥0.9	0.9~0.8	0.8~0.7	0.7~0.6	0.6~0.5
系　　数	1.00	1.06	1.12	1.19	1.26

6.绞吸式挖泥船主要性能参考表详见附录10。

7.定额使用举例:

某河道疏浚工程,据地质资料全部为Ⅲ类土,无通航要求,据水文、气象等资料统计分析,平均每班客观影响时间小于1.0小时,属一级工况。开挖区中心至排放区中心,计算排泥管长度为0.78km,其中需水上浮筒管长0.3km,陆上地形平坦,无地物影响,岸管长度为0.48km。含允许开挖超深值总开挖泥层厚度2.7m,排高8m,挖深8m,选用350m^3/h绞吸式挖泥船开挖。定额计算如下:

(1)排泥管线总长度=0.3×1.4+0.48=0.9km,据以查得挖泥船基本定额为26.73艘时/万m^3。

(2)超排高=8-6=2m,定额增加系数=$(1.015)^2$=1.03。

(3)超挖深=8-6=2m,定额增加系数=2×0.03=0.06。

(4)泥层厚度影响系数，总开挖层厚2.7m，分两层开挖，即2.7÷2÷1.45(刀径)=0.93，因大于0.9，不考虑增加系数。

(5)定额综合调整系数=1.03+0.06=1.09。

对无超排高，仅有超挖深时，定额综合调整系数=1+超挖深定额增加系数。如本例无超排高仅有超挖深2m时，定额综合调整系数=1+2×0.03=1.06。

(6)350m^3/h绞吸式挖泥船定额=26.73×1.09=29.14艘时/万m^3。

(7)拖轮、锚艇、机艇及人工定额，均按综合调整系数进行相应调整。

(8)浮筒管组时定额=300m×1.4÷7.5m/组×29.14=56×29.14=1631.84组时/万m^3。

(9)岸管根时定额=480m÷6m/根×29.14=80×29.14=2331.2根时/万m^3。

九、链斗式挖泥船

1.本定额的泥驳均为开底泥驳，若为吹填工程或陆上排卸时，则改为满底泥驳。

2.若开挖泥(砂)层厚度(包括计算超深值)小于斗高、而大于或等于斗高1/2时，按开挖定额中人工工时及船舶艘时定额乘以1.25系数计算。

若开挖层厚度小于斗高的1/2时，不执行本定额。

3.各型链斗式挖泥船的斗高，参考表8-3所列：

表8-3

船型(m^3/h)	40	60	100	120	150	180	350	500
斗　高(m)	0.45	0.45	0.8	0.7	0.67	0.69	1.23	1.4

十、抓斗式、铲斗式挖泥船

1.本定额的泥驳均为开底泥驳，若为吹填工程或陆上排卸时，应改为满底泥驳。

2.抓斗式、铲斗式挖泥船疏浚,不宜开挖流动淤泥。

十一、吹泥船

1.本定额适用于配合链斗、抓斗、铲斗式挖泥船相应能力的陆上吹填工程。

2.排泥管线长度、浮筒管组时、岸管根时的计算,按绞吸式挖泥船的规定计算。

十二、水力冲挖机组

1.人工:是指组织和从事水力冲挖、排泥管线及其他辅助设施的安拆、移设、检护等辅助工作用工,但不包括排泥区围堰填筑等用工。

2.本定额适用于基本排高5m,每增(减)1m,排泥管线长度相应增(减)25m。

3.排泥管线长度:指计算铺设长度,如计算排泥管线长度介于定额两子目之间时,以“插入法”计算。

4.施工水源与作业面的距离为50~100m。

5.冲挖盐碱土方,如盐碱程度较重时,泥浆泵及排泥管台(米)时费用定额中的第一类费用可增加20%。

十三、链斗、抓斗、铲斗式挖泥船,运距超过10km时,超过部分按增运1km的拖轮、泥驳台时定额乘0.90系数。

八－1　绞吸式挖泥船

工作内容：包括固定船位，挖、排泥(砂)、移浮筒管，施工区内作业面移位等，配套船舶随挖泥船需要相应的定位、行驶等作业及其他各种辅助工作。

(1)　60m³/h 绞吸式挖泥船

单位：10000m³

项目		单位	Ⅰ类土				Ⅱ类土			
			排泥管线长度 (km)							
			≤0.2	0.3	0.4	0.5	≤0.2	0.3	0.4	0.5
工长		工时								
高级工		工时								
中级工		工时	53.7	56.4	59.2	62.0	58.9	61.9	64.9	68.0
初级工		工时	80.6	84.6	88.8	93.1	88.3	92.7	97.4	102.0
合计		工时	134.3	141.0	148.0	155.1	147.2	154.6	162.3	170.0
挖泥船	60m³/h	艘时	107.42	112.79	118.43	124.07	117.77	123.66	129.85	136.03
浮筒管	Ø250×5000mm	组时								
岸管	Ø250×4000mm	根时								
锚艇	88kW	艘时	21.48	22.56	23.69	24.81	23.55	24.73	25.97	27.21
机艇	88kW	艘时	35.44	37.22	39.08	40.94	38.86	40.81	42.85	44.89
其他机械费		%	7	7	7	7	7	7	7	7
编号			80001	80002	80003	80004	80005	80006	80007	80008

注：1. 基本排高 5m，每增(减)1m，定额乘(除)以 1.02 系数；

2. 最大挖深 4.5m；基本挖深 3m，每超深 1m，定额增加系数 0.04。

续表

项目	单位	Ⅲ类土				Ⅳ类土			
		排泥管线长度(km)							
		≤0.2	0.3	0.4	0.5	≤0.2	0.3	0.4	0.5
工长	工时								
高级工	工时								
中级工	工时	64.7	68.0	71.4	74.8	71.2	74.8	78.5	82.2
初级工	工时	97.1	101.9	107.0	112.1	106.8	112.1	117.7	123.3
合计	工时	161.8	169.9	178.4	186.9	178.0	186.9	196.2	205.5
挖泥船 $60m^3/h$	艘时	129.42	135.89	142.69	149.48	142.36	149.48	156.96	164.43
浮筒管 Ø250×5000mm	组时								
岸管 Ø250×4000mm	根时								
锚艇 88kW	艘时	25.88	27.18	28.54	29.90	28.47	29.90	31.39	32.89
机艇 88kW	艘时	42.71	44.84	47.09	49.33	46.98	49.32	51.80	54.26
其他机械费	%	7	7	7	7	7	7	7	7
编号		80009	80010	80011	80012	80013	80014	80015	80016

注:1.基本排高5m,每增(减)1m,定额乘(除)以1.02系数;

2.最大挖深4.5m;基本挖深3m,每超深1m,定额增加系数0.04。

续表

项目	单位	Ⅴ类土				Ⅵ类土			
		排泥管线长度(km)							
		≤0.2	0.3	0.4	0.5	≤0.2	0.3	0.4	0.5
工长	工时								
高级工	工时								
中级工	工时	85.4	89.7	94.1	98.6	111.3	116.9	122.7	128.6
初级工	工时	128.1	134.5	141.5	148.0	167.0	175.3	184.1	192.8
合计	工时	213.5	224.2	235.6	246.6	278.3	292.2	306.8	321.4
挖泥船 $60m^3/h$	艘时	170.83	179.37	188.35	197.31	222.6	233.73	245.43	257.11
浮筒管 Ø250×5000mm	组时								
岸管 Ø250×4000mm	根时								
锚艇 88kW	艘时	34.17	35.87	37.67	39.46	44.52	46.75	49.09	51.42
机艇 88kW	艘时	56.37	59.19	62.16	65.11	73.46	77.13	80.99	84.85
其他机械费	%	7	7	7	7	7	7	7	7
编号		80017	80018	80019	80020	80021	80022	80023	80024

注:1.基本排高5m,每增(减)1m,定额乘(除)以1.02系数;

2.最大挖深4.5m;基本挖深3m,每超深1m,定额增加系数0.04。

续表

项目	单位	松散中砂				松散粗砂		
		排泥管线长度 (km)						
		≤0.2	0.3	0.4	0.5	≤0.2	0.3	0.4
工长	工时							
高级工	工时							
中级工	工时	92.3	99.7	109.8	113.5	108.0	127.5	158.8
初级工	工时	138.4	149.5	164.8	170.3	162.0	191.1	238.1
合计	工时	230.7	249.2	274.6	283.8	270.0	318.6	396.9
挖泥船 $60m^3/h$	艘时	184.59	199.37	219.67	227.05	215.98	254.85	317.49
浮筒管 Ø250×5000mm	组时							
岸管 Ø250×4000mm	根时							
锚艇 88kW	艘时	36.92	39.87	43.93	45.41	43.20	50.97	63.50
机艇 88kW	艘时	60.91	65.79	72.49	74.93	71.27	84.10	104.77
其他机械费	%	6	6	6	6	6	6	6
编号		80025	80026	80027	80028	80029	80030	80031

注:1.基本排高 3m,每增(减)1m,挖中砂定额乘(除)以 1.048 系数,挖粗砂定额乘(除)以 1.25 系数;挖粗砂定额最大排高为 5m;
2.最大挖深 4.5m;基本挖深 3m,每超深 1m,定额增加系数 0.04。

续表

项目	单位	中密中砂				中密粗砂		
		排泥管线长度（km）						
		≤0.2	0.3	0.4	0.5	≤0.2	0.3	0.4
工长	工时							
高级工	工时							
中级工	工时	102.6	110.8	122.0	126.2	120.0	141.6	176.4
初级工	工时	153.8	166.1	183.1	189.2	180.0	212.4	264.6
合计	工时	256.4	276.9	305.1	315.4	300.0	354.0	441.0
挖泥船 $60m^3/h$	艘时	205.11	221.52	244.08	252.28	239.98	283.17	352.77
浮筒管 Ø250×5000mm	组时							
岸管 Ø250×4000mm	根时							
锚艇 88kW	艘时	41.02	44.30	48.82	50.46	48.00	56.63	70.55
机艇 88kW	艘时	67.69	73.10	80.55	83.25	79.19	93.45	116.41
其他机械费	%	6	6	6	6	6	6	6
编号		80032	80033	80034	80035	80036	80037	80038

注：1. 基本排高 3m，每增（减）1m，挖中砂定额乘（除）以 1.048 系数，挖粗砂定额乘（除）以 1.25 系数；挖粗砂定额最大排高为 5m；

2. 最大挖深 4.5m；基本挖深 3m，每超深 1m，定额增加系数 0.04。

（2） 80m³/h 绞吸式挖泥船

单位：10000m³

项目	单位	Ⅰ类土				
		排泥管线长度（km）				
		≤0.3	0.4	0.5	0.6	0.7
工　长	工时					
高级工	工时					
中级工	工时	48.0	50.4	52.8	55.8	58.6
初级工	工时	72.1	75.7	79.3	83.6	87.9
合　计	工时	120.1	126.1	132.1	139.4	146.5
挖泥船　80m³/h	艘时	84.59	88.83	93.05	98.15	103.19
浮筒管　Ø300×5000mm	组时					
岸　管　Ø300×4000mm	根时					
锚　艇　88kW	艘时	16.92	17.77	18.61	19.63	20.64
机　艇　88kW	艘时	27.91	29.31	30.71	32.39	34.05
其他机械费	%	5	5	5	5	5
编号		80039	80040	80041	80042	80043

注：1. 基本排高 6m，每增（减）1m，定额乘（除）以 1.02 系数；

2. 最大挖深 5.2m；基本挖深 3m，每超深 1m，定额增加系数 0.04。

续表

项目	单位	Ⅱ类土				
		排泥管线长度(km)				
		≤0.3	0.4	0.5	0.6	0.7
工长	工时					
高级工	工时					
中级工	工时	52.7	55.3	58.0	61.1	64.3
初级工	工时	79.0	83.0	86.9	91.7	96.4
合计	工时	131.7	138.3	144.9	152.8	160.7
挖泥船 $80m^3/h$	艘时	92.75	97.39	102.02	107.61	113.14
浮筒管 Ø300×5000mm	组时					
岸管 Ø300×4000mm	根时					
锚艇 88kW	艘时	18.55	19.48	20.40	21.52	22.63
机艇 88kW	艘时	30.61	32.14	33.67	35.51	37.34
其他机械费	%	5	5	5	5	5
编号		80044	80045	80046	80047	80048

注:1.基本排高 6m,每增(减)1m,定额乘(除)以 1.02 系数;

2.最大挖深 5.2m;基本挖深 3m,每超深 1m,定额增加系数 0.04。

续表

项目	单位	Ⅲ类土				
		排泥管线长度（km）				
		≤0.3	0.4	0.5	0.6	0.7
工长	工时					
高级工	工时					
中级工	工时	57.9	60.8	63.7	67.2	70.6
初级工	工时	86.6	91.2	95.5	100.7	105.9
合计	工时	144.7	152.0	159.2	167.9	176.5
挖泥船 $80m^3/h$	艘时	101.92	107.02	112.11	118.25	124.33
浮筒管 Ø300×5000mm	组时					
岸管 Ø300×4000mm	根时					
锚艇 88kW	艘时	20.38	21.40	22.42	23.65	24.87
机艇 88kW	艘时	33.63	35.32	37.00	39.02	41.03
其他机械费	%	5	5	5	5	5
编号		80049	80050	80051	80052	80053

注:1.基本排高 6m,每增(减)1m,定额乘(除)以 1.02 系数;

2.最大挖深 5.2m;基本挖深 3m,每超深 1m,定额增加系数 0.04。

续表

项目	单位	Ⅳ类土				
		排泥管线长度 (km)				
		≤0.3	0.4	0.5	0.6	0.7
工长	工时					
高级工	工时					
中级工	工时	63.7	66.9	70.0	73.9	77.7
初级工	工时	95.5	100.3	105.1	110.8	116.5
合计	工时	159.2	167.2	175.1	184.7	194.2
挖泥船 $80m^3/h$	艘时	112.11	117.72	123.32	130.08	136.76
浮筒管 Ø300×5000mm	组时					
岸管 Ø300×4000mm	根时					
锚艇 88kW	艘时	22.42	23.54	24.66	26.02	27.35
机艇 88kW	艘时	37.00	38.85	40.70	42.93	45.13
其他机械费	%	5	5	5	5	5
编号		80054	80055	80056	80057	80058

注:1.基本排高 6m,每增(减)1m,定额乘(除)以 1.02 系数;

2.最大挖深 5.2m;基本挖深 3m,每超深 1m,定额增加系数 0.04。

续表

项目	单位	V类土				
		排泥管线长度 (km)				
		≤0.3	0.4	0.5	0.6	0.7
工长	工时					
高级工	工时					
中级工	工时	76.4	80.2	84.0	88.6	93.3
初级工	工时	114.6	120.4	126.1	133.0	139.8
合计	工时	191.0	200.6	210.1	221.6	233.1
挖泥船 $80m^3/h$	艘时	134.53	141.27	147.99	156.09	164.12
浮筒管 Ø300×5000mm	组时					
岸管 Ø300×4000mm	根时					
锚艇 88kW	艘时	26.91	28.25	29.60	31.22	32.82
机艇 88kW	艘时	44.39	46.62	48.84	51.51	54.16
其他机械费	%	5	5	5	5	5
编号		80059	80060	80061	80062	80063

注:1.基本排高6m,每增(减)1m,定额乘(除)以1.02系数;

2.最大挖深5.2m;基本挖深3m,每超深1m,定额增加系数0.04。

续表

项目	单位	Ⅵ类土				
		排泥管线长度 (km)				
		≤0.3	0.4	0.5	0.6	0.7
工长	工时					
高级工	工时					
中级工	工时	99.5	104.6	109.5	115.5	121.5
初级工	工时	149.4	156.8	164.3	173.3	182.2
合计	工时	248.9	261.4	273.8	288.8	303.7
挖泥船 $80m^3/h$	艘时	175.30	184.07	192.83	202.39	213.85
浮筒管 Ø300×5000mm	组时					
岸管 Ø300×4000mm	根时					
锚艇 88kW	艘时	35.06	36.81	38.57	40.68	42.77
机艇 88kW	艘时	57.85	60.74	63.63	67.12	70.57
其他机械费	%	5	5	5	5	5
编号		80064	80065	80066	80067	80068

注:1.基本排高 6m,每增(减)1m,定额乘(除)以 1.02 系数;

2.最大挖深 5.2m;基本挖深 3m,每超深 1m,定额增加系数 0.04。

续表

项目	单位	松散中砂				松散粗砂		
		排泥管线长度（km）						
		≤0.3	0.4	0.5	0.6	≤0.3	0.4	0.5
工长	工时							
高级工	工时							
中级工	工时	76.6	82.7	91.1	101.8	89.6	112.0	143.3
初级工	工时	114.8	124.0	136.7	152.7	134.3	167.9	215.0
合计	工时	191.4	206.7	227.8	254.5	223.9	279.9	358.3
挖泥船 $80m^3/h$	艘时	149.53	161.50	177.93	198.86	174.93	218.66	279.89
浮筒管 Ø300×5000mm	组时							
岸管 Ø300×4000mm	根时							
锚艇 88kW	艘时	29.91	32.30	35.39	39.77	34.99	43.73	55.98
机艇 88kW	艘时	49.34	53.30	58.72	65.62	57.73	72.16	92.36
其他机械费	%	4	4	4	4	4	4	4
编号		80069	80070	80071	80072	80073	80074	80075

注:1.基本排高 3m,每增(减)1m,挖中砂定额乘(除)以 1.048 系数,挖粗砂定额乘(除)以 1.25 系数;挖粗砂定额最大排高为 5m;

2.最大挖深 5.2m;基本挖深 3m,每超深 1m,定额增加系数 0.04。

续表

项目	单位	中密中砂				中密粗砂		
		排泥管线长度（km）						
		≤0.3	0.4	0.5	0.6	≤0.3	0.4	0.5
工长	工时							
高级工	工时							
中级工	工时	85.1	91.9	101.3	113.1	99.5	124.4	159.3
初级工	工时	127.6	137.8	151.8	169.7	149.3	186.6	238.8
合计	工时	212.7	229.7	253.1	282.8	248.8	311.0	398.1
挖泥船 $80m^3/h$	艘时	166.14	179.45	197.70	220.95	194.37	242.96	310.99
浮筒管 Ø300×5000mm	组时							
岸管 Ø300×4000mm	根时							
锚艇 88kW	艘时	33.23	35.89	39.54	44.19	38.87	48.59	62.20
机艇 88kW	艘时	54.83	59.22	65.24	72.91	64.14	80.18	102.63
其他机械费	%	4	4	4	4	4	4	4
编号		80076	80077	80078	80079	80080	80081	80082

注：1. 基本排高 3m，每增(减)1m，挖中砂定额乘(除)以 1.048 系数，挖粗砂定额乘(除)以 1.25 系数；挖粗砂定额最大排高为 5m；

2. 最大挖深 5.2m；基本挖深 3m，每超深 1m，定额增加系数 0.04。

(3) 100m³/h绞吸式挖泥船

单位:10000m³

项目	单位	Ⅰ类土					
		排泥管线长度 (km)					
		≤0.4	0.5	0.6	0.7	0.8	1.0
工长	工时						
高级工	工时						
中级工	工时	41.9	44.0	46.1	48.7	51.2	57.8
初级工	工时	52.9	66.0	69.2	72.9	76.7	86.8
合计	工时	104.8	110.0	115.3	121.6	127.9	144.6
挖泥船 100m³/h	艘时	73.80	77.50	81.18	85.61	90.04	101.85
浮筒管 Ø300×5000mm	组时						
岸管 Ø300×4000mm	根时						
锚艇 88kW	艘时	14.76	15.50	16.23	17.12	18.01	20.37
机艇 88kW	艘时	24.35	25.57	26.79	28.25	29.71	33.61
其他机械费	%	5	5	5	5	5	5
编号		80083	80084	80085	80086	80087	80088

注:1.基本排高6m,每增(减)1m,定额乘(除)以1.02系数;

2.最大挖深5.2m;基本挖深3m,每超深1m,定额增加系数0.03。

续表

项目	单位	Ⅱ类土					
		排泥管线长度 (km)					
		≤0.4	0.5	0.6	0.7	0.8	1.0
工长	工时						
高级工	工时						
中级工	工时	46.0	48.3	50.6	53.3	56.1	63.5
初级工	工时	68.9	72.4	75.8	80.0	84.1	95.1
合计	工时	114.9	120.7	126.4	133.3	140.2	158.6
挖泥船 $100m^3/h$	艘时	80.92	84.97	89.01	93.87	98.72	111.67
浮筒管 Ø300×5000mm	组时						
岸管 Ø300×4000mm	根时						
锚艇 88kW	艘时	16.18	16.99	17.80	18.77	19.75	22.33
机艇 88kW	艘时	26.70	28.04	29.37	30.98	32.58	36.85
其他机械费	%	5	5	5	5	5	5
编号		80089	80090	80091	80092	80093	80094

注:1.基本排高 6m,每增(减)1m,定额乘(除)以 1.02 系数;

2.最大挖深 5.2m;基本挖深 3m,每超深 1m,定额增加系数 0.03。

续表

项目	单位	Ⅲ类土					
		排泥管线长度（km）					
		≤0.4	0.5	0.6	0.7	0.8	1.0
工长	工时						
高级工	工时						
中级工	工时	50.5	53.0	55.6	58.6	61.6	69.7
初级工	工时	75.8	79.6	83.3	87.9	92.4	104.5
合计	工时	126.3	132.6	138.9	146.5	154.0	174.2
挖泥船 $100m^3/h$	艘时	88.92	93.37	97.81	103.15	108.48	122.71
浮筒管 Ø300×5000mm	组时						
岸管 Ø300×4000mm	根时						
锚艇 88kW	艘时	17.78	18.67	19.56	20.63	21.70	24.54
机艇 88kW	艘时	29.34	30.81	32.28	34.04	35.80	40.49
其他机械费	%	5	5	5	5	5	5
编号		80095	80096	80097	80098	80099	80100

注：1. 基本排高6m，每增（减）1m，定额乘（除）以1.02系数；

2. 最大挖深5.2m；基本挖深3m，每超深1m，定额增加系数0.03。

续表

项目	单位	Ⅳ类土					
		排泥管线长度（km）					
		≤0.4	0.5	0.6	0.7	0.8	1.0
工长	工时						
高级工	工时						
中级工	工时	55.6	58.3	61.1	64.4	67.7	76.7
初级工	工时	83.3	87.5	91.7	96.7	101.7	115.0
合计	工时	138.9	145.8	152.8	161.1	169.4	191.7
挖泥船 100m³/h	艘时	97.81	102.71	107.59	113.47	119.33	134.98
浮筒管 Ø300×5000mm	组时						
岸管 Ø300×4000mm	根时						
锚艇 88kW	艘时	19.56	20.54	21.52	22.69	23.87	26.99
机艇 88kW	艘时	32.27	33.89	35.51	37.44	39.38	44.54
其他机械费	%	5	5	5	5	5	5
编号		80101	80102	80103	80104	80105	80106

注：1. 基本排高 6m，每增（减）1m，定额乘（除）以 1.02 系数；

2. 最大挖深 5.2m；基本挖深 3m，每超深 1m，定额增加系数 0.03。

续表

项目	单位	V类土					
		排泥管线长度(km)					
		≤0.4	0.5	0.6	0.7	0.8	1.0
工长	工时						
高级工	工时						
中级工	工时	66.7	70.0	73.3	77.3	81.3	92.0
初级工	工时	100.0	105.0	110.0	116.0	122.0	138.0
合计	工时	166.7	175.0	183.3	193.3	203.3	230.0
挖泥船 $100m^3/h$	艘时	117.37	123.25	129.11	136.16	143.19	161.98
浮筒管 Ø300×5000mm	组时						
岸管 Ø300×4000mm	根时						
锚艇 88kW	艘时	23.47	24.64	25.82	27.23	28.64	32.39
机艇 88kW	艘时	38.73	40.67	42.61	44.93	47.26	53.45
其他机械费	%	5	5	5	5	5	5
编号		80107	80108	80109	80110	80111	80112

注:1.基本排高6m,每增(减)1m,定额乘(除)以1.02系数;

2.最大挖深5.2m;基本挖深3m,每超深1m,定额增加系数0.03。

续表

项目	单位	Ⅵ类土					
		排泥管线长度 (km)					
		≤0.4	0.5	0.6	0.7	0.8	1.0
工长	工时						
高级工	工时						
中级工	工时	86.9	91.3	95.6	100.7	106.0	119.9
初级工	工时	130.3	136.8	143.3	151.2	159.0	179.8
合计	工时	217.2	228.1	238.9	251.9	265.0	299.7
挖泥船 $100m^3/h$	艘时	152.94	160.60	168.23	177.42	186.59	211.06
浮筒管 Ø300×5000mm	组时						
岸管 Ø300×4000mm	根时						
锚艇 88kW	艘时	30.58	32.11	33.64	35.48	37.32	42.21
机艇 88kW	艘时	50.46	52.99	55.52	58.55	61.58	69.64
其他机械费	%	5	5	5	5	5	5
编号		80113	80114	80115	80116	80117	80118

注：1. 基本排高 6m，每增(减)1m，定额乘(除)以 1.02 系数；

2. 最大挖深 5.2m；基本挖深 3m，每超深 1m，定额增加系数 0.03。

续表

项目	单位	松散中砂					松散粗砂		
		排泥管线长度 (km)							
		≤0.4	0.5	0.6	0.7	0.8	≤0.4	0.5	0.6
工长	工时								
高级工	工时								
中级工	工时	66.8	72.1	79.5	86.8	96.2	78.1	93.8	117.2
初级工	工时	100.2	108.2	119.2	130.2	144.2	117.2	140.6	175.8
合计	工时	167.0	180.3	198.7	217.0	240.4	195.3	234.4	293.0
挖泥船 $100m^3/h$	艘时	130.43	140.86	155.21	169.56	187.81	152.61	183.13	228.92
浮筒管 Ø300×5000mm	组时								
岸管 Ø300×4000mm	根时								
锚艇 88kW	艘时	26.08	28.12	31.04	33.91	37.57	30.52	36.63	45.78
机艇 88kW	艘时	43.04	46.49	51.22	55.95	61.97	50.36	60.44	75.55
其他机械费	%	4	4	4	4	4	4	4	4
编号		80119	80120	80121	80122	80123	80124	80125	80126

注:1.基本排高4m,每增(减)1m,挖中砂定额乘(除)以1.044系数,挖粗砂定额乘(除)以1.18系数;挖粗砂定额最大排高为6m;

2.最大挖深5.2m;基本挖深3m,每超深1m,定额增加系数0.03。

续表

项目	单位	中密中砂					中密粗砂		
		排泥管线长度 (km)							
		≤0.4	0.5	0.6	0.7	0.8	≤0.4	0.5	0.6
工长	工时								
高级工	工时								
中级工	工时	74.2	80.1	88.3	96.5	106.8	86.8	104.2	130.3
初级工	工时	111.3	120.2	132.4	144.7	160.3	130.2	156.3	195.3
合计	工时	185.5	200.3	220.7	241.2	267.1	217.0	260.5	325.6
挖泥船 $100m^3/h$	艘时	144.92	156.51	172.45	188.40	208.68	169.57	203.48	254.35
浮筒管 Ø300×5000mm	组时								
岸管 Ø300×4000mm	根时								
锚艇 88kW	艘时	28.98	31.24	34.49	37.68	41.74	33.91	40.70	50.87
机艇 88kW	艘时	47.82	51.65	56.91	62.17	68.86	55.96	67.15	83.94
其他机械费	%	4	4	4	4	4	4	4	4
编号		80127	80128	80129	80130	80131	80132	80133	80134

注:1.基本排高4m,每增(减)1m,挖中砂定额乘(除)以1.044系数,挖粗砂定额乘(除)以1.18系数;挖粗砂定额最大排高为6m;
2.最大挖深5.2m;基本挖深3m,每超深1m,定额增加系数0.03。

(4) $120m^3/h$ 绞吸式挖泥船

单位:$10000m^3$

项目	单位	Ⅰ类土					
		排泥管线长度(km)					
		≤0.4	0.5	0.6	0.7	0.8	1.0
工长	工时						
高级工	工时						
中级工	工时	36.7	38.6	40.4	42.6	44.9	50.8
初级工	工时	55.2	57.9	60.7	64.0	67.3	76.1
合计	工时	91.9	96.5	101.1	106.6	112.2	126.9
挖泥船 $120m^3/h$	艘时	64.74	67.98	71.21	75.10	78.98	89.34
浮筒管 Ø300×5000mm	组时						
岸管 Ø300×4000mm	根时						
锚艇 88kW	艘时	16.19	16.99	17.80	18.77	19.75	22.34
机艇 88kW	艘时	21.36	22.43	23.50	24.78	26.06	29.48
其他机械费	%	4	4	4	4	4	4
编号		80135	80136	80137	80138	80139	80140

注:1.基本排高6m,每增(减)1m,定额乘(除)以1.02系数;

2.最大挖深5.5m;基本挖深3m,每超深1m,定额增加系数0.03。

续表

项目	单位	Ⅱ类土					
		排泥管线长度（km）					
		≤0.4	0.5	0.6	0.7	0.8	1.0
工长	工时						
高级工	工时						
中级工	工时	40.3	42.3	44.4	46.7	49.2	55.6
初级工	工时	60.5	63.5	66.5	70.2	73.8	83.5
合计	工时	100.8	105.8	110.9	116.9	123.0	139.1
挖泥船 $120m^3/h$	艘时	70.98	74.53	78.08	82.34	86.60	97.95
浮筒管 Ø300×5000mm	组时						
岸管 Ø300×4000mm	根时						
锚艇 88kW	艘时	17.75	18.63	19.52	20.58	21.65	24.49
机艇 88kW	艘时	23.42	24.60	25.76	27.17	28.57	32.32
其他机械费	%	4	4	4	4	4	4
编号		80141	80142	80143	80144	80145	80146

注：1. 基本排高 6m，每增（减）1m，定额乘（除）以 1.02 系数；

2. 最大挖深 5.5m；基本挖深 3m，每超深 1m，定额增加系数 0.03。

续表

项目	单位	Ⅲ类土					
		排泥管线长度（km）					
		≤0.4	0.5	0.6	0.7	0.8	1.0
工长	工时						
高级工	工时						
中级工	工时	44.3	46.5	48.7	51.4	54.0	61.1
初级工	工时	66.5	69.8	73.1	77.1	81.1	91.7
合计	工时	110.8	116.3	121.8	128.5	135.1	152.8
挖泥船 $120m^3/h$	艘时	78.00	81.90	85.80	90.48	95.16	107.64
浮筒管 Ø300×5000mm	组时						
岸管 Ø300×4000mm	根时						
锚艇 88kW	艘时	19.50	20.47	21.45	22.62	23.79	26.91
机艇 88kW	艘时	25.74	27.03	28.31	29.86	31.40	35.52
其他机械费	%	4	4	4	4	4	4
编号		80147	80148	80149	80150	80151	80152

注：1.基本排高6m，每增（减）1m，定额乘（除）以1.02系数；

2.最大挖深5.5m；基本挖深3m，每超深1m，定额增加系数0.03。

续表

项目	单位	Ⅳ类土					
		排泥管线长度 (km)					
		≤0.4	0.5	0.6	0.7	0.8	1.0
工长	工时						
高级工	工时						
中级工	工时	48.7	51.1	53.6	56.5	59.4	67.2
初级工	工时	73.1	76.8	80.4	84.8	89.2	100.9
合计	工时	121.8	127.9	134.0	141.3	148.6	168.1
挖泥船 $120m^3/h$	艘时	85.80	90.09	94.38	99.53	104.68	118.40
浮筒管 Ø300×5000mm	组时						
岸管 Ø300×4000mm	根时						
锚艇 88kW	艘时	21.45	22.52	23.60	24.88	26.17	29.60
机艇 88kW	艘时	28.31	29.73	31.14	32.85	34.54	39.07
其他机械费	%	4	4	4	4	4	4
编号		80153	80154	80155	80156	80157	80158

注:1. 基本排高 6m,每增(减)1m,定额乘(除)以 1.02 系数;

2. 最大挖深 5.5m;基本挖深 3m,每超深 1m,定额增加系数 0.03。

续表

项目	单位	V类土					
		排泥管线长度（km）					
		≤0.4	0.5	0.6	0.7	0.8	1.0
工长	工时						
高级工	工时						
中级工	工时	58.5	61.4	64.3	67.8	71.4	80.7
初级工	工时	87.7	92.1	96.5	101.8	107.0	121.1
合计	工时	146.2	153.5	160.8	169.6	178.4	201.8
挖泥船 $120m^3/h$	艘时	102.96	108.11	113.26	119.43	125.61	142.08
浮筒管 Ø300×5000mm	组时						
岸管 Ø300×4000mm	根时						
锚艇 88kW	艘时	25.74	27.02	28.31	29.86	31.40	35.52
机艇 88kW	艘时	33.98	35.68	37.37	39.42	41.45	46.89
其他机械费	%	4	4	4	4	4	4
编号		80159	80160	80161	80162	80163	80164

注：1. 基本排高 6m，每增（减）1m，定额乘（除）以 1.02 系数；

2. 最大挖深 5.5m；基本挖深 3m，每超深 1m，定额增加系数 0.03。

续表

项目	单位	Ⅵ类土					
		排泥管线长度 (km)					
		≤0.4	0.5	0.6	0.7	0.8	1.0
工长	工时						
高级工	工时						
中级工	工时	76.2	80.0	83.9	88.4	92.9	105.2
初级工	工时	114.3	120.0	125.7	132.6	139.5	157.7
合计	工时	190.5	200.0	209.6	221.0	232.4	262.9
挖泥船 $120m^3/h$	艘时	134.16	140.87	147.58	155.63	163.68	185.14
浮筒管 Ø300×5000mm	组时						
岸管 Ø300×4000mm	根时						
锚艇 88kW	艘时	33.54	35.21	36.89	38.91	40.92	46.29
机艇 88kW	艘时	44.27	46.49	48.69	51.36	54.01	61.09
其他机械费	%	4	4	4	4	4	4
编号		80165	80166	80167	80168	80169	80170

注：1. 基本排高 6m，每增（减）1m，定额乘（除）以 1.02 系数；

2. 最大挖深 5.5m；基本挖深 3m，每超深 1m，定额增加系数 0.03。

续表

项目	单位	松散中砂						松散粗砂		
		排泥管线长度 (km)								
		≤0.4	0.5	0.6	0.7	0.8	0.9	≤0.4	0.5	0.6
工长	工时									
高级工	工时									
中级工	工时	58.6	63.3	69.7	76.2	84.4	92.6	68.6	82.3	102.9
初级工	工时	87.9	94.9	104.6	114.2	126.5	138.8	102.8	123.4	154.2
合计	工时	146.5	158.2	174.3	190.4	210.9	231.4	171.4	205.7	257.1
挖泥船 $120m^3/h$	艘时	114.43	123.58	136.17	148.75	164.77	180.79	133.89	160.67	200.84
浮筒管 Ø300×5000mm	组时									
岸管 Ø300×4000mm	根时									
锚艇 88kW	艘时	28.61	30.90	34.05	37.19	41.19	45.20	33.47	40.17	50.21
机艇 88kW	艘时	37.76	40.78	44.94	49.09	54.38	59.66	44.18	53.02	66.28
其他机械费	%	3	3	3	3	3	3	3	3	3
编号		80171	80172	80173	80174	80175	80176	80177	80178	80179

注：1. 基本排高 4m，每增(减)1m，挖中砂定额乘(除)以 1.044 系数，挖粗砂定额乘(除)以 1.18 系数；挖粗砂定额最大排高为 6m；

2. 最大挖深 5.5m；基本挖深 3m，每超深 1m，定额增加系数 0.03。

续表

项目	单位	中密中砂						中密粗砂		
		排泥管线长度 (km)								
		≤0.4	0.5	0.6	0.7	0.8	0.9	≤0.4	0.5	0.6
工长	工时									
高级工	工时									
中级工	工时	65.1	70.3	77.5	84.7	93.7	102.8	76.1	91.4	114.2
初级工	工时	97.6	105.5	116.2	126.9	140.6	154.3	114.3	137.1	171.4
合计	工时	162.7	175.8	193.7	211.6	234.3	257.1	190.4	228.5	285.6
挖泥船 $120m^3/h$	艘时	127.14	137.31	151.30	165.28	183.08	200.88	148.77	178.52	223.16
浮筒管 Ø300×5000mm	组时									
岸管 Ø300×4000mm	根时									
锚艇 88kW	艘时	31.79	34.33	37.83	41.32	45.77	50.22	37.19	44.63	55.79
机艇 88kW	艘时	41.96	45.31	49.93	54.54	60.42	66.29	49.09	58.91	73.64
其他机械费	%	3	3	3	3	3	3	3	3	3
编号		80180	80181	80182	80183	80184	80185	80186	80187	80188

注:1. 基本排高 4m,每增(减)1m,挖中砂定额乘(除)以 1.044 系数,挖粗砂定额乘(除)以 1.18 系数;挖粗砂定额最大排高为 6m;

2. 最大挖深 5.5m;基本挖深 3m,每超深 1m,定额增加系数 0.03。

(5) 200m³/h 绞吸式挖泥船

单位:10000m³

项目	单位	Ⅰ类土							
		排泥管线长度 (km)							
		≤0.5	0.6	0.7	0.8	0.9	1.0	1.1	1.3
工长	工时								
高级工	工时								
中级工	工时	23.9	25.0	26.2	27.7	29.1	30.7	32.6	37.4
初级工	工时	35.7	37.5	39.3	41.4	43.6	46.1	49.0	56.1
合计	工时	59.6	62.5	65.5	69.1	72.7	76.8	81.6	93.5
挖泥船 200m³/h	艘时	33.84	35.53	37.23	39.25	41.28	43.65	46.36	53.13
浮筒管 Ø400×7500mm	组时								
岸管 Ø400×6000mm	根时								
拖轮 176kW	艘时	8.46	8.88	9.30	9.81	10.33	10.91	11.59	13.28
锚艇 88kW	艘时	10.15	10.66	11.17	11.78	12.38	13.10	13.91	15.94
机艇 88kW	艘时	11.16	11.73	12.28	12.96	13.62	14.40	15.30	17.53
其他机械费	%	4	4	4	4	4	4	4	4
编号		80189	80190	80191	80192	80193	80194	80195	80196

注:1.基本排高 6m,每增(减)1m,定额乘(除)以 1.015 系数;

2.最大挖深 10m;基本挖深 6m,每超深 1m,定额增加系数 0.03。

续表

项目	单位	Ⅱ类土							
		排泥管线长度（km）							
		≤0.5	0.6	0.7	0.8	0.9	1.0	1.1	1.3
工长	工时								
高级工	工时								
中级工	工时	26.1	27.5	28.7	30.3	31.9	33.7	35.7	41.0
初级工	工时	39.2	41.1	43.1	45.4	47.8	50.5	53.7	61.5
合计	工时	65.3	68.6	71.8	75.7	79.7	84.2	89.4	102.5
挖泥船 $200m^3/h$	艘时	37.10	38.96	40.81	43.03	45.26	47.86	50.82	58.25
浮筒管 Ø400×7500mm	组时								
岸管 Ø400×6000mm	根时								
拖轮 176kW	艘时	9.27	9.74	10.20	10.76	11.32	11.97	12.70	14.56
锚艇 88kW	艘时	11.13	11.68	12.25	12.91	13.58	14.36	15.25	17.47
机艇 88kW	艘时	12.24	12.86	13.47	14.21	14.93	15.79	16.77	19.22
其他机械费	%	4	4	4	4	4	4	4	4
编号		80197	80198	80199	80200	80201	80202	80203	80204

注：1. 基本排高 6m，每增（减）1m，定额乘（除）以 1.015 系数；

2. 最大挖深 10m；基本挖深 6m，每超深 1m，定额增加系数 0.03。

续表

项目	单位	Ⅲ类土							
		排泥管线长度（km）							
		≤0.5	0.6	0.7	0.8	0.9	1.0	1.1	1.3
工长	工时								
高级工	工时								
中级工	工时	28.7	30.1	31.5	33.3	35.0	37.1	39.3	45.1
初级工	工时	43.1	45.2	47.4	49.9	52.5	55.5	59.0	67.6
合计	工时	71.8	75.3	78.9	83.2	87.5	92.6	98.3	112.7
挖泥船 200m³/h	艘时	40.77	42.81	44.85	47.29	49.74	52.59	55.85	64.01
浮筒管 Ø400×7500mm	组时								
岸管 Ø400×6000mm	根时								
拖轮 176kW	艘时	10.19	10.70	11.21	11.82	12.44	13.15	13.96	16.00
锚艇 88kW	艘时	12.23	12.84	13.46	14.19	14.92	15.78	16.76	19.20
机艇 88kW	艘时	13.45	14.13	14.80	15.61	16.41	17.35	18.43	21.12
其他机械费	%	4	4	4	4	4	4	4	4
编号		80205	80206	80207	80208	80209	80210	80211	80212

注：1. 基本排高 6m，每增（减）1m，定额乘（除）以 1.015 系数；

2. 最大挖深 10m；基本挖深 6m，每超深 1m，定额增加系数 0.03。

续表

项目	单位	Ⅳ类土							
		排泥管线长度 (km)							
		≤0.5	0.6	0.7	0.8	0.9	1.0	1.1	1.3
工长	工时								
高级工	工时								
中级工	工时	31.5	33.2	34.7	36.7	38.5	40.7	43.2	49.5
初级工	工时	47.4	49.7	52.1	54.9	57.8	61.1	64.9	74.4
合计	工时	78.9	82.9	86.8	91.6	96.3	101.8	108.1	123.9
挖泥船 $200m^3/h$	艘时	44.85	47.09	49.34	52.02	54.71	57.85	61.44	70.41
浮筒管 Ø400×7500mm	组时								
岸管 Ø400×6000mm	根时								
拖轮 176kW	艘时	11.21	11.77	12.33	13.00	13.68	14.47	15.36	17.60
锚艇 88kW	艘时	13.45	14.12	14.81	15.61	16.41	17.36	18.44	21.12
机艇 88kW	艘时	14.80	15.54	16.28	17.17	18.05	19.09	20.27	23.23
其他机械费	%	4	4	4	4	4	4	4	4
编号		80213	80214	80215	80216	80217	80218	80219	80220

注:1.基本排高 6m,每增(减)1m,定额乘(除)以 1.015 系数;

2.最大挖深 10m;基本挖深 6m,每超深 1m,定额增加系数 0.03。

续表

项目	单位	V类土							
		排泥管线长度（km）							
		≤0.5	0.6	0.7	0.8	0.9	1.0	1.1	1.3
工长	工时								
高级工	工时								
中级工	工时	37.9	39.5	41.7	44.0	46.3	48.9	51.9	59.5
初级工	工时	56.8	59.2	62.5	65.9	69.3	73.3	77.8	89.2
合计	工时	94.7	98.7	104.2	109.9	115.6	122.2	129.7	148.7
挖泥船 200m³/h	艘时	53.82	56.51	59.20	62.42	65.66	69.42	73.72	84.49
浮筒管 Ø400×7500mm	组时								
岸管 Ø400×6000mm	根时								
拖轮 176kW	艘时	13.45	14.12	14.80	15.60	16.42	17.36	18.43	21.12
锚艇 88kW	艘时	16.14	16.95	17.77	18.73	19.69	20.83	22.12	25.34
机艇 88kW	艘时	17.75	18.65	19.54	20.61	21.66	22.90	24.33	27.88
其他机械费	%	4	4	4	4	4	4	4	4
编号		80221	80222	80223	80224	80225	80226	80227	80228

注：1.基本排高6m，每增（减）1m，定额乘（除）以1.015系数；

2.最大挖深10m；基本挖深6m，每超深1m，定额增加系数0.03。

续表

项目	单位	Ⅵ类土							
		排泥管线长度 (km)							
		≤0.5	0.6	0.7	0.8	0.9	1.0	1.1	1.3
工长	工时								
高级工	工时								
中级工	工时	49.4	51.8	54.3	57.3	60.3	63.7	67.7	77.5
初级工	工时	74.0	77.8	81.5	85.9	90.3	95.5	101.4	116.3
合计	工时	123.4	129.6	135.8	143.2	150.6	159.2	169.1	193.8
挖泥船 $200m^3/h$	艘时	70.12	73.63	77.14	81.34	85.55	90.45	96.06	110.10
浮筒管 Ø400×7500mm	组时								
岸管 Ø400×6000mm	根时								
拖轮 176kW	艘时	17.53	18.40	19.28	20.33	21.40	22.62	24.01	27.52
锚艇 88kW	艘时	21.04	22.08	23.15	24.41	25.66	27.14	28.83	33.02
机艇 88kW	艘时	23.13	24.30	25.46	26.85	28.23	29.84	31.70	36.33
其他机械费	%	4	4	4	4	4	4	4	4
编号		80229	80230	80231	80232	80233	80234	80235	80236

注：1. 基本排高 6m，每增(减)1m，定额乘(除)以 1.015 系数；

2. 最大挖深 10m；基本挖深 6m，每超深 1m，定额增加系数 0.03。

续表

项目	单位	Ⅶ类土							
		排泥管线长度 (km)							
		≤0.5	0.6	0.7	0.8	0.9	1.0	1.1	1.3
工长	工时								
高级工	工时								
中级工	工时	69.1	72.7	76.1	80.2	84.4	89.3	94.8	108.6
初级工	工时	103.8	108.9	114.1	120.4	126.6	133.8	142.1	162.9
合计	工时	172.9	181.6	190.2	200.6	211.0	223.1	236.9	271.5
挖泥船 $200m^3/h$	艘时	98.26	103.17	108.09	113.97	119.87	126.74	134.60	154.26
浮筒管 Ø400×7500mm	组时								
岸管 Ø400×6000mm	根时								
拖轮 176kW	艘时	24.56	25.79	27.02	28.49	29.98	31.69	33.64	38.56
锚艇 88kW	艘时	29.47	30.94	32.44	34.20	35.96	38.03	40.39	46.27
机艇 88kW	艘时	32.41	34.05	35.67	37.62	39.55	41.81	44.42	50.90
其他机械费	%	4	4	4	4	4	4	4	4
编号		80237	80238	80239	80240	80241	80242	80243	80244

注:1. 基本排高 6m,每增(减)1m,定额乘(除)以 1.015 系数;

2. 最大挖深 10m;基本挖深 6m,每超深 1m,定额增加系数 0.03。

续表

项目	单位	松散中砂						松散粗砂		
		排泥管线长度 (km)								
		≤0.5	0.6	0.7	0.8	0.9	1.0	≤0.5	0.6	0.7
工长	工时									
高级工	工时									
中级工	工时	35.9	38.8	42.4	46.6	51.7	57.1	42.0	50.3	63.0
初级工	工时	53.8	58.1	63.5	70.0	77.5	85.6	63.0	75.6	94.4
合计	工时	89.7	96.9	105.9	116.6	129.2	142.7	105.0	125.9	157.4
挖泥船 $200m^3/h$	艘时	59.81	64.60	70.58	77.76	86.13	95.10	69.97	83.96	104.95
浮筒管 Ø400×7500mm	组时									
岸管 Ø400×6000mm	根时									
拖轮 176kW	艘时	14.96	16.15	17.64	19.44	21.54	23.78	17.49	20.99	26.24
锚艇 88kW	艘时	17.95	19.38	21.18	23.33	25.84	28.53	20.99	25.19	31.48
机艇 88kW	艘时	19.74	21.32	23.29	25.66	28.42	31.38	23.09	27.71	34.63
其他机械费	%	3	3	3	3	3	3	3	3	3
编号		80245	80246	80247	80248	80249	80250	80251	80252	80253

注:1. 基本排高 4m,每增(减)1m,挖中砂定额乘(除)以 1.027 系数,挖粗砂定额乘(除)以 1.10 系数;

2. 最大挖深 10m;基本挖深 6m,每超深 1m,定额增加系数 0.03。

续表

项目		单位	中密中砂						中密粗砂		
			排泥管线长度 (km)								
			≤0.5	0.6	0.7	0.8	0.9	1.0	≤0.5	0.6	0.7
工长		工时									
高级工		工时									
中级工		工时	39.9	43.1	47.0	51.8	57.5	63.4	46.6	55.9	70.0
初级工		工时	59.8	64.6	70.6	77.8	86.1	95.1	70.0	84.0	104.9
合计		工时	99.7	107.7	117.6	129.6	143.6	158.5	116.6	139.9	174.9
挖泥船	$200m^3/h$	艘时	66.46	71.78	78.42	86.40	95.70	105.67	77.74	93.29	116.61
浮筒管	Ø400×7500mm	组时									
岸管	Ø400×6000mm	根时									
拖轮	176kW	艘时	16.62	17.94	19.60	21.60	23.93	26.42	19.43	23.32	29.15
锚艇	88kW	艘时	19.94	21.53	23.53	25.92	28.71	31.70	23.32	27.99	34.98
机艇	88kW	艘时	21.93	23.69	25.88	28.51	31.58	34.87	25.65	30.79	38.48
其他机械费		%	3	3	3	3	3	3	3	3	3
编号			80254	80255	80256	80257	80258	80259	80260	80261	80262

注:1. 基本排高 4m,每增(减)1m,挖中砂定额乘(除)以 1.027 系数,挖粗砂定额乘(除)以 1.10 系数;

2. 最大挖深 10m;基本挖深 6m,每超深 1m,定额增加系数 0.03。

续表

项目	单位	紧密中砂						紧密粗砂		
		排泥管线长度 (km)								
		≤0.5	0.6	0.7	0.8	0.9	1.0	≤0.5	0.6	0.7
工长	工时									
高级工	工时									
中级工	工时	53.9	58.2	63.5	70.0	77.5	85.6	63.0	75.6	94.4
初级工	工时	80.7	87.2	95.3	105.0	116.3	128.4	94.4	113.3	141.7
合计	工时	134.6	145.4	158.8	175.0	193.8	214.0	157.4	188.9	236.1
挖泥船 $200m^3/h$	艘时	89.72	96.90	105.87	116.64	129.20	142.65	104.95	125.94	157.42
浮筒管 Ø400×7500mm	组时									
岸管 Ø400×6000mm	根时									
拖轮 176kW	艘时	22.44	24.22	26.46	29.16	32.31	35.67	26.23	31.48	39.35
锚艇 88kW	艘时	26.92	29.07	31.77	34.99	38.76	42.80	31.48	37.79	47.22
机艇 88kW	艘时	29.61	31.98	34.94	38.49	42.63	47.07	34.63	41.57	51.95
其他机械费	%	3	3	3	3	3	3	3	3	3
编号		80263	80264	80265	80266	80267	80268	80269	80270	80271

注:1. 基本排高 4m,每增(减)1m,挖中砂定额乘(除)以 1.027 系数,挖粗砂定额乘(除)以 1.10 系数;

2. 最大挖深 10m;基本挖深 6m,每超深 1m,定额增加系数 0.03。

（6） 350m³/h 绞吸式挖泥船

单位:10000m³

项目		单位	Ⅰ类土					
			排泥管线长度 (km)					
			≤0.5	0.7	0.9	1.1	1.3	1.5
工长		工时						
高级工		工时						
中级工		工时	17.5	18.9	20.8	24.0	28.2	33.3
初级工		工时	26.3	28.4	31.3	36.0	42.3	49.9
合计		工时	43.8	47.3	52.1	60.0	70.5	83.2
挖泥船	350m³/h	艘时	18.64	20.14	22.19	25.54	30.01	35.42
浮筒管	Ø560×7500mm	组时						
岸管	Ø560×6000mm	根时						
拖轮	294kW	艘时	4.66	5.04	5.54	6.38	7.50	8.86
锚艇	118kW	艘时	5.59	6.04	6.66	7.66	9.01	10.62
机艇	88kW	艘时	6.15	6.65	7.32	8.42	9.90	11.69
其他机械费		%	4	4	4	4	4	4
编号			80272	80273	80274	80275	80276	80277

注:1. 基本排高 6m,每增(减)1m,定额乘(除)以 1.015 系数;

2. 最大挖深 10m;基本挖深 6m,每超深 1m,定额增加系数 0.03。

续表

项目	单位	Ⅱ类土					
		排泥管线长度 (km)					
		≤0.5	0.7	0.9	1.1	1.3	1.5
工长	工时						
高级工	工时						
中级工	工时	19.2	20.8	22.9	26.3	30.9	36.5
初级工	工时	28.8	31.1	34.3	39.5	46.4	54.8
合计	工时	48.0	51.9	57.2	65.8	77.3	91.3
挖泥船 $350m^3/h$	艘时	20.44	22.08	24.32	28.00	32.91	38.83
浮筒管 Ø560×7500mm	组时						
岸管 Ø560×6000mm	根时						
拖轮 294kW	艘时	5.11	5.52	6.08	7.00	8.23	9.71
锚艇 118kW	艘时	6.13	6.62	7.30	8.40	9.87	11.65
机艇 88kW	艘时	6.74	7.29	8.03	9.24	10.86	12.81
其他机械费	%	4	4	4	4	4	4
编号		80278	80279	80280	80281	80282	80283

注：1. 基本排高 6m，每增(减)1m，定额乘(除)以 1.015 系数；

2. 最大挖深 10m；基本挖深 6m，每超深 1m，定额增加系数 0.03。

续表

项目	单位	Ⅲ类土					
		排泥管线长度 (km)					
		≤0.5	0.7	0.9	1.1	1.3	1.5
工长	工时						
高级工	工时						
中级工	工时	21.1	22.8	25.1	28.9	34.0	40.1
初级工	工时	31.7	34.2	37.7	43.4	51.0	60.2
合计	工时	52.8	57.0	62.8	72.3	85.0	100.3
挖泥船 $350m^3/h$	艘时	22.46	24.26	26.73	30.77	36.16	42.67
浮筒管 Ø560×7500mm	组时						
岸管 Ø560×6000mm	根时						
拖轮 294kW	艘时	5.62	6.07	6.68	7.69	9.04	10.67
锚艇 118kW	艘时	6.74	7.28	8.02	9.23	10.85	12.80
机艇 88kW	艘时	7.41	8.01	8.82	10.15	11.93	14.08
其他机械费	%	4	4	4	4	4	4
编号		80284	80285	80286	80287	80288	80289

注:1. 基本排高 6m,每增(减)1m,定额乘(除)以 1.015 系数;

2. 最大挖深 10m;基本挖深 6m,每超深 1m,定额增加系数 0.03。

续表

项目	单位	Ⅳ类土					
		排泥管线长度（km）					
		≤0.5	0.7	0.9	1.1	1.3	1.5
工长	工时						
高级工	工时						
中级工	工时	23.3	25.1	27.6	31.8	37.4	44.1
初级工	工时	34.8	37.6	41.5	47.7	56.1	66.2
合计	工时	58.1	62.7	69.1	79.5	93.5	110.3
挖泥船 $350m^3/h$	艘时	24.71	26.69	29.40	33.85	39.78	46.94
浮筒管 Ø560×7500mm	组时						
岸管 Ø560×6000mm	根时						
拖轮 294kW	艘时	6.18	6.68	7.35	8.46	9.94	11.74
锚艇 118kW	艘时	7.41	8.01	8.82	10.15	11.93	14.08
机艇 88kW	艘时	8.15	8.81	9.70	11.17	13.12	15.49
其他机械费	%	4	4	4	4	4	4
编号		80290	80291	80292	80293	80294	80295

注：1．基本排高6m，每增（减）1m，定额乘（除）以1.015系数；

2．最大挖深10m；基本挖深6m，每超深1m，定额增加系数0.03。

续表

项目	单位	V类土					
		排泥管线长度 (km)					
		≤0.5	0.7	0.9	1.1	1.3	1.5
工长	工时						
高级工	工时						
中级工	工时	27.9	30.1	33.2	38.2	44.9	53.0
初级工	工时	41.8	45.1	49.7	57.3	67.3	79.4
合计	工时	69.7	75.2	82.9	95.5	112.2	132.4
挖泥船 350m³/h	艘时	29.65	32.02	35.28	40.62	47.73	56.32
浮筒管 Ø560×7500mm	组时						
岸管 Ø560×6000mm	根时						
拖轮 294kW	艘时	7.42	8.01	8.82	10.15	11.93	14.08
锚艇 118kW	艘时	8.90	9.61	10.59	12.18	14.32	16.90
机艇 88kW	艘时	9.78	10.57	11.64	13.40	15.75	18.59
其他机械费	%	4	4	4	4	4	4
编号		80296	80297	80298	80299	80300	80301

注：1. 基本排高 6m，每增(减)1m，定额乘(除)以 1.015 系数；

2. 最大挖深 10m；基本挖深 6m，每超深 1m，定额增加系数 0.03。

续表

项目	单位	Ⅵ类土					
		排泥管线长度 (km)					
		≤0.5	0.7	0.9	1.1	1.3	1.5
工长	工时						
高级工	工时						
中级工	工时	36.3	39.3	43.3	49.8	58.5	69.0
初级工	工时	54.4	58.8	64.8	74.6	87.7	103.5
合计	工时	90.7	98.1	108.1	124.4	146.2	172.5
挖泥船 $350m^3/h$	艘时	38.63	41.73	45.98	52.92	62.20	73.39
浮筒管 Ø560×7500mm	组时						
岸管 Ø560×6000mm	根时						
拖轮 294kW	艘时	9.67	10.44	11.49	13.23	15.55	18.35
锚艇 118kW	艘时	11.59	12.52	13.79	15.88	18.66	22.02
机艇 88kW	艘时	12.75	13.78	15.17	17.46	20.52	24.22
其他机械费	%	4	4	4	4	4	4
编号		80302	80303	80304	80305	80306	80307

注:1. 基本排高 6m,每增(减)1m,定额乘(除)以 1.015 系数;

2. 最大挖深 10m;基本挖深 6m,每超深 1m,定额增加系数 0.03。

续表

项目	单位	Ⅶ类土					
		排泥管线长度 (km)					
		≤0.5	0.7	0.9	1.1	1.3	1.5
工长	工时						
高级工	工时						
中级工	工时	50.9	55.0	60.6	69.7	81.9	96.7
初级工	工时	76.3	82.4	90.8	104.6	122.9	145.0
合计	工时	127.2	137.4	151.4	174.3	204.8	241.7
挖泥船 $350m^3/h$	艘时	54.13	58.47	64.42	74.16	87.15	102.83
浮筒管 Ø560×7500mm	组时						
岸管 Ø560×6000mm	根时						
拖轮 294kW	艘时	13.54	14.63	16.10	18.53	21.79	25.71
锚艇 118kW	艘时	16.24	17.54	19.33	22.24	26.15	30.85
机艇 88kW	艘时	17.86	19.30	21.26	24.46	28.75	33.93
其他机械费	%	4	4	4	4	4	4
编号		80308	80309	80310	80311	80312	80313

注:1. 基本排高 6m,每增(减)1m,定额乘(除)以 1.015 系数;

2. 最大挖深 10m;基本挖深 6m,每超深 1m,定额增加系数 0.03。

续表

项目	单位	松散中砂					松散粗砂			
		排泥管线长度 (km)								
		≤0.5	0.7	0.9	1.1	1.3	≤0.5	0.7	0.9	1.1
工长	工时									
高级工	工时									
中级工	工时	25.0	28.3	33.3	40.5	48.5	29.3	35.5	42.5	50.1
初级工	工时	37.6	42.4	50.0	60.9	72.9	44.0	53.2	63.7	75.2
合计	工时	62.6	70.7	83.3	101.4	121.4	73.3	88.7	106.2	125.3
挖泥船 $350m^3/h$	艘时	32.95	37.23	43.82	53.38	63.92	38.57	46.67	55.92	65.94
浮筒管 Ø560×7500mm	组时									
岸管 Ø560×6000mm	根时									
拖轮 294kW	艘时	8.24	9.31	10.95	13.35	15.98	9.64	11.54	13.98	16.48
锚艇 118kW	艘时	9.88	11.17	13.15	16.01	19.18	11.57	14.00	16.78	19.78
机艇 88kW	艘时	10.87	12.29	14.46	17.61	21.10	12.73	15.40	18.45	21.76
其他机械费	%	3	3	3	3	3	3	3	3	3
编号		80314	80315	80316	80317	80318	80319	80320	80321	80322

注:1. 基本排高 4m,每增(减)1m,挖中砂定额乘(除)以 1.027 系数,挖粗砂定额乘(除)以 1.10 系数;

2. 最大挖深 10m;基本挖深 6m,每超深 1m,定额增加系数 0.03。

续表

项目	单位	中密中砂					中密粗砂			
		排泥管线长度 (km)								
		≤0.5	0.7	0.9	1.1	1.3	≤0.5	0.7	0.9	1.1
工长	工时									
高级工	工时									
中级工	工时	27.9	31.4	37.0	45.1	53.9	32.6	39.4	47.2	55.7
初级工	工时	41.7	47.2	55.5	67.6	81.0	48.8	59.1	70.8	83.5
合计	工时	69.6	78.6	92.5	112.7	134.9	81.4	98.5	118.0	139.2
挖泥船 $350m^3/h$	艘时	36.61	41.37	48.69	59.31	71.02	42.85	51.85	62.13	73.27
浮筒管 Ø560×7500mm	组时									
岸管 Ø560×6000mm	根时									
拖轮 294kW	艘时	9.15	10.34	12.17	14.83	17.76	10.71	12.82	15.53	18.31
锚艇 118kW	艘时	10.98	12.41	14.61	17.79	21.31	12.86	15.56	18.64	21.98
机艇 88kW	艘时	12.08	13.65	16.07	19.57	23.44	14.14	17.11	20.50	24.18
其他机械费	%	3	3	3	3	3	3	3	3	3
编号		80323	80324	80325	80326	80327	80328	80329	80330	80331

注:1. 基本排高 4m,每增(减)1m,挖中砂定额乘(除)以 1.027 系数,挖粗砂定额乘(除)以 1.10 系数;

2. 最大挖深 10m;基本挖深 6m,每超深 1m,定额增加系数 0.03。

续表

项目	单位	紧密中砂					紧密粗砂			
		排泥管线长度 (km)								
		≤0.5	0.7	0.9	1.1	1.3	≤0.5	0.7	0.9	1.1
工长	工时									
高级工	工时									
中级工	工时	37.6	42.4	50.0	60.8	72.9	44.0	53.2	63.8	75.1
初级工	工时	56.3	63.7	74.9	91.3	109.3	65.9	79.8	95.6	112.8
合计	工时	93.9	106.1	124.9	152.1	182.2	109.9	133.0	159.4	187.9
挖泥船 $350m^3/h$	艘时	49.42	55.85	65.73	80.07	95.88	57.85	70.00	83.88	98.91
浮筒管 Ø560×7500mm	组时									
岸管 Ø560×6000mm	根时									
拖轮 294kW	艘时	12.35	13.96	16.43	20.02	23.98	14.46	17.50	20.97	24.72
锚艇 118kW	艘时	14.82	16.75	19.72	24.02	28.77	17.36	21.01	25.16	29.67
机艇 88kW	艘时	16.31	18.43	21.69	26.42	31.64	19.09	23.10	27.68	32.64
其他机械费	%	3	3	3	3	3	3	3	3	3
编号		80332	80333	80334	80335	80336	80337	80338	80339	80340

注:1. 基本排高 4m,每增(减)1m,挖中砂定额乘(除)以 1.027 系数,挖粗砂定额乘(除)以 1.10 系数;

2. 最大挖深 10m;基本挖深 6m,每超深 1m,定额增加系数 0.03。

（7） 400m³/h 绞吸式挖泥船

单位：10000m³

项目	单位	Ⅰ类土					
		排泥管线长度（km）					
		≤0.5	0.7	0.9	1.1	1.3	1.5
工长	工时						
高级工	工时						
中级工	工时	15.4	16.6	18.2	21.0	24.7	29.2
初级工	工时	23.0	24.8	27.4	31.5	37.0	43.7
合计	工时	38.4	41.4	45.6	52.5	61.7	72.9
挖泥船 400m³/h	艘时	16.32	17.62	19.42	22.35	26.27	31.00
浮筒管 Ø560×7500mm	组时						
岸管 Ø560×6000mm	根时						
拖轮 294kW	艘时	4.08	4.41	4.86	5.59	6.57	7.75
锚艇 118kW	艘时	4.90	5.29	5.83	6.71	7.89	9.30
机艇 88kW	艘时	5.39	5.82	6.41	7.38	8.67	10.23
其他机械费	%	4	4	4	4	4	4
编号		80341	80342	80343	80344	80345	80346

注：1. 基本排高 6m，每增（减）1m，定额乘（除）以 1.015 系数；

2. 最大挖深 10m；基本挖深 6m，每超深 1m，定额增加系数 0.03。

续表

项目	单位	Ⅱ类土					
		排泥管线长度 (km)					
		≤0.5	0.7	0.9	1.1	1.3	1.5
工长	工时						
高级工	工时						
中级工	工时	16.8	18.2	20.0	23.0	27.1	32.0
初级工	工时	25.2	27.2	30.0	34.6	40.6	47.9
合计	工时	42.0	45.4	50.0	57.6	67.7	79.9
挖泥船 $400m^3/h$	艘时	17.89	19.32	21.29	24.51	28.80	33.99
浮筒管 Ø560×7500mm	组时						
岸管 Ø560×6000mm	根时						
拖轮 294kW	艘时	4.48	4.83	5.32	6.12	7.20	8.50
锚艇 118kW	艘时	5.37	5.80	6.39	7.35	8.65	10.20
机艇 88kW	艘时	5.91	6.38	7.03	8.09	9.50	11.22
其他机械费	%	4	4	4	4	4	4
编号		80347	80348	80349	80350	80351	80352

注:1. 基本排高 6m,每增(减)1m,定额乘(除)以 1.015 系数;

2. 最大挖深 10m;基本挖深 6m,每超深 1m,定额增加系数 0.03。

续表

项目	单位	Ⅲ类土					
		排泥管线长度 (km)					
		≤0.5	0.7	0.9	1.1	1.3	1.5
工长	工时						
高级工	工时						
中级工	工时	18.5	20.0	22.0	25.3	29.8	35.1
初级工	工时	27.7	29.9	33.0	38.0	44.6	52.7
合计	工时	46.2	49.9	55.0	63.3	74.4	87.8
挖泥船 $400m^3/h$	艘时	19.66	21.23	23.40	26.93	31.65	37.35
浮筒管 Ø560×7500mm	组时						
岸管 Ø560×6000mm	根时						
拖轮 294kW	艘时	4.92	5.31	5.85	6.73	7.91	9.34
锚艇 118kW	艘时	5.90	6.37	7.02	8.08	9.50	11.21
机艇 88kW	艘时	6.49	7.01	7.72	8.89	10.44	12.33
其他机械费	%	4	4	4	4	4	4
编号		80353	80354	80355	80356	80357	80358

注:1. 基本排高 6m,每增(减)1m,定额乘(除)以 1.015 系数;

2. 最大挖深 10m;基本挖深 6m,每超深 1m,定额增加系数 0.03。

续表

项目	单位	Ⅳ类土					
		排泥管线长度 (km)					
		≤0.5	0.7	0.9	1.1	1.3	1.5
工长	工时						
高级工	工时						
中级工	工时	20.3	22.0	24.2	27.8	32.7	38.7
初级工	工时	30.5	32.9	36.3	41.8	49.1	57.9
合计	工时	50.8	54.9	60.5	69.6	81.8	96.6
挖泥船 $400m^3/h$	艘时	21.63	23.35	25.74	29.62	34.82	41.09
浮筒管 Ø560×7500mm	组时						
岸管 Ø560×6000mm	根时						
拖轮 294kW	艘时	5.41	5.84	6.44	7.40	8.70	10.27
锚艇 118kW	艘时	6.49	7.01	7.72	8.89	10.45	12.33
机艇 88kW	艘时	7.14	7.71	8.49	9.78	11.48	13.56
其他机械费	%	4	4	4	4	4	4
编号		80359	80360	80361	80362	80363	80364

注:1. 基本排高 6m,每增(减)1m,定额乘(除)以 1.015 系数;

2. 最大挖深 10m;基本挖深 6m,每超深 1m,定额增加系数 0.03。

续表

项目	单位	V类土					
		排泥管线长度 (km)					
		≤0.5	0.7	0.9	1.1	1.3	1.5
工长	工时						
高级工	工时						
中级工	工时	24.4	26.3	29.0	33.4	39.3	46.4
初级工	工时	36.6	39.5	43.6	50.1	58.9	69.5
合计	工时	61.0	65.8	72.6	83.5	98.2	115.9
挖泥船 400m^3/h	艘时	25.95	28.02	30.89	35.55	41.78	49.30
浮筒管 Ø560×7500mm	组时						
岸管 Ø560×6000mm	根时						
拖轮 294kW	艘时	6.49	7.01	7.72	8.88	10.44	12.33
锚艇 118kW	艘时	7.79	8.41	9.27	10.67	12.54	14.80
机艇 88kW	艘时	8.57	9.25	10.19	11.73	13.78	16.28
其他机械费	%	4	4	4	4	4	4
编号		80365	80366	80367	80368	80369	80370

注:1. 基本排高 6m,每增(减)1m,定额乘(除)以 1.015 系数;
2. 最大挖深 10m;基本挖深 6m,每超深 1m,定额增加系数 0.03。

续表

项目	单位	Ⅵ类土					
		排泥管线长度 (km)					
		≤0.5	0.7	0.9	1.1	1.3	1.5
工长	工时						
高级工	工时						
中级工	工时	31.8	34.3	37.8	43.6	51.1	60.4
初级工	工时	47.7	51.5	56.8	65.3	76.8	90.6
合计	工时	79.5	85.8	94.6	108.9	127.9	151.0
挖泥船 $400m^3/h$	艘时	33.82	36.52	40.25	46.32	54.44	64.24
浮筒管 Ø560×7500mm	组时						
岸管 Ø560×6000mm	根时						
拖轮 294kW	艘时	8.46	9.13	10.06	11.58	13.61	16.06
锚艇 118kW	艘时	10.15	10.96	12.07	13.90	16.34	19.28
机艇 88kW	艘时	11.16	12.06	13.28	15.29	17.96	21.21
其他机械费	%	4	4	4	4	4	4
编号		80371	80372	80373	80374	80375	80376

注:1. 基本排高 6m,每增(减)1m,定额乘(除)以 1.015 系数;

2. 最大挖深 10m;基本挖深 6m,每超深 1m,定额增加系数 0.03。

续表

项目	单位	Ⅶ类土					
		排泥管线长度 (km)					
		≤0.5	0.7	0.9	1.1	1.3	1.5
工长	工时						
高级工	工时						
中级工	工时	44.5	48.1	53.0	61.0	71.7	84.6
初级工	工时	66.8	72.1	79.5	91.5	107.6	126.9
合计	工时	111.3	120.2	132.5	152.5	179.3	211.5
挖泥船 $400m^3/h$	艘时	47.38	51.16	56.39	64.90	76.28	90.01
浮筒管 Ø560×7500mm	组时						
岸管 Ø560×6000mm	根时						
拖轮 294kW	艘时	11.86	12.80	14.10	16.22	19.06	22.51
锚艇 118kW	艘时	14.22	15.35	16.92	19.47	22.90	27.02
机艇 88kW	艘时	15.64	16.89	18.61	21.42	25.16	29.72
其他机械费	%	4	4	4	4	4	4
编号		80377	80378	80379	80380	80381	80382

注:1. 基本排高 6m,每增(减)1m,定额乘(除)以 1.015 系数;

2. 最大挖深 10m;基本挖深 6m,每超深 1m,定额增加系数 0.03。

续表

项目	单位	松散中砂					松散粗砂			
		排泥管线长度（km）								
		≤0.5	0.7	0.9	1.1	1.3	≤0.5	0.7	0.9	1.1
工长	工时									
高级工	工时									
中级工	工时	21.9	24.8	29.1	35.5	42.5	25.6	31.0	37.2	43.9
初级工	工时	32.9	37.1	43.7	53.2	63.8	38.5	46.6	55.8	65.8
合计	工时	54.8	61.9	72.8	88.7	106.3	64.1	77.6	93.0	109.7
挖泥船 $400m^3/h$	艘时	28.83	32.57	38.34	46.70	55.93	33.75	40.84	48.94	57.72
浮筒管 Ø560×7500mm	组时									
岸管 Ø560×6000mm	根时									
拖轮 294kW	艘时	7.21	8.15	9.59	11.67	13.99	8.44	10.22	12.24	14.43
锚艇 118kW	艘时	8.65	9.77	11.50	14.01	16.78	10.13	12.25	14.68	17.32
机艇 88kW	艘时	9.51	10.75	12.65	15.41	18.46	11.14	13.48	16.16	19.04
其他机械费	%	3	3	3	3	3	3	3	3	3
编号		80383	80384	80385	80386	80387	80388	80389	80390	80391

注：1. 基本排高 4m，每增（减）1m，挖中砂定额乘（除）以 1.027 系数，挖粗砂定额乘（除）以 1.10 系数；

2. 最大挖深 10m；基本挖深 6m，每超深 1m，定额增加系数 0.03。

续表

项目	单位	中密中砂					中密粗砂			
		排泥管线长度 (km)								
		≤0.5	0.7	0.9	1.1	1.3	≤0.5	0.7	0.9	1.1
工长	工时									
高级工	工时									
中级工	工时	24.3	27.5	32.3	39.4	47.3	28.5	34.5	41.3	48.7
初级工	工时	36.5	41.3	48.6	59.2	70.8	42.8	51.7	62.0	73.1
合计	工时	60.8	68.8	80.9	98.6	118.1	71.3	86.2	103.3	121.8
挖泥船 400m^3/h	艘时	32.02	36.19	42.60	51.89	62.14	37.50	45.38	54.38	64.13
浮筒管 Ø560×7500mm	组时									
岸管 Ø560×6000mm	根时									
拖轮 294kW	艘时	8.01	9.05	10.65	12.97	15.54	9.38	11.35	13.60	16.03
锚艇 118kW	艘时	9.61	10.86	12.78	15.57	18.64	11.25	13.61	16.31	19.24
机艇 88kW	艘时	10.57	11.94	14.06	17.12	20.51	12.38	14.98	17.95	21.16
其他机械费	%	3	3	3	3	3	3	3	3	3
编号		80392	80393	80394	80395	80396	80397	80398	80399	80400

注:1. 基本排高 4m,每增(减)1m,挖中砂定额乘(除)以 1.027 系数,挖粗砂定额乘(除)以 1.10 系数;

2. 最大挖深 10m;基本挖深 6m,每超深 1m,定额增加系数 0.03。

续表

项目	单位	紧密中砂					紧密粗砂			
		排泥管线长度 (km)								
		≤0.5	0.7	0.9	1.1	1.3	≤0.5	0.7	0.9	1.1
工长	工时									
高级工	工时									
中级工	工时	32.9	37.1	43.7	53.2	63.8	38.5	46.6	55.8	65.8
初级工	工时	49.3	55.7	65.6	79.9	95.6	57.7	69.8	83.7	98.7
合计	工时	82.2	92.8	109.3	133.1	159.4	96.2	116.4	139.5	164.5
挖泥船 $400m^3/h$	艘时	43.24	48.86	57.51	70.05	83.89	50.63	61.26	73.41	86.58
浮筒管 Ø560×7500mm	组时									
岸管 Ø560×6000mm	根时									
拖轮 294kW	艘时	10.81	12.22	14.38	17.51	20.98	12.66	15.32	18.36	21.64
锚艇 118kW	艘时	12.97	14.66	17.25	21.02	25.16	15.19	18.37	22.02	25.97
机艇 88kW	艘时	14.27	16.12	18.98	23.11	27.69	16.71	20.22	24.23	28.57
其他机械费	%	3	3	3	3	3	3	3	3	3
编号		80401	80402	80403	80404	80405	80406	80407	80408	80409

注:1. 基本排高 4m,每增(减)1m,挖中砂定额乘(除)以 1.027 系数,挖粗砂定额乘(除)以 1.10 系数;

2. 最大挖深 10m;基本挖深 6m,每超深 1m,定额增加系数 0.03。

(8) 500m³/h 绞吸式挖泥船

单位:10000m³

项目	单位	Ⅰ类土					
		排泥管线长度 (km)					
		≤0.6	0.8	1.0	1.2	1.4	1.6
工长	工时						
高级工	工时						
中级工	工时	14.1	15.3	16.4	18.0	20.3	23.1
初级工	工时	21.1	22.8	24.5	27.1	30.5	34.7
合计	工时	35.2	38.1	40.9	45.1	50.8	57.8
挖泥船 500m³/h	艘时	13.55	14.64	15.72	17.35	19.52	22.23
浮筒管 Ø600×7500mm	组时						
岸管 Ø600×6000mm	根时						
拖轮 353kW	艘时	4.07	4.39	4.71	5.20	5.86	6.66
锚艇 175kW	艘时	4.07	4.39	4.71	5.20	5.86	6.66
机艇 88kW	艘时	4.47	4.83	5.19	5.73	6.44	7.34
其他机械费	%	3	3	3	3	3	3
编号		80410	80411	80412	80413	80414	80415

注:1. 基本排高 6m,每增(减)1m,定额乘(除)以 1.015 系数;

2. 最大挖深 10m;基本挖深 6m,每超深 1m,定额增加系数 0.03。

续表

项目	单位	Ⅱ类土					
		排泥管线长度 (km)					
		≤0.6	0.8	1.0	1.2	1.4	1.6
工长	工时						
高级工	工时						
中级工	工时	15.4	16.7	17.9	19.8	22.2	25.4
初级工	工时	23.2	25.0	26.9	29.7	33.4	38.0
合计	工时	38.6	41.7	44.8	49.5	55.6	63.4
挖泥船 $500m^3/h$	艘时	14.86	16.05	17.24	19.02	21.40	24.37
浮筒管 Ø600×7500mm	组时						
岸管 Ø600×6000mm	根时						
拖轮 353kW	艘时	4.46	4.81	5.17	5.71	6.42	7.31
锚艇 175kW	艘时	4.46	4.81	5.17	5.71	6.42	7.31
机艇 88kW	艘时	4.90	5.30	5.69	6.28	7.06	8.04
其他机械费	%	3	3	3	3	3	3
编号		80416	80417	80418	80419	80420	80421

注:1. 基本排高 6m,每增(减)1m,定额乘(除)以 1.015 系数;

2. 最大挖深 10m;基本挖深 6m,每超深 1m,定额增加系数 0.03。

续表

项目	单位	Ⅲ类土					
		排泥管线长度 (km)					
		≤0.6	0.8	1.0	1.2	1.4	1.6
工长	工时						
高级工	工时						
中级工	工时	17.0	18.4	19.7	21.7	24.5	27.8
初级工	工时	25.5	27.5	29.5	32.6	36.7	41.8
合计	工时	42.5	45.9	49.2	54.3	61.2	69.6
挖泥船 $500m^3/h$	艘时	16.33	17.64	18.94	20.90	23.52	26.78
浮筒管 Ø600×7500mm	组时						
岸管 Ø600×6000mm	根时						
拖轮 353kW	艘时	4.90	5.29	5.68	6.27	7.06	8.03
锚艇 175kW	艘时	4.90	5.29	5.68	6.27	7.06	8.03
机艇 88kW	艘时	5.39	5.82	6.25	6.90	7.76	8.84
其他机械费	%	3	3	3	3	3	3
编号		80422	80423	80424	80425	80426	80427

注:1. 基本排高 6m,每增(减)1m,定额乘(除)以 1.015 系数;

2. 最大挖深 10m;基本挖深 6m,每超深 1m,定额增加系数 0.03。

续表

项目	单位	Ⅳ类土					
		排泥管线长度 (km)					
		≤0.6	0.8	1.0	1.2	1.4	1.6
工长	工时						
高级工	工时						
中级工	工时	18.7	20.1	21.7	23.9	26.9	30.6
初级工	工时	28.0	30.3	32.5	35.9	40.4	46.0
合计	工时	46.7	50.4	54.2	59.8	67.3	76.6
挖泥船 $500m^3/h$	艘时	17.96	19.40	20.83	22.99	25.87	29.46
浮筒管 Ø600×7500mm	组时						
岸管 Ø600×6000mm	根时						
拖轮 353kW	艘时	5.39	5.82	6.25	6.90	7.77	8.83
锚艇 175kW	艘时	5.39	5.82	6.25	6.90	7.77	8.83
机艇 88kW	艘时	5.93	6.40	6.88	7.59	8.54	9.72
其他机械费	%	3	3	3	3	3	3
编号		80428	80429	80430	80431	80432	80433

注:1. 基本排高 6m,每增(减)1m,定额乘(除)以 1.015 系数;

2. 最大挖深 10m;基本挖深 6m,每超深 1m,定额增加系数 0.03。

续表

项目	单位	V类土					
		排泥管线长度 (km)					
		≤0.6	0.8	1.0	1.2	1.4	1.6
工长	工时						
高级工	工时						
中级工	工时	22.5	24.2	26.0	28.7	32.3	36.8
初级工	工时	33.6	36.3	39.0	43.0	48.4	55.1
合计	工时	56.1	60.5	65.0	71.7	80.7	91.9
挖泥船 $500m^3/h$	艘时	21.56	23.28	25.00	27.59	31.05	35.35
浮筒管 Ø600×7500mm	组时						
岸管 Ø600×6000mm	根时						
拖轮 353kW	艘时	6.47	6.98	7.50	8.28	9.32	10.60
锚艇 175kW	艘时	6.47	6.98	7.50	8.28	9.32	10.60
机艇 88kW	艘时	7.11	7.68	8.25	9.11	10.24	11.67
其他机械费	%	3	3	3	3	3	3
编号		80434	80435	80436	80437	80438	80439

注:1. 基本排高 6m,每增(减)1m,定额乘(除)以 1.015 系数;

2. 最大挖深 10m;基本挖深 6m,每超深 1m,定额增加系数 0.03。

续表

项目	单位	Ⅵ类土					
		排泥管线长度 (km)					
		≤0.6	0.8	1.0	1.2	1.4	1.6
工长	工时						
高级工	工时						
中级工	工时	29.2	31.6	33.9	37.4	42.1	47.9
初级工	工时	43.8	47.3	50.8	56.1	63.1	71.9
合计	工时	73.0	78.9	84.7	93.5	105.2	119.8
挖泥船 $500m^3/h$	艘时	28.09	30.34	32.58	35.95	40.45	46.06
浮筒管 Ø600×7500mm	组时						
岸管 Ø600×6000mm	根时						
拖轮 353kW	艘时	8.43	9.10	9.77	10.78	12.14	13.81
锚艇 175kW	艘时	8.43	9.10	9.77	10.78	12.14	13.81
机艇 88kW	艘时	9.27	10.01	10.75	11.87	13.35	15.20
其他机械费	%	3	3	3	3	3	3
编号		80440	80441	80442	80443	80444	80445

注:1. 基本排高 6m,每增(减)1m,定额乘(除)以 1.015 系数;

2. 最大挖深 10m;基本挖深 6m,每超深 1m,定额增加系数 0.03。

续表

项目	单位	Ⅶ类土					
		排泥管线长度 (km)					
		≤0.6	0.8	1.0	1.2	1.4	1.6
工长	工时						
高级工	工时						
中级工	工时	40.9	44.2	47.5	52.4	59.0	67.1
初级工	工时	61.4	66.3	71.2	78.6	88.4	100.7
合计	工时	102.3	110.5	118.7	131.0	147.4	167.8
挖泥船 $500m^3/h$	艘时	39.36	42.51	45.65	50.37	56.68	64.54
浮筒管 Ø600×7500mm	组时						
岸管 Ø600×6000mm	根时						
拖轮 353kW	艘时	11.81	12.75	13.69	15.11	17.01	19.35
锚艇 175kW	艘时	11.81	12.75	13.69	15.11	17.01	19.35
机艇 88kW	艘时	12.99	14.03	15.06	16.63	18.70	21.30
其他机械费	%	3	3	3	3	3	3
编号		80446	80447	80448	80449	80450	80451

注:1. 基本排高 6m,每增(减)1m,定额乘(除)以 1.015 系数;

2. 最大挖深 10m;基本挖深 6m,每超深 1m,定额增加系数 0.03。

续表

项目	单位	松散中砂					松散粗砂			
		排泥管线长度 (km)								
		≤0.5	0.7	0.9	1.1	1.3	≤0.5	0.7	0.9	1.1
工长	工时									
高级工	工时									
中级工	工时	20.1	22.7	26.8	32.2	38.4	23.6	28.5	35.3	44.5
初级工	工时	30.2	34.1	40.1	48.3	57.7	35.3	42.7	53.0	66.8
合计	工时	50.3	56.8	66.9	80.5	96.1	58.9	71.2	88.3	111.3
挖泥船 500m³/h	艘时	23.96	27.07	31.86	38.33	45.76	28.04	33.92	42.06	52.98
浮筒管 Ø600×7500mm	组时									
岸管 Ø600×6000mm	根时									
拖轮 353kW	艘时	7.19	8.12	9.56	11.50	13.73	8.42	10.18	12.62	15.89
锚艇 175kW	艘时	7.19	8.12	9.56	11.50	13.73	8.42	10.18	12.62	15.89
机艇 88kW	艘时	7.91	8.94	10.51	12.65	15.10	9.25	11.20	13.88	17.49
其他机械费	%	3	3	3	3	3	3	3	3	3
编号		80452	80453	80454	80455	80456	80457	80458	80459	80460

注:1. 基本排高 4m,每增(减)1m,挖中砂定额乘(除)以 1.027 系数,挖粗砂定额乘(除)以 1.10 系数;

2. 最大挖深 10m;基本挖深 6m,每超深 1m,定额增加系数 0.03。

续表

项目	单位	中密中砂					中密粗砂			
		排泥管线长度 (km)								
		≤0.5	0.7	0.9	1.1	1.3	≤0.5	0.7	0.9	1.1
工长	工时									
高级工	工时									
中级工	工时	22.4	25.3	29.7	35.7	42.7	26.2	31.6	39.2	49.4
初级工	工时	33.5	37.9	44.6	53.7	64.1	39.2	47.5	58.9	74.2
合计	工时	55.9	63.2	74.3	89.4	106.8	65.4	79.1	98.1	123.6
挖泥船 $500m^3/h$	艘时	26.62	30.08	35.40	42.59	50.84	31.15	37.69	46.73	58.87
浮筒管 Ø600×7500mm	组时									
岸管 Ø600×6000mm	根时									
拖轮 353kW	艘时	7.99	9.02	10.62	12.78	15.25	9.35	11.31	14.02	17.66
锚艇 175kW	艘时	7.99	9.02	10.62	12.78	15.25	9.35	11.31	14.02	17.66
机艇 88kW	艘时	8.78	9.93	11.68	14.05	16.78	10.28	12.44	15.42	19.43
其他机械费	%	3	3	3	3	3	3	3	3	3
编号		80461	80462	80463	80464	80465	80466	80467	80468	80469

注：1. 基本排高 4m，每增(减)1m，挖中砂定额乘(除)以 1.027 系数，挖粗砂定额乘(除)以 1.10 系数；

2. 最大挖深 10m；基本挖深 6m，每超深 1m，定额增加系数 0.03。

续表

项目	单位	紧密中砂					紧密粗砂			
		排泥管线长度 (km)								
		≤0.5	0.7	0.9	1.1	1.3	≤0.5	0.7	0.9	1.1
工长	工时									
高级工	工时									
中级工	工时	30.2	34.1	40.2	48.3	57.6	35.3	42.7	53.0	66.8
初级工	工时	45.3	51.2	60.2	72.5	86.5	53.0	64.1	79.5	100.1
合计	工时	75.5	85.3	100.4	120.8	144.1	88.3	106.8	132.5	166.9
挖泥船 $500m^3/h$	艘时	35.94	40.61	47.79	57.50	68.63	42.05	50.88	63.09	79.47
浮筒管 Ø600×7500mm	组时									
岸管 Ø600×6000mm	根时									
拖轮 353kW	艘时	10.79	12.18	14.34	17.25	20.59	12.62	15.27	18.93	23.84
锚艇 175kW	艘时	10.79	12.18	14.34	17.25	20.59	12.62	15.27	18.93	23.84
机艇 88kW	艘时	11.85	13.41	15.77	18.97	22.65	13.88	16.79	20.82	26.23
其他机械费	%	3	3	3	3	3	3	3	3	3
编号		80470	80471	80472	80473	80474	80475	80476	80477	80478

注:1. 基本排高 4m,每增(减)1m,挖中砂定额乘(除)以 1.027 系数,挖粗砂定额乘(除)以 1.10 系数;

2. 最大挖深 10m;基本挖深 6m,每超深 1m,定额增加系数 0.03。

(9) 800m³/h 绞吸式挖泥船

单位:10000m³

项目	单位	Ⅰ类土 排泥管线长度(km)						
		≤0.5	1.0	1.5	2.0	2.5	3.0	3.5
工长	工时							
高级工	工时							
中级工	工时	11.2	12.0	13.2	14.7	16.4	18.1	20.2
初级工	工时	16.8	18.0	19.8	22.0	24.5	27.2	30.2
合计	工时	28.0	30.0	33.0	36.7	40.9	45.3	50.4
挖泥船 800m³/h	艘时	10.77	11.52	12.71	14.10	15.72	17.44	19.38
浮筒管 Ø500×7500mm	组时							
岸管 Ø500×6000mm	根时							
拖轮 397kW	艘时	3.23	3.45	3.81	4.23	4.71	5.23	5.82
锚艇 175kW	艘时	3.23	3.45	3.81	4.23	4.71	5.23	5.82
机艇 88kW	艘时	3.55	3.80	4.19	4.66	5.19	5.75	6.40
其他机械费	%	3	3	3	3	3	3	3
编号		80479	80480	80481	80482	80483	80484	80485

注:1. 基本排高 6m,每增(减)1m,定额乘(除)以 1.015 系数;

2. 最大挖深 14m;基本挖深 8m,每超深 1m,定额增加系数 0.02。

续表

项目	单位	Ⅱ类土						
		排泥管线长度 (km)						
		≤0.5	1.0	1.5	2.0	2.5	3.0	3.5
工长	工时							
高级工	工时							
中级工	工时	12.3	13.1	14.5	16.1	17.9	19.9	22.1
初级工	工时	18.4	19.7	21.7	24.1	26.9	29.8	33.2
合计	工时	30.7	32.8	36.2	40.2	44.8	49.7	55.3
挖泥船 $800m^3/h$	艘时	11.80	12.63	13.93	15.46	17.24	19.12	21.25
浮筒管 Ø500×7500mm	组时							
岸管 Ø500×6000mm	根时							
拖轮 397kW	艘时	3.54	3.79	4.18	4.64	5.17	5.73	6.38
锚艇 175kW	艘时	3.54	3.79	4.18	4.64	5.17	5.73	6.38
机艇 88kW	艘时	3.89	4.17	4.60	5.11	5.69	6.31	7.02
其他机械费	%	3	3	3	3	3	3	3
编号		80486	80487	80488	80489	80490	80491	80492

注:1. 基本排高 6m,每增(减)1m,定额乘(除)以 1.015 系数;

2. 最大挖深 14m;基本挖深 8m,每超深 1m,定额增加系数 0.02。

续表

项目	单位	Ⅲ类土						
		排泥管线长度 (km)						
		≤0.5	1.0	1.5	2.0	2.5	3.0	3.5
工长	工时							
高级工	工时							
中级工	工时	13.5	14.4	15.9	17.7	19.7	21.8	24.3
初级工	工时	20.2	21.7	23.9	26.5	29.5	32.8	36.4
合计	工时	33.7	36.1	39.8	44.2	49.2	54.6	60.7
挖泥船 $800m^3/h$	艘时	12.97	13.88	15.31	16.99	18.94	21.01	23.35
浮筒管 Ø500×7500mm	组时							
岸管 Ø500×6000mm	根时							
拖轮 397kW	艘时	3.89	4.16	4.59	5.10	5.68	6.30	7.01
锚艇 175kW	艘时	3.89	4.16	4.59	5.10	5.68	6.30	7.01
机艇 88kW	艘时	4.28	4.58	5.05	5.61	6.25	6.93	7.71
其他机械费	%	3	3	3	3	3	3	3
编号		80493	80494	80495	80496	80497	80498	80499

注:1. 基本排高 6m,每增(减)1m,定额乘(除)以 1.015 系数;

2. 最大挖深 14m;基本挖深 8m,每超深 1m,定额增加系数 0.02。

续表

项目	单位	Ⅳ类土						
		排泥管线长度 (km)						
		≤0.5	1.0	1.5	2.0	2.5	3.0	3.5
工长	工时							
高级工	工时							
中级工	工时	14.8	15.9	17.5	19.4	21.7	24.0	26.7
初级工	工时	22.3	23.8	26.3	29.2	32.5	36.1	40.1
合计	工时	37.1	39.7	43.8	48.6	54.2	60.1	66.8
挖泥船 $800m^3/h$	艘时	14.27	15.27	16.84	18.69	20.83	23.11	25.69
浮筒管 Ø500×7500mm	组时							
岸管 Ø500×6000mm	根时							
拖轮 397kW	艘时	4.28	4.58	5.05	5.61	6.25	6.93	7.71
锚艇 175kW	艘时	4.28	4.58	5.05	5.61	6.25	6.93	7.71
机艇 88kW	艘时	4.71	5.04	5.56	6.17	6.88	7.62	8.48
其他机械费	%	3	3	3	3	3	3	3
编号		80500	80501	80502	80503	80504	80505	80506

注:1. 基本排高 6m,每增(减)1m,定额乘(除)以 1.015 系数;

2. 最大挖深 14m;基本挖深 8m,每超深 1m,定额增加系数 0.02。

续表

项目	单位	V类土						
		排泥管线长度 (km)						
		≤0.5	1.0	1.5	2.0	2.5	3.0	3.5
工长	工时							
高级工	工时							
中级工	工时	17.8	19.0	21.0	23.3	26.0	28.8	32.0
初级工	工时	26.7	28.6	31.5	35.0	39.0	43.3	48.1
合计	工时	44.5	47.6	52.5	58.3	65.0	72.1	80.1
挖泥船 $800m^3/h$	艘时	17.12	18.32	20.21	22.43	25.00	27.73	30.82
浮筒管 Ø500×7500mm	组时							
岸管 Ø500×6000mm	根时							
拖轮 397kW	艘时	5.13	5.49	6.06	6.73	7.50	8.32	9.25
锚艇 175kW	艘时	5.13	5.49	6.06	6.73	7.50	8.32	9.25
机艇 88kW	艘时	5.65	6.05	6.67	7.41	8.25	9.15	10.18
其他机械费	%	3	3	3	3	3	3	3
编号		80507	80508	80509	80510	80511	80512	80513

注:1. 基本排高 6m,每增(减)1m,定额乘(除)以 1.015 系数;

2. 最大挖深 14m;基本挖深 8m,每超深 1m,定额增加系数 0.02。

续表

项目	单位	Ⅵ类土						
		排泥管线长度 (km)						
		≤0.5	1.0	1.5	2.0	2.5	3.0	3.5
工长	工时							
高级工	工时							
中级工	工时	23.2	24.8	27.4	30.4	33.9	37.6	41.8
初级工	工时	34.8	37.3	41.1	45.6	50.8	56.4	62.6
合计	工时	58.0	62.1	68.5	76.0	84.7	94.0	104.4
挖泥船 800m³/h	艘时	22.31	23.87	26.33	29.22	32.58	36.14	40.16
浮筒管 Ø500×7500mm	组时							
岸管 Ø500×6000mm	根时							
拖轮 397kW	艘时	6.69	7.16	7.89	8.77	9.77	10.84	12.06
锚艇 175kW	艘时	6.69	7.16	7.89	8.77	9.77	10.84	12.06
机艇 88kW	艘时	7.36	7.88	8.69	9.65	10.75	11.92	13.26
其他机械费	%	3	3	3	3	3	3	3
编号		80514	80515	80516	80517	80518	80519	80520

注:1. 基本排高 6m,每增(减)1m,定额乘(除)以 1.015 系数;

2. 最大挖深 14m;基本挖深 8m,每超深 1m,定额增加系数 0.02。

续表

项目	单位	Ⅶ类土						
		排泥管线长度 (km)						
		≤0.5	1.0	1.5	2.0	2.5	3.0	3.5
工长	工时							
高级工	工时							
中级工	工时	32.5	34.8	38.4	42.6	47.5	52.6	58.5
初级工	工时	48.8	52.2	57.5	63.9	71.2	79.0	87.8
合计	工时	81.3	87.0	95.9	106.5	118.7	131.6	146.3
挖泥船 $800m^3/h$	艘时	31.26	33.45	36.90	40.95	45.65	50.63	56.27
浮筒管 Ø500×7500mm	组时							
岸管 Ø500×6000mm	根时							
拖轮 397kW	艘时	9.37	10.03	11.06	12.29	13.69	15.18	16.89
锚艇 175kW	艘时	9.37	10.03	11.06	12.29	13.69	15.18	16.89
机艇 88kW	艘时	10.31	11.04	12.17	13.52	15.06	16.70	18.53
其他机械费	%	3	3	3	3	3	3	3
编号		80521	80522	80523	80524	80525	80526	80527

注:1. 基本排高 6m,每增(减)1m,定额乘(除)以 1.015 系数;

2. 最大挖深 14m;基本挖深 8m,每超深 1m,定额增加系数 0.02。

续表

项目	单位	松散中砂								
		排泥管线长度 (km)								
		≤0.5	0.7	0.9	1.1	1.3	1.5	1.7	1.9	2.3
工长	工时									
高级工	工时									
中级工	工时	14.1	14.7	15.4	16.3	17.6	18.8	21.0	23.4	31.0
初级工	工时	21.1	22.1	23.1	24.4	26.3	28.3	31.6	35.2	46.5
合计	工时	35.2	36.8	38.5	40.7	43.9	47.1	52.6	58.6	77.5
挖泥船 $800m^3/h$	艘时	16.75	17.52	18.34	19.40	20.89	22.45	25.03	27.92	36.91
浮筒管 Ø500×7500mm	组时									
岸管 Ø500×6000mm	根时									
拖轮 397kW	艘时	5.02	5.26	5.50	5.83	6.26	6.73	7.51	8.38	11.07
锚艇 175kW	艘时	5.02	5.26	5.50	5.83	6.26	6.73	7.51	8.38	11.07
机艇 88kW	艘时	5.53	5.79	6.06	6.42	6.89	7.41	8.26	9.22	12.18
其他机械费	%	3	3	3	3	3	3	3	3	3
编号		80528	80529	80530	80531	80532	80533	80534	80535	80536

注:1. 基本排高 4m,每增(减)1m,挖中砂定额乘(除)以 1.025 系数;

2. 最大挖深 14m;基本挖深 8m,每超深 1m,定额增加系数 0.02。

续表

项目	单位	中密中砂								
		排泥管线长度 (km)								
		≤0.5	0.7	0.9	1.1	1.3	1.5	1.7	1.9	2.3
工长	工时									
高级工	工时									
中级工	工时	15.6	16.4	17.1	18.2	19.5	21.0	23.4	26.0	34.4
初级工	工时	23.5	24.5	25.7	27.2	29.2	31.4	35.0	39.1	51.7
合计	工时	39.1	40.9	42.8	45.4	48.7	52.4	58.4	65.1	86.1
挖泥船 $800m^3/h$	艘时	18.61	19.47	20.38	21.60	23.21	24.94	27.81	31.02	41.01
浮筒管 Ø500×7500mm	组时									
岸管 Ø500×6000mm	根时									
拖轮 397kW	艘时	5.58	5.84	6.11	6.48	6.96	7.48	8.34	9.31	12.30
锚艇 175kW	艘时	5.58	5.84	6.11	6.48	6.96	7.48	8.34	9.31	12.30
机艇 88kW	艘时	6.14	6.43	6.73	7.13	7.66	8.23	9.18	10.24	13.53
其他机械费	%	3	3	3	3	3	3	3	3	3
编号		80537	80538	80539	80540	80541	80542	80543	80544	80545

注:1. 基本排高 4m,每增(减)1m,挖中砂定额乘(除)以 1.025 系数;

2. 最大挖深 14m;基本挖深 8m,每超深 1m,定额增加系数 0.02。

续表

项目	单位	紧密中砂								
		排泥管线长度 (km)								
		≤0.5	0.7	0.9	1.1	1.3	1.5	1.7	1.9	2.3
工长	工时									
高级工	工时									
中级工	工时	21.1	22.1	23.1	24.5	26.3	28.3	31.5	35.2	46.5
初级工	工时	31.7	33.1	34.7	36.7	39.5	42.4	47.3	52.7	69.8
合计	工时	52.8	55.2	57.8	61.2	65.8	70.7	78.8	87.9	116.3
挖泥船 $800m^3/h$	艘时	25.12	26.28	27.51	29.16	31.33	33.67	37.54	41.88	55.36
浮筒管 Ø500×7500mm	组时									
岸管 Ø500×6000mm	根时									
拖轮 397kW	艘时	7.53	7.88	8.25	8.75	9.40	10.10	11.26	12.57	16.61
锚艇 175kW	艘时	7.53	7.88	8.25	8.75	9.40	10.10	11.26	12.57	16.61
机艇 88kW	艘时	8.29	8.68	9.09	9.63	10.34	11.11	12.39	13.82	18.27
其他机械费	%	3	3	3	3	3	3	3	3	3
编号		80546	80547	80548	80549	80550	80551	80552	80553	80554

注：1. 基本排高 4m，每增(减)1m，挖中砂定额乘(除)以 1.025 系数；

2. 最大挖深 14m；基本挖深 8m，每超深 1m，定额增加系数 0.02。

续表

项目	单位	松散粗砂					
		排泥管线长度 (km)					
		≤0.5	0.7	0.9	1.1	1.3	1.5
工长	工时						
高级工	工时						
中级工	工时	16.9	18.8	20.9	24.1	28.8	34.5
初级工	工时	25.3	28.2	31.4	36.2	43.3	51.7
合计	工时	42.2	47.0	52.3	60.3	72.1	86.2
挖泥船 800m^3/h	艘时	20.09	22.36	24.89	28.71	34.34	41.06
浮筒管 Ø500×7500mm	组时						
岸管 Ø500×6000mm	根时						
拖轮 397kW	艘时	6.03	6.71	7.47	8.61	10.31	12.32
锚艇 175kW	艘时	6.03	6.71	7.47	8.61	10.31	12.32
机艇 88kW	艘时	6.63	7.38	8.21	9.48	11.33	13.55
其他机械费	%	3	3	3	3	3	3
编号		80555	80556	80557	80558	80559	80560

注:1. 基本排高 4m,每增(减)1m,定额乘(除)以 1.09 系数;

2. 最大挖深 14m;基本挖深 8m,每超深 1m,定额增加系数 0.02。

续表

项目	单位	中密粗砂					
		排泥管线长度 (km)					
		≤0.5	0.7	0.9	1.1	1.3	1.5
工长	工时						
高级工	工时						
中级工	工时	18.8	20.9	23.2	26.8	32.0	38.3
初级工	工时	28.1	31.3	34.9	40.2	48.1	57.5
合计	工时	46.9	52.2	58.1	67.0	80.1	95.8
挖泥船 $800m^3/h$	艘时	22.32	24.84	27.65	31.90	38.15	45.62
浮筒管 Ø500×7500mm	组时						
岸管 Ø500×6000mm	根时						
拖轮 397kW	艘时	6.70	7.45	8.30	9.57	11.45	13.69
锚艇 175kW	艘时	6.70	7.45	8.30	9.57	11.45	13.69
机艇 88kW	艘时	7.37	8.20	9.12	10.53	12.59	15.05
其他机械费	%	3	3	3	3	3	3
编号		80561	80562	80563	80564	80565	80566

注:1. 基本排高 4m,每增(减)1m,定额乘(除)以 1.09 系数;

2. 最大挖深 14m;基本挖深 8m,每超深 1m,定额增加系数 0.02。

续表

项目	单位	紧密粗砂					
		排泥管线长度 (km)					
		≤0.5	0.7	0.9	1.1	1.3	1.5
工长	工时						
高级工	工时						
中级工	工时	25.3	28.2	31.4	36.2	43.3	51.7
初级工	工时	38.0	42.2	47.0	54.2	64.9	77.6
合计	工时	63.3	70.4	78.4	90.4	108.2	129.3
挖泥船 $800m^3/h$	艘时	30.13	33.53	37.33	43.07	51.50	61.59
浮筒管 Ø500×7500mm	组时						
岸管 Ø500×6000mm	根时						
拖轮 397kW	艘时	9.05	10.06	11.21	12.92	15.46	18.48
锚艇 175kW	艘时	9.05	10.06	11.21	12.92	15.46	18.48
机艇 88kW	艘时	9.95	11.07	12.31	14.22	17.00	20.32
其他机械费	%	3	3	3	3	3	3
编号		80567	80568	80569	80570	80571	80572

注:1. 基本排高 4m,每增(减)1m,定额乘(除)以 1.09 系数;

2. 最大挖深 14m;基本挖深 8m,每超深 1m,定额增加系数 0.02。

（10） 980m³/h 绞吸式挖泥船

单位：10000m³

项目	单位	Ⅰ类土						
		排泥管线长度 (km)						
		≤1.0	1.5	2.0	2.5	3.0	3.5	4.0
工长	工时							
高级工	工时							
中级工	工时	10.3	10.8	11.4	12.4	13.9	16.2	19.4
初级工	工时	15.4	16.2	17.1	18.7	20.8	24.4	29.1
合计	工时	25.7	27.0	28.5	31.1	34.7	40.6	48.5
挖泥船 980m³/h	艘时	9.88	10.38	10.96	11.95	13.34	15.60	18.67
浮筒管 Ø550×9000mm	组时							
岸管 Ø550×6000mm	根时							
拖轮 515kW	艘时	2.96	3.11	3.29	3.59	4.00	4.68	5.60
锚艇 175kW	艘时	2.96	3.11	3.29	3.59	4.00	4.68	5.60
机艇 88kW	艘时	3.95	4.15	4.38	4.78	5.34	6.24	7.47
其他机械费	%	3	3	3	3	3	3	3
编号		80573	80574	80575	80576	80577	80578	80579

注：1. 基本排高 6m，每增（减）1m，定额乘（除）以 1.013 系数；

2. 最大挖深 16m；基本挖深 9m，每超深 1m，定额增加系数 0.02。

续表

项目	单位	Ⅱ类土						
		排泥管线长度 (km)						
		≤1.0	1.5	2.0	2.5	3.0	3.5	4.0
工长	工时							
高级工	工时							
中级工	工时	11.3	11.8	12.5	13.6	15.2	17.8	21.3
初级工	工时	16.9	17.8	18.8	20.5	22.8	26.7	31.9
合计	工时	28.2	29.6	31.3	34.1	38.0	44.5	53.2
挖泥船 980m^3/h	艘时	10.83	11.38	12.02	13.10	14.62	17.11	20.47
浮筒管 Ø550×9000mm	组时							
岸管 Ø550×6000mm	根时							
拖轮 515kW	艘时	3.25	3.41	3.60	3.93	4.39	5.13	6.14
锚艇 175kW	艘时	3.25	3.41	3.60	3.93	4.39	5.13	6.14
机艇 88kW	艘时	4.33	4.55	4.80	5.24	5.85	6.84	8.19
其他机械费	%	3	3	3	3	3	3	3
编号		80580	80581	80582	80583	80584	80585	80586

注:1. 基本排高 6m,每增(减)1m,定额乘(除)以 1.013 系数;

2. 最大挖深 16m;基本挖深 9m,每超深 1m,定额增加系数 0.02。

续表

项目	单位	Ⅲ类土						
		排泥管线长度 (km)						
		≤1.0	1.5	2.0	2.5	3.0	3.5	4.0
工长	工时							
高级工	工时							
中级工	工时	12.4	13.0	13.7	15.0	16.7	19.6	23.4
初级工	工时	18.5	19.5	20.6	22.4	25.1	29.3	35.1
合计	工时	30.9	32.5	34.3	37.4	41.8	48.9	58.5
挖泥船 980m³/h	艘时	11.90	12.50	13.21	14.40	16.07	18.80	22.49
浮筒管 Ø550×9000mm	组时							
岸管 Ø550×6000mm	根时							
拖轮 515kW	艘时	3.57	3.75	3.96	4.32	4.82	5.64	6.75
锚艇 175kW	艘时	3.57	3.75	3.96	4.32	4.82	5.64	6.75
机艇 88kW	艘时	4.76	5.00	5.28	5.76	6.43	7.52	9.00
其他机械费	%	3	3	3	3	3	3	3
编号		80587	80588	80589	80590	80591	80592	80593

注:1. 基本排高 6m,每增(减)1m,定额乘(除)以 1.013 系数;

2. 最大挖深 16m;基本挖深 9m,每超深 1m,定额增加系数 0.02。

续表

项目	单位	Ⅳ类土						
		排泥管线长度 (km)						
		≤1.0	1.5	2.0	2.5	3.0	3.5	4.0
工长	工时							
高级工	工时							
中级工	工时	13.6	14.3	15.1	16.5	18.4	21.5	25.7
初级工	工时	20.4	21.5	22.7	24.7	27.6	32.3	38.6
合计	工时	34.0	35.8	37.8	41.2	46.0	53.8	64.3
挖泥船 $980m^3/h$	艘时	13.09	13.75	14.53	15.84	17.68	20.68	24.74
浮筒管 Ø550×9000mm	组时							
岸管 Ø550×6000mm	根时							
拖轮 515kW	艘时	3.93	4.13	4.36	4.75	5.30	6.20	7.43
锚艇 175kW	艘时	3.93	4.13	4.36	4.75	5.30	6.20	7.43
机艇 88kW	艘时	5.24	5.50	5.81	6.34	7.07	8.27	9.90
其他机械费	%	3	3	3	3	3	3	3
编号		80594	80595	80596	80597	80598	80599	80600

注:1. 基本排高 6m,每增(减)1m,定额乘(除)以 1.013 系数;

2. 最大挖深 16m;基本挖深 9m,每超深 1m,定额增加系数 0.02。

续表

项目	单位	V类土						
		排泥管线长度 (km)						
		≤1.0	1.5	2.0	2.5	3.0	3.5	4.0
工长	工时							
高级工	工时							
中级工	工时	16.3	17.2	18.1	19.8	22.0	25.8	30.9
初级工	工时	24.5	25.7	27.2	29.6	33.1	38.8	46.3
合计	工时	40.8	42.9	45.3	49.4	55.1	64.6	77.2
挖泥船 980m³/h	艘时	15.71	16.50	17.44	19.01	21.21	24.84	29.69
浮筒管 Ø550×9000mm	组时							
岸管 Ø550×6000mm	根时							
拖轮 515kW	艘时	4.71	4.95	5.23	5.70	6.36	7.44	8.91
锚艇 175kW	艘时	4.71	4.95	5.23	5.70	6.36	7.44	8.91
机艇 88kW	艘时	6.28	6.60	6.97	7.60	8.49	9.93	11.88
其他机械费	%	3	3	3	3	3	3	3
编号		80601	80602	80603	80604	80605	80606	80607

注:1. 基本排高 6m,每增(减)1m,定额乘(除)以 1.013 系数;

2. 最大挖深 16m;基本挖深 9m,每超深 1m,定额增加系数 0.02。

续表

项目	单位	Ⅵ类土						
		排泥管线长度 (km)						
		≤1.0	1.5	2.0	2.5	3.0	3.5	4.0
工长	工时							
高级工	工时							
中级工	工时	21.3	22.4	23.6	25.8	28.8	33.6	40.2
初级工	工时	31.9	33.5	35.5	38.6	43.1	50.5	60.4
合计	工时	53.2	55.9	59.1	64.4	71.9	84.1	100.6
挖泥船 980m^3/h	艘时	20.47	21.50	22.72	24.77	27.64	32.34	38.68
浮筒管 Ø550×9000mm	组时							
岸管 Ø550×6000mm	根时							
拖轮 515kW	艘时	6.14	6.45	6.81	7.43	8.29	9.70	11.61
锚艇 175kW	艘时	6.14	6.45	6.81	7.43	8.29	9.70	11.61
机艇 88kW	艘时	8.19	8.60	9.08	9.91	11.06	12.93	15.48
其他机械费	%	3	3	3	3	3	3	3
编号		80608	80609	80610	80611	80612	80613	80614

注:1. 基本排高 6m,每增(减)1m,定额乘(除)以 1.013 系数;

2. 最大挖深 16m;基本挖深 9m,每超深 1m,定额增加系数 0.02。

续表

项目	单位	Ⅶ类土						
		排泥管线长度 (km)						
		≤1.0	1.5	2.0	2.5	3.0	3.5	4.0
工长	工时							
高级工	工时							
中级工	工时	29.8	31.3	33.1	36.1	40.3	47.1	56.4
初级工	工时	44.8	47.0	49.7	54.1	60.4	70.7	84.5
合计	工时	74.6	78.3	82.8	90.2	100.7	117.8	140.9
挖泥船 $980m^3/h$	艘时	28.68	30.13	31.84	34.70	38.73	45.31	54.20
浮筒管 Ø550×9000mm	组时							
岸管 Ø550×6000mm	根时							
拖轮 515kW	艘时	8.60	9.04	9.54	10.41	11.62	13.59	16.27
锚艇 175kW	艘时	8.60	9.04	9.54	10.41	11.62	13.59	16.27
机艇 88kW	艘时	11.47	12.05	12.72	13.88	15.50	18.12	21.69
其他机械费	%	3	3	3	3	3	3	3
编号		80615	80616	80617	80618	80619	80620	80621

注:1. 基本排高 6m,每增(减)1m,定额乘(除)以 1.013 系数;

2. 最大挖深 16m;基本挖深 9m,每超深 1m,定额增加系数 0.02。

续表

项目	单位	松散中砂								
		排泥管线长度 (km)								
		≤1.0	1.2	1.4	1.6	1.8	2.0	2.2	2.4	2.6
工长	工时									
高级工	工时									
中级工	工时	12.1	13.3	14.6	16.2	18.0	19.9	22.9	26.4	31.2
初级工	工时	18.1	19.9	22.0	24.3	26.9	29.8	34.4	39.6	46.8
合计	工时	30.2	33.2	36.6	40.5	44.9	49.7	57.3	66.0	78.0
挖泥船 980m^3/h	艘时	14.36	15.82	17.44	19.29	21.36	23.69	27.29	31.43	37.13
浮筒管 Ø550×9000mm	组时									
岸管 Ø550×6000mm	根时									
拖轮 515kW	艘时	4.31	4.74	5.23	5.79	6.41	7.11	8.19	9.43	11.14
锚艇 175kW	艘时	4.31	4.74	5.23	5.79	6.41	7.11	8.19	9.43	11.14
机艇 88kW	艘时	5.74	6.33	6.98	7.71	8.54	9.48	10.92	12.57	14.85
其他机械费	%	3	3	3	3	3	3	3	3	3
编号		80622	80623	80624	80625	80626	80627	80628	80629	80630

注:1. 基本排高 4m,每增(减)1m,定额乘(除)以 1.022 系数;

2. 最大挖深 16m;基本挖深 9m,每超深 1m,定额增加系数 0.02。

续表

项目	单位	中密中砂								
		排泥管线长度 (km)								
		≤1.0	1.2	1.4	1.6	1.8	2.0	2.2	2.4	2.6
工长	工时									
高级工	工时									
中级工	工时	13.4	14.8	16.3	18.0	19.9	22.1	25.5	29.3	34.6
初级工	工时	20.1	22.1	24.4	27.0	29.9	33.2	38.2	44.0	52.0
合计	工时	33.5	36.9	40.7	45.0	49.8	55.3	63.7	73.3	86.6
挖泥船 $980m^3/h$	艘时	15.95	17.58	19.38	21.43	23.73	26.32	30.32	34.92	41.26
浮筒管 Ø550×9000mm	组时									
岸管 Ø550×6000mm	根时									
拖轮 515kW	艘时	4.79	5.27	5.81	6.43	7.12	7.90	9.10	10.48	12.38
锚艇 175kW	艘时	4.79	5.27	5.81	6.43	7.12	7.90	9.10	10.48	12.38
机艇 88kW	艘时	6.38	7.03	7.75	8.57	9.49	10.53	12.13	13.97	16.50
其他机械费	%	3	3	3	3	3	3	3	3	3
编号		80631	80632	80633	80634	80635	80636	80637	80638	80639

注:1. 基本排高 4m,每增(减)1m,定额乘(除)以 1.022 系数;

2. 最大挖深 16m;基本挖深 9m,每超深 1m,定额增加系数 0.02。

续表

项目	单位	紧密中砂								
		排泥管线长度 (km)								
		≤1.0	1.2	1.4	1.6	1.8	2.0	2.2	2.4	2.6
工长	工时									
高级工	工时									
中级工	工时	18.1	19.9	22.0	24.3	26.9	29.8	34.4	39.6	46.8
初级工	工时	27.1	29.9	32.9	36.5	40.4	44.8	51.6	59.4	70.2
合计	工时	45.2	49.8	54.9	60.8	67.3	74.6	86.0	99.0	117.0
挖泥船 980m³/h	艘时	21.53	23.73	26.16	28.93	32.04	35.53	40.93	47.14	55.70
浮筒管 Ø550×9000mm	组时									
岸管 Ø550×6000mm	根时									
拖轮 515kW	艘时	6.47	7.11	7.84	8.68	9.61	10.67	12.29	14.15	16.71
锚艇 175kW	艘时	6.47	7.11	7.84	8.68	9.61	10.67	12.29	14.15	16.71
机艇 88kW	艘时	8.61	9.49	10.46	11.57	12.81	14.22	16.38	18.86	22.28
其他机械费	%	3	3	3	3	3	3	3	3	3
编号		80640	80641	80642	80643	80644	80645	80646	80647	80648

注:1. 基本排高 4m,每增(减)1m,定额乘(除)以 1.022 系数;

2. 最大挖深 16m;基本挖深 9m,每超深 1m,定额增加系数 0.02。

续表

项目	单位	松散粗砂							
		排泥管线长度 (km)							
		≤1.0	1.2	1.4	1.6	1.8	2.0	2.2	2.4
工长	工时								
高级工	工时								
中级工	工时	18.0	21.1	24.8	30.2	38.4	48.8	58.0	68.9
初级工	工时	27.0	31.7	37.2	45.4	57.6	73.2	87.0	103.4
合计	工时	45.0	52.8	62.0	75.6	96.0	122.0	145.0	172.3
挖泥船 $980m^3/h$	艘时	21.44	25.15	29.50	35.99	45.73	58.10	69.03	82.03
浮筒管 Ø550×9000mm	组时								
岸管 Ø550×6000mm	根时								
拖轮 515kW	艘时	6.44	7.54	8.85	10.80	13.72	17.43	20.71	24.60
锚艇 175kW	艘时	6.44	7.54	8.85	10.80	13.72	17.43	20.71	24.60
机艇 88kW	艘时	8.58	10.06	11.80	14.40	18.29	23.24	27.61	32.81
其他机械费	%	3	3	3	3	3	3	3	3
编号		80649	80650	80651	80652	80653	80654	80655	80656

注:1. 基本排高 4m,每增(减)1m,定额乘(除)以 1.09 系数;

2. 最大挖深 16m;基本挖深 9m,每超深 1m,定额增加系数 0.02。

续表

项目	单位	中密粗砂							
		排泥管线长度 (km)							
		≤1.0	1.2	1.4	1.6	1.8	2.0	2.2	2.4
工长	工时								
高级工	工时								
中级工	工时	20.0	23.5	27.5	33.6	42.7	54.2	64.4	76.6
初级工	工时	30.0	35.2	41.3	50.4	64.0	81.4	96.7	114.8
合计	工时	50.0	58.7	68.8	84.0	106.7	135.6	161.1	191.4
挖泥船 980m³/h	艘时	23.82	27.94	32.78	39.99	50.81	64.55	76.70	91.14
浮筒管 Ø550×9000mm	组时								
岸管 Ø550×6000mm	根时								
拖轮 515kW	艘时	7.15	8.38	9.83	12.00	15.24	19.37	23.01	27.34
锚艇 175kW	艘时	7.15	8.38	9.83	12.00	15.24	19.37	23.01	27.34
机艇 88kW	艘时	9.53	11.18	13.11	16.00	20.32	25.82	30.68	36.46
其他机械费	%	3	3	3	3	3	3	3	3
编号		80657	80658	80659	80660	80661	80662	80663	80664

注:1．基本排高 4m,每增(减)1m,定额乘(除)以 1.09 系数;

2．最大挖深 16m;基本挖深 9m,每超深 1m,定额增加系数 0.02。

续表

项目	单位	紧密粗砂							
		排泥管线长度 (km)							
		≤1.0	1.2	1.4	1.6	1.8	2.0	2.2	2.4
工长	工时								
高级工	工时								
中级工	工时	27.0	31.7	37.2	45.3	57.6	73.2	87.0	103.4
初级工	工时	40.5	47.5	55.7	67.9	86.4	109.8	130.5	155.0
合计	工时	67.5	79.2	92.9	113.2	144.0	183.0	217.5	258.4
挖泥船 980m^3/h	艘时	32.16	37.71	44.25	53.99	68.59	87.14	103.55	123.04
浮筒管 Ø550×9000mm	组时								
岸管 Ø550×6000mm	根时								
拖轮 515kW	艘时	9.65	11.31	13.27	16.20	20.57	26.15	31.06	36.91
锚艇 175kW	艘时	9.65	11.31	13.27	16.20	20.57	26.15	31.06	36.91
机艇 88kW	艘时	12.87	15.09	17.70	21.60	27.43	34.86	41.42	49.22
其他机械费	%	3	3	3	3	3	3	3	3
编号		80665	80666	80667	80668	80669	80670	80671	80672

注:1. 基本排高 4m,每增(减)1m,定额乘(除)以 1.09 系数;

2. 最大挖深 16m;基本挖深 9m,每超深 1m,定额增加系数 0.02。

（11） 1250m^3/h 绞吸式挖泥船

单位：10000m^3

项目	单位	Ⅰ类土							
		排泥管线长度（km）							
		≤1.0	1.5	2.0	2.5	3.0	3.5	4.0	4.5
工长	工时								
高级工	工时								
中级工	工时	9.3	9.8	10.3	11.2	12.6	14.7	17.6	20.9
初级工	工时	13.9	14.6	15.5	16.9	18.8	22.0	26.3	31.4
合计	工时	23.2	24.4	25.8	28.1	31.4	36.7	43.9	52.3
挖泥船 1250m^3/h	艘时	7.74	8.13	8.60	9.37	10.46	12.23	14.63	17.42
浮筒管 Ø650×9000mm	组时								
岸管 Ø650×6000mm	根时								
拖轮 515kW	艘时	2.32	2.44	2.58	2.81	3.14	3.67	4.39	5.24
锚艇 175kW	艘时	2.32	2.44	2.58	2.81	3.14	3.67	4.39	5.24
机艇 88kW	艘时	3.10	3.25	3.44	3.75	4.18	4.90	5.85	6.97
其他机械费	%	2	2	2	2	2	2	2	2
编号		80673	80674	80675	80676	80677	80678	80679	80680

注：1. 基本排高 6m，每增（减）1m，定额乘（除）以 1.011 系数；

2. 最大挖深 16m；基本挖深 9m，每超深 1m，定额增加系数 0.02。

续表

项目		单位	Ⅱ类土							
			排泥管线长度 (km)							
			≤1.0	1.5	2.0	2.5	3.0	3.5	4.0	4.5
工长		工时								
高级工		工时								
中级工		工时	10.2	10.7	11.3	12.3	13.8	16.1	19.2	22.9
初级工		工时	15.3	16.1	17.0	18.5	20.6	24.1	28.9	34.4
合计		工时	25.5	26.8	28.3	30.8	34.4	40.2	48.1	57.3
挖泥船	$1250m^3/h$	艘时	8.49	8.92	9.43	10.27	11.47	13.41	16.04	19.10
浮筒管	Ø650×9000mm	组时								
岸管	Ø650×6000mm	根时								
拖轮	515kW	艘时	2.55	2.68	2.83	3.08	3.44	4.02	4.81	5.73
锚艇	175kW	艘时	2.55	2.68	2.83	3.08	3.44	4.02	4.81	5.73
机艇	88kW	艘时	3.39	3.57	3.77	4.11	4.59	5.37	6.42	7.64
其他机械费		%	2	2	2	2	2	2	2	2
编号			80681	80682	80683	80684	80685	80686	80687	80688

注:1. 基本排高 6m,每增(减)1m,定额乘(除)以 1.011 系数;

2. 最大挖深 16m;基本挖深 9m,每超深 1m,定额增加系数 0.02。

续表

项目	单位	Ⅲ类土							
		排泥管线长度 (km)							
		≤1.0	1.5	2.0	2.5	3.0	3.5	4.0	4.5
工长	工时								
高级工	工时								
中级工	工时	11.2	11.8	12.5	13.6	15.1	17.7	21.2	25.2
初级工	工时	16.8	17.6	18.6	20.3	22.7	26.5	31.7	37.8
合计	工时	28.0	29.4	31.1	33.9	37.8	44.2	52.9	63.0
挖泥船 $1250m^3/h$	艘时	9.33	9.80	10.36	11.29	12.60	14.74	17.63	20.99
浮筒管 Ø650×9000mm	组时								
岸管 Ø650×6000mm	根时								
拖轮 515kW	艘时	2.80	2.94	3.11	3.39	3.78	4.42	5.29	6.30
锚艇 175kW	艘时	2.80	2.94	3.11	3.39	3.78	4.42	5.29	6.30
机艇 88kW	艘时	3.73	3.92	4.14	4.52	5.04	5.90	7.05	8.40
其他机械费	%	2	2	2	2	2	2	2	2
编号		80689	80690	80691	80692	80693	80694	80695	80696

注:1. 基本排高 6m,每增(减)1m,定额乘(除)以 1.011 系数;

2. 最大挖深 16m;基本挖深 9m,每超深 1m,定额增加系数 0.02。

续表

项目	单位	Ⅳ类土 排泥管线长度（km）							
		≤1.0	1.5	2.0	2.5	3.0	3.5	4.0	4.5
工长	工时								
高级工	工时								
中级工	工时	12.3	12.9	13.7	14.9	16.6	19.4	23.3	27.7
初级工	工时	18.5	19.4	20.5	22.4	25.0	29.2	34.9	41.6
合计	工时	30.8	32.3	34.2	37.3	41.6	48.6	58.2	69.3
挖泥船 $1250m^3/h$	艘时	10.26	10.78	11.40	12.42	13.86	16.21	19.39	23.09
浮筒管 Ø650×9000mm	组时								
岸管 Ø650×6000mm	根时								
拖轮 515kW	艘时	3.08	3.23	3.42	3.73	4.16	4.86	5.82	6.93
锚艇 175kW	艘时	3.08	3.23	3.42	3.73	4.16	4.86	5.82	6.93
机艇 88kW	艘时	4.10	4.31	4.55	4.97	5.54	6.49	7.76	9.24
其他机械费	%	2	2	2	2	2	2	2	2
编号		80697	80698	80699	80700	80701	80702	80703	80704

注：1. 基本排高 6m，每增（减）1m，定额乘（除）以 1.011 系数；

2. 最大挖深 16m；基本挖深 9m，每超深 1m，定额增加系数 0.02。

续表

项目	单位	V类土							
		排泥管线长度 (km)							
		≤1.0	1.5	2.0	2.5	3.0	3.5	4.0	4.5
工长	工时								
高级工	工时								
中级工	工时	14.8	15.5	16.4	17.9	20.0	23.4	27.9	33.2
初级工	工时	22.2	23.3	24.6	26.8	29.9	35.0	41.9	49.9
合计	工时	37.0	38.8	41.0	44.7	49.9	58.4	69.8	83.1
挖泥船 $1250m^3/h$	艘时	12.32	12.94	13.68	14.90	16.63	19.46	23.27	27.71
浮筒管 Ø650×9000mm	组时								
岸管 Ø650×6000mm	根时								
拖轮 515kW	艘时	3.70	3.88	4.11	4.47	4.99	5.83	6.98	8.32
锚艇 175kW	艘时	3.70	3.88	4.11	4.47	4.99	5.83	6.98	8.32
机艇 88kW	艘时	4.92	5.17	5.46	5.97	6.65	7.79	9.31	11.09
其他机械费	%	2	2	2	2	2	2	2	2
编号		80705	80706	80707	80708	80709	80710	80711	80712

注:1. 基本排高 6m,每增(减)1m,定额乘(除)以 1.011 系数;

2. 最大挖深 16m;基本挖深 9m,每超深 1m,定额增加系数 0.02。

续表

项目	单位	Ⅵ类土							
		排泥管线长度 (km)							
		≤1.0	1.5	2.0	2.5	3.0	3.5	4.0	4.5
工长	工时								
高级工	工时								
中级工	工时	19.3	20.3	21.4	23.3	26.0	30.5	36.4	43.3
初级工	工时	28.9	30.3	32.1	35.0	39.0	45.6	54.6	65.0
合计	工时	48.2	50.6	53.5	58.3	65.0	76.1	91.0	108.3
挖泥船 $1250m^3/h$	艘时	16.05	16.86	17.82	19.42	21.67	25.35	30.32	36.10
浮筒管 Ø650×9000mm	组时								
岸管 Ø650×6000mm	根时								
拖轮 515kW	艘时	4.82	5.06	5.35	5.83	6.50	7.60	9.10	10.84
锚艇 175kW	艘时	4.82	5.06	5.35	5.83	6.50	7.60	9.10	10.84
机艇 88kW	艘时	6.42	6.74	7.12	7.77	8.67	10.15	12.13	14.45
其他机械费	%	2	2	2	2	2	2	2	2
编号		80713	80714	80715	80716	80717	80718	80719	80720

注:1. 基本排高 6m,每增(减)1m,定额乘(除)以 1.011 系数;

2. 最大挖深 16m;基本挖深 9m,每超深 1m,定额增加系数 0.02。

续表

项目	单位	Ⅷ类土							
		排泥管线长度 (km)							
		≤1.0	1.5	2.0	2.5	3.0	3.5	4.0	4.5
工长	工时								
高级工	工时								
中级工	工时	27.0	28.4	30.0	32.6	36.4	42.7	51.0	60.7
初级工	工时	40.5	42.5	44.9	49.0	54.7	63.9	76.5	91.1
合计	工时	67.5	70.9	74.9	81.6	91.1	106.6	127.5	151.8
挖泥船 $1250m^3/h$	艘时	22.49	23.62	24.97	27.21	30.37	35.52	42.49	50.59
浮筒管 Ø650×9000mm	组时								
岸管 Ø650×6000mm	根时								
拖轮 515kW	艘时	6.75	7.09	7.50	8.17	9.11	10.65	12.75	15.18
锚艇 175kW	艘时	6.75	7.09	7.50	8.17	9.11	10.65	12.75	15.18
机艇 88kW	艘时	8.99	9.45	9.98	10.89	12.15	14.22	16.99	20.24
其他机械费	%	2	2	2	2	2	2	2	2
编号		80721	80722	80723	80724	80725	80726	80727	80728

注:1. 基本排高 6m,每增(减)1m,定额乘(除)以 1.011 系数;

2. 最大挖深 16m;基本挖深 9m,每超深 1m,定额增加系数 0.02。

续表

项目	单位	松散中砂								
		排泥管线长度 (km)								
		≤1.0	1.2	1.4	1.6	1.8	2.0	2.2	2.4	2.8
工长	工时									
高级工	工时									
中级工	工时	11.5	12.4	13.3	14.4	15.7	17.2	19.5	22.0	32.5
初级工	工时	17.2	18.5	19.9	21.6	23.7	25.9	29.2	33.0	48.7
合计	工时	28.7	30.9	33.2	36.0	39.4	43.1	48.7	55.0	81.2
挖泥船 $1250m^3/h$	艘时	11.97	12.88	13.85	15.02	16.43	17.96	20.31	22.99	33.83
浮筒管 Ø650×9000mm	组时									
岸管 Ø650×6000mm	根时									
拖轮 515kW	艘时	3.59	3.86	4.16	4.51	4.93	5.39	6.09	6.89	10.15
锚艇 175kW	艘时	3.59	3.86	4.16	4.51	4.93	5.39	6.09	6.89	10.15
机艇 88kW	艘时	4.79	5.15	5.54	6.01	6.57	7.18	8.13	9.20	13.54
其他机械费	%	2	2	2	2	2	2	2	2	2
编号		80729	80730	80731	80732	80733	80734	80735	80736	80737

注:1. 基本排高 4m,每增(减)1m,定额乘(除)以 1.018 系数;

2. 最大挖深 16m;基本挖深 9m,每超深 1m,定额增加系数 0.02。

续表

项目	单位	中密中砂								
		排泥管线长度 (km)								
		≤1.0	1.2	1.4	1.6	1.8	2.0	2.2	2.4	2.8
工长	工时									
高级工	工时									
中级工	工时	12.7	13.7	14.7	16.0	17.5	19.2	21.7	24.5	36.1
初级工	工时	19.2	20.6	22.2	24.0	26.3	28.7	32.5	36.8	54.1
合计	工时	31.9	34.3	36.9	40.0	43.8	47.9	54.2	61.3	90.2
挖泥船 $1250m^3/h$	艘时	13.30	14.31	15.39	16.69	18.25	19.95	22.57	25.54	37.59
浮筒管 Ø650×9000mm	组时									
岸管 Ø650×6000mm	根时									
拖轮 515kW	艘时	3.99	4.29	4.62	5.01	5.48	5.99	6.77	7.66	11.28
锚艇 175kW	艘时	3.99	4.29	4.62	5.01	5.48	5.99	6.77	7.66	11.28
机艇 88kW	艘时	5.32	5.72	6.16	6.68	7.30	7.98	9.03	10.22	15.04
其他机械费	%	2	2	2	2	2	2	2	2	2
编号		80738	80739	80740	80741	80742	80743	80744	80745	80746

注:1. 基本排高 4m,每增(减)1m,定额乘(除)以 1.018 系数;

2. 最大挖深 16m;基本挖深 9m,每超深 1m,定额增加系数 0.02。

续表

项目	单位	紧密中砂								
		排泥管线长度 (km)								
		≤1.0	1.2	1.4	1.6	1.8	2.0	2.2	2.4	2.8
工长	工时									
高级工	工时									
中级工	工时	17.2	18.6	20.0	21.7	23.6	25.8	29.2	33.1	48.7
初级工	工时	25.9	27.8	29.9	32.4	35.5	38.8	43.9	49.7	73.1
合计	工时	43.1	46.4	49.9	54.1	59.1	64.6	73.1	82.8	121.8
挖泥船 $1250m^3/h$	艘时	17.96	19.32	20.78	22.53	24.64	26.93	30.47	34.48	50.75
浮筒管 Ø650×9000mm	组时									
岸管 Ø650×6000mm	根时									
拖轮 515kW	艘时	5.39	5.79	6.24	6.76	7.40	8.09	9.14	10.34	15.23
锚艇 175kW	艘时	5.39	5.79	6.24	6.76	7.40	8.09	9.14	10.34	15.23
机艇 88kW	艘时	7.18	7.72	8.32	9.02	9.86	10.77	12.19	13.80	20.30
其他机械费	%	2	2	2	2	2	2	2	2	2
编号		80747	80748	80749	80750	80751	80752	80753	80754	80755

注:1. 基本排高 4m,每增(减)1m,定额乘(除)以 1.018 系数;

2. 最大挖深 16m;基本挖深 9m,每超深 1m,定额增加系数 0.02。

续表

项目	单位	松散粗砂								
		排泥管线长度 (km)								
		≤1.0	1.2	1.4	1.6	1.8	2.0	2.2	2.4	2.6
工长	工时									
高级工	工时									
中级工	工时	16.1	18.4	21.0	25.3	32.2	40.9	49.7	60.3	73.2
初级工	工时	24.2	27.6	31.5	37.9	48.3	61.5	74.6	90.5	109.8
合计	工时	40.3	46.0	52.5	63.2	80.5	102.4	124.3	150.8	183.0
挖泥船 $1250m^3/h$	艘时	16.80	19.17	21.86	26.34	33.53	42.68	51.79	62.85	76.27
浮筒管 Ø650×9000mm	组时									
岸管 Ø650×6000mm	根时									
拖轮 515kW	艘时	5.04	5.75	6.56	7.90	10.06	12.81	15.53	18.86	22.88
锚艇 175kW	艘时	5.04	5.75	6.56	7.90	10.06	12.81	15.53	18.86	22.88
机艇 88kW	艘时	6.72	7.67	8.74	10.54	13.41	17.07	20.72	25.14	30.51
其他机械费	%	2	2	2	2	2	2	2	2	2
编号		80756	80757	80758	80759	80760	80761	80762	80763	80764

注:1. 基本排高 4m,每增(减)1m,定额乘(除)以 1.08 系数;

2. 最大挖深 16m;基本挖深 9m,每超深 1m,定额增加系数 0.02。

续表

项目	单位	中密粗砂								
		排泥管线长度 (km)								
		≤1.0	1.2	1.4	1.6	1.8	2.0	2.2	2.4	2.6
工长	工时									
高级工	工时									
中级工	工时	17.9	20.4	23.3	28.1	35.7	45.5	55.2	67.0	81.4
初级工	工时	26.9	30.7	35.0	42.1	53.7	68.3	82.9	100.6	122.0
合计	工时	44.8	51.1	58.3	70.2	89.4	113.8	138.1	167.6	203.4
挖泥船 1250m^3/h	艘时	18.67	21.30	24.29	29.27	37.26	47.42	57.54	69.83	84.74
浮筒管 Ø650×9000mm	组时									
岸管 Ø650×6000mm	根时									
拖轮 515kW	艘时	5.60	6.39	7.29	8.78	11.18	14.23	17.26	20.95	25.42
锚艇 175kW	艘时	5.60	6.39	7.29	8.78	11.18	14.23	17.26	20.95	25.42
机艇 88kW	艘时	7.47	8.52	9.72	11.71	14.90	18.97	23.02	27.93	33.90
其他机械费	%	2	2	2	2	2	2	2	2	2
编号		80765	80766	80767	80768	80769	80770	80771	80772	80773

注:1. 基本排高 4m,每增(减)1m,定额乘(除)以 1.08 系数;

2. 最大挖深 16m;基本挖深 9m,每超深 1m,定额增加系数 0.02。

续表

项目	单位	紧密粗砂								
		排泥管线长度 (km)								
		≤1.0	1.2	1.4	1.6	1.8	2.0	2.2	2.4	2.6
工长	工时									
高级工	工时									
中级工	工时	24.2	27.6	31.5	37.9	48.3	61.4	74.5	90.5	109.9
初级工	工时	36.3	41.4	47.2	56.9	72.4	92.2	111.9	135.7	164.7
合计	工时	60.5	69.0	78.7	94.8	120.7	153.6	186.4	226.2	274.6
挖泥船 1250m³/h	艘时	25.20	28.76	32.79	39.51	50.30	64.02	77.68	94.27	114.40
浮筒管 Ø650×9000mm	组时									
岸管 Ø650×6000mm	根时									
拖轮 515kW	艘时	7.56	8.63	9.84	11.85	15.09	19.21	23.30	28.28	34.32
锚艇 175kW	艘时	7.56	8.63	9.84	11.85	15.09	19.21	23.30	28.28	34.32
机艇 88kW	艘时	10.08	11.50	13.12	15.81	20.12	25.61	31.08	37.71	45.77
其他机械费	%	2	2	2	2	2	2	2	2	2
编号		80774	80775	80776	80777	80778	80779	80780	80781	80782

注:1. 基本排高 4m,每增(减)1m,定额乘(除)以 1.08 系数;

2. 最大挖深 16m;基本挖深 9m,每超深 1m,定额增加系数 0.02。

（12） 1450m³/h 绞吸式挖泥船

单位：10000m³

项目		单位	Ⅰ类土							
			排泥管线长度 (km)							
			≤1.5	2.0	2.5	3.0	3.5	4.0	4.5	5.0
工长		工时								
高级工		工时								
中级工		工时	8.4	9.2	10.2	11.2	12.6	14.3	16.4	18.7
初级工		工时	12.6	13.9	15.2	16.8	18.9	21.4	24.6	28.0
合计		工时	21.0	23.1	25.4	28.0	31.5	35.7	41.0	46.7
挖泥船	1450m³/h	艘时	7.01	7.70	8.47	9.32	10.51	11.91	13.66	15.55
浮筒管	Ø650×9000mm	组时								
岸管	Ø650×6000mm	根时								
拖轮	588kW	艘时	2.10	2.31	2.54	2.80	3.15	3.58	4.10	4.66
锚艇	175kW	艘时	2.10	2.31	2.54	2.80	3.15	3.58	4.10	4.66
机艇	88kW	艘时	2.81	3.08	3.39	3.73	4.20	4.76	5.46	6.23
其他机械费		%	2	2	2	2	2	2	2	2
编号			80783	80784	80785	80786	80787	80788	80789	80790

注：1. 基本排高 6m，每增(减)1m，定额乘(除)以 1.009 系数；

2. 最大挖深 16m；基本挖深 9m，每超深 1m，定额增加系数 0.02。

续表

项目	单位	Ⅱ类土							
		排泥管线长度 (km)							
		≤1.5	2.0	2.5	3.0	3.5	4.0	4.5	5.0
工长	工时								
高级工	工时								
中级工	工时	9.2	10.1	11.2	12.3	13.8	15.7	18.0	20.5
初级工	工时	13.8	15.2	16.7	18.4	20.8	23.5	26.9	30.7
合计	工时	23.0	25.3	27.9	30.7	34.6	39.2	44.9	51.2
挖泥船 $1450m^3/h$	艘时	7.68	8.44	9.29	10.22	11.52	13.06	14.98	17.05
浮筒管 Ø650×9000mm	组时								
岸管 Ø650×6000mm	根时								
拖轮 588kW	艘时	2.30	2.53	2.78	3.07	3.46	3.92	4.50	5.11
锚艇 175kW	艘时	2.30	2.53	2.78	3.07	3.46	3.92	4.50	5.11
机艇 88kW	艘时	3.08	3.38	3.71	4.09	4.60	5.22	5.99	6.83
其他机械费	%	2	2	2	2	2	2	2	2
编号		80791	80792	80793	80794	80795	80796	80797	80798

注:1. 基本排高 6m,每增(减)1m,定额乘(除)以 1.009 系数;

2. 最大挖深 16m;基本挖深 9m,每超深 1m,定额增加系数 0.02。

续表

项目	单位	Ⅲ类土							
		排泥管线长度 (km)							
		≤1.5	2.0	2.5	3.0	3.5	4.0	4.5	5.0
工长	工时								
高级工	工时								
中级工	工时	10.1	11.1	12.2	13.5	15.2	17.2	19.8	22.5
初级工	工时	15.2	16.7	18.4	20.2	22.8	25.9	29.6	33.7
合计	工时	25.3	27.8	30.6	33.7	38.0	43.1	49.4	56.2
挖泥船 $1450m^3/h$	艘时	8.44	9.28	10.21	11.23	12.66	14.35	16.46	18.74
浮筒管 Ø650×9000mm	组时								
岸管 Ø650×6000mm	根时								
拖轮 588kW	艘时	2.53	2.78	3.06	3.37	3.80	4.31	4.94	5.62
锚艇 175kW	艘时	2.53	2.78	3.06	3.37	3.80	4.31	4.94	5.62
机艇 88kW	艘时	3.38	3.71	4.08	4.49	5.06	5.74	6.58	7.50
其他机械费	%	2	2	2	2	2	2	2	2
编号		80799	80800	80801	80802	80803	80804	80805	80806

注:1. 基本排高 6m,每增(减)1m,定额乘(除)以 1.009 系数;

2. 最大挖深 16m;基本挖深 9m,每超深 1m,定额增加系数 0.02。

续表

项目	单位	Ⅳ类土							
		排泥管线长度 (km)							
		≤1.5	2.0	2.5	3.0	3.5	4.0	4.5	5.0
工长	工时								
高级工	工时								
中级工	工时	11.1	12.2	13.5	14.8	16.7	19.0	21.7	24.7
初级工	工时	16.7	18.4	20.2	22.3	25.1	28.4	32.6	37.1
合计	工时	27.8	30.6	33.7	37.1	41.8	47.4	54.3	61.8
挖泥船 $1450m^3/h$	艘时	9.28	10.21	11.23	12.35	13.93	15.79	18.11	20.61
浮筒管 Ø650×9000mm	组时								
岸管 Ø650×6000mm	根时								
拖轮 588kW	艘时	2.78	3.06	3.37	3.71	4.18	4.74	5.43	6.18
锚艇 175kW	艘时	2.78	3.06	3.37	3.71	4.18	4.74	5.43	6.18
机艇 88kW	艘时	3.72	4.08	4.49	4.94	5.57	6.31	7.24	8.25
其他机械费	%	2	2	2	2	2	2	2	2
编号		80807	80808	80809	80810	80811	80812	80813	80814

注:1. 基本排高 6m,每增(减)1m,定额乘(除)以 1.009 系数;

2. 最大挖深 16m;基本挖深 9m,每超深 1m,定额增加系数 0.02。

续表

项目	单位	V类土							
		排泥管线长度 (km)							
		≤1.5	2.0	2.5	3.0	3.5	4.0	4.5	5.0
工长	工时								
高级工	工时								
中级工	工时	13.4	14.7	16.2	17.8	20.0	22.7	26.1	29.7
初级工	工时	20.0	22.1	24.2	26.7	30.1	34.1	39.1	44.5
合计	工时	33.4	36.8	40.4	44.5	50.1	56.8	65.2	74.2
挖泥船 1450m³/h	艘时	11.14	12.25	13.48	14.82	16.71	18.94	21.73	24.74
浮筒管 Ø650×9000mm	组时								
岸管 Ø650×6000mm	根时								
拖轮 588kW	艘时	3.34	3.67	4.04	4.45	5.02	5.69	6.52	7.42
锚艇 175kW	艘时	3.34	3.67	4.04	4.45	5.02	5.69	6.52	7.42
机艇 88kW	艘时	4.46	4.90	5.39	5.93	6.68	7.58	8.69	9.90
其他机械费	%	2	2	2	2	2	2	2	2
编号		80815	80816	80817	80818	80819	80820	80821	80822

注:1. 基本排高 6m,每增(减)1m,定额乘(除)以 1.009 系数;

2. 最大挖深 16m;基本挖深 9m,每超深 1m,定额增加系数 0.02。

续表

项目	单位	Ⅵ类土							
		排泥管线长度 (km)							
		≤1.5	2.0	2.5	3.0	3.5	4.0	4.5	5.0
工长	工时								
高级工	工时								
中级工	工时	17.4	19.2	21.1	23.2	26.1	29.6	34.0	38.7
初级工	工时	26.2	28.7	31.6	34.8	39.2	44.4	50.9	58.0
合计	工时	43.6	47.9	52.7	58.0	65.3	74.0	84.9	96.7
挖泥船 1450m^3/h	艘时	14.52	15.96	17.56	19.32	21.78	24.68	28.31	32.23
浮筒管 Ø650×9000mm	组时								
岸管 Ø650×6000mm	根时								
拖轮 588kW	艘时	4.35	4.78	5.26	5.80	6.54	7.41	8.50	9.67
锚艇 175kW	艘时	4.35	4.78	5.26	5.80	6.54	7.41	8.50	9.67
机艇 88kW	艘时	5.81	6.38	7.02	7.72	8.70	9.87	11.32	12.90
其他机械费	%	2	2	2	2	2	2	2	2
编号		80823	80824	80825	80826	80827	80828	80829	80830

注:1. 基本排高 6m,每增(减)1m,定额乘(除)以 1.009 系数;

2. 最大挖深 16m;基本挖深 9m,每超深 1m,定额增加系数 0.02。

续表

项目	单位	Ⅶ类土							
		排泥管线长度 (km)							
		≤1.5	2.0	2.5	3.0	3.5	4.0	4.5	5.0
工长	工时								
高级工	工时								
中级工	工时	24.4	26.8	29.5	32.5	36.6	41.5	47.6	54.2
初级工	工时	36.6	40.3	44.3	48.7	54.9	62.2	71.4	81.3
合计	工时	61.0	67.1	73.8	81.2	91.5	103.7	119.0	135.5
挖泥船 $1450m^3/h$	艘时	20.34	22.36	24.61	27.06	30.51	34.58	39.67	45.16
浮筒管 Ø650×9000mm	组时								
岸管 Ø650×6000mm	根时								
拖轮 588kW	艘时	6.10	6.70	7.37	8.12	9.16	10.39	11.91	13.54
锚艇 175kW	艘时	6.10	6.70	7.37	8.12	9.16	10.39	11.91	13.54
机艇 88kW	艘时	8.15	8.94	9.83	10.82	12.19	13.83	15.86	18.08
其他机械费	%	2	2	2	2	2	2	2	2
编号		80831	80832	80833	80834	80835	80836	80837	80838

注:1. 基本排高 6m,每增(减)1m,定额乘(除)以 1.009 系数;

2. 最大挖深 16m;基本挖深 9m,每超深 1m,定额增加系数 0.02。

续表

项目	单位	松散中砂					松散粗砂			
		排泥管线长度 (km)								
		≤1.5	2.0	2.5	3.0	3.5	≤1.0	1.5	2.0	2.5
工长	工时									
高级工	工时									
中级工	工时	11.3	14.4	18.5	27.0	49.1	13.9	17.9	32.8	56.4
初级工	工时	16.9	21.6	27.7	40.4	73.6	20.9	26.9	49.2	84.7
合计	工时	28.2	36.0	46.2	67.4	122.7	34.8	44.8	82.0	141.1
挖泥船 $1450m^3/h$	艘时	11.74	14.99	19.24	28.08	51.12	14.48	18.68	34.17	58.81
浮筒管 Ø650×9000mm	组时									
岸管 Ø650×6000mm	根时									
拖轮 588kW	艘时	3.53	4.50	5.77	8.42	15.34	4.35	5.61	10.25	17.64
锚艇 175kW	艘时	3.53	4.50	5.77	8.42	15.34	4.35	5.61	10.25	17.64
机艇 88kW	艘时	4.70	5.99	7.70	11.23	20.45	5.80	7.47	13.67	23.53
其他机械费	%	2	2	2	2	2	2	2	2	2
编号		80839	80840	80841	80842	80843	80844	80845	80846	80847

注：1. 基本排高 4m，每增(减)1m，挖中砂定额乘(除)以 1.015 系数，挖粗砂定额乘(除)以 1.07 系数；

2. 最大挖深 16m；基本挖深 9m，每超深 1m，定额增加系数 0.02。

续表

项目	单位	中密中砂					中密粗砂			
		排泥管线长度 (km)								
		≤1.5	2.0	2.5	3.0	3.5	≤1.0	1.5	2.0	2.5
工长	工时									
高级工	工时									
中级工	工时	12.5	16.0	20.5	30.0	54.5	15.4	19.9	36.4	62.7
初级工	工时	18.8	24.0	30.8	44.9	81.8	23.2	29.9	54.7	94.1
合计	工时	31.3	40.0	51.3	74.9	136.3	38.6	49.8	91.1	156.8
挖泥船 1450m³/h	艘时	13.04	16.66	21.38	31.20	56.80	16.09	20.76	37.97	65.34
浮筒管 Ø650×9000mm	组时									
岸管 Ø650×6000mm	根时									
拖轮 588kW	艘时	3.92	5.00	6.41	9.36	17.04	4.83	6.23	11.39	19.60
锚艇 175kW	艘时	3.92	5.00	6.41	9.36	17.04	4.83	6.23	11.39	19.60
机艇 88kW	艘时	5.22	6.66	8.55	12.48	22.72	6.44	8.30	15.19	26.14
其他机械费	%	2	2	2	2	2	2	2	2	2
编号		80848	80849	80850	80851	80852	80853	80854	80855	80856

注：1. 基本排高 4m，每增(减)1m，挖中砂定额乘(除)以 1.015 系数，挖粗砂定额乘(除)以 1.07 系数；

2. 最大挖深 16m；基本挖深 9m，每超深 1m，定额增加系数 0.02。

续表

项目	单位	紧密中砂					紧密粗砂			
		排泥管线长度 (km)								
		≤1.5	2.0	2.5	3.0	3.5	≤1.0	1.5	2.0	2.5
工长	工时									
高级工	工时									
中级工	工时	16.9	21.6	27.7	40.4	73.6	20.8	26.9	49.2	84.7
初级工	工时	25.4	32.4	41.6	60.7	110.4	31.3	40.4	73.8	127.0
合计	工时	42.3	54.0	69.3	101.1	184.0	52.1	67.3	123.0	211.7
挖泥船 $1450m^3/h$	艘时	17.61	22.49	28.86	42.12	76.68	21.72	28.03	51.26	88.21
浮筒管 Ø650×9000mm	组时									
岸管 Ø650×6000mm	根时									
拖轮 588kW	艘时	5.29	6.75	8.65	12.64	23.00	6.52	8.41	15.38	26.46
锚艇 175kW	艘时	5.29	6.75	8.65	12.64	23.00	6.52	8.41	15.38	26.46
机艇 88kW	艘时	7.05	8.99	11.54	16.85	30.67	8.69	11.21	20.51	35.29
其他机械费	%	2	2	2	2	2	2	2	2	2
编号		80857	80858	80859	80860	80861	80862	80863	80864	80865

注:1. 基本排高 4m,每增(减)1m,挖中砂定额乘(除)以 1.015 系数,挖粗砂定额乘(除)以 1.07 系数;

2. 最大挖深 16m;基本挖深 9m,每超深 1m,定额增加系数 0.02。

(13) 1720m³/h 绞吸式挖泥船

单位：$10000m^3$

项目	单位	Ⅰ类土 排泥管线长度（km）								
		≤1.5	2.0	2.5	3.0	3.5	4.0	4.5	5.0	5.5
工长	工时									
高级工	工时									
中级工	工时	8.3	9.1	10.0	11.0	12.4	14.0	16.1	18.4	20.6
初级工	工时	12.4	13.7	15.0	16.5	18.6	21.1	24.2	27.5	30.9
合计	工时	20.7	22.8	25.0	27.5	31.0	35.1	40.3	45.9	51.5
挖泥船 $1720m^3/h$	艘时	5.91	6.50	7.15	7.86	8.86	10.04	11.52	13.12	14.72
浮筒管 Ø700×9000mm	组时									
岸管 Ø700×6000mm	根时									
拖轮 882kW	艘时	1.78	1.95	2.15	2.36	2.66	3.01	3.45	3.93	4.42
锚艇 243kW	艘时	1.78	1.95	2.15	2.36	2.66	3.01	3.45	3.93	4.42
机艇 88kW	艘时	2.95	3.25	3.58	3.93	4.43	5.02	5.76	6.57	7.36
其他机械费	%	2	2	2	2	2	2	2	2	2
编号		80866	80867	80868	80869	80870	80871	80872	80873	80874

注：1. 基本排高 9m，每增（减）1m，定额乘（除）以 1.007 系数；

2. 最大挖深 16m；基本挖深 9m，每超深 1m，定额增加系数 0.02。

续表

项目	单位	Ⅱ类土								
		排泥管线长度 (km)								
		≤1.5	2.0	2.5	3.0	3.5	4.0	4.5	5.0	5.5
工长	工时									
高级工	工时									
中级工	工时	9.1	10.0	11.0	12.1	13.6	15.4	17.7	20.2	22.6
初级工	工时	13.6	15.0	16.4	18.1	20.4	23.1	26.5	30.2	33.9
合计	工时	22.7	25.0	27.4	30.2	34.0	38.5	44.2	50.4	56.5
挖泥船 1720m^3/h	艘时	6.48	7.13	7.84	8.62	9.72	11.01	12.63	14.39	16.13
浮筒管 Ø700×9000mm	组时									
岸管 Ø700×6000mm	根时									
拖轮 882kW	艘时	1.95	2.14	2.36	2.58	2.91	3.30	3.79	4.31	4.84
锚艇 243kW	艘时	1.95	2.14	2.36	2.58	2.91	3.30	3.79	4.31	4.84
机艇 88kW	艘时	3.24	3.57	3.92	4.31	4.86	5.51	6.32	7.20	8.07
其他机械费	%	2	2	2	2	2	2	2	2	2
编号		80875	80876	80877	80878	80879	80880	80881	80882	80883

注:1. 基本排高 9m,每增(减)1m,定额乘(除)以 1.007 系数;

2. 最大挖深 16m;基本挖深 9m,每超深 1m,定额增加系数 0.02。

续表

项目		单位	Ⅲ类土								
			排泥管线长度 (km)								
			≤1.5	2.0	2.5	3.0	3.5	4.0	4.5	5.0	5.5
工长		工时									
高级工		工时									
中级工		工时	10.0	11.0	12.1	13.2	15.0	17.0	19.4	22.1	24.8
初级工		工时	14.9	16.4	18.1	19.9	22.4	25.4	29.2	33.2	37.3
合计		工时	24.9	27.4	30.2	33.1	37.4	42.4	48.6	55.3	62.1
挖泥船	1720m^3/h	艘时	7.12	7.83	8.62	9.47	10.68	12.10	13.88	15.81	17.73
浮筒管	Ø700×9000mm	组时									
岸管	Ø700×6000mm	根时									
拖轮	882kW	艘时	2.14	2.35	2.59	2.84	3.20	3.63	4.16	4.74	5.32
锚艇	243kW	艘时	2.14	2.35	2.59	2.84	3.20	3.63	4.16	4.74	5.32
机艇	88kW	艘时	3.56	3.92	4.31	4.74	5.34	6.05	6.94	7.91	8.87
其他机械费		%	2	2	2	2	2	2	2	2	2
编号			80884	80885	80886	80887	80888	80889	80890	80891	80892

注:1. 基本排高 9m,每增(减)1m,定额乘(除)以 1.007 系数;

2. 最大挖深 16m;基本挖深 9m,每超深 1m,定额增加系数 0.02。

续表

项目	单位	Ⅳ类土								
		排泥管线长度 (km)								
		≤1.5	2.0	2.5	3.0	3.5	4.0	4.5	5.0	5.5
工长	工时									
高级工	工时									
中级工	工时	11.0	12.0	13.3	14.6	16.4	18.6	21.4	24.4	27.3
初级工	工时	16.4	18.1	19.9	21.9	24.7	28.0	32.0	36.5	41.0
合计	工时	27.4	30.1	33.2	36.5	41.1	46.6	53.4	60.9	68.3
挖泥船 $1720m^3/h$	艘时	7.83	8.61	9.48	10.42	11.75	13.31	15.27	17.39	19.50
浮筒管 Ø700×9000mm	组时									
岸管 Ø700×6000mm	根时									
拖轮 882kW	艘时	2.35	2.59	2.85	3.12	3.52	3.99	4.58	5.21	5.85
锚艇 243kW	艘时	2.35	2.59	2.85	3.12	3.52	3.99	4.58	5.21	5.85
机艇 88kW	艘时	3.92	4.31	4.74	5.21	5.87	6.66	7.63	8.70	9.76
其他机械费	%	2	2	2	2	2	2	2	2	2
编号		80893	80894	80895	80896	80897	80898	80899	80900	80901

注：1. 基本排高 9m，每增(减)1m，定额乘(除)以 1.007 系数；

2. 最大挖深 16m；基本挖深 9m，每超深 1m，定额增加系数 0.02。

续表

项目		单位	V类土								
			排泥管线长度 (km)								
			≤1.5	2.0	2.5	3.0	3.5	4.0	4.5	5.0	5.5
工长		工时									
高级工		工时									
中级工		工时	13.2	14.5	15.9	17.5	19.8	22.4	25.6	29.2	32.8
初级工		工时	19.7	21.7	23.9	26.3	29.6	33.5	38.5	43.8	49.1
合计		工时	32.9	36.2	39.8	43.8	49.4	55.9	64.1	73.0	81.9
挖泥船	$1720m^3/h$	艘时	9.40	10.34	11.38	12.50	14.10	15.97	18.32	20.87	23.40
浮筒管	Ø700×9000mm	组时									
岸管	Ø700×6000mm	根时									
拖轮	882kW	艘时	2.82	3.10	3.42	3.75	4.22	4.79	5.49	6.26	7.02
锚艇	243kW	艘时	2.82	3.10	3.42	3.75	4.22	4.79	5.49	6.26	7.02
机艇	88kW	艘时	4.70	5.17	5.69	6.26	7.05	7.99	9.16	10.44	11.71
其他机械费		%	2	2	2	2	2	2	2	2	2
编号			80902	80903	80904	80905	80906	80907	80908	80909	80910

注:1. 基本排高 9m,每增(减)1m,定额乘(除)以 1.007 系数;

2. 最大挖深 16m;基本挖深 9m,每超深 1m,定额增加系数 0.02。

续表

项目	单位	Ⅵ类土								
		排泥管线长度 (km)								
		≤1.5	2.0	2.5	3.0	3.5	4.0	4.5	5.0	5.5
工长	工时									
高级工	工时									
中级工	工时	17.2	18.8	20.8	22.8	25.7	29.1	33.4	38.1	42.7
初级工	工时	25.7	28.3	31.1	34.2	38.6	43.7	50.1	57.1	64.1
合计	工时	42.9	47.1	51.9	57.0	64.3	72.8	83.5	95.2	106.8
挖泥船 $1720m^3/h$	艘时	12.25	13.47	14.83	16.29	18.37	20.81	23.87	27.19	30.50
浮筒管 Ø700×9000mm	组时									
岸管 Ø700×6000mm	根时									
拖轮 882kW	艘时	3.68	4.04	4.45	4.88	5.50	6.24	7.16	8.15	9.15
锚艇 243kW	艘时	3.68	4.04	4.45	4.88	5.50	6.24	7.16	8.15	9.15
机艇 88kW	艘时	6.12	6.74	7.41	8.15	9.18	10.41	11.94	13.61	15.26
其他机械费	%	2	2	2	2	2	2	2	2	2
编号		80911	80912	80913	80914	80915	80916	80917	80918	80919

注:1. 基本排高 9m,每增(减)1m,定额乘(除)以 1.007 系数;

2. 最大挖深 16m;基本挖深 9m,每超深 1m,定额增加系数 0.02。

续表

项目	单位	Ⅶ类土								
		排泥管线长度 (km)								
		≤1.5	2.0	2.5	3.0	3.5	4.0	4.5	5.0	5.5
工长	工时									
高级工	工时									
中级工	工时	24.0	26.4	29.1	32.0	36.0	40.8	46.8	53.4	59.8
初级工	工时	36.1	39.6	43.6	47.9	54.1	61.3	70.3	80.0	89.8
合计	工时	60.1	66.0	72.7	79.9	90.1	102.1	117.1	133.4	149.6
挖泥船 $1720m^3/h$	艘时	17.16	18.87	20.77	22.82	25.74	29.16	33.45	38.10	42.73
浮筒管 Ø700×9000mm	组时									
岸管 Ø700×6000mm	根时									
拖轮 882kW	艘时	5.16	5.66	6.24	6.84	7.71	8.75	10.03	11.42	12.82
锚艇 243kW	艘时	5.16	5.66	6.24	6.84	7.71	8.75	10.03	11.42	12.82
机艇 88kW	艘时	8.58	9.45	10.39	11.42	12.87	14.58	16.73	19.06	21.38
其他机械费	%	2	2	2	2	2	2	2	2	2
编号		80920	80921	80922	80923	80924	80925	80926	80927	80928

注:1. 基本排高 9m,每增(减)1m,定额乘(除)以 1.007 系数;

2. 最大挖深 16m;基本挖深 9m,每超深 1m,定额增加系数 0.02。

续表

项目	单位	松散中砂					松散粗砂			
		排泥管线长度 (km)								
		≤1.5	2.0	2.5	3.0	4.0	≤1.0	1.5	2.0	2.5
工长	工时									
高级工	工时									
中级工	工时	11.3	13.0	15.6	18.7	28.3	13.2	16.1	23.9	39.0
初级工	工时	16.9	19.4	23.3	28.1	42.5	19.8	24.1	35.8	58.6
合计	工时	28.2	32.4	38.9	46.8	70.8	33.0	40.2	59.7	97.6
挖泥船 1720m^3/h	艘时	10.44	12.01	14.41	17.33	26.21	12.21	14.90	22.10	36.15
浮筒管 Ø700×9000mm	组时									
岸管 Ø700×6000mm	根时									
拖轮 882kW	艘时	3.13	3.60	4.32	5.20	7.87	3.66	4.47	6.63	10.85
锚艇 243kW	艘时	3.13	3.60	4.32	5.20	7.87	3.66	4.47	6.63	10.85
机艇 88kW	艘时	5.22	6.00	7.21	8.67	13.10	6.11	7.45	11.05	18.08
其他机械费	%	2	2	2	2	2	2	2	2	2
编号		80929	80930	80931	80932	80933	80934	80935	80936	80937

注:1. 基本排高 5m,每增(减)1m,挖中砂定额乘(除)以 1.011 系数,挖粗砂定额乘(除)以 1.06 系数;

2. 最大挖深 16m;基本挖深 9m,每超深 1m,定额增加系数 0.02。

续表

项目	单位	中密中砂					中密粗砂			
		排泥管线长度 (km)								
		≤1.5	2.0	2.5	3.0	4.0	≤1.0	1.5	2.0	2.5
工长	工时									
高级工	工时									
中级工	工时	12.5	14.4	17.3	20.8	31.4	14.6	17.9	26.5	43.4
初级工	工时	18.8	21.6	25.9	31.2	47.2	22.0	26.8	39.8	65.1
合计	工时	31.3	36.0	43.2	52.0	78.6	36.6	44.7	66.3	108.5
挖泥船 $1720m^3/h$	艘时	11.60	13.34	16.01	19.26	29.12	13.57	16.56	24.56	40.17
浮筒管 Ø700×9000mm	组时									
岸管 Ø700×6000mm	根时									
拖轮 882kW	艘时	3.48	4.00	4.80	5.78	8.74	4.07	4.97	7.37	12.05
锚艇 243kW	艘时	3.48	4.00	4.80	5.78	8.74	4.07	4.97	7.37	12.05
机艇 88kW	艘时	5.80	6.67	8.01	9.63	14.56	6.79	8.28	12.28	20.09
其他机械费	%	2	2	2	2	2	2	2	2	2
编号		80938	80939	80940	80941	80942	80943	80944	80945	80946

注:1. 基本排高 5m,每增(减)1m,挖中砂定额乘(除)以 1.011 系数,挖粗砂定额乘(除)以 1.06 系数;

2. 最大挖深 16m;基本挖深 9m,每超深 1m,定额增加系数 0.02。

续表

项目	单位	紧密中砂					紧密粗砂			
		排泥管线长度 (km)								
		≤1.5	2.0	2.5	3.0	4.0	≤1.0	1.5	2.0	2.5
工长	工时									
高级工	工时									
中级工	工时	16.9	19.4	23.3	28.1	42.4	19.8	24.2	35.8	58.6
初级工	工时	25.4	29.2	35.0	42.1	63.7	29.7	36.2	53.7	87.8
合计	工时	42.3	48.6	58.3	70.2	106.1	49.5	60.4	89.5	146.4
挖泥船 1720m³/h	艘时	15.66	18.01	21.61	26.00	39.31	18.32	22.36	33.16	54.23
浮筒管 Ø700×9000mm	组时									
岸管 Ø700×6000mm	根时									
拖轮 882kW	艘时	4.70	5.40	6.48	7.80	11.80	5.49	6.71	9.95	16.27
锚艇 243kW	艘时	4.70	5.40	6.48	7.80	11.80	5.49	6.71	9.95	16.27
机艇 88kW	艘时	7.83	9.00	10.81	13.00	19.66	9.17	11.18	16.58	27.12
其他机械费	%	2	2	2	2	2	2	2	2	2
编号		80947	80948	80949	80950	80951	80952	80953	80954	80955

注:1. 基本排高 5m,每增(减)1m,挖中砂定额乘(除)以 1.011 系数,挖粗砂定额乘(除)以 1.06 系数;

2. 最大挖深 16m;基本挖深 9m,每超深 1m,定额增加系数 0.02。

（14） 2500 m^3/h 绞吸式挖泥船

单位：10000m^3

项目		单位	Ⅰ类土								
			排泥管线长度 (km)								
			≤1.5	2.0	2.5	3.0	3.5	4.0	4.5	5.0	5.5
工长		工时									
高级工		工时									
中级工		工时	7.3	7.8	8.4	9.2	9.9	10.9	12.1	13.5	15.0
初级工		工时	11.0	11.6	12.7	13.7	14.8	16.4	18.1	20.2	22.5
合计		工时	18.3	19.4	21.1	22.9	24.7	27.3	30.2	33.7	37.5
挖泥船	2500m^3/h	艘时	4.07	4.31	4.68	5.09	5.49	6.06	6.71	7.49	8.34
浮筒管	Ø800×9000mm	组时									
岸管	Ø800×6000mm	根时									
拖轮	882kW	艘时	1.22	1.29	1.40	1.53	1.65	1.82	2.02	2.25	2.51
锚艇	485kW	艘时	1.22	1.29	1.40	1.53	1.65	1.82	2.02	2.25	2.51
机艇	88kW	艘时	2.03	2.16	2.34	2.55	2.75	3.03	3.36	3.74	4.17
其他机械费		%	2	2	2	2	2	2	2	2	2
编号			80956	80957	80958	80959	80960	80961	80962	80963	80964

注：1. 基本排高 10m，每增(减)1m，定额乘(除)以 1.005 系数；

2. 最大挖深 30m；基本挖深 16m，每超深 1m，定额增加系数 0.01。

续表

项目	单位	Ⅱ类土								
		排泥管线长度 (km)								
		≤1.5	2.0	2.5	3.0	3.5	4.0	4.5	5.0	5.5
工长	工时									
高级工	工时									
中级工	工时	8.0	8.5	9.2	10.0	10.8	12.0	13.2	14.8	16.5
初级工	工时	12.1	12.7	13.9	15.1	16.3	17.9	19.9	22.1	24.7
合计	工时	20.1	21.2	23.1	25.1	27.1	29.9	33.1	36.9	41.2
挖泥船 $2500m^3/h$	艘时	4.46	4.72	5.13	5.58	6.02	6.64	7.36	8.21	9.15
浮筒管 Ø800×9000mm	组时									
岸管 Ø800×6000mm	根时									
拖轮 882kW	艘时	1.34	1.42	1.54	1.67	1.81	1.99	2.21	2.47	2.75
锚艇 485kW	艘时	1.34	1.42	1.54	1.67	1.81	1.99	2.21	2.47	2.75
机艇 88kW	艘时	2.23	2.37	2.57	2.79	3.01	3.32	3.69	4.10	4.58
其他机械费	%	2	2	2	2	2	2	2	2	2
编号		80965	80966	80967	80968	80969	80970	80971	80972	80973

注:1. 基本排高 10m,每增(减)1m,定额乘(除)以 1.005 系数;

2. 最大挖深 30m;基本挖深 16m,每超深 1m,定额增加系数 0.01。

续表

项目	单位	Ⅲ类土								
		排泥管线长度 (km)								
		≤1.5	2.0	2.5	3.0	3.5	4.0	4.5	5.0	5.5
工长	工时									
高级工	工时									
中级工	工时	8.8	9.4	10.2	11.0	11.9	13.2	14.6	16.2	18.1
初级工	工时	13.3	14.0	15.2	16.6	17.9	19.7	21.8	24.4	27.1
合计	工时	22.1	23.4	25.4	27.6	29.8	32.9	36.4	40.6	45.2
挖泥船 $2500m^3/h$	艘时	4.90	5.19	5.64	6.13	6.62	7.30	8.09	9.02	10.05
浮筒管 Ø800×9000mm	组时									
岸管 Ø800×6000mm	根时									
拖轮 882kW	艘时	1.47	1.56	1.69	1.84	1.99	2.19	2.43	2.71	3.02
锚艇 485kW	艘时	1.47	1.56	1.69	1.84	1.99	2.19	2.43	2.71	3.02
机艇 88kW	艘时	2.45	2.60	2.82	3.07	3.31	3.65	4.05	4.51	5.03
其他机械费	%	2	2	2	2	2	2	2	2	2
编号		80974	80975	80976	80977	80978	80979	80980	80981	80982

注：1. 基本排高 10m，每增(减)1m，定额乘(除)以 1.005 系数；

2. 最大挖深 30m；基本挖深 16m，每超深 1m，定额增加系数 0.01。

续表

项目	单位	Ⅳ类土								
		排泥管线长度（km）								
		≤1.5	2.0	2.5	3.0	3.5	4.0	4.5	5.0	5.5
工长	工时									
高级工	工时									
中级工	工时	9.7	10.3	11.2	12.1	13.1	14.4	16.0	17.8	19.9
初级工	工时	14.6	15.4	16.7	18.2	19.7	21.7	24.1	26.8	29.9
合计	工时	24.3	25.7	27.9	30.3	32.8	36.1	40.1	44.6	49.8
挖泥船 $2500m^3/h$	艘时	5.39	5.71	6.20	6.74	7.28	8.03	8.90	9.92	11.06
浮筒管 Ø800×9000mm	组时									
岸管 Ø800×6000mm	根时									
拖轮 882kW	艘时	1.62	1.72	1.86	2.02	2.19	2.41	2.67	2.98	3.32
锚艇 485kW	艘时	1.62	1.72	1.86	2.02	2.19	2.41	2.67	2.98	3.32
机艇 88kW	艘时	2.70	2.86	3.10	3.38	3.64	4.02	4.46	4.96	5.53
其他机械费	%	2	2	2	2	2	2	2	2	2
编号		80983	80984	80985	80986	80987	80988	80989	80990	80991

注：1. 基本排高10m，每增（减）1m，定额乘（除）以1.005系数；

2. 最大挖深30m，基本挖深16m，每超深1m，定额增加系数0.01。

续表

项目	单位	V类土								
		排泥管线长度 (km)								
		≤1.5	2.0	2.5	3.0	3.5	4.0	4.5	5.0	5.5
工长	工时									
高级工	工时									
中级工	工时	11.6	12.3	13.4	14.6	15.7	17.4	19.2	21.4	23.9
初级工	工时	17.5	18.5	20.1	21.8	23.6	26.0	28.9	32.2	35.8
合计	工时	29.1	30.8	33.5	36.4	39.3	43.4	48.1	53.6	59.7
挖泥船 $2500m^3/h$	艘时	6.47	6.85	7.44	8.09	8.74	9.64	10.68	11.91	13.27
浮筒管 Ø800×9000mm	组时									
岸管 Ø800×6000mm	根时									
拖轮 882kW	艘时	1.94	2.06	2.23	2.43	2.63	2.89	3.21	3.58	3.99
锚艇 485kW	艘时	1.94	2.06	2.23	2.43	2.63	2.89	3.21	3.58	3.99
机艇 88kW	艘时	3.23	3.43	3.72	4.05	4.37	4.82	5.35	5.95	6.64
其他机械费	%	2	2	2	2	2	2	2	2	2
编号		80992	80993	80994	80995	80996	80997	80998	80999	81000

注:1. 基本排高 10m,每增(减)1m,定额乘(除)以 1.005 系数;

2. 最大挖深 30m;基本挖深 16m,每超深 1m,定额增加系数 0.01。

续表

项目	单位	Ⅵ类土								
		排泥管线长度 (km)								
		≤1.5	2.0	2.5	3.0	3.5	4.0	4.5	5.0	5.5
工长	工时									
高级工	工时									
中级工	工时	15.2	16.1	17.5	19.0	20.5	22.6	25.0	27.9	31.1
初级工	工时	22.7	24.1	26.2	28.4	30.8	33.9	37.6	41.9	46.7
合计	工时	37.9	40.2	43.7	47.4	51.3	56.5	62.6	69.8	77.8
挖泥船 $2500m^3/h$	艘时	8.43	8.93	9.70	10.54	11.39	12.56	13.91	15.51	17.29
浮筒管 Ø800×9000mm	组时									
岸管 Ø800×6000mm	根时									
拖轮 882kW	艘时	2.53	2.68	2.91	3.16	3.42	3.77	4.18	4.66	5.19
锚艇 485kW	艘时	2.53	2.68	2.91	3.16	3.42	3.77	4.18	4.66	5.19
机艇 88kW	艘时	4.21	4.47	4.85	5.28	5.69	6.28	6.97	7.76	8.65
其他机械费	%	2	2	2	2	2	2	2	2	2
编号		81001	81002	81003	81004	81005	81006	81007	81008	81009

注:1. 基本排高 10m,每增(减)1m,定额乘(除)以 1.005 系数;

2. 最大挖深 30m;基本挖深 16m,每超深 1m,定额增加系数 0.01。

续表

项目	单位	Ⅶ类土								
		排泥管线长度 (km)								
		≤1.5	2.0	2.5	3.0	3.5	4.0	4.5	5.0	5.5
工长	工时									
高级工	工时									
中级工	工时	21.2	22.5	24.5	26.6	28.7	31.7	35.1	39.1	43.6
初级工	工时	31.9	33.8	36.7	39.9	43.1	47.5	52.7	58.7	65.4
合计	工时	53.1	56.3	61.2	66.5	71.8	79.2	87.8	97.8	109.0
挖泥船 2500m³/h	艘时	11.81	12.51	13.59	14.77	15.95	17.59	19.50	21.74	24.22
浮筒管 Ø800×9000mm	组时									
岸管 Ø800×6000mm	根时									
拖轮 882kW	艘时	3.54	3.76	4.07	4.43	4.80	5.28	5.86	6.53	7.28
锚艇 485kW	艘时	3.54	3.76	4.07	4.43	4.80	5.28	5.86	6.53	7.28
机艇 88kW	艘时	5.90	6.27	6.80	7.40	7.98	8.80	9.76	10.87	12.12
其他机械费	%	2	2	2	2	2	2	2	2	2
编号		81010	81011	81012	81013	81014	81015	81016	81017	81018

注:1. 基本排高 10m,每增(减)1m,定额乘(除)以 1.005 系数;

2. 最大挖深 30m;基本挖深 16m,每超深 1m,定额增加系数 0.01。

续表

项目	单位	松散中砂							
		排泥管线长度 (km)							
		≤1.5	2.0	2.5	3.0	3.5	4.0	4.5	5.0
工长	工时								
高级工	工时								
中级工	工时	9.2	10.0	11.0	12.3	15.0	20.0	27.5	41.8
初级工	工时	13.8	14.9	16.5	18.4	22.4	30.0	41.3	62.6
合计	工时	23.0	24.9	27.5	30.7	37.4	50.0	68.8	104.4
挖泥船 $2500m^3/h$	艘时	7.18	7.79	8.60	9.60	11.68	15.63	21.51	32.63
浮筒管 Ø800×9000mm	组时								
岸管 Ø800×6000mm	根时								
拖轮 882kW	艘时	2.15	2.34	2.58	2.88	3.50	4.69	6.45	9.79
锚艇 485kW	艘时	2.15	2.34	2.58	2.88	3.50	4.69	6.45	9.79
机艇 88kW	艘时	3.59	3.90	4.30	4.81	5.84	7.82	10.76	16.32
其他机械费	%	2	2	2	2	2	2	2	2
编号		81019	81020	81021	81022	81023	81024	81025	81026

注：1. 基本排高 6m，每增(减)1m，定额乘(除)以 1.007 系数；

2. 最大挖深 30m；基本挖深 16m，每超深 1m，定额增加系数 0.01。

续表

项目	单位	中密中砂							
		排泥管线长度 (km)							
		≤1.5	2.0	2.5	3.0	3.5	4.0	4.5	5.0
工长	工时								
高级工	工时								
中级工	工时	10.2	11.1	12.2	13.6	16.6	22.2	30.6	46.4
初级工	工时	15.3	16.6	18.4	20.5	24.9	33.4	45.9	69.6
合计	工时	25.5	27.7	30.6	34.1	41.5	55.6	76.5	116.0
挖泥船 $2500m^3/h$	艘时	7.98	8.65	9.55	10.67	12.98	17.37	23.90	36.25
浮筒管 Ø800×9000mm	组时								
岸管 Ø800×6000mm	根时								
拖轮 882kW	艘时	2.39	2.60	2.87	3.20	3.89	5.21	7.17	10.88
锚艇 485kW	艘时	2.39	2.60	2.87	3.20	3.89	5.21	7.17	10.88
机艇 88kW	艘时	3.99	4.33	4.78	5.34	6.49	8.69	11.95	18.13
其他机械费	%	2	2	2	2	2	2	2	2
编号		81027	81028	81029	81030	81031	81032	81033	81034

注:1. 基本排高 6m,每增(减)1m,定额乘(除)以 1.007 系数;

2. 最大挖深 30m;基本挖深 16m,每超深 1m,定额增加系数 0.01。

续表

项目	单位	紧密中砂							
		排泥管线长度　(km)							
		≤1.5	2.0	2.5	3.0	3.5	4.0	4.5	5.0
工长	工时								
高级工	工时								
中级工	工时	13.8	15.0	16.5	18.4	22.4	30.0	41.3	62.6
初级工	工时	20.7	22.4	24.7	27.7	33.7	45.0	62.0	94.0
合计	工时	34.5	37.4	41.2	46.1	56.1	75.0	103.3	156.6
挖泥船 2500m^3/h	艘时	10.77	11.68	12.89	14.40	17.52	23.45	32.27	48.94
浮筒管 Ø800×9000mm	组时								
岸管 Ø800×6000mm	根时								
拖轮 882kW	艘时	3.23	3.51	3.87	4.32	5.25	7.03	9.68	14.69
锚艇 485kW	艘时	3.23	3.51	3.87	4.32	5.25	7.03	9.68	14.69
机艇 88kW	艘时	5.39	5.85	6.45	7.21	8.76	11.73	16.13	24.48
其他机械费	%	2	2	2	2	2	2	2	2
编号		81035	81036	81037	81038	81039	81040	81041	81042

注:1. 基本排高 6m,每增(减)1m,定额乘(除)以 1.007 系数;

2. 最大挖深 30m;基本挖深 16m,每超深 1m,定额增加系数 0.01。

续表

项目	单位	松散粗砂					
		排泥管线长度　(km)					
		≤1.0	1.5	2.0	2.5	3.0	3.5
工长	工时						
高级工	工时						
中级工	工时	10.8	12.7	16.4	23.1	34.2	49.1
初级工	工时	16.1	19.1	24.5	34.7	51.3	73.6
合计	工时	26.9	31.8	40.9	57.8	85.5	122.7
挖泥船 2500m³/h	艘时	8.41	9.93	12.79	18.05	26.73	38.33
浮筒管 Ø800×9000mm	组时						
岸管 Ø800×6000mm	根时						
拖轮 882kW	艘时	2.52	2.98	3.83	5.42	8.02	11.50
锚艇 485kW	艘时	2.52	2.98	3.83	5.42	8.02	11.50
机艇 88kW	艘时	4.20	4.97	6.40	9.03	13.37	19.17
其他机械费	%	2	2	2	2	2	2
编号		81043	81044	81045	81046	81047	81048

注:1. 基本排高 6m,每增(减)1m,定额乘(除)以 1.009 系数;

2. 最大挖深 30m;基本挖深 16m,每超深 1m,定额增加系数 0.01。

续表

项目	单位	中密粗砂					
		排泥管线长度 (km)					
		≤1.0	1.5	2.0	2.5	3.0	3.5
工长	工时						
高级工	工时						
中级工	工时	12.0	14.1	18.2	25.7	38.0	54.5
初级工	工时	17.9	21.2	27.3	38.5	57.0	81.8
合计	工时	29.9	35.3	45.5	64.2	95.0	136.3
挖泥船 $2500m^3/h$	艘时	9.34	11.03	14.21	20.06	29.70	42.59
浮筒管 Ø800×9000mm	组时						
岸管 Ø800×6000mm	根时						
拖轮 882kW	艘时	2.80	3.31	4.26	6.02	8.91	12.78
锚艇 485kW	艘时	2.80	3.31	4.26	6.02	8.91	12.78
机艇 88kW	艘时	4.67	5.52	7.11	10.03	14.85	21.30
其他机械费	%	2	2	2	2	2	2
编号		81049	81050	81051	81052	81053	81054

注:1. 基本排高 6m,每增(减)1m,定额乘(除)以 1.009 系数;

2. 最大挖深 30m;基本挖深 16m,每超深 1m,定额增加系数 0.01。

续表

项目	单位	紧密粗砂					
		排泥管线长度 (km)					
		≤1.0	1.5	2.0	2.5	3.0	3.5
工长	工时						
高级工	工时						
中级工	工时	16.2	19.0	24.6	34.7	51.3	73.6
初级工	工时	24.2	28.6	36.8	52.0	77.0	110.4
合计	工时	40.4	47.6	61.4	86.7	128.3	184.0
挖泥船 $2500m^3/h$	艘时	12.61	14.89	19.18	27.08	40.10	57.50
浮筒管 Ø800×9000mm	组时						
岸管 Ø800×6000mm	根时						
拖轮 882kW	艘时	3.78	4.47	5.75	8.13	12.03	17.25
锚艇 485kW	艘时	3.78	4.47	5.75	8.13	12.03	17.25
机艇 88kW	艘时	6.30	7.45	9.60	13.54	20.05	28.76
其他机械费	%	2	2	2	2	2	2
编号		81055	81056	81057	81058	81059	81060

注:1. 基本排高 6m,每增(减)1m,定额乘(除)以 1.009 系数;

2. 最大挖深 30m;基本挖深 16m,每超深 1m,定额增加系数 0.01。

八－2 链斗式挖泥船

工作内容：包括开挖、装驳、运、卸、靠离驳、移船、移锚及辅助工作等。

(1) $40m^3/h$ 链斗式挖泥船

单位：$10000m^3$

项目	单位	土及粉细砂							中粗砂		
		Ⅰ	Ⅱ	Ⅲ	Ⅳ	Ⅴ	Ⅵ	Ⅶ	松散	中密	紧密
工长	工时										
高级工	工时										
中级工	工时										
初级工	工时	857.9	614.0	555.6	634.0	720.2	940.9	1268.1	720.2	1005.8	1388.9
合计	工时	857.9	614.0	555.6	634.0	720.2	940.9	1268.1	720.2	1005.8	1388.9
挖泥船 $40m^3/h$	艘时	408.50	292.40	264.55	301.93	342.94	448.03	603.86	342.94	478.93	661.38
拖轮 75kW	艘时	408.50	292.40	264.55	301.93	342.94	448.03	603.86	342.94	478.93	661.38
泥驳 $40m^3$	艘时	817.00	584.80	529.10	603.86	685.88	896.06	1207.72	685.88	957.86	1322.76
机艇 30kW	艘时	122.55	87.72	79.37	90.58	102.88	134.41	181.16	102.88	143.68	198.41
其他机械费	%	3	3	3	3	3	3	3	3	3	3
编号		81061	81062	81063	81064	81065	81066	81067	81068	81069	81070

注：1. 适用于挖深 4.5m 以内；
2. 适用于运距 2km 以内，每超运 1km，按下表定额增加：

项目	单位	Ⅰ	Ⅱ	Ⅲ	Ⅳ	Ⅴ	Ⅵ	Ⅶ	松散	中密	紧密
拖轮 75kW	艘时	121.07	95.24	95.24	102.04	102.04	105.82	105.82	105.82	119.05	119.05
泥驳 $40m^3$	艘时	121.07	95.24	95.24	102.04	102.04	105.82	105.82	105.82	119.05	119.05

（2） $60m^3/h$ 链斗式挖泥船

单位：$10000m^3$

项目	单位	土及粉细砂							中粗砂		
		Ⅰ	Ⅱ	Ⅲ	Ⅳ	Ⅴ	Ⅵ	Ⅶ	松散	中密	紧密
工长	工时										
高级工	工时										
中级工	工时										
初级工	工时	708.1	506.8	458.6	523.4	594.4	776.6	1046.7	594.4	830.1	1146.4
合计	工时	708.1	506.8	458.6	523.4	594.4	776.6	1046.7	594.4	830.1	1146.4
挖泥船 $60m^3/h$	艘时	272.33	194.93	176.37	201.29	228.62	298.69	402.58	228.62	319.28	440.92
拖轮 75kW	艘时	272.33	194.93	176.37	201.29	228.62	298.69	402.58	228.62	319.28	440.92
泥驳 $40m^3$	艘时	544.66	389.86	352.74	402.58	457.24	597.38	805.16	457.24	638.56	881.84
机艇 30kW	艘时	95.32	68.23	61.73	70.45	80.02	104.54	140.90	80.02	111.75	154.32
其他机械费	%	3	3	3	3	3	3	3	3	3	3
编号		81071	81072	81073	81074	81075	81076	81077	81078	81079	81080

注：1. 适用于挖深 4.5m 以内，

2. 适用于运距 1km 以内；每超运 1km，按下表定额增加：

项目	单位	Ⅰ	Ⅱ	Ⅲ	Ⅳ	Ⅴ	Ⅵ	Ⅶ	松散	中密	紧密
拖轮 75kW	艘时	121.07	95.24	95.24	102.04	102.04	105.82	105.82	105.82	119.05	119.05
泥驳 $40m^3$	艘时	121.07	95.24	95.24	102.04	102.04	105.82	105.82	105.82	119.05	119.05

(3) $100m^3/h$ 链斗式挖泥船

单位:$10000m^3$

项目	单位	土及粉细砂							中粗砂		
		Ⅰ	Ⅱ	Ⅲ	Ⅳ	Ⅴ	Ⅵ	Ⅶ	松散	中密	紧密
工长	工时										
高级工	工时										
中级工	工时										
初级工	工时	490.2	350.9	317.5	362.3	411.5	537.6	724.7	411.5	574.7	793.7
合计	工时	490.2	350.9	317.5	362.3	411.5	537.6	724.7	411.5	574.7	793.7
挖泥船 $100m^3/h$	艘时	163.40	116.96	105.82	120.77	137.17	179.21	241.55	137.17	191.57	264.55
拖轮 90kW	艘时	163.40	116.96	105.82	120.77	137.17	179.21	241.55	137.17	191.57	264.55
泥驳 $60m^3$	艘时	326.80	233.92	211.64	241.54	274.34	358.42	483.10	274.34	383.14	529.10
机艇 30kW	艘时	65.36	46.78	42.33	48.31	54.87	71.68	96.62	54.87	76.63	105.82
其他机械费	%	3	3	3	3	3	3	3	3	3	3
编号		81081	81082	81083	81084	81085	81086	81087	81088	81089	81090

注:1. 适用于挖深 5m 以内;

2. 适用于运距 1km 以内,每超运 1km,按下表定额增加:

项目	单位	Ⅰ	Ⅱ	Ⅲ	Ⅳ	Ⅴ	Ⅵ	Ⅶ	松散	中密	紧密
拖轮 90kW	艘时	82.10	63.49	63.49	66.45	66.45	71.43	71.43	71.43	79.37	79.37
泥驳 $60m^3$	艘时	82.10	63.49	63.49	66.45	66.45	71.43	71.43	71.43	79.37	79.37

(4) 120m³/h 链斗式挖泥船

单位：10000m³

项目	单位	土及粉细砂							中粗砂		
		Ⅰ	Ⅱ	Ⅲ	Ⅳ	Ⅴ	Ⅵ	Ⅶ	松散	中密	紧密
工长	工时										
高级工	工时										
中级工	工时										
初级工	工时	422.1	302.2	273.4	312.0	354.4	463.0	624.0	354.4	494.9	683.4
合计	工时	422.1	302.2	273.4	312.0	354.4	463.0	624.0	354.4	494.9	683.4
挖泥船 120m³/h	艘时	136.17	97.47	88.18	100.64	114.31	149.34	201.29	114.31	159.64	220.46
拖轮 90kW	艘时	136.17	97.47	88.18	100.64	114.31	149.34	201.29	114.31	159.64	220.46
泥驳 60m³	艘时	272.34	194.94	176.36	201.28	228.62	298.68	402.58	228.62	319.28	440.92
机艇 30kW	艘时	54.47	38.99	35.27	40.26	45.72	59.74	80.52	45.72	63.86	88.18
其他机械费	%	3	3	3	3	3	3	3	3	3	3
编号		81091	81092	81093	81094	81095	81096	81097	81098	81099	81100

注：1. 适用于挖深 5m 以内，每超深 1m，按上表定额增加 2%，最大挖深为 7m；

2. 适用于运距 1km 以内，每超运 1km，按下表定额增加：

项目	单位	Ⅰ	Ⅱ	Ⅲ	Ⅳ	Ⅴ	Ⅵ	Ⅶ	松散	中密	紧密
拖轮 90kW	艘时	82.10	63.49	63.49	66.45	66.45	71.43	71.43	71.43	79.37	79.37
泥驳 60m³	艘时	82.10	63.49	63.49	66.45	66.45	71.43	71.43	71.43	79.37	79.37

（5） 150m³/h 链斗式挖泥船

单位：10000m³

项目	单位	土及粉细砂 Ⅰ	Ⅱ	Ⅲ	Ⅳ	Ⅴ	Ⅵ	Ⅶ	中粗砂 松散	中密	紧密
工长	工时										
高级工	工时										
中级工	工时										
初级工	工时	348.6	249.5	225.8	257.7	292.6	382.3	515.3	292.6	408.7	564.4
合计	工时	348.6	249.5	225.8	257.7	292.6	382.3	515.3	292.6	408.7	564.4
挖泥船 150m³/h	艘时	108.93	77.97	70.55	80.52	91.45	119.47	161.03	91.45	127.71	176.37
拖轮 147kW	艘时	108.93	77.97	70.55	80.52	91.45	119.47	161.03	91.45	127.71	176.37
泥驳 100m³	艘时	217.86	155.94	141.10	161.04	182.90	238.94	322.06	182.90	255.42	352.74
机艇 50kW	艘时	32.68	23.39	21.17	24.16	27.44	35.84	48.31	27.44	38.31	52.91
锚艇 90kW	艘时	32.68	23.39	21.17	24.16	27.44	35.84	48.31	27.44	38.31	52.91
其他机械费	%	3	3	3	3	3	3	3	3	3	3
编号		81101	81102	81103	81104	81105	81106	81107	81108	81109	81110

注：1．适用于挖深 5m 以内，每超深 1m，按上表定额增加 2%，最大挖深为 7.5m；
2．适用于运距 1km 以内，每超运 1km，按下表定额增加：

项目	单位	Ⅰ	Ⅱ	Ⅲ	Ⅳ	Ⅴ	Ⅵ	Ⅶ	松散	中密	紧密
拖轮 147kW	艘时	43.48	33.78	33.78	35.71	35.71	37.88	37.88	37.88	42.37	42.37
泥驳 100m³	艘时	43.48	33.78	33.78	35.71	35.71	37.88	37.88	37.88	42.37	42.37

（6） 180m³/h 链斗式挖泥船

单位：10000m³

项目	单位	土及粉细砂							中粗砂		
		Ⅰ	Ⅱ	Ⅲ	Ⅳ	Ⅴ	Ⅵ	Ⅶ	松散	中密	紧密
工长	工时										
高级工	工时										
中级工	工时										
初级工	工时	299.6	214.4	194.0	221.4	251.5	328.5	442.8	251.5	351.2	485.0
合计	工时	299.6	214.4	194.0	221.4	251.5	328.5	442.8	251.5	351.2	485.0
挖泥船 180m³/h	艘时	90.78	64.98	58.79	67.10	76.21	99.56	134.19	76.21	106.43	146.97
拖轮 147kW	艘时	90.78	64.98	58.79	67.10	76.21	99.56	134.19	76.21	106.43	146.97
泥驳 100m³	艘时	181.56	129.96	117.58	134.20	152.42	199.12	268.38	152.42	212.86	293.94
机艇 50kW	艘时	31.77	22.74	20.58	23.49	26.67	34.85	46.97	26.67	37.25	51.44
锚艇 90kW	艘时	31.77	22.74	20.58	23.49	26.67	34.85	46.97	26.67	37.25	51.44
其他机械费	%	3	3	3	3	3	3	3	3	3	3
编号		81111	81112	81113	81114	81115	81116	81117	81118	81119	81120

注：1. 适用于挖深 5m 以内，每超深 1m，按上表定额增加 2%，最大挖深为 9m；

2. 适用于运距 1km 以内，每超运 1km，按下表定额增加：

项目	单位	Ⅰ	Ⅱ	Ⅲ	Ⅳ	Ⅴ	Ⅵ	Ⅶ	松散	中密	紧密
拖轮 147kW	艘时	43.48	33.78	33.78	35.71	35.71	37.88	37.88	37.88	42.37	42.37
泥驳 100m³	艘时	43.48	33.78	33.78	35.71	35.71	37.88	37.88	37.88	42.37	42.37

（7） 350m³/h链斗式挖泥船

单位：10000m³

项目	单位	土及粉细砂							中粗砂		
		Ⅰ	Ⅱ	Ⅲ	Ⅳ	Ⅴ	Ⅵ	Ⅶ	松散	中密	紧密
工长	工时										
高级工	工时										
中级工	工时										
初级工	工时	149.9	108.0	98.1	112.4	128.5	156.4	192.7	128.5	168.6	234.6
合计	工时	149.9	108.0	98.1	112.4	128.5	156.4	192.7	128.5	168.6	234.6
挖泥船 350m³/h	艘时	44.09	31.75	28.86	33.07	37.79	46.01	56.69	37.79	49.60	69.01
拖轮 270kW	艘时	44.09	31.75	28.86	33.07	37.79	46.01	56.69	37.79	49.60	69.01
泥驳 180m³	艘时	88.18	63.50	57.72	66.14	75.58	92.02	113.38	75.58	99.20	138.02
机艇 50kW	艘时	17.64	12.70	11.54	13.23	15.12	18.40	22.68	15.12	19.84	27.60
锚艇 110kW	艘时	17.64	12.70	11.54	13.23	15.12	18.40	22.68	15.12	19.84	27.60
其他机械费	%	3	3	3	3	3	3	3	3	3	3
编号		81121	81122	81123	81124	81125	81126	81127	81128	81129	81130

注：1．适用于挖深5m以内，每超深1m，按上表定额增加2%，最大挖深为16m；

2．适用于运距1km以内，每超运1km，按下表定额增加：

项目	单位	Ⅰ	Ⅱ	Ⅲ	Ⅳ	Ⅴ	Ⅵ	Ⅶ	松散	中密	紧密
拖轮 270kW	艘时	19.32	15.02	15.02	15.87	15.87	16.84	16.84	16.84	18.83	18.83
泥驳 180m³	艘时	19.32	15.02	15.02	15.87	15.87	16.84	16.84	16.84	18.83	18.83

(8) 500m³/h 链斗式挖泥船

单位:10000m³

项目	单位	土及粉细砂							中粗砂		
		Ⅰ	Ⅱ	Ⅲ	Ⅳ	Ⅴ	Ⅵ	Ⅶ	松散	中密	紧密
工长	工时										
高级工	工时										
中级工	工时										
初级工	工时	114.0	83.3	76.7	85.8	96.3	117.1	144.5	96.3	125.6	180.6
合计	工时	114.0	83.3	76.7	85.8	96.3	117.1	144.5	96.3	125.6	180.6
挖泥船 500m³/h	艘时	29.24	21.37	19.67	22.00	24.69	30.03	37.04	24.69	32.21	46.30
拖轮 370kW	艘时	29.24	21.37	19.67	22.00	24.69	30.03	37.04	24.69	32.21	46.30
泥驳 280m³	艘时	58.48	42.74	39.34	44.00	49.38	60.06	74.08	49.38	64.42	92.60
机艇 90kW	艘时	11.70	8.55	7.87	8.80	9.88	12.01	14.82	9.88	12.88	18.52
锚艇 110kW	艘时	11.70	8.55	7.87	8.80	9.88	12.01	14.82	9.88	12.88	18.52
其他机械费	%	3	3	3	3	3	3	3	3	3	3
编号		81131	81132	81133	81134	81135	81136	81137	81138	81139	81140

注:1. 适用于挖深 5m 以内,每超深 1m,按上表定额增加 2%,最大挖深为 16m;

2. 适用于运距 1km 以内,每超运 1km,按下表定额增加:

项目	单位	Ⅰ	Ⅱ	Ⅲ	Ⅳ	Ⅴ	Ⅵ	Ⅶ	松散	中密	紧密
拖轮 370kW	艘时	12.42	9.65	9.65	10.20	10.20	10.82	10.82	10.82	12.11	12.11
泥驳 280m³	艘时	12.42	9.65	9.65	10.20	10.20	10.82	10.82	10.82	12.11	12.11

八－3 抓斗式、铲斗式挖泥船

工作内容：包括开挖、装驳、运、卸、靠离驳、移船、移锚及辅助工作等。

(1) 0.5m³ 抓斗式挖泥船

单位：10000m³

项目	单位	土及粉细砂							中粗砂		
		Ⅰ	Ⅱ	Ⅲ	Ⅳ	Ⅴ	Ⅵ	Ⅶ	松散	中密	紧密
工长	工时										
高级工	工时										
中级工	工时										
初级工	工时	476.2	432.9	392.2	512.8	740.7	900.9	1111.1	666.7	740.7	1111.1
合计	工时	476.2	432.9	392.2	512.8	740.7	900.9	1111.1	666.7	740.7	1111.1
挖泥船 0.5m³	艘时	238.10	216.45	196.08	256.41	370.37	450.45	555.56	333.33	370.37	555.56
拖轮 90kW	艘时	238.10	216.45	196.08	256.41	370.37	450.45	555.56	333.33	370.37	555.56
泥驳 60m³	艘时	476.20	432.90	392.16	512.82	740.74	900.90	1111.12	666.66	740.74	1111.12
机艇 30kW	艘时	83.34	75.76	68.63	89.74	129.63	157.66	194.45	116.67	129.63	194.45
其他机械费	%	3	3	3	3	3	3	3	3	3	3
编号		81141	81142	81143	81144	81145	81146	81147	81148	81149	81150

注：1. 适用于挖深5m以内；
2. 适用于运距2km以内，每超运1km，按下表定额增加：

项目	单位	Ⅰ	Ⅱ	Ⅲ	Ⅳ	Ⅴ	Ⅵ	Ⅶ	松散	中密	紧密
拖轮 90kW	艘时	82.10	63.49	63.49	66.45	66.45	71.43	71.43	71.43	79.37	79.37
泥驳 60m³	艘时	82.10	63.49	63.49	66.45	66.45	71.43	71.43	71.43	79.37	79.37

(2) 0.75m^3 抓斗式挖泥船

单位:10000m^3

项目	单位	土及粉细砂							中粗砂		
		Ⅰ	Ⅱ	Ⅲ	Ⅳ	Ⅴ	Ⅵ	Ⅶ	松散	中密	紧密
工长	工时										
高级工	工时										
中级工	工时										
初级工	工时	381.0	346.3	313.7	410.3	592.6	720.7	888.9	533.3	592.6	888.9
合计	工时	381.0	346.3	313.7	410.3	592.6	720.7	888.9	533.3	592.6	888.9
挖泥船 0.75m^3	艘时	158.73	144.30	130.72	170.94	246.91	300.30	370.37	222.22	246.91	370.37
拖轮 90kW	艘时	158.73	144.30	130.72	170.94	246.91	300.30	370.37	222.22	246.91	370.37
泥驳 60m^3	艘时	317.46	288.60	261.44	341.88	493.82	600.60	740.74	444.44	493.82	740.74
机艇 30kW	艘时	63.49	57.72	52.29	68.38	98.76	120.12	148.15	88.89	98.76	148.15
其他机械费	%	3	3	3	3	3	3	3	3	3	3
编号		81151	81152	81153	81154	81155	81156	81157	81158	81159	81160

注:1. 适用于挖深 5m 以内;

2. 适用于运距 1km 以内,每超运 1km,按下表定额增加:

拖轮 90kW	艘时	82.10	63.49	63.49	66.45	66.45	71.43	71.43	71.43	79.37	79.37
泥驳 60m^3	艘时	82.10	63.49	63.49	66.45	66.45	71.43	71.43	71.43	79.37	79.37

（3） $1m^3$ 抓斗式挖泥船

单位：$10000m^3$

项目	单位	土及粉细砂							中粗砂		
		Ⅰ	Ⅱ	Ⅲ	Ⅳ	Ⅴ	Ⅵ	Ⅶ	松散	中密	紧密
工长	工时										
高级工	工时										
中级工	工时										
初级工	工时	318.7	287.7	263.9	302.4	354.1	398.3	455.3	414.3	455.3	637.4
合计	工时	318.7	287.7	263.9	302.4	354.1	398.3	455.3	414.3	455.3	637.4
挖泥船 $1m^3$	艘时	109.89	99.21	90.99	104.28	122.10	137.36	156.99	142.86	156.99	219.78
拖轮 147kW	艘时	109.89	99.21	90.99	104.28	122.10	137.36	156.99	142.86	156.99	219.78
泥驳 $100m^3$	艘时	219.78	198.42	181.98	208.56	244.20	274.72	313.98	285.72	313.98	439.56
机艇 30kW	艘时	43.96	39.68	36.40	41.71	48.84	54.94	62.80	57.14	62.80	87.91
其他机械费	%	3	3	3	3	3	3	3	3	3	3
编号		81161	81162	81163	81164	81165	81166	81167	81168	81169	81170

注：1. 适用于挖深5m以内，每超深1m，按上表定额增加9.2%，最大挖深为15m；

2. 适用于运距1km以内，每超运1km，按下表定额增加：

项目	单位	Ⅰ	Ⅱ	Ⅲ	Ⅳ	Ⅴ	Ⅵ	Ⅶ	松散	中密	紧密
拖轮 147kW	艘时	43.48	33.78	33.78	35.71	35.71	37.88	37.88	37.88	42.37	42.37
泥驳 $100m^3$	艘时	43.48	33.78	33.78	35.71	35.71	37.88	37.88	37.88	42.37	42.37

（4） 1.5m³ 抓斗式挖泥船

单位：10000m³

项目	单位	土及粉细砂							中粗砂		
		Ⅰ	Ⅱ	Ⅲ	Ⅳ	Ⅴ	Ⅵ	Ⅶ	松散	中密	紧密
工长	工时										
高级工	工时										
中级工	工时										
初级工	工时	249.1	224.9	205.0	236.4	279.1	314.4	359.8	330.4	359.8	506.0
合计	工时	249.1	224.9	205.0	236.4	279.1	314.4	359.8	330.4	359.8	506.0
挖泥船 1.5m³	艘时	73.26	66.14	60.28	69.52	82.10	92.46	105.82	97.18	105.82	148.81
拖轮 370kW	艘时	73.26	66.14	60.28	69.52	82.10	92.46	105.82	97.18	105.82	148.81
泥驳 280m³	艘时	146.52	132.28	120.56	139.04	164.20	184.92	211.64	194.36	211.64	297.62
机艇 30kW	艘时	29.30	26.46	24.11	27.81	32.84	36.98	42.33	38.87	42.33	59.52
其他机械费	%	3	3	3	3	3	3	3	3	3	3
编号		81171	81172	81173	81174	81175	81176	81177	81178	81179	81180

注：1. 适用于挖深 5m 以内，每超深 1m，按上表定额增加 9.2%，最大挖深为 15m；

2. 适用于运距 4km 以内，每超运 1km，按下表定额增加：

项目	单位	Ⅰ	Ⅱ	Ⅲ	Ⅳ	Ⅴ	Ⅵ	Ⅶ	松散	中密	紧密
拖轮 370kW	艘时	12.42	9.65	9.65	10.20	10.20	10.82	10.82	10.82	12.11	12.11
泥驳 280m³	艘时	12.42	9.65	9.65	10.20	10.20	10.82	10.82	10.82	12.11	12.11

（5） $2m^3$ 抓斗式挖泥船

单位：$10000m^3$

项目	单位	土及粉细砂							中粗砂		
		Ⅰ	Ⅱ	Ⅲ	Ⅳ	Ⅴ	Ⅵ	Ⅶ	松散	中密	紧密
工长	工时										
高级工	工时										
中级工	工时										
初级工	工时	214.3	193.4	177.5	204.8	240.2	270.5	309.5	284.3	309.5	437.2
合计	工时	214.3	193.4	177.5	204.8	240.2	270.5	309.5	284.3	309.5	437.2
挖泥船 $2m^3$	艘时	54.95	49.60	45.50	52.52	61.58	69.35	79.37	72.89	79.37	112.11
拖轮 370kW	艘时	54.95	49.60	45.50	52.52	61.58	69.35	79.37	72.89	79.37	112.11
泥驳 $280m^3$	艘时	109.90	99.20	91.00	105.04	123.16	138.70	158.74	145.78	158.74	224.22
机艇 30kW	艘时	21.98	19.84	18.20	21.01	24.63	27.74	31.75	29.16	31.75	44.84
其他机械费	%	3	3	3	3	3	3	3	3	3	3
编号		81181	81182	81183	81184	81185	81186	81187	81188	81189	81190

注：1. 适用于挖深 5m 以内，每超深 1m，按上表定额增加 9.2%，最大挖深为 20m；

2. 适用于运距 4km 以内，每超运 1km，按下表定额增加：

拖轮 370kW	艘时	12.42	9.65	9.65	10.20	10.20	10.82	10.82	10.82	12.11	12.11
泥驳 $280m^3$	艘时	12.42	9.65	9.65	10.20	10.20	10.82	10.82	10.82	12.11	12.11

（6） $4m^3$ 抓斗式挖泥船

单位：$10000m^3$

项目	单位	土及粉细砂							中粗砂		
		Ⅰ	Ⅱ	Ⅲ	Ⅳ	Ⅴ	Ⅵ	Ⅶ	松散	中密	紧密
工长	工时										
高级工	工时										
中级工	工时										
初级工	工时	155.1	138.6	125.3	144.8	171.4	191.6	217.2	199.4	217.2	305.4
合计	工时	155.1	138.6	125.3	144.8	171.4	191.6	217.2	199.4	217.2	305.4
挖泥船 $4m^3$	艘时	36.08	32.24	29.14	33.67	39.87	44.56	50.51	46.38	50.51	71.02
拖轮 720kW	艘时	36.08	32.24	29.14	33.67	39.87	44.56	50.51	46.38	50.51	71.02
泥驳 $500m^3$	艘时	72.16	64.48	58.28	67.34	79.74	89.12	101.02	92.76	101.02	142.04
锚艇 175kW	艘时	14.43	12.90	11.66	13.47	15.95	17.82	20.20	18.55	20.20	28.41
其他机械费	%	3	3	3	3	3	3	3	3	3	3
编号		81191	81192	81193	81194	81195	81196	81197	81198	81199	81200

注：1. 适用于挖深 5m 以内，每超深 1m，按上表定额增加 3.5%，最大挖深为 30m；

2. 适用于运距 4km 以内，每超运 1km，按下表定额增加：

项目	单位	Ⅰ	Ⅱ	Ⅲ	Ⅳ	Ⅴ	Ⅵ	Ⅶ	松散	中密	紧密
拖轮 720kW	艘时	6.32	4.91	4.91	5.19	5.19	5.51	5.51	5.51	6.16	6.16
泥驳 $500m^3$	艘时	6.32	4.91	4.91	5.19	5.19	5.51	5.51	5.51	6.16	6.16

（7） 0.75m³ 铲斗式挖泥船

单位：10000m³

项目	单位	土及粉细砂						中粗砂		
		Ⅱ	Ⅲ	Ⅳ	Ⅴ	Ⅵ	Ⅶ	松散	中密	紧密
工长	工时									
高级工	工时									
中级工	工时									
初级工	工时	394.7	352.9	461.5	666.7	821.9	1052.6	600.0	779.2	1200.0
合计	工时	394.7	352.9	461.5	666.7	821.9	1052.6	600.0	779.2	1200.0
挖泥船 0.75m³	艘时	164.47	147.06	192.31	277.78	342.47	438.60	250.00	324.68	500.00
拖轮 90kW	艘时	164.47	147.06	192.31	277.78	342.47	438.60	250.00	324.68	500.00
泥驳 60m³	艘时	328.94	294.12	384.62	555.56	684.94	877.20	500.00	649.36	1000.00
机艇 30kW	艘时	65.79	58.82	76.92	111.11	136.99	175.44	100.00	129.87	200.00
其他机械费	%	3	3	3	3	3	3	3	3	3
编号		81201	81202	81203	81204	81205	81206	81207	81208	81209

注：1．适用于挖深 4.5m 以内；

2．适用于运距 2km 以内，每超运 1km，按下表定额增加：

项目	单位	Ⅱ	Ⅲ	Ⅳ	Ⅴ	Ⅵ	Ⅶ	松散	中密	紧密
拖轮 90kW	艘时	63.49	63.49	66.45	66.45	71.43	71.43	71.43	79.37	79.37
泥驳 60m³	艘时	63.49	63.49	66.45	66.45	71.43	71.43	71.43	79.37	79.37

(8) $4m^3$ 铲斗式挖泥船

单位：$10000m^3$

项目	单位	土及粉细砂						中粗砂		
		Ⅱ	Ⅲ	Ⅳ	Ⅴ	Ⅵ	Ⅶ	松散	中密	紧密
工长	工时									
高级工	工时									
中级工	工时									
初级工	工时	207.7	186.1	227.5	292.5	325.8	367.5	286.7	325.8	494.2
合计	工时	207.7	186.1	227.5	292.5	325.8	367.5	286.7	325.8	494.2
挖泥船 $4m^3$	艘时	48.31	43.29	52.91	68.03	75.76	85.47	66.67	75.76	114.94
拖轮 370kW	艘时	48.31	43.29	52.91	68.03	75.76	85.47	66.67	75.76	114.94
泥驳 $280m^3$	艘时	96.62	86.58	105.82	136.06	151.52	170.94	133.34	151.52	229.88
机艇 90kW	艘时	19.32	17.32	21.16	27.21	30.30	34.19	26.67	30.30	45.98
其他机械费	%	3	3	3	3	3	3	3	3	3
编号		81210	81211	81212	81213	81214	81215	81216	81217	81218

注：1. 适用于挖深 5m 以内，每超深 1m，按上表定额增加 3.5%，最大挖深为 15m；

2. 适用于运距 3km 以内，每超运 1km，按下表定额增加：

项目	单位	Ⅱ	Ⅲ	Ⅳ	Ⅴ	Ⅵ	Ⅶ	松散	中密	紧密
拖轮 370kW	艘时	9.65	9.65	10.20	10.20	10.82	10.82	10.82	12.11	12.11
泥驳 $280m^3$	艘时	9.65	9.65	10.20	10.20	10.82	10.82	10.82	12.11	12.11

八－4 吹 泥 船

工作内容:包括换驳、靠离驳、吹排、移管(不含岸管)及辅助工作等。

(1) $60m^3/h$ 吹泥船

单位:$10000m^3$

项目	单位	Ⅰ类土 排泥管线长度(km) ≤0.3	0.4	0.5	0.6	0.7
工长	工时					
高级工	工时					
中级工	工时	60.9	62.1	63.4	65.0	66.6
初级工	工时	91.3	93.2	95.1	97.5	99.8
合计	工时	152.2	155.3	158.5	162.5	166.4
吹泥船 $60m^3/h$	艘时	121.74	124.27	126.81	129.98	133.15
泥驳 $40m^3$	艘时	121.74	124.27	126.81	129.98	133.15
岸管 Ø250×4000mm	根时					
浮筒管 Ø250×5000mm	组时					
其他机械费	%	2	2	2	2	2
编号		81219	81220	81221	81222	81223

注:适用于排高 5m;排高每增(减)1m,定额乘(除)以 1.02 系数。

续表

项目	单位	Ⅱ类土				
		排泥管线长度 (km)				
		≤0.3	0.4	0.5	0.6	0.7
工长	工时					
高级工	工时					
中级工	工时	71.3	72.8	74.3	76.1	78.0
初级工	工时	107.0	109.2	111.4	114.2	117.0
合计	工时	178.3	182.0	185.7	190.3	195.0
吹泥船 60m³/h	艘时	142.61	145.58	148.55	152.26	155.98
泥驳 40m³	艘时	142.61	145.58	148.55	152.26	155.98
岸管 Ø250×4000mm	根时					
浮筒管 Ø250×5000mm	组时					
其他机械费	%	2	2	2	2	2
编号		81224	81225	81226	81227	81228

注:适用于排高5m;排高每增(减)1m,定额乘(除)以1.02系数。

续表

项目	单位	Ⅲ类土				
		排泥管线长度 (km)				
		≤0.3	0.4	0.5	0.6	0.7
工长	工时					
高级工	工时					
中级工	工时	87.0	88.8	90.6	92.8	95.1
初级工	工时	130.4	133.1	135.9	139.3	142.7
合计	工时	217.4	221.9	226.5	232.1	237.8
吹泥船 $60m^3/h$	艘时	173.91	177.54	181.16	185.69	190.22
泥驳 $40m^3$	艘时	173.91	177.54	181.16	185.69	190.22
岸管 Ø250×4000mm	根时					
浮筒管 Ø250×5000mm	组时					
其他机械费	%	2	2	2	2	2
编号		81229	81230	81231	81232	81233

注:适用于排高5m;排高每增(减)1m,定额乘(除)以1.02系数。

续表

项目	单位	Ⅳ类土				
		排泥管线长度 (km)				
		≤0.3	0.4	0.5	0.6	0.7
工长	工时					
高级工	工时					
中级工	工时	100.9	103.0	105.1	107.7	110.3
初级工	工时	151.3	154.4	157.6	161.6	165.5
合计	工时	252.2	257.4	262.7	269.3	275.8
吹泥船 $60m^3/h$	艘时	201.74	205.95	210.15	215.40	220.66
泥驳 $40m^3$	艘时	201.74	205.95	210.15	215.40	220.66
岸管 Ø250×4000mm	根时					
浮筒管 Ø250×5000mm	组时					
其他机械费	%	2	2	2	2	2
编号		81234	81235	81236	81237	81238

注:适用于排高 5m;排高每增(减)1m,定额乘(除)以 1.02 系数。

续表

项目	单位	V类土				
		排泥管线长度 (km)				
		≤0.3	0.4	0.5	0.6	0.7
工长	工时					
高级工	工时					
中级工	工时	117.4	119.8	122.3	125.4	128.4
初级工	工时	176.1	179.8	183.4	188.0	192.6
合计	工时	293.5	299.6	305.7	313.4	321.0
吹泥船 $60m^3/h$	艘时	234.79	239.68	244.57	250.68	256.80
泥驳 $40m^3$	艘时	234.79	239.68	244.57	250.68	256.80
岸管 Ø250×4000mm	根时					
浮筒管 Ø250×5000mm	组时					
其他机械费	%	2	2	2	2	2
编号		81239	81240	81241	81242	81243

注:适用于排高5m;排高每增(减)1m,定额乘(除)以1.02系数。

续表

项目	单位	Ⅵ类土				
		排泥管线长度 (km)				
		≤0.3	0.4	0.5	0.6	0.7
工长	工时					
高级工	工时					
中级工	工时	133.9	136.7	139.5	143.0	146.5
初级工	工时	200.9	205.1	209.2	214.5	219.7
合计	工时	334.8	341.8	348.7	357.5	366.2
吹泥船 $60m^3/h$	艘时	267.83	273.41	278.99	285.96	292.94
泥驳 $40m^3$	艘时	267.83	273.41	278.99	285.96	292.94
岸管 Ø250×4000mm	根时					
浮筒管 Ø250×5000mm	组时					
其他机械费	%	2	2	2	2	2
编号		81244	81245	81246	81247	81248

注:适用于排高 5m;排高每增(减)1m,定额乘(除)以 1.02 系数。

续表

项目	单位	Ⅶ类土				
		排泥管线长度 (km)				
		≤0.3	0.4	0.5	0.6	0.7
工长	工时					
高级工	工时					
中级工	工时	156.5	159.8	163.0	167.1	171.2
初级工	工时	234.8	239.7	244.6	250.7	256.8
合计	工时	391.3	399.5	407.6	417.8	428.0
吹泥船 $60m^3/h$	艘时	313.05	319.57	326.09	334.24	342.39
泥驳 $40m^3$	艘时	313.05	319.57	326.09	334.24	342.39
岸管 Ø250×4000mm	根时					
浮筒管 Ø250×5000mm	组时					
其他机械费	%	2	2	2	2	2
编号		81249	81250	81251	81252	81253

注:适用于排高 5m;排高每增(减)1m,定额乘(除)以 1.02 系数。

续表

项目	单位	松散中砂			
		排泥管线长度 (km)			
		≤0.3	0.4	0.5	0.6
工长	工时				
高级工	工时				
中级工	工时	62.8	64.4	66.2	68.2
初级工	工时	94.2	96.7	99.4	102.3
合计	工时	157.0	161.1	165.6	170.5
吹泥船 $60m^3/h$	艘时	125.63	128.89	132.48	136.39
泥驳 $40m^3$	艘时	125.63	128.89	132.48	136.39
岸管 Ø250×4000mm	根时				
浮筒管 Ø250×5000mm	组时				
其他机械费	%	2	2	2	2
编号		81254	81255	81256	81257

注:适用于排高 3m;排高每增(减)1m,定额乘(除)以 1.05 系数。

续表

项目	单位	中密中砂			
		排泥管线长度 (km)			
		≤0.3	0.4	0.5	0.6
工长	工时				
高级工	工时				
中级工	工时	96.6	99.2	101.9	104.9
初级工	工时	145.0	148.7	152.9	157.4
合计	工时	241.6	247.9	254.8	262.3
吹泥船 $60m^3/h$	艘时	193.27	198.29	203.81	209.84
泥驳 $40m^3$	艘时	193.27	198.29	203.81	209.84
岸管 Ø250×4000mm	根时				
浮筒管 Ø250×5000mm	组时				
其他机械费	%	2	2	2	2
编号		81258	81259	81260	81261

注:适用于排高 3m;排高每增(减)1m,定额乘(除)以 1.05 系数。

续表

项目	单位	松散粗砂			
		排泥管线长度 (km)			
		≤0.2	0.3	0.4	0.5
工长	工时				
高级工	工时				
中级工	工时	73.9	76.2	78.8	81.4
初级工	工时	110.9	114.4	118.1	122.2
合计	工时	184.8	190.6	196.9	203.6
吹泥船 $60m^3/h$	艘时	147.81	152.45	157.48	162.90
泥驳 $40m^3$	艘时	147.81	152.45	157.48	162.90
岸管 Ø250×4000mm	根时				
浮筒管 Ø250×5000mm	组时				
其他机械费	%	2	2	2	2
编号		81262	81263	81264	81265

注:适用于排高 3m;排高每增(减)1m,定额乘(除)以 1.25 系数。最大排高为 5m。

续表

项目	单位	中密粗砂			
		排泥管线长度 (km)			
		≤0.2	0.3	0.4	0.5
工长	工时				
高级工	工时				
中级工	工时	113.7	117.3	121.1	125.3
初级工	工时	170.5	175.9	181.7	188.0
合计	工时	284.2	293.2	302.8	313.3
吹泥船 $60m^3/h$	艘时	227.39	234.53	242.27	250.60
泥驳 $40m^3$	艘时	227.39	234.53	242.27	250.60
岸管 Ø250×4000mm	根时				
浮筒管 Ø250×5000mm	组时				
其他机械费	%	2	2	2	2
编号		81266	81267	81268	81269

注:适用于排高 3m;排高每增(减)1m,定额乘(除)以 1.25 系数。最大排高为 5m。

（2） 80m^3/h 吹泥船

单位:10000m^3

项目	单位	Ⅰ类土				
		排泥管线长度 (km)				
		≤0.4	0.5	0.6	0.7	0.8
工长	工时					
高级工	工时					
中级工	工时	51.9	53.0	54.0	55.4	56.7
初级工	工时	77.8	79.4	81.1	83.0	85.1
合计	工时	129.7	132.4	135.1	138.4	141.8
吹泥船 80m^3/h	艘时	91.31	93.21	95.11	97.49	99.87
泥驳 60m^3	艘时	91.31	93.21	95.11	97.49	99.87
岸管 Ø300×4000mm	根时					
浮筒管 Ø300×5000mm	组时					
其他机械费	%	2	2	2	2	2
编号		81270	81271	81272	81273	81274

注:适用于排高 6m;排高每增(减)1m,定额乘(除)以 1.02 系数。

续表

项目	单位	Ⅱ类土				
		排泥管线长度　(km)				
		≤0.4	0.5	0.6	0.7	0.8
工长	工时					
高级工	工时					
中级工	工时	60.8	62.0	63.3	64.9	66.4
初级工	工时	91.1	93.0	94.9	97.3	99.7
合计	工时	151.9	155.0	158.2	162.2	166.1
吹泥船 $80m^3/h$	艘时	106.95	109.18	111.41	114.20	116.98
泥驳 $60m^3$	艘时	106.95	109.18	111.41	114.20	116.98
岸管 Ø300×4000mm	根时					
浮筒管 Ø300×5000mm	组时					
其他机械费	%	2	2	2	2	2
编号		81275	81276	81277	81278	81279

注:适用于排高 6m;排高每增(减)1m,定额乘(除)以 1.02 系数。

续表

项目	单位	Ⅲ类土				
		排泥管线长度 (km)				
		≤0.4	0.5	0.6	0.7	0.8
工长	工时					
高级工	工时					
中级工	工时	74.1	75.6	77.2	79.1	81.0
初级工	工时	111.1	113.5	115.7	118.7	121.6
合计	工时	185.2	189.1	192.9	197.8	202.6
吹泥船 $80m^3/h$	艘时	130.44	133.15	135.87	139.27	142.66
泥驳 $60m^3$	艘时	130.44	133.15	135.87	139.27	142.66
岸管 Ø300×4000mm	根时					
浮筒管 Ø300×5000mm	组时					
其他机械费	%	2	2	2	2	2
编号		81280	81281	81282	81283	81284

注:适用于排高 6m;排高每增(减)1m,定额乘(除)以 1.02 系数。

续表

项目	单位	Ⅳ类土				
		排泥管线长度 (km)				
		≤0.4	0.5	0.6	0.7	0.8
工长	工时					
高级工	工时					
中级工	工时	86.0	87.7	89.5	91.8	94.0
初级工	工时	128.9	131.6	134.3	137.6	141.0
合计	工时	214.9	219.3	223.8	229.4	235.0
吹泥船 $80m^3/h$	艘时	151.31	154.46	157.61	161.55	165.49
泥驳 $60m^3$	艘时	151.31	154.46	157.61	161.55	165.49
岸管 Ø300×4000mm	根时					
浮筒管 Ø300×5000mm	组时					
其他机械费	%	2	2	2	2	2
编号		81285	81286	81287	81288	81289

注:适用于排高6m;排高每增(减)1m,定额乘(除)以1.02系数。

续表

项目	单位	V类土				
		排泥管线长度 (km)				
		≤0.4	0.5	0.6	0.7	0.8
工长	工时					
高级工	工时					
中级工	工时	100.0	102.1	104.2	106.8	109.4
初级工	工时	150.0	153.1	156.3	160.2	164.1
合计	工时	250.0	255.2	260.5	267.0	273.5
吹泥船 $80m^3/h$	艘时	176.08	179.75	183.42	188.01	192.59
泥驳 $60m^3$	艘时	176.08	179.75	183.42	188.01	192.59
岸管 Ø300×4000mm	根时					
浮筒管 Ø300×5000mm	组时					
其他机械费	%	2	2	2	2	2
编号		81290	81291	81292	81293	81294

注:适用于排高 6m;排高每增(减)1m,定额乘(除)以 1.02 系数。

续表

项目	单位	Ⅵ类土				
		排泥管线长度 (km)				
		≤0.4	0.5	0.6	0.7	0.8
工长	工时					
高级工	工时					
中级工	工时	114.1	116.5	118.8	121.8	124.8
初级工	工时	171.1	174.7	178.3	182.7	187.2
合计	工时	285.2	291.2	297.1	304.5	312.0
吹泥船 $80m^3/h$	艘时	200.87	205.06	209.24	214.47	219.70
泥驳 $60m^3$	艘时	200.87	205.06	209.24	214.47	219.70
岸管 Ø300×4000mm	根时					
浮筒管 Ø300×5000mm	组时					
其他机械费	%	2	2	2	2	2
编号		81295	81296	81297	81298	81299

注:适用于排高 6m;排高每增(减)1m,定额乘(除)以 1.02 系数。

续表

项目	单位	Ⅶ类土				
		排泥管线长度 (km)				
		≤0.4	0.5	0.6	0.7	0.8
工长	工时					
高级工	工时					
中级工	工时	133.4	136.1	138.9	142.4	145.9
初级工	工时	200.0	204.2	208.4	213.6	218.8
合计	工时	333.4	340.3	347.3	356.0	364.7
吹泥船 $80m^3/h$	艘时	234.79	239.68	244.57	250.68	256.80
泥驳 $60m^3$	艘时	234.79	239.68	244.57	250.68	256.80
岸管 Ø300×4000mm	根时					
浮筒管 Ø300×5000mm	组时					
其他机械费	%	2	2	2	2	2
编号		81300	81301	81302	81303	81304

注:适用于排高 6m;排高每增(减)1m,定额乘(除)以 1.02 系数。

续表

项目	单位	松散中砂			
		排泥管线长度 (km)			
		≤0.4	0.5	0.6	0.7
工长	工时				
高级工	工时				
中级工	工时	48.2	49.5	50.9	52.4
初级工	工时	72.4	74.2	76.3	78.5
合计	工时	120.6	123.7	127.2	130.9
吹泥船 $80m^3/h$	艘时	94.22	96.67	99.36	102.30
泥驳 $60m^3$	艘时	94.22	96.67	99.36	102.30
岸管 Ø300×4000mm	根时				
浮筒管 Ø300×5000mm	组时				
其他机械费	%	2	2	2	2
编号		81305	81306	81307	81308

注:适用于排高 3m;排高每增(减)1m,定额乘(除)以 1.05 系数。

续表

项目	单位	中密中砂			
		排泥管线长度 (km)			
		≤0.4	0.5	0.6	0.7
工长	工时				
高级工	工时				
中级工	工时	74.2	76.2	78.3	80.6
初级工	工时	111.3	114.2	117.4	120.8
合计	工时	185.5	190.4	195.7	201.4
吹泥船 $80m^3/h$	艘时	144.95	148.72	152.86	157.38
泥驳 $60m^3$	艘时	144.95	148.72	152.86	157.38
岸管 Ø300×4000mm	根时				
浮筒管 Ø300×5000mm	组时				
其他机械费	%	2	2	2	2
编号		81309	81310	81311	81312

注:适用于排高3m;排高每增(减)1m,定额乘(除)以1.05系数。

续表

项目	单位	松散粗砂			
		排泥管线长度 (km)			
		≤0.3	0.4	0.5	0.6
工长	工时				
高级工	工时				
中级工	工时	56.8	58.5	60.5	62.6
初级工	工时	85.1	87.8	90.7	93.8
合计	工时	141.9	146.3	151.2	156.4
吹泥船 $80m^3/h$	艘时	110.85	114.33	118.10	122.16
泥驳 $60m^3$	艘时	110.85	114.33	118.10	122.16
岸管 Ø300×4000mm	根时				
浮筒管 Ø300×5000mm	组时				
其他机械费	%	2	2	2	2
编号		81313	81314	81315	81316

注:适用于排高 3m;排高每增(减)1m,定额乘(除)以 1.25 系数。最大排高为 5m。

续表

项目	单位	中密粗砂			
		排泥管线长度 (km)			
		≤0.3	0.4	0.5	0.6
工长	工时				
高级工	工时				
中级工	工时	87.3	90.0	93.0	96.2
初级工	工时	131.0	135.1	139.6	144.4
合计	工时	218.3	225.1	232.6	240.6
吹泥船 $80m^3/h$	艘时	170.53	175.89	181.69	187.94
泥驳 $60m^3$	艘时	170.53	175.89	181.69	187.94
岸管 Ø300×4000mm	根时				
浮筒管 Ø300×5000mm	组时				
其他机械费	%	2	2	2	2
编号		81317	81318	81319	81320

注:适用于排高 3m;排高每增(减)1m,定额乘(除)以 1.25 系数。最大排高为 5m。

(3) 150 m^3/h 吹泥船

单位:10000m^3

项目	单位	Ⅰ类土					
		排泥管线长度 (km)					
		≤0.7	0.8	0.9	1.0	1.1	1.2
工长	工时						
高级工	工时						
中级工	工时	27.4	28.0	28.5	29.2	29.9	30.6
初级工	工时	41.0	41.9	42.8	43.7	44.8	45.9
合计	工时	68.4	69.9	71.3	72.9	74.7	76.5
吹泥船 150m^3/h	艘时	48.18	49.20	50.21	51.35	52.62	53.89
泥驳 100m^3	艘时	48.18	49.20	50.21	51.35	52.62	53.89
岸管 Ø300×4000mm	根时						
浮筒管 Ø300×5000mm	组时						
其他机械费	%	2	2	2	2	2	2
编号		81321	81322	81323	81324	81325	81326

注:适用于排高 6m;排高每增(减)1m,定额乘(除)以 1.02 系数。

续表

项目	单位	Ⅱ类土					
		排泥管线长度 (km)					
		≤0.7	0.8	0.9	1.0	1.1	1.2
工长	工时						
高级工	工时						
中级工	工时	32.1	32.7	33.4	34.2	35.0	35.8
初级工	工时	48.1	49.1	50.1	51.2	52.5	53.8
合计	工时	80.2	81.8	83.5	85.4	87.5	89.6
吹泥船 $150m^3/h$	艘时	56.45	57.64	58.83	60.16	61.65	63.13
泥驳 $100m^3$	艘时	56.45	57.64	58.83	60.16	61.65	63.13
岸管 Ø300×4000mm	根时						
浮筒管 Ø300×5000mm	组时						
其他机械费	%	2	2	2	2	2	2
编号		81327	81328	81329	81330	81331	81332

注:适用于排高 6m;排高每增(减)1m,定额乘(除)以 1.02 系数。

续表

项目	单位	Ⅲ类土					
		排泥管线长度 (km)					
		≤0.7	0.8	0.9	1.0	1.1	1.2
工长	工时						
高级工	工时						
中级工	工时	39.1	39.9	40.8	41.7	42.7	43.7
初级工	工时	58.7	59.9	61.1	62.5	64.1	65.6
合计	工时	97.8	99.8	101.9	104.2	106.8	109.3
吹泥船 150m³/h	艘时	68.84	70.29	71.74	73.37	75.18	76.99
泥驳 100m³	艘时	68.84	70.29	71.74	73.37	75.18	76.99
岸管 Ø300×4000mm	根时						
浮筒管 Ø300×5000mm	组时						
其他机械费	%	2	2	2	2	2	2
编号		81333	81334	81335	81336	81337	81338

注:适用于排高 6m;排高每增(减)1m,定额乘(除)以 1.02 系数。

续表

项目	单位	Ⅳ类土					
		排泥管线长度 (km)					
		≤0.7	0.8	0.9	1.0	1.1	1.2
工长	工时						
高级工	工时						
中级工	工时	45.4	46.3	47.3	48.3	49.5	50.7
初级工	工时	68.0	69.5	70.9	72.5	74.3	76.1
合计	工时	113.4	115.8	118.2	120.8	123.8	126.8
吹泥船 $150m^3/h$	艘时	79.85	81.53	83.21	85.10	87.20	89.30
泥驳 $100m^3$	艘时	79.85	81.53	83.21	85.10	87.20	89.30
岸管 Ø300×4000mm	根时						
浮筒管 Ø300×5000mm	组时						
其他机械费	%	2	2	2	2	2	2
编号		81339	81340	81341	81342	81343	81344

注:适用于排高 6m;排高每增(减)1m,定额乘(除)以 1.02 系数。

续表

项目	单位	V类土					
		排泥管线长度 (km)					
		≤0.7	0.8	0.9	1.0	1.1	1.2
工长	工时						
高级工	工时						
中级工	工时	52.8	53.9	55.0	56.2	57.6	59.0
初级工	工时	79.2	80.8	82.5	84.4	86.5	88.6
合计	工时	132.0	134.7	137.5	140.6	144.1	147.6
吹泥船 150m^3/h	艘时	92.93	94.89	96.84	99.04	101.49	103.93
泥驳 100m^3	艘时	92.93	94.89	96.84	99.04	101.49	103.93
岸管 Ø300×4000mm	根时						
浮筒管 Ø300×5000mm	组时						
其他机械费	%	2	2	2	2	2	2
编号		81345	81346	81347	81348	81349	81350

注:适用于排高 6m;排高每增(减)1m,定额乘(除)以 1.02 系数。

续表

项目	单位	Ⅵ类土					
		排泥管线长度 (km)					
		≤0.7	0.8	0.9	1.0	1.1	1.2
工长	工时						
高级工	工时						
中级工	工时	60.2	61.5	62.8	64.2	65.8	67.4
初级工	工时	90.3	92.2	94.1	96.2	98.6	101.0
合计	工时	150.5	153.7	156.9	160.4	164.4	168.4
吹泥船 $150m^3/h$	艘时	106.01	108.24	110.47	112.98	115.77	118.56
泥驳 $100m^3$	艘时	106.01	108.24	110.47	112.98	115.77	118.56
岸管 Ø300×4000mm	根时						
浮筒管 Ø300×5000mm	组时						
其他机械费	%	2	2	2	2	2	2
编号		81351	81352	81353	81354	81355	81356

注:适用于排高 6m;排高每增(减)1m,定额乘(除)以 1.02 系数。

续表

项目	单位	Ⅶ类土					
		排泥管线长度 (km)					
		≤0.7	0.8	0.9	1.0	1.1	1.2
工长	工时						
高级工	工时						
中级工	工时	70.4	71.9	73.4	75.0	76.9	78.7
初级工	工时	105.6	107.8	110.0	112.5	115.3	118.1
合计	工时	176.0	179.7	183.4	187.5	192.2	196.8
吹泥船 $150m^3/h$	艘时	123.91	126.52	129.13	132.06	135.32	138.58
泥驳 $100m^3$	艘时	123.91	126.52	129.13	132.06	135.32	138.58
岸管 Ø300×4000mm	根时						
浮筒管 Ø300×5000mm	组时						
其他机械费	%	2	2	2	2	2	2
编号		81357	81358	81359	81360	81361	81362

注:适用于排高 6m;排高每增(减)1m,定额乘(除)以 1.02 系数。

续表

项目	单位	松散中砂				
		排泥管线长度 (km)				
		≤0.6	0.7	0.8	0.9	1.0
工长	工时					
高级工	工时					
中级工	工时	25.4	26.1	26.7	27.5	28.3
初级工	工时	38.1	39.1	40.1	41.3	42.5
合计	工时	63.5	65.2	66.8	68.8	70.8
吹泥船 150m³/h	艘时	49.60	50.90	52.21	53.78	55.34
泥驳 100m³	艘时	49.60	50.90	52.21	53.78	55.34
岸管 Ø300×4000mm	根时					
浮筒管 Ø300×5000mm	组时					
其他机械费	%	2	2	2	2	2
编号		81363	81364	81365	81366	81367

注:适用于排高 4m;排高每增(减)1m,定额乘(除)以 1.03 系数。

续表

项目	单位	中密中砂				
		排泥管线长度 (km)				
		≤0.6	0.7	0.8	0.9	1.0
工长	工时					
高级工	工时					
中级工	工时	39.1	40.1	41.1	42.4	43.6
初级工	工时	58.6	60.1	61.7	63.5	65.4
合计	工时	97.7	100.2	102.8	105.9	109.0
吹泥船 150m³/h	艘时	76.30	78.31	80.32	82.73	85.14
泥驳 100m³	艘时	76.30	78.31	80.32	82.73	85.14
岸管 Ø300×4000mm	根时					
浮筒管 Ø300×5000mm	组时					
其他机械费	%	2	2	2	2	2
编号		81368	81369	81370	81371	81372

注:适用于排高 4m;排高每增(减)1m,定额乘(除)以 1.03 系数。

续表

项目	单位	松散粗砂			
		排泥管线长度　(km)			
		≤0.5	0.6	0.7	0.8
工长	工时				
高级工	工时				
中级工	工时	30.3	31.2	32.2	33.4
初级工	工时	45.4	46.9	48.4	50.0
合计	工时	75.7	78.1	80.6	83.4
吹泥船　$150m^3/h$	艘时	59.12	60.98	62.99	65.16
泥驳　$100m^3$	艘时	59.12	60.98	62.99	65.16
岸管　Ø300×4000mm	根时				
浮筒管　Ø300×5000mm	组时				
其他机械费	%	2	2	2	2
编号		81373	81374	81375	81376

注:适用于排高 4m;排高每增(减)1m,定额乘(除)以 1.15 系数。最大排高为 6m。

续表

项目	单位	中密粗砂			
		排泥管线长度 (km)			
		≤0.5	0.6	0.7	0.8
工长	工时				
高级工	工时				
中级工	工时	46.6	48.0	49.6	51.3
初级工	工时	69.8	72.1	74.4	77.0
合计	工时	116.4	120.1	124.0	128.3
吹泥船 150m³/h	艘时	90.95	93.81	96.91	100.24
泥驳 100m³	艘时	90.95	93.81	96.91	100.24
岸管 Ø300×4000mm	根时				
浮筒管 Ø300×5000mm	组时				
其他机械费	%	2	2	2	2
编号		81377	81378	81379	81380

注:适用于排高 4m;排高每增(减)1m,定额乘(除)以 1.15 系数。最大排高为 6m。

(4) 400m³/h 吹泥船

单位:10000m³

项目	单位	Ⅰ类土 排泥管线长度 (km)					
		≤1.0	1.2	1.4	1.6	1.8	2.0
工长	工时						
高级工	工时						
中级工	工时	21.4	22.1	22.8	23.6	24.6	25.5
初级工	工时	32.2	33.2	34.3	35.5	36.8	38.2
合计	工时	53.6	55.3	57.1	59.1	61.4	63.7
吹泥船 400m³/h	艘时	22.80	23.54	24.28	25.14	26.13	27.12
泥驳 280m³	艘时	22.80	23.54	24.28	25.14	26.13	27.12
岸管 Ø560×6000mm	根时						
浮筒管 Ø560×7500mm	组时						
其他机械费	%	2	2	2	2	2	2
编号		81381	81382	81383	81384	81385	81386

注:适用于排高 6m;排高每增(减)1m,定额乘(除)以 1.02 系数。

续表

项目	单位	Ⅱ类土					
		排泥管线长度 (km)					
		≤1.0	1.2	1.4	1.6	1.8	2.0
工长	工时						
高级工	工时						
中级工	工时	25.1	25.9	26.7	27.7	28.8	29.8
初级工	工时	37.6	38.9	40.1	41.6	43.1	44.8
合计	工时	62.7	64.8	66.8	69.3	71.9	74.6
吹泥船 $400m^3/h$	艘时	26.70	27.57	28.44	29.48	30.60	31.76
泥驳 $280m^3$	艘时	26.70	27.57	28.44	29.48	30.60	31.76
岸管 Ø560×6000mm	根时						
浮筒管 Ø560×7500mm	组时						
其他机械费	%	2	2	2	2	2	2
编号		81387	81388	81389	81390	81391	81392

注:适用于排高 6m;排高每增(减)1m,定额乘(除)以 1.02 系数。

续表

项目	单位	Ⅲ类土					
		排泥管线长度 (km)					
		≤1.0	1.2	1.4	1.6	1.8	2.0
工长	工时						
高级工	工时						
中级工	工时	30.6	31.6	32.6	33.8	35.1	36.4
初级工	工时	45.9	47.4	48.9	50.6	52.6	54.6
合计	工时	76.5	79.0	81.5	84.4	87.7	91.0
吹泥船 $400m^3/h$	艘时	32.57	33.63	34.68	35.91	37.32	38.73
泥驳 $280m^3$	艘时	32.57	33.63	34.68	35.91	37.32	38.73
岸管 Ø560×6000mm	根时						
浮筒管 Ø560×7500mm	组时						
其他机械费	%	2	2	2	2	2	2
编号		81393	81394	81395	81396	81397	81398

注:适用于排高 6m;排高每增(减)1m,定额乘(除)以 1.02 系数。

续表

项目	单位	Ⅳ类土					
		排泥管线长度 (km)					
		≤1.0	1.2	1.4	1.6	1.8	2.0
工长	工时						
高级工	工时						
中级工	工时	35.5	36.7	37.8	39.2	40.7	42.2
初级工	工时	53.3	55.0	56.7	58.7	61.0	63.4
合计	工时	88.8	91.7	94.5	97.9	101.7	105.6
吹泥船 400m^3/h	艘时	37.78	39.00	40.23	41.66	43.29	44.92
泥驳 280m^3	艘时	37.78	39.00	40.23	41.66	43.29	44.92
岸管 Ø560×6000mm	根时						
浮筒管 Ø560×7500mm	组时						
其他机械费	%	2	2	2	2	2	2
编号		81399	81400	81401	81402	81403	81404

注:适用于排高 6m;排高每增(减)1m,定额乘(除)以 1.02 系数。

续表

项目	单位	V类土					
		排泥管线长度 (km)					
		≤1.0	1.2	1.4	1.6	1.8	2.0
工长	工时						
高级工	工时						
中级工	工时	41.3	42.7	44.0	45.6	47.4	49.2
初级工	工时	62.0	64.0	66.0	68.3	71.0	73.7
合计	工时	103.3	106.7	110.0	113.9	118.4	122.9
吹泥船 400m³/h	艘时	43.97	45.39	46.82	48.48	50.38	52.28
泥驳 280m³	艘时	43.97	45.39	46.82	48.48	50.38	52.28
岸管 Ø560×6000mm	根时						
浮筒管 Ø560×7500mm	组时						
其他机械费	%	2	2	2	2	2	2
编号		81405	81406	81407	81408	81409	81410

注:适用于排高 6m;排高每增(减)1m,定额乘(除)以 1.02 系数。

续表

项目	单位	Ⅵ类土					
		排泥管线长度　(km)					
		≤1.0	1.2	1.4	1.6	1.8	2.0
工长	工时						
高级工	工时						
中级工	工时	47.2	48.7	50.2	52.0	54.0	56.1
初级工	工时	70.7	73.0	75.3	78.0	81.1	84.1
合计	工时	117.9	121.7	125.5	130.0	135.1	140.2
吹泥船　$400m^3/h$	艘时	50.15	51.78	53.41	55.30	57.47	59.64
泥驳　$280m^3$	艘时	50.15	51.78	53.41	55.30	57.47	59.64
岸管　Ø560×6000mm	根时						
浮筒管　Ø560×7500mm	组时						
其他机械费	%	2	2	2	2	2	2
编号		81411	81412	81413	81414	81415	81416

注:适用于排高6m;排高每增(减)1m,定额乘(除)以1.02系数。

续表

项目	单位	Ⅶ类土					
		排泥管线长度 (km)					
		≤1.0	1.2	1.4	1.6	1.8	2.0
工长	工时						
高级工	工时						
中级工	工时	55.1	56.9	58.7	60.8	63.2	65.5
初级工	工时	82.7	85.3	88.0	91.1	94.7	98.3
合计	工时	137.8	142.2	146.7	151.9	157.9	163.8
吹泥船 $400m^3/h$	艘时	58.63	60.53	62.43	64.65	67.18	69.72
泥驳 $280m^3$	艘时	58.63	60.53	62.43	64.65	67.18	69.72
岸管 Ø560×6000mm	根时						
浮筒管 Ø560×7500mm	组时						
其他机械费	%	2	2	2	2	2	2
编号		81417	81418	81419	81420	81421	81422

注:适用于排高 6m;排高每增(减)1m,定额乘(除)以 1.02 系数。

续表

项目	单位	松散中砂				
		排泥管线长度 (km)				
		≤0.8	1.0	1.2	1.4	1.6
工长	工时					
高级工	工时					
中级工	工时	18.9	19.8	20.6	21.6	22.6
初级工	工时	28.4	29.6	30.9	32.4	34.0
合计	工时	47.3	49.4	51.5	54.0	56.6
吹泥船 $400m^3/h$	艘时	24.92	26.01	27.09	28.44	29.80
泥驳 $280m^3$	艘时	24.92	26.01	27.09	28.44	29.80
岸管 Ø560×6000mm	根时					
浮筒管 Ø560×7500mm	组时					
其他机械费	%	2	2	2	2	2
编号		81423	81424	81425	81426	81427

注:适用于排高 4m;排高每增(减)1m,定额乘(除)以 1.03 系数。

续表

项目	单位	中密中砂				
		排泥管线长度 (km)				
		≤0.8	1.0	1.2	1.4	1.6
工长	工时					
高级工	工时					
中级工	工时	29.1	30.4	31.7	33.2	34.8
初级工	工时	43.7	45.6	47.5	49.9	52.3
合计	工时	72.8	76.0	79.2	83.1	87.1
吹泥船 $400m^3/h$	艘时	38.34	40.00	41.67	43.75	45.84
泥驳 $280m^3$	艘时	38.34	40.00	41.67	43.75	45.84
岸管 Ø560×6000mm	根时					
浮筒管 Ø560×7500mm	组时					
其他机械费	%	2	2	2	2	2
编号		81428	81429	81430	81431	81432

注:适用于排高 4m;排高每增(减)1m,定额乘(除)以 1.03 系数。

续表

项目	单位	松散粗砂			
		排泥管线长度 (km)			
		≤0.6	0.8	1.0	1.2
工长	工时				
高级工	工时				
中级工	工时	22.4	23.6	25.0	26.4
初级工	工时	33.6	35.4	37.4	39.6
合计	工时	56.0	59.0	62.4	66.0
吹泥船 $400m^3/h$	艘时	29.47	31.06	32.82	34.73
泥驳 $280m^3$	艘时	29.47	31.06	32.82	34.73
岸管 Ø560×6000mm	根时				
浮筒管 Ø560×7500mm	组时				
其他机械费	%	2	2	2	2
编号		81433	81434	81435	81436

注:适用于排高 4m;排高每增(减)1m,定额乘(除)以 1.10 系数。

续表

项目	单位	中密粗砂			
		排泥管线长度 (km)			
		≤0.6	0.8	1.0	1.2
工长	工时				
高级工	工时				
中级工	工时	34.4	36.3	38.4	40.6
初级工	工时	51.7	54.5	57.5	60.9
合计	工时	86.1	90.8	95.9	101.5
吹泥船 $400m^3/h$	艘时	45.34	47.79	50.49	53.43
泥驳 $280m^3$	艘时	45.34	47.79	50.49	53.43
岸管 Ø560×6000mm	根时				
浮筒管 Ø560×7500mm	组时				
其他机械费	%	2	2	2	2
编号		81437	81438	81439	81440

注:适用于排高 4m;排高每增(减)1m,定额乘(除)以 1.10 系数。

(5) 800m^3/h 吹泥船

单位:10000m^3

项目	单位	Ⅰ类土				
		排泥管线长度 (km)				
		≤1.5	2.0	2.5	3.0	3.5
工长	工时					
高级工	工时					
中级工	工时	11.6	12.2	12.8	13.8	14.8
初级工	工时	17.3	18.2	19.3	20.7	22.1
合计	工时	28.9	30.4	32.1	34.5	36.9
吹泥船 800m^3/h	艘时	11.10	11.71	12.33	13.25	14.18
泥驳 500m^3	艘时	11.10	11.71	12.33	13.25	14.18
岸管 Ø700×6000mm	根时					
浮筒管 Ø700×9000mm	组时					
其他机械费	%	2	2	2	2	2
编号		81441	81442	81443	81444	81445

注:适用于排高 6m;排高每增(减)1m,定额乘(除)以 1.02 系数。

续表

项目	单位	Ⅱ类土				
		排泥管线长度 (km)				
		≤1.5	2.0	2.5	3.0	3.5
工长	工时					
高级工	工时					
中级工	工时	13.5	14.3	15.0	16.2	17.3
初级工	工时	20.3	21.4	22.5	24.2	25.9
合计	工时	33.8	35.7	37.5	40.4	43.2
吹泥船 800m^3/h	艘时	13.00	13.72	14.44	15.52	16.61
泥驳 500m^3	艘时	13.00	13.72	14.44	15.52	16.61
岸管 Ø700×6000mm	根时					
浮筒管 Ø700×9000mm	组时					
其他机械费	%	2	2	2	2	2
编号		81446	81447	81448	81449	81450

注:适用于排高 6m;排高每增(减)1m,定额乘(除)以 1.02 系数。

续表

项目	单位	Ⅲ类土				
		排泥管线长度 (km)				
		≤1.5	2.0	2.5	3.0	3.5
工长	工时					
高级工	工时					
中级工	工时	16.5	17.4	18.3	19.7	21.1
初级工	工时	24.7	26.1	27.5	29.5	31.6
合计	工时	41.2	43.5	45.8	49.2	52.7
吹泥船 $800m^3/h$	艘时	15.85	16.73	17.61	18.93	20.25
泥驳 $500m^3$	艘时	15.85	16.73	17.61	18.93	20.25
岸管 Ø700×6000mm	根时					
浮筒管 Ø700×9000mm	组时					
其他机械费	%	2	2	2	2	2
编号		81451	81452	81453	81454	81455

注:适用于排高 6m;排高每增(减)1m,定额乘(除)以 1.02 系数。

续表

项目	单位	Ⅳ类土				
		排泥管线长度 (km)				
		≤1.5	2.0	2.5	3.0	3.5
工长	工时					
高级工	工时					
中级工	工时	19.1	20.2	21.2	22.8	24.4
初级工	工时	28.7	30.3	31.9	34.3	36.7
合计	工时	47.8	50.5	53.1	57.1	61.1
吹泥船 $800m^3/h$	艘时	18.39	19.41	20.43	21.96	23.49
泥驳 $500m^3$	艘时	18.39	19.41	20.43	21.96	23.49
岸管 Ø700×6000mm	根时					
浮筒管 Ø700×9000mm	组时					
其他机械费	%	2	2	2	2	2
编号		81456	81457	81458	81459	81460

注:适用于排高 6m;排高每增(减)1m,定额乘(除)以 1.02 系数。

续表

项目	单位	V类土				
		排泥管线长度 (km)				
		≤1.5	2.0	2.5	3.0	3.5
工长	工时					
高级工	工时					
中级工	工时	22.2	23.5	24.7	26.6	28.4
初级工	工时	33.4	35.2	37.1	39.8	42.7
合计	工时	55.6	58.7	61.8	66.4	71.1
吹泥船 $800m^3/h$	艘时	21.39	22.58	23.77	25.55	27.34
泥驳 $500m^3$	艘时	21.39	22.58	23.77	25.55	27.34
岸管 Ø700×6000mm	根时					
浮筒管 Ø700×9000mm	组时					
其他机械费	%	2	2	2	2	2
编号		81461	81462	81463	81464	81465

注:适用于排高 6m;排高每增(减)1m,定额乘(除)以 1.02 系数。

续表

项目	单位	Ⅵ类土				
		排泥管线长度 (km)				
		≤1.5	2.0	2.5	3.0	3.5
工长	工时					
高级工	工时					
中级工	工时	25.4	26.8	28.2	30.3	32.4
初级工	工时	38.1	40.2	42.3	45.5	48.7
合计	工时	63.5	67.0	70.5	75.8	81.1
吹泥船 $800m^3/h$	艘时	24.41	25.76	27.12	29.15	31.19
泥驳 $500m^3$	艘时	24.41	25.76	27.12	29.15	31.19
岸管 Ø700×6000mm	根时					
浮筒管 Ø700×9000mm	组时					
其他机械费	%	2	2	2	2	2
编号		81466	81467	81468	81469	81470

注:适用于排高 6m;排高每增(减)1m,定额乘(除)以 1.02 系数。

续表

项目	单位	Ⅶ类土				
		排泥管线长度 (km)				
		≤1.5	2.0	2.5	3.0	3.5
工长	工时					
高级工	工时					
中级工	工时	29.7	31.3	33.0	35.4	35.8
初级工	工时	44.5	47.0	49.4	53.2	53.8
合计	工时	74.2	78.3	82.4	88.6	89.6
吹泥船 $800m^3/h$	艘时	28.53	30.12	31.70	34.08	34.46
泥驳 $500m^3$	艘时	28.53	30.12	31.70	34.08	34.46
岸管 Ø700×6000mm	根时					
浮筒管 Ø700×9000mm	组时					
其他机械费	%	2	2	2	2	2
编号		81471	81472	81473	81474	81475

注:适用于排高 6m;排高每增(减)1m,定额乘(除)以 1.02 系数。

续表

项目	单位	松散中砂				
		排泥管线长度 (km)				
		≤1.2	1.5	2.0	2.5	3.0
工长	工时					
高级工	工时					
中级工	工时	9.8	10.4	11.2	12.3	13.4
初级工	工时	14.8	15.5	16.8	18.4	20.2
合计	工时	24.6	25.9	28.0	30.7	33.6
吹泥船 $800m^3/h$	艘时	11.71	12.32	13.34	14.62	15.98
泥驳 $500m^3$	艘时	11.71	12.32	13.34	14.62	15.98
岸管 Ø700×6000mm	根时					
浮筒管 Ø700×9000mm	组时					
其他机械费	%	2	2	2	2	2
编号		81476	81477	81478	81479	81480

注:适用于排高 4m;排高每增(减)1m,定额乘(除)以 1.03 系数。

续表

项目	单位	中密中砂				
		排泥管线长度 (km)				
		≤1.2	1.5	2.0	2.5	3.0
工长	工时					
高级工	工时					
中级工	工时	15.1	15.9	17.2	18.9	20.6
初级工	工时	22.7	23.9	25.9	28.4	31.0
合计	工时	37.8	39.8	43.1	47.3	51.6
吹泥船 $800m^3/h$	艘时	18.02	18.96	20.52	22.50	24.58
泥驳 $500m^3$	艘时	18.02	18.96	20.52	22.50	24.58
岸管 Ø700×6000mm	根时					
浮筒管 Ø700×9000mm	组时					
其他机械费	%	2	2	2	2	2
编号		81481	81482	81483	81484	81485

注:适用于排高 4m;排高每增(减)1m,定额乘(除)以 1.03 系数。

续表

项目	单位	松散粗砂				
		排泥管线长度 (km)				
		≤0.9	1.2	1.5	1.8	2.1
工长	工时					
高级工	工时					
中级工	工时	11.8	12.6	13.4	14.4	15.4
初级工	工时	17.6	18.8	20.1	21.6	23.1
合计	工时	29.4	31.4	33.5	36.0	38.5
吹泥船 800m³/h	艘时	14.02	14.97	15.93	17.12	18.32
泥驳 500m³	艘时	14.02	14.97	15.93	17.12	18.32
岸管 Ø700×6000mm	根时					
浮筒管 Ø700×9000mm	组时					
其他机械费	%	2	2	2	2	2
编号		81486	81487	81488	81489	81490

注:适用于排高 4m;排高每增(减)1m,定额乘(除)以 1.09 系数。

续表

项目	单位	中密粗砂				
		排泥管线长度 (km)				
		≤0.9	1.2	1.5	1.8	2.1
工长	工时					
高级工	工时					
中级工	工时	18.1	19.4	20.6	22.1	23.7
初级工	工时	27.2	29.0	30.9	33.2	35.5
合计	工时	45.3	48.4	51.5	55.3	59.2
吹泥船 $800m^3/h$	艘时	21.57	23.04	24.51	26.35	28.19
泥驳 $500m^3$	艘时	21.57	23.04	24.51	26.35	28.19
岸管 Ø700×6000mm	根时					
浮筒管 Ø700×9000mm	组时					
其他机械费	%	2	2	2	2	2
编号		81491	81492	81493	81494	81495

注:适用于排高 4m;排高每增(减)1m,定额乘(除)以 1.09 系数。

八－5 水力冲挖土方

工作内容：包括开工展布、水力冲挖、吸排泥、作业面输移及收工集合等。

(1) Ⅰ类土

单位：10000m³

项目	单位	排泥管线长度 (m)									
		≤50	100	150	200	250	300	350	400	450	500
工长	工时										
高级工	工时										
中级工	工时	16.4	17.6	18.9	20.2	21.7	24.7	25.1	25.5	26.0	26.4
初级工	工时	147.2	158.0	169.6	182.2	195.6	222.6	226.2	229.9	233.5	237.3
合计	工时	163.6	175.6	188.5	202.4	217.3	247.3	251.3	255.4	259.5	263.7
零星材料费	%	2	2	2	2	2	2	2	2	2	2
高压水泵 15kW	台时	327.12	351.20	377.04	404.79	434.59	441.63	448.78	456.06	463.44	470.95
水枪 Ø65mm 2支	组时	327.12	351.20	377.04	404.79	434.59	441.63	448.78	456.06	463.44	470.95
泥浆泵 15kW	台时	327.12	351.20	377.04	404.79	434.59	761.71	785.79	811.63	839.38	869.18
排泥管 Ø100mm	百米时	163.56	351.20	565.56	809.58	1086.48	1324.89	1570.73	1824.24	2085.48	2354.75
编号		81496	81497	81498	81499	81500	81501	81502	81503	81504	81505

续表

项目	单位	排泥管线长度 (m)									
		550	600	650	700	750	800	850	900	950	1000
工长	工时										
高级工	工时										
中级工	工时	30.2	30.6	31.1	31.6	32.2	36.8	37.4	38.0	38.6	39.3
初级工	工时	271.3	275.8	280.3	284.8	289.3	331.4	336.8	342.2	347.8	353.4
合计	工时	301.5	306.4	311.4	316.4	321.5	368.2	374.2	380.2	386.4	392.7
零星材料费	%	2	2	2	2	2	2	2	2	2	2
高压水泵 15kW	台时	478.58	486.33	494.21	502.22	510.35	518.62	527.02	535.56	544.24	553.05
水枪 Ø65mm 2支	组时	478.58	486.33	494.21	502.22	510.35	518.62	527.02	535.56	544.24	553.05
泥浆泵 15kW	台时	1196.30	1220.38	1246.22	1273.97	1303.77	1630.89	1654.97	1680.81	1708.56	1738.36
排泥管 Ø100mm	百米时	2632.19	2917.98	3212.37	3515.54	3827.63	4148.96	4479.68	4820.04	5170.28	5530.50
编号		81506	81507	81508	81509	81510	81511	81512	81513	81514	81515

（2） Ⅱ类土

单位：10000m³

项目	单位	排泥管线长度（m）									
		≤50	100	150	200	250	300	350	400	450	500
工长	工时										
高级工	工时										
中级工	工时	20.9	22.5	24.1	25.9	27.8	31.7	32.2	32.7	33.2	33.8
初级工	工时	188.5	202.3	217.2	233.2	250.3	284.9	289.4	294.2	299.0	303.8
合计	工时	209.4	224.8	241.3	259.1	278.1	316.6	321.7	326.9	332.2	337.6
零星材料费	%	2	2	2	2	2	2	2	2	2	2
高压水泵 15kW	台时	418.71	449.54	482.61	518.13	556.27	565.28	574.44	583.75	593.20	602.81
水枪 Ø65mm 2支	组时	418.71	449.54	482.61	518.13	556.27	565.28	574.44	583.75	593.20	602.81
泥浆泵 15kW	台时	418.71	449.54	482.61	518.13	556.27	974.98	1005.81	1038.88	1074.40	1112.54
排泥管 Ø100mm	百米时	209.36	449.54	723.92	1036.26	1390.68	1695.84	2010.54	2335.00	2669.40	3014.05
编号		81516	81517	81518	81519	81520	81521	81522	81523	81524	81525

续表

项目	单位	排泥管线长度 (m)									
		550	600	650	700	750	800	850	900	950	1000
工长	工时										
高级工	工时										
中级工	工时	38.6	39.2	39.9	40.5	41.2	47.1	47.9	48.7	49.5	50.3
初级工	工时	347.3	353.0	358.6	364.5	370.3	424.2	431.1	438.0	445.1	452.3
合计	工时	385.9	392.2	398.5	405.0	411.5	471.3	479.0	486.7	494.6	502.6
零星材料费	%	2	2	2	2	2	2	2	2	2	2
高压水泵 15kW	台时	612.58	622.50	632.58	642.83	653.25	663.83	674.58	685.51	696.62	707.90
水枪 Ø65mm 2支	组时	612.58	622.50	632.58	642.83	653.25	663.83	674.58	685.51	696.62	707.90
泥浆泵 15kW	台时	1531.25	1562.08	1595.15	1630.67	1668.81	2087.52	2118.35	2151.42	2186.94	2225.08
排泥管 Ø100mm	百米时	3369.19	3735.00	4111.77	4499.81	4899.38	5310.64	5733.93	6169.59	6617.89	7079.00
编号		81526	81527	81528	81529	81530	81531	81532	81533	81534	81535

(3) Ⅲ类土

单位：10000m³

项目	单位	排泥管线长度 (m)									
		≤50	100	150	200	250	300	350	400	450	500
工长	工时										
高级工	工时										
中级工	工时	29.0	31.1	33.4	35.8	38.5	43.8	44.5	45.2	45.9	46.7
初级工	工时	260.5	279.7	300.3	322.4	346.1	393.9	400.3	406.8	413.5	420.1
合计	工时	289.5	310.8	333.7	358.2	384.6	437.7	444.8	452.0	459.4	466.8
零星材料费	%	2	2	2	2	2	2	2	2	2	2
高压水泵 15kW	台时	579.00	621.62	667.36	716.48	769.22	781.68	794.34	807.21	820.29	833.58
水枪 Ø65mm 2支	组时	579.00	621.62	667.36	716.48	769.22	781.68	794.34	807.21	820.29	833.58
泥浆泵 15kW	台时	579.00	621.62	667.36	716.48	769.22	1348.22	1390.84	1436.58	1485.70	1538.44
排泥管 Ø100mm	百米时	289.50	621.62	1001.04	1432.96	1923.05	2345.04	2780.19	3228.84	3691.30	4167.90
编号		81536	81537	81538	81539	81540	81541	81542	81543	81544	81545

续表

项目	单位	排泥管线长度 (m)									
		550	600	650	700	750	800	850	900	950	1000
工长	工时										
高级工	工时										
中级工	工时	53.4	54.2	55.1	56.0	56.9	65.2	66.2	67.3	68.4	69.5
初级工	工时	480.3	488.1	496.0	504.0	512.2	586.5	596.1	605.7	615.5	625.5
合计	工时	533.7	542.3	551.1	560.0	569.1	651.7	662.3	673.0	683.9	695.0
零星材料费	%	2	2	2	2	2	2	2	2	2	2
高压水泵 15kW	台时	847.08	860.80	874.75	888.92	903.32	917.95	932.82	947.94	963.29	978.90
水枪 Ø65mm 2支	组时	847.08	860.80	874.75	888.92	903.32	917.95	932.82	947.94	963.29	978.90
泥浆泵 15kW	台时	2117.44	2160.06	2205.80	2254.92	2307.66	2886.66	2929.28	2975.02	3024.14	3076.88
排泥管 Ø100mm	百米时	4658.94	5164.80	5685.88	6222.44	6774.90	7343.60	7928.97	8531.46	9151.26	9789.00
编号		81546	81547	81548	81549	81550	81551	81552	81553	81554	81555

(4) Ⅳ类土

单位：10000m^3

项目	单位	排泥管线长度 (m)									
		≤50	100	150	200	250	300	350	400	450	500
工长	工时										
高级工	工时										
中级工	工时	44.5	47.8	51.3	55.1	59.1	67.3	68.4	69.5	70.6	71.7
初级工	工时	400.4	429.8	461.5	495.5	531.9	605.4	615.2	625.2	635.3	645.6
合计	工时	444.9	477.6	512.8	550.6	591.0	672.7	683.6	694.7	705.9	717.3
零星材料费	%	2	2	2	2	2	2	2	2	2	2
高压水泵 15kW	台时	889.77	955.26	1025.55	1101.29	1182.08	1201.23	1220.69	1240.46	1260.56	1280.98
水枪 Ø65mm 2支	组时	889.77	955.26	1025.55	1101.29	1182.08	1201.23	1220.69	1240.46	1260.56	1280.98
泥浆泵 15kW	台时	889.77	955.26	1025.55	1101.29	1182.08	2071.85	2137.34	2207.63	2283.37	2364.16
排泥管 Ø100mm	百米时	448.89	955.26	1538.33	2202.58	2955.20	3063.69	4272.42	4961.84	5672.52	6404.90
编号		81556	81557	81558	81559	81560	81561	81562	81563	81564	81565

续表

项目	单位	排泥管线长度 (m)									
		550	600	650	700	750	800	850	900	950	1000
工长	工时										
高级工	工时										
中级工	工时	82.0	83.3	84.7	86.1	87.5	100.2	101.8	103.4	105.1	106.8
初级工	工时	738.0	750.1	762.2	774.5	787.0	901.4	916.0	930.9	945.9	961.3
合计	工时	820.0	833.4	846.9	860.6	874.5	1001.6	1017.8	1034.3	1051.0	1068.1
零星材料费	%	2	2	2	2	2	2	2	2	2	2
高压水泵 15kW	台时	1301.73	1322.82	1344.25	1366.03	1388.16	1410.65	1433.50	1456.72	1480.32	1504.30
水枪 Ø65mm 2支	组时	1301.73	1322.82	1344.25	1366.03	1388.16	1410.65	1433.50	1456.72	1480.32	1504.30
泥浆泵 15kW	台时	3253.93	3319.42	3389.71	3465.45	3546.24	4436.01	4501.50	4571.79	4647.53	4728.32
排泥管 Ø100mm	百米时	7159.52	7936.92	8737.63	9562.21	10411.20	11285.20	12184.75	13110.48	14063.04	15043.00
编号		81566	81567	81568	81569	81570	81571	81572	81573	81574	81575

八－6 其　他

（1） 绞吸式挖泥船及吹泥船排泥管安装拆除

适用范围:挖(吹)泥船的陆上排泥管。

工作内容:场地平整,上、下坡填筑土堆,架设支撑、安装及拆除等。

单位:100m 管长

项目	单位	排泥管直径×单管长度 (mm×mm)					
		250×4000	300×4000	400×6000	(550～600)×6000	(650～700)×6000	800×6000
工长	工时						
高级工	工时						
中级工	工时	6.0	9.0	12.0	14.0	21.0	24.0
初级工	工时	116.0	171.0	223.0	274.0	396.0	464.0
合计	工时	122.0	180.0	235.0	288.0	417.0	488.0
零星材料费	%	2.4	2.4	2.4	2.4	2.4	2.4
编号		81576	81577	81578	81579	81580	81581

注:适用于 50m 内人力运输;运距每增加 50m,人工定额乘以 1.3 系数。

(2) 绞吸式挖泥船及吹泥船的开工展布及收工集合

工作内容:定位,起锚、下锚,移船,接、拆管线,船舶进退场等。

单位:次

项目	单位	绞吸式挖泥船		吹泥船	
		开工展布	收工集合	开工展布	收工集合
挖(吹)泥船	艘时	28.6	14.3	11.7	11.7
拖轮	艘时	14.3	14.3	11.7	11.7
锚艇	艘时	28.6	14.3	—	—
机艇	艘时	28.6	14.3	—	—
编号		81582	81583	81584	81585

注:绞吸式挖泥船 60～120m^3/h 者,均不计拖轮。

(3) 链斗、抓斗、铲斗式挖泥船开工展布及收工集合

工作内容：定位，起锚、下锚，移船、船舶进退场等。

单位：次

项目	单位	链斗挖泥船		抓斗、铲斗挖泥船	
		开工展布	收工集合	开工展布	收工集合
挖泥船	艘时	23.4	11.7	11.7	11.7
拖轮	艘时	23.4	11.7	11.7	11.7
锚艇	艘时	23.4	11.7	11.7	11.7
机艇	艘时	23.4	11.7	11.7	11.7
编号		81586	81587	81588	81589

第九章 其他工程

说　明

一、本章包括围堰、公路、铁道、桥涵、码头、水塔、输电线路、照明线路、通讯线路、管路、脚手架、房屋等临时工程，以及塑料薄膜、土工布、土工膜、复合柔毡铺设、铺草皮等定额，共29节。

二、汽车吊桥系柔式吊桥，跨径在150m以内，皮带输送吊桥宽度为3.5m，过单条皮带输送机。

三、塑料薄膜、土工膜、复合柔毡、土工布铺设4节定额，仅指这些防渗（反滤）材料本身的铺设，不包括其上面的保护（覆盖）层和下面的垫层砌筑。其定额单位100m^{2}是指设计有效防渗面积。

四、本章临时工程定额中的材料数量，均系备料量，未考虑周转回收。周转及回收量可按该临时工程使用时间参照表9-1所列材料使用寿命及残值进行计算。

表9-1　　临时工程材料使用寿命及残值表

材　料　名　称	使用寿命	残值(%)
钢　板　桩	6年	5
钢　　轨	12年	10
钢丝绳(吊桥用)	10年	5
钢管(风水管道用)	8年	10
钢管(脚手架用)	10年	10
阀　　门	10年	5
卡扣件(脚手架用)	50次	10
导　　线	10年	10

九－1　袋装土石围堰

工作内容：装土（石）、封包、堆筑。

（1）填　筑

单位：100m³ 堰体方

项　目	单位	草袋 粘土	编织袋 粘土	编织袋 砂砾石
工　长	工时	27	20	21
高级工	工时			
中级工	工时			
初级工	工时	1343	975	1024
合　计	工时	1370	995	1045
粘　土	m^3	118	118	
砂砾石	m^3			106
草　袋	个	2259		
编织袋	个		3300	3300
其他材料费	%	0.8	1.0	1.0
编　号		90001	90002	90003

工作内容：拆除、清理

（2）拆　除

单位：100m³ 堰体方

项　目	单位	草袋 粘土	编织袋 粘土	编织袋 砂砾石
工　长	工时	5	3	3
高级工	工时			
中级工	工时			
初级工	工时	232	150	165
合　计	工时	237	153	168
编　号		90004	90005	90006

注：本节定额按就地拆除拟定，如需外运可参照土方运输定额另计运输费用。

九－2 钢板桩围堰

工作内容:制作搭拆板桩支撑、工作平台、打桩、拔桩。

单位:100m²

项 目	单位	数 量
工 长	工时	37
高 级 工	工时	149
中 级 工	工时	124
初 级 工	工时	934
合 计	工时	1244
原 木	m^3	5.18
锯 材	m^3	1.13
钢 板 桩	t	18.50
铁 件	kg	75.00
其他材料费	%	2
汽车起重机 5t	台时	10.1
卷 扬 机 5t	台时	11.4
柴油打桩机 2～4t	台时	30.6
其他机械费	%	1
编 号		90007

九－3 石 笼

工作内容：编笼（竹笼包括劈削竹篾）、安放、运石、装填、封口等。

单位：100m^3 成品方

项　　目	单位	钢筋笼	铅丝笼	竹　笼
工　　长	工时	26	23	20
高 级 工	工时			
中 级 工	工时	237	204	320
初 级 工	工时	263	228	310
合　　计	工时	526	455	650
铅　　丝 8#	kg		397	
钢　　筋 Φ8～12	t	1.70		
竹　　子	t			2.5
块　　石	m^3	113	113	113
其他材料费	%	3	1	1
电 焊 机 25kVA	台时	17		
切 筋 机 20kW	台时	0.6		
载重汽车 5t	台时	1.2		
其他机械费	%	10		
编　　号		90008	90009	90010

九－4　围堰水下混凝土

工作内容：麻袋混凝土：配料、拌和、装麻袋、运送、潜水沉放等。

水下封底混凝土：配料、拌和、导管浇注、水下检查等。

单位：100m^3

项　　目	单位	麻袋混凝土	水下封底混凝土
工　　长	工时	145	95
高 级 工	工时	292	77
中 级 工	工时	844	304
初 级 工	工时	1627	1426
合　　计	工时	2908	1902
混 凝 土　200#	m^3	104	104
麻　　袋　737×1092m	条	2040	
其他材料费	%	0.5	0.5
搅 拌 机　0.4m^3	台时	18.7	18.7
潜水衣具	台时	80.1	9.2
木　　船　20t	台时	40.3	36.3
钢质趸船　35t	台时		15.7
其他机械费	%	4	4
编　　号		90011	90012

九－5　截流体填筑

工作内容：装、运、抛投、现场清理等工作。

单位：100m³ 抛投方

项　　目	单位	数　　量
工　　长	工时	5
高 级 工	工时	6
中 级 工	工时	42
初 级 工	工时	52
合　　计	工时	105
大 块 石	m^3	92
混凝土截流体	m^3	13
其他材料费	%	4
挖 掘 机　4m³	台时	0.7
推 土 机　132kW	台时	0.7
自卸汽车　20t	台时	3.2
其他机械费	%	8
预制混凝土运输	m^3	13
编　　号		90013

九－6　公路基础

适用范围：路面底层。

工作内容：挖路槽、培路肩、基础材料的铺压等。

单位：1000m²

项　　目	单位	砂砾石	碎　石	手摆块石
		压　实　厚　度　(cm)		
		10	14	16
工　　长	工时	7	9	12
高 级 工	工时			
中 级 工	工时	126	166	228
初 级 工	工时	200	262	359
合　　计	工时	333	437	599
砂 砾 石	m^3	122		
碎　　石	m^3		179	41
块　　石	m^3			163
其他材料费	%	0.5	0.5	0.5
内燃压路机　12～15t	台时	7.6	9.2	8.8
其他机械费	%	1	1	1
编　　号		90014	90015	90016

注：厚度每增(减)1cm，按下表增(减)定额数量：

单位：1000m²

项　　目	单位	砂砾石	碎　石	手摆块石
工　　长	工时	1	1	1
高 级 工	工时			
中 级 工	工时	14	14	16
初 级 工	工时	21	21	25
合　　计	工时	36	36	42
砂 砾 石	m^3	12		
碎　　石	m^3		13	3
块　　石	m^3			10
其他材料费	%			

九－7　公路路面

适用范围:公路面层。

工作内容:天然砂砾石:铺料、洒水、碾压、铺保护层。

泥结碎石:铺料、制浆、灌浆、碾压、铺磨耗层及保护层。

沥青碎石:沥青加热、洒布、铺料、碾压、铺保护层。

沥青混凝土:沥青及骨料加热、配料、拌和、运输、摊铺碾压等。

水泥混凝土:模板制安、混凝土配料、拌和、运输、浇筑、振捣、养护等。

单位:1000m^2

项目		单位	泥结碎石	沥青碎石	沥青混凝土	水泥混凝土
			压实厚度(cm)			
			20	8	6	15
工长		工时	14	13	19	48
高级工		工时				
中级工		工时	174	157	234	588
初级工		工时	283	255	379	954
合计		工时	471	425	632	1590
砂子		m^3		3.1	11	
碎石		m^3	234	136	62	
粘土		m^3	59			
沥青		t		8.2	7.0	
混凝土		m^3				153
石屑		m^3	23	5.1	21	
矿粉		t			3.0	
锯材		m^3		0.12	0.10	0.23
其他材料费		%	0.5	2	3	1.5
内燃压路机	12～15t	台时	10	16	7.5	
搅拌机	0.4m^3	台时				24
搅拌机	0.35m^3 强制式	台时			13	
沥青洒布车	3500L	台时		9		
自卸汽车	8t	台时			10	25
其他机械费		%	2	5	5	5
编号			90017	90018	90019	90020

注:压实厚度每增(减)1cm,需增(减)工、料、台时如下表:

项　　目	单位	泥　结 碎　石	沥　青 碎　石	沥　青 混凝土	水　泥 混凝土
工　　长	工时	1	1	3	2
高 级 工	工时				
中 级 工	工时	8	17	39	29
初 级 工	工时	13	28	63	46
合　　计	工时	22	46	105	77
砂　　子	m^3			1.8	
碎　　石	m^3	12	18	10	
粘　　土	m^3	2.9			
沥　　青	t		0.93	1.17	
混 凝 土	m^3				10.2
石　　屑	m^3	1.2		3.5	
矿　　粉	t			0.48	
锯　　材	m^3				0.01
其他材料费	%				
搅 拌 机 $0.4m^3$	台时				1.8
搅 拌 机 $0.35m^3$ 强制式	台时			2.2	
沥青洒布车 3500L	台时		0.5		
自卸汽车 8t	台时			1.7	1.7
其他机械费	%				

九－8 简易公路

工作内容：1. 砂卵石地基：铺砂、压实。

2. 岩石地基：泥结碎石路面铺设、压实及排水沟开挖。

3. 土地基：手摆块石路基、铺泥结碎石路面、压实及排水沟开挖。

单位：1km

项目	单位	地基		
		砂卵石	岩石	土
工长	工时	22	90	159
高级工	工时			
中级工	工时	220	904	1592
初级工	工时	491	2019	3556
合计	工时	733	3013	5307
砂子	m^3	192.5	33.25	33.25
碎石	m^3		626.5	770.00
砂砾石	m^3			427.00
粘土	m^3		126.0	
块石	m^3			570.50
其他材料费	%	1	1	1
内燃压路机 12～15t	台时	30.80	46.90	62.30
其他机械费	%	1.0	0.8	0.5
编号		90021	90022	90023

注：1. 本节定额只包括排水沟开挖，未包括路基的土石方开挖、填筑；

2. 路面宽度为3.5m。

九－9 桥 梁

工作内容：贝雷式汽车便桥：基础土石方和桥台制作、贝雷构件安装及桥面铺设等全部工作。

吊桥：基础土石方和混凝土、索架混凝土、敷设缆索和桥面工程等全部工作。

单位：1km

项　　目	单位	贝雷式汽车便桥	汽车吊桥	皮带机吊　桥
工　　长	工时	2	22	8
高 级 工	工时	9	66	24
中 级 工	工时	14	154	56
初 级 工	工时	21	197	73
合　　计	工时	46	439	161
原　　木	m^3	0.10	0.32	
锯　　材	m^3	0.42	1.06	
贝 雷 片	t	0.74		
铁　　件	kg	1.0	108	57
条　　石	m^3	0.08	2.30	
混 凝 土	m^3		6.20	3.20
砂　　浆	m^3	0.02	0.50	
混凝土板	m^3			0.10
钢 丝 绳	kg		444	69
钢　　材	kg		517	207
钢　　筋	t		0.52	0.08
其他材料费	%	5	2	5
搅 拌 机　$0.4m^3$	台时		2.6	1.0
电 焊 机　25kVA	台时		4.4	1.0
汽车起重机　50t	台时		3.0	
汽车起重机　8t	台时	0.6	2.0	0.5
其他机械费	%	5	3	10
编　　号		90024	90025	90026

九－10 起重码头

工作内容：基础土方开挖结合筑围堰、基础及墙体砌筑、埋置系船环、墙两端与堤坡连接处干砌块石护砌。

单位：座

项目	单位	靠船宽度					
		5.5m			每增减 1m		
		高≤2.5m	高≤3.5m	高≤5.5m	高≤2.5m	高≤3.5m	高≤5.5m
工长	工时	29	48	102	3	5	12
高级工	工时						
中级工	工时	260	430	920	26	47	107
初级工	工时	289	478	1022	29	52	118
合计	工时	578	956	2044	58	104	237
块石	m^3	34	54	112	3	5	11
水泥 425#	t	3.20	5.78	13.21	0.34	0.61	1.39
砂子	m^3	6.3	11.4	26.4	0.7	1.2	2.8
碎石	m^3	15.0	21.4	37.6	1.5	2.3	4.4
铁件	kg	21.7	25.7	31.7			
草袋	只	129	192	320	12.9	19.2	32.0
其他材料费	%	1	1	1			
胶轮车	台时	107	169	340	10	17	36
其他机械费	%	2	2	2			
编号		90027	90028	90029	90030	90031	90032

九－11　水　塔

工作内容：地基平整、开挖地槽、砌石基础、水泥地坪、搭立排架、水箱制安、油漆保养、完工拆除及材料场内运输。

单位：座

项　　目	单位	容量(m^3)	
		5	10
工　　长	工时	9	12
高 级 工	工时	18	23
中 级 工	工时	93	115
初 级 工	工时	65	81
合　　计	工时	185	231
钢　　板	kg	39	62
型　　钢	kg	2.4	4.0
电 焊 条	kg	1.0	1.6
防 锈 漆	kg	4.6	7.2
钢　　管　Φ60	kg	184	219
轻　　轨	kg	16.0	18.2
锯　　材	m^3	0.06	0.07
水　　泥　425#	t	0.77	0.91
砂　　子	m^3	1.8	2.0
碎　　石	m^3	1.0	1.4
块　　石	m^3	4.0	5.4
其他材料费	%	2	2
电 焊 机　25kVA	台时	0.9	1.5
电动卷扬机　3t	台时	2.5	2.5
胶 轮 车	台时	19	24
其他机械费	%	4	6
编　　号		90033	90034

九－12　铁道铺设

工作内容：平整路基、铺道渣、钉钢轨、检查修整、组合试运行等。

单位：1km

项目	单位	轨距(mm)								
		610		762			1000			1435
		轨重(kg/m)								
		9	12	12	15	22	12	15	22	43
工长	工时	101	136	148	158	183	164	174	212	751
高级工	工时									
中级工	工时	383	518	564	601	693	624	661	805	2853
初级工	工时	1534	2071	2254	2403	2774	2496	2644	3220	11411
合计	工时	2018	2725	2966	3162	3650	3284	3479	4237	15015
钢轨	t	17.82	24.40	24.40	30.40	44.60	24.40	30.40	44.60	89.30
混凝土轨枕	m^3 根	30.89 1534	30.89 1534	40.99 1534	40.99 1534	40.99 1534	51.09 1534	51.09 1534	51.09 1534	228.77 1689
碎石	m^3	387	582	643	645	791	731	731	983	2002
铁道附件	t	1.30	1.54	1.54	2.10	3.20	1.54	2.10	3.20	21.03
木垫板	m^3	1.55	1.61	1.78	1.84	1.86	2.06	2.12	2.14	2.27
其他材料费	%	1	1	1	1	1	1	1	1	2
编号		90035	90036	90037	90038	90039	90040	90041	90042	90043

九－13 铁道移设

工作内容：旧轨拆除、修整配套、铺碎石、钉钢轨、检查修整、组合试运行等。

单位：1km

项目	单位	轨距(mm)								
		610		762			1000			1435
		轨重(kg/m)								
		9	12	12	15	22	12	15	22	43
工长	工时	133	195	213	220	259	236	244	302	1089
高级工	工时									
中级工	工时	640	934	1022	1058	1243	1134	1172	1451	5225
初级工	工时	1892	2765	3023	3129	3679	3356	3466	4292	15458
合计	工时	2665	3894	4258	4407	5181	4726	4882	6045	21772
钢轨	t	0.18	0.24	0.24	0.30	0.45	0.24	0.30	0.45	0.49
混凝土轨枕	m^3 根	3.00 197	3.00 197	5.00 197	5.00 197	5.00 197	7.00 197	7.00 197	7.00 197	14.00 217
碎石	m^3	144	176	195	195	200	218	218	222	450
铁道附件	t	0.42	0.43	0.43	0.47	0.50	0.43	0.47	0.50	1.30
木垫板	m^3	0.19	0.19	0.19	0.19	0.19	0.19	0.19	0.19	0.21
其他材料费	%	1	1	1	1	1	1	1	1	2
编号		90044	90045	90046	90047	90048	90049	90050	90051	90052

九－14 铁道拆除

工作内容：旧轨拆除、材料堆码及清理。

单位：1km

项目	单位	轨距（mm）								
		610		762			1000			1435
		轨重（kg/m）								
		9	12	12	15	22	12	15	22	43
工长	工时	8	10	11	12	14	12	13	16	73
高级工	工时									
中级工	工时	75	101	110	93	108	121	103	125	584
初级工	工时	67	91	99	129	148	109	141	173	803
合计	工时	150	202	220	234	270	242	257	314	1460
编号		90053	90054	90055	90056	90057	90058	90059	90060	90061

九－15　管道铺设

适用范围：施工用临时风、水管道。

工作内容：钢管铺设、附件制安、完工拆除。

（1）　钢管丝接连接

单位：1km

项目	单位	外径（mm）						
		20	25	32	40	50	80	100
工长	工时	14	15	17	18	21	25	29
高级工	工时	28	31	33	36	43	50	58
中级工	工时	70	76	82	90	106	124	146
初级工	工时	168	183	198	217	256	298	351
合计	工时	280	305	330	361	426	497	584
钢管	m	1020	1020	1020	1020	1020	1020	1020
管件	kg	163	163	142	141	137	100	100
阀门	个	25	20	20	20	20	8	8
铅油	kg	4	4	5	5	6	7	10
电焊条	kg	2	2	2	3	3	3	4
其他材料费	%	2	2	2	2	2	2	2
电焊机　25kVA	台时	8	8	9	10	11	13	15
其他机械费	%	5	5	5	5	5	5	5
编号		90062	90063	90064	90065	90066	90067	90068

(2) 钢管焊接连接

单位:1km

项目	单位	外径 (mm)						
		80	100	150	200	250	300	400
工长	工时	32	50	65	87	113	131	189
高级工	工时	64	100	130	173	226	263	379
中级工	工时	159	248	326	432	565	656	946
初级工	工时	381	597	782	1037	1356	1575	2272
合计	工时	636	995	1303	1729	2260	2625	3786
钢管	m	1020	1020	1020	1020	1020	1020	1020
管件	kg	32	42	63	133	174	222	426
阀门	个	7	7	3	3	2	2	2
法兰盘	副	7	7	3	3	2	2	2
电焊条	kg	24	29	76	136	185	220	378
氧气	m^3	46	54	102	135	164	201	297
乙炔气	m^3	25	25	47	73	88	108	160
其他材料费	%	1	1	1	1	1	1	1
电焊机 25kVA	台时	110	110	160	265	295	305	400
履带起重机 15t	台时			45	45	72	72	90
载重汽车 5t	台时	4	5	10	14	18	27	36
其他机械费	%	2	2	2	2	2	2	2
编号		90069	90070	90071	90072	90073	90074	90075

（3） 钢板卷管焊接连接

单位：1km

项目	单位	外径（mm）							
		200	300	400	500	600	700	800	1000
工长	工时	85	118	158	214	239	273	309	395
高级工	工时	171	237	315	429	477	547	617	791
中级工	工时	426	593	787	1071	1194	1368	1544	1978
初级工	工时	1022	1423	1889	2571	2864	3283	3705	4747
合计	工时	1704	2371	3149	4285	4774	5471	6175	7911
钢管	m	1020	1020	1020	1020	1020	1020	1020	1020
管件	kg	314	575	917	1120	1368	1679	2263	2856
阀门	个	8	6	4	3	2	2	2	2
法兰盘	副	8	6	4	3	2	2	2	2
电焊条	kg	97	142	268	315	542	620	706	945
氧气	m^3	48	80	112	134	178	204	232	340
乙炔气	m^3	26	43	60	72	96	110	125	183
其他材料费	%	1	1	1	1	1	1	1	1
电焊机 25kVA	台时	380	570	785	950	965	1085	1235	1610
履带起重机 15t	台时	45	70	90	90	135	135	135	225
载重汽车 5t	台时	14	27	36	38	41	45	54	81
其他机械费	%	2	2	2	2	2	2	2	2
编号		90076	90077	90078	90079	90080	90081	90082	90083

(4) 钢管法兰连接

单位:1km

项目	单位	外径(mm)						
		80	100	125	150	200	250	300
工长	工时	30	36	46	54	75	92	112
高级工	工时	61	72	92	108	149	185	223
中级工	工时	152	181	230	270	374	462	559
初级工	工时	365	434	552	649	896	1108	1341
合计	工时	608	723	920	1081	1494	1847	2235
钢管	m	1020	1020	1020	1020	1020	1020	1020
管件	kg	32	41	41	63	133	174	222
阀门	个	8	6	3	3	2	2	2
法兰盘	副	211	211	253	253	253	260	260
法兰螺栓	kg	155	324	405	672	672	1073	1114
橡胶石棉板	kg	27	36	58	71	84	96	104
电焊条	kg	83	101	173	213	436	779	928
氧气	m^3	46	54	69	102	135	164	201
乙炔气	m^3	25	29	37	55	73	88	108
其他材料费	%	1	1	1	1	1	1	1
电焊机 25kVA	台时	180	211	317	317	565	715	910
履带起重机 15t	台时				45	45	72	72
载重汽车 5t	台时	4	5	8	10	14	18	27
其他机械费	%	2	2	2	2	2	2	2
编号		90084	90085	90086	90087	90088	90089	90090

九－16 管道移设

工作内容:旧管拆除、修整配套、钢管铺设、附件制安。

(1) 钢管丝接连接

单位:1km

项目	单位	外径 (mm)						
		20	25	32	40	50	80	100
工长	工时	13	14	14	16	19	21	26
高级工	工时	25	27	29	31	37	43	52
中级工	工时	64	68	73	79	92	107	130
初级工	工时	152	164	175	188	221	257	311
合计	工时	254	273	291	314	369	428	519
钢管	m	21	21	21	21	21	21	21
管件	kg	16	14	14	14	13	10	10
阀门	个	2	2	2	2	2	2	2
铅油	kg	4	4	5	5	6	7	10
其他材料费	%	5	5	5	5	5	5	5
电焊机 25kVA	台时	2	2	3	3	3	3	4
其他机械费	%	5	5	5	5	5	5	5
编号		90091	90092	90093	90094	90095	90096	90097

(2) 钢管焊接连接

单位:1km

项目	单位	外径(mm)						
		80	100	150	200	250	300	400
工长	工时	32	50	67	89	116	135	194
高级工	工时	63	101	134	177	232	270	387
中级工	工时	157	252	335	443	581	675	968
初级工	工时	378	604	804	1064	1393	1619	2323
合计	工时	630	1007	1340	1773	2322	2699	3872
钢管	m	31	31	31	31	31	31	31
管件	kg	8	9	14	29	29	37	71
阀门	个	2	2	2	2	2	2	2
法兰盘	副	1	1	1	1	1	1	1
电焊条	kg	26	32	77	138	186	221	380
氧气	m^3	34	40	70	93	110	135	199
乙炔气	m^3	18	22	38	50	60	85	107
其他材料费	%	1	1	1	1	1	1	1
电焊机 25kVA	台时	110	110	160	265	295	305	400
履带起重机 15t	台时			45	45	70	70	90
载重汽车 5t	台时	4	5	10	14	18	27	36
其他机械费	%	2	2	2	2	2	2	2
编号		90098	90099	90100	90101	90102	90103	90104

（3） 钢板卷管焊接连接

单位:1km

项目	单位	外径 (mm)							
		200	300	400	500	600	700	800	1000
工长	工时	91	125	167	228	253	290	328	420
高级工	工时	181	251	334	455	507	581	655	840
中级工	工时	452	627	835	1138	1266	1453	1638	2099
初级工	工时	1086	1504	2005	2730	3038	3487	3931	5039
合计	工时	1810	2507	3341	4551	5064	5811	6552	8398
钢管	m	31	31	31	31	31	31	31	31
管件	kg	30	58	102	147	198	241	327	477
阀门	个	1	1	1	1	1	1	1	1
电焊条	kg	121	178	335	401	687	785	894	1209
氧气	m^3	50	81	113	138	180	206	235	350
乙炔气	m^3	27	44	61	74	97	111	126	188
其他材料费	%	1	1	1	1	1	1	1	1
电焊机 25kVA	台时	380	570	785	950	965	1085	1235	1660
履带起重机 15t	台时	45	72	90	90	135	135	135	225
载重汽车 5t	台时	14	27	36	38	41	45	54	81
其他机械费	%	2	2	2	2	2	2	2	2
编号		90105	90106	90107	90108	90109	90110	90111	90112

(4) 钢管法兰连接

单位:1km

项目	单位	外径 (mm)						
		80	100	125	150	200	250	300
工长	工时	17	20	23	26	38	43	54
高级工	工时	34	40	45	53	75	87	107
中级工	工时	84	101	114	133	189	216	269
初级工	工时	201	241	273	318	452	519	644
合计	工时	336	402	455	530	754	865	1074
钢管	m	21	21	21	21	21	21	21
管件	kg	16	23	28	41	87	116	153
阀门	个	1	1	1	1	1	1	1
法兰盘	副	21	21	25	25	25	20	20
法兰螺栓	kg	31	65	81	134	134	215	223
橡胶石棉板	kg	3	4	6	7	8	10	10
电焊条	kg	10	12	16	25	47	62	73
氧气	m^3	10	11	12	18	24	27	33
乙炔气	m^3	5	6	7	10	13	15	18
其他材料费	%	1	1	1	1	1	1	1
电焊机 25kVA	台时	18	21	32	32	57	60	70
履带起重机 15t	台时				45	45	72	72
载重汽车 5t	台时	4	5	8	10	14	18	27
其他机械费	%	2	2	2	2	2	2	2
编号		90113	90114	90115	90116	90117	90118	90119

九－17　卷扬机道铺设

工作内容：安放枕轨、铺设钢轨、检查修整、组合试运行等。

单位：100m

项　　目	单位	轨　距(mm)			
		610		762	
		轨　重(kg/m)			
		12	15	12	15
工　　长	工时	17	18	19	20
高 级 工	工时	7	7	7	8
中 级 工	工时	69	74	75	80
初 级 工	工时	250	269	273	290
合　　计	工时	343	368	374	398
钢　　轨	t	2.44	3.04	2.44	3.04
混凝土轨枕	m^3	0.30	0.30	0.40	0.40
	根	153	153	153	153
铁道附件	t	0.15	0.21	0.15	0.21
其他材料费	%	1	1	1	1
编　　号		90120	90121	90122	90123

九－18　卷扬机道拆除

工作内容：旧轨拆除、材料堆码及清理。

单位：100m

项　　目	单位	轨　距(mm)			
		610		762	
		轨　重(kg/m)			
		12	15	12	15
工　　长	工时	1	1	1	1
高 级 工	工时				
中 级 工	工时	11	12	13	13
初 级 工	工时	13	13	14	15
合　　计	工时	25	26	28	29
编　　号		90124	90125	90126	90127

九－19 钢管脚手架

工作内容:脚手架及脚手板搭设、维护、拆除。

项目	单位	单排脚手架	双排脚手架	满堂脚手架
		$100m^2$	$100m^2$	$100m^3$
工长	工时	2	3	3
高级工	工时	8	11	12
中级工	工时	11	16	18
初级工	工时	17	25	24
合计	工时	38	55	57
钢管 Φ50mm	kg	1053	1853	1886
卡扣件	kg	158	315	101
其他材料费	%	15	15	15
编号		90128	90129	90130

九－20　380V供电线路工程

工作内容：挖坑、立杆、横担组装、线路架设、完工拆除。

(1) 架　设

单位：1km

项　目	单位	木电杆			混凝土电杆		
		电杆长度 (m)					
		≤7	7～9	9～11	≤7	7～9	9～11
工长	工时	46	65	82	82	110	156
高级工	工时	74	104	132	131	175	249
中级工	工时	368	519	657	655	877	1245
初级工	工时	432	609	772	769	1030	1462
合计	工时	920	1297	1643	1637	2192	3112
电杆	根	26	26	26	26	26	26
铁横担　∠63×6×1500	根	41	43	43	41	43	43
导线　BLX－16	m	4330	4330	4330	4330	4330	4330
钢绞拉线　GJ－35	m	140	163	195	140	163	195
瓷瓶	个	149	149	149	149	149	149
线夹	个	26	26	26	26	26	26
螺栓、铁件	kg	379	379	379	431	431	431
拉线盘　LP－6(混凝土)	块	13	13	13	13	13	13
其他材料费	%	2	2	2	2	2	2
载重汽车　5t	台时	15	17	18	19	22	24
汽车起重机　5t	台时				4	5	7
编　号		90131	90132	90133	90134	90135	90136

工作内容：旧线拆除、挖坑、立杆、修整配套旧线、横担组装、线路架设。

(2) 移 设

单位：1km

项目		单位	木电杆			混凝土电杆		
			电杆长度（m）					
			≤7	7～9	9～11	≤7	7～9	9～11
工长		工时	48	68	86	86	115	163
高级工		工时	78	109	138	138	184	261
中级工		工时	388	546	692	689	922	1307
初级工		工时	456	642	813	810	1083	1536
合计		工时	970	1365	1729	1723	2304	3267
电杆		根	10	10	10	3	3	3
铁横担	∠63×6×1500	根	4	4	4	4	4	4
导线	BLX－16	m	433	433	433	433	433	433
钢绞拉线	GJ－50	m	14	14	14	14	14	14
瓷瓶		个	30	30	30	30	30	30
线夹		个	2	2	2	2	2	2
螺栓、铁件		kg	133	133	133	139	139	139
拉线盘	LP－6(混凝土)	块	13	13	13	13	13	13
其他材料费		%	5	5	5	5	5	5
载重汽车	5t	台时	15	17	18	19	22	24
汽车起重机	5t	台时				4	5	7
编号			90137	90138	90139	90140	90141	90142

九－21　10kV 供电线路工程

工作内容：挖坑、立杆、横担组装、线路架设、完工拆除。

(1)　木电杆线路架设

单位：1km

项目		单位	电杆长度（m）			
			9～11	11～13	13～15	15～18
工　　长		工时	102	123	126	133
高 级 工		工时	102	123	126	133
中 级 工		工时	610	737	758	799
初 级 工		工时	1218	1475	1516	1597
合　　计		工时	2032	2458	2526	2662
木 电 杆		根	21	21	17	17
铁 横 担	∠8×8×1700	根	7	7	6	6
	∠6.3×6×800	根	20	20	16	16
瓷 横 担	S210	根	37	37	30	30
	S210Z	根	26	26	21	21
导　　线	LGJ	m	3250	3250	3250	3250
悬式绝缘子	X－4.5	个	72	72	60	60
耐张线夹	NLD－2	个	36	36	30	30
楔形线夹	NX－2	个	12	12	10	10
UT 线 夹	NUT－2	个	12	12	10	10
并沟线夹	JB－2	个	36	36	30	30
镀锌钢绞线	GJ－50	m	217	257	275	345
拉 线 盘	LP－8(混凝土)	个	12	12	10	10
混凝土底盘		个	12	12	10	10
螺　　栓		kg	57	57	47	47
铁　　件		kg	557	557	459	459
其他材料费		%	2	2	2	2
载重汽车	5t	台时	19	21	23	25
编　　号			90143	90144	90145	90146

工作内容：挖坑、立杆、横担组装、线路架设、完工拆除。

(2) 混凝土电杆线路架设

单位：1km

项目		单位	电杆长度（m）			
			9～11	11～13	13～15	15～18
工长		工时	127	150	165	183
高级工		工时	127	150	165	183
中级工		工时	759	902	988	1101
初级工		工时	1519	1806	1974	2201
合计		工时	2532	3008	3292	3668
混凝土电杆		根	21	21	17	17
铁横担	∠8×8×1700	根	7	7	6	6
	∠6.3×6×800	根	20	20	16	16
瓷横担	S210	根	37	37	30	30
	S210Z	根	26	26	21	21
导线	LGJ	m	3250	3250	3250	3250
悬式绝缘子	X－4.5	个	72	72	60	60
耐张线夹	NLD－2	个	36	36	30	30
楔形线夹	NX－2	个	12	12	10	10
UT线夹	NUT－2	个	12	12	10	10
并沟线夹	JB－2	个	36	36	30	30
镀锌钢绞线	GJ－50	m	217	257	275	345
拉线盘	LP－8(混凝土)	个	12	12	10	10
混凝土底盘	800×800×180	个	12	12	10	10
螺栓		kg	57	57	47	47
铁件		kg	557	557	459	459
混凝土底盘		个	21	21	17	17
电焊条		kg			30	83
其他材料费		%	2	2	2	2
电焊机	25kVA	台时			15	20
载重汽车	5t	台时	28	30	32	34
汽车起重机	5～8t	台时	24	25	26	27
编号			90147	90148	90149	90150

工作内容：旧线拆除、挖坑、立杆、修整配套旧线、横担组装、线路架设。

(3) 木电杆线路移设

单位：1km

项目	单位	电杆长度(m)			
		9～11	11～13	13～15	15～18
工长	工时	106	129	133	140
高级工	工时	320	387	397	420
中级工	工时	746	903	927	979
初级工	工时	959	1162	1192	1259
合计	工时	2131	2581	2649	2798
木电杆	根	9	9	7	7
铁横担 ∠63×6×800	根	4	4	3	3
导线 LGJ－120	m	325	325	325	325
钢绞拉线 GJ－50	m	22	26	28	35
瓷横担	个	32	32	29	29
线夹	个	6	6	6	6
拉线盘 LP－8(混凝土)	个	15	15	15	15
螺栓、铁件	kg	178	199	222	222
其他材料费	%	5	5	5	5
载重汽车 5t	台时	19	21	23	25
编号		90151	90152	90153	90154

工作内容：旧线拆除、挖坑、立杆、修整配套旧线、横担组装、线路架设。

(4) 混凝土电杆线路移设

单位：1km

项目	单位	电杆长度（m）			
		9～11	11～13	13～15	15～18
工长	工时	133	158	173	192
高级工	工时	186	221	242	270
中级工	工时	743	886	968	1079
初级工	工时	1593	1897	2075	2312
合计	工时	2655	3162	3458	3853
电杆	根	2	2	2	2
铁横担 ∠63×6×800	根	4	4	3	3
导线 LGJ－120	m	325	325	325	325
钢绞拉线 GJ－50	m	22	26	28	35
瓷横担	个	30	30	28	28
线夹	个	8	8	8	8
拉线盘 LP－8(混凝土)	个	15	15	15	15
混凝土底盘	块	6	6	6	6
螺栓、铁件	kg	171	171	169	169
其他材料费	%	5	5	5	5
载重汽车 5t	台时	28	30	32	34
汽车起重机 5t	台时	24	25	26	27
编号		90155	90156	90157	90158

九－22 照明线路工程

工作内容：挖坑、立杆、横担组装、线路架设、灯具安装，完工拆除。

(1)架 设

单位：1km

项目		单位	木电杆		混凝土电杆	
			电杆长度(m)			
			≤7	7～9	≤7	7～9
工长		工时	43	54	75	95
高级工		工时	68	87	121	151
中级工		工时	341	435	603	756
初级工		工时	400	511	708	888
合计		工时	852	1087	1507	1890
电杆		根	26	26	26	26
铁横担	∠50×5×1000	根	37	37	37	37
导线	BLX－16	m	2160	2160	2160	2160
钢绞拉线	GJ－50	m	140	163	140	163
瓷瓶		个	75	75	75	75
线夹		个	26	26	26	26
螺栓、铁件		kg	268	268	367	367
拉线盘	LP－6(混凝土)	块	13	13	13	13
灯具		套	26	26	26	26
其他材料费		%	2	2	2	2
载重汽车	5t	台时	15	17	19	22
汽车起重机	5t	台时			4	5
编号			90159	90160	90161	90162

工作内容：旧线拆除、挖坑、立杆、修整配套旧线、横担组装、线路架设。

(2) 移 设

单位：1km

项目		单位	木电杆		混凝土电杆	
			电杆长度(m)			
			≤7	7～9	≤7	7～9
工长		工时	45	57	79	99
高级工		工时	72	91	127	159
中级工		工时	224	284	395	496
初级工		工时	555	704	980	1229
合计		工时	896	1136	1581	1983
电杆		根	10	10	3	3
铁横担	∠50×5×1000	根	4	4	4	4
导线	BLX－16	m	216	216	216	216
钢绞拉线	GJ－50	m	14	16	14	16
瓷瓶		个	15	15	15	15
线夹		个	2	2	2	2
螺栓、铁件		kg	114	114	134	134
拉线盘	LP－6(混凝土)	块	13	13	13	13
灯具		套	3	3	3	3
其他材料费		%	5	5	5	5
载重汽车	5t	台时	15	17	19	22
汽车起重机	5t	台时			4	5
编号			90163	90164	90165	90166

九－23 通讯线路工程

工作内容：立杆：挖坑、立杆、拉线组装，完工拆除。

架线：横担组装、线路架设。

(1) 立杆、架线

项目	单位	立杆(1km)		架 线 (1对km)
		木电杆	混凝土电杆	
工　　长	工时	32	71	3
高 级 工	工时	96	213	8
中 级 工	工时	161	355	13
初 级 工	工时	353	781	28
合　　计	工时	642	1420	52
电　　杆	根	22	22	
铁 横 担 ∠45×5×600	根			24
地 横 木 Φ14×120	根	16	16	
线夹线卡子	个	62	62	
立式瓷瓶	个			48
混凝土底盘	个		5	
导　　线	m			2160
钢绞拉线 GJ－35	m	106	106	
螺栓、铁件	kg	6	6	65
其他材料费	%	2	2	2
载重汽车 5t	台时	4	5	1
编　　号		90167	90168	90169

工作内容：旧线拆除、修整配套、挖坑立杆、横担组装、线路架设。

(2) 线路移设

项目	单位	立杆(1km)		架线(1对km)
		木电杆	混凝土电杆	
工长	工时	34	75	3
高级工	工时	101	224	8
中级工	工时	168	373	13
初级工	工时	370	822	28
合计	工时	673	1494	52
地横木 Φ14×120	根	8	8	
立式瓷瓶	个			3
线夹线卡子	个	7	7	
混凝土底盘	个		5	
导线	m			160
钢绞拉线 GJ-35	m	2	2	
螺栓、铁件	kg	1	1	7
其他材料费	%	5	5	3
载重汽车 5t	台时	4	5	1
编号		90170	90171	90172

九－24　临时房屋

工作内容：平整场地（厚度0.2m以内）、基础、地坪、内外墙、门窗、屋架、屋面及室内照明工程。

(1) 平　房

单位：$100m^2$

项　目	单位	甲　类	乙　类
工　　长	工时	52	39
高　级　工	工时	206	158
中　级　工	工时	450	346
初　级　工	工时	579	445
合　　计	工时	1287	988
砖	千块	11.13	11.13
混合砂浆	m^3	10.70	5.21
锯　　材	m^3	3.97	3.34
竹　　席	m^2	110	
石棉水泥瓦	张	135	135
石　　灰	kg	599	225
脊　　瓦	张	34	34
其他材料费	%	7	6
编　　号		90173	90174

注：1. 本定额不包括平均厚度超过0.2m的场地开挖、室外堡坎、挡墙、给排水、照明线路及道路；

2. 甲类房屋构造为：石棉水泥瓦屋面、人字木屋架、内外砖墙木门窗、三合土地面、外墙为清水墙、内墙为石灰砂浆抹面、竹席天棚；

乙类房屋构造为：素土地面、无天棚、内外墙均为清水墙，其余同甲类。

(2) 楼 房

单位:100m²

项 目	单位	二 层	三 层
工 长	工时	133	129
高 级 工	工时	265	257
中 级 工	工时	928	901
初 级 工	工时	1326	1288
合 计	工时	2652	2575
红 砖	千块	19.7	19.5
水 泥	t	10.4	10.1
砂	m^3	25.6	26.0
碎(卵)石	m^3	13.0	14.0
锯 材	m^3	2.8	2.9
钢 筋	t	1.0	1.1
石 灰	t	1.2	1.1
玻 璃	m^2	11.8	11.8
其他材料费	%	14	13
塔式起重机 6t	台时	18	19
搅 拌 机 0.4m^3	台时	2	2
胶 轮 车	台时	144	152
其他机械费	%	10	10
编 号		90175	90176

注:1.本定额不包括平均厚度超过0.2m的场地开挖、室外堡坎、挡墙、给排水、照明线路及道路;

2.房屋为砖混结构、预制钢筋混凝土楼板、内外砖墙、木门窗、外墙清水墙、内墙石灰砂浆抹面。

九－25 塑料薄膜铺设

适用范围：渠道、围堰防渗。

工作内容：场内运输，铺设，搭接。

单位：100m²

项目	单位	平铺	斜铺		
			边坡		
			1:2.5	1:2.0	1:1.5
工长	工时	1	1	1	1
高级工	工时				
中级工	工时	1	1	1	2
初级工	工时	6	7	8	9
合计	工时	8	9	10	12
塑料薄膜	m²	113	113	113	113
其他材料费	%	1	1	1	1
编号		90177	90178	90179	90180

九－26 复合柔毡铺设

适用范围：渠道、土石坝、围堰防渗。

工作内容：场内运输，铺设，粘接。

单位：100m²

项目	单位	平铺	斜铺			
			边坡			
			1:2.5	1:2.0	1:1.5	1:1.0
工长	工时	1	1	1	1	1
高级工	工时					
中级工	工时	5	6	7	7	9
初级工	工时	18	21	22	26	32
合计	工时	24	28	30	34	42
复合柔毡	m²	105	115	120	125	130
粘胶剂 XD－103	kg	5.0	5.5	6.0	6.3	6.5
其他材料费	%	4	4	4	4	4
编号		90181	90182	90183	90184	90185

注：斜铺各子目已包括防滑齿、固埋沟的柔毡铺设。

九－27 土工膜铺设

适用范围:土石堰体防渗。

工作内容:场内运输,铺设,粘接,岸边及底部连接。

单位:$100m^2$

项目	单位	平铺	斜铺		
			边坡		
			1:2.5	1:2.0	1:1.5
工长	工时	1	1	1	1
高级工	工时				
中级工	工时	8	9	10	11
初级工	工时	20	24	25	29
合计	工时	29	34	36	41
复合土工膜	m^2	106	106	106	106
工程胶	kg	2.0	2.0	2.0	2.0
其他材料费	%	4	4	4	4
编号		90186	90187	90188	90189

九－28 土工布铺设

适用范围:土石坝、围堰的反滤层。

工作内容:场内运输,铺设,接缝(针缝)。

单位:$100m^2$

项目	单位	平铺	斜铺		
			边坡		
			1:2.5	1:2.0	1:1.5
工长	工时	1	1	1	1
高级工	工时				
中级工	工时	2	2	3	3
初级工	工时	10	12	12	14
合计	工时	13	15	16	18
土工布	m^2	107	107	107	107
其他材料费	%	2	2	2	2
编号		90190	90191	90192	90193

九－29 人工铺草皮

工作内容：100m 以内搬运、铺植草皮、拍实、钉橛。

单位：$100m^2$

项 目	单 位	数 量
工 长	工时	1
高 级 工	工时	
中 级 工	工时	
初 级 工	工时	36
合 计	工时	37
草 皮	m^2	37
零星材料费	%	5
编 号		90194

附录

附录1　土石方松实系数换算表

项　　　目	自　然　方	松　　方	实　　方	码　　方
土　　　方	1	1.33	0.85	
石　　　方	1	1.53	1.31	
砂　　　方	1	1.07	0.94	
混　合　料	1	1.19	0.88	
块　　　石	1	1.75	1.43	1.67

注:1.松实系数是指土石料体积的比例关系,供一般土石方工程换算时参考;

2.块石实方指堆石坝坝体方,块石松方即块石堆方。

附录2　一般工程土类分级表

土质级别	土质名称	自然湿容重(kg/m^3)	外形特征	开挖方法
Ⅰ	1.砂　土 2.种植土	1650～1750	疏松,粘着力差或易透水,略有粘性	用锹或略加脚踩开挖
Ⅱ	1.壤　土 2.淤　泥 3.含壤种植土	1750～1850	开挖时能成块,并易打碎	用锹需用脚踩开挖
Ⅲ	1.粘　土 2.干燥黄土 3.干淤泥 4.含少量砾石粘土	1800～1950	粘手,看不见砂粒或干硬	用镐、三齿耙开挖或用锹需用力加脚踩开挖
Ⅳ	1.坚硬粘土 2.砾质粘土 3.含卵石粘土	1900～2100	土壤结构坚硬,将土分裂后成块状或含粘粒砾石较多	用镐、三齿耙工具开挖

附录 3 岩石类别分级表

岩石级别	岩石名称	实体岩石自然湿度时的平均容重（kg/m^3）	净占时间（min/m）			极限抗压强度（kg/cm^2）	强度系数 f
			用直径30mm合金钻头，凿岩机打眼（工作气压为4.5气压）	用直径30mm淬火钻头，凿岩机打眼（工作气压为4.5气压）	用直径25mm钻杆，人工单人打眼		
1	2	3	4	5	6	7	8
Ⅴ	1.砂藻土及软的白垩岩 2.硬的石炭纪的粘土 3.胶结不紧的砾岩 4.各种不坚实的页岩	1500 1950 1900～2200 2000		≤3.5	≤30	≤200	1.5～2
Ⅵ	1.软的有孔隙的节理多的石灰岩及贝壳石灰岩 2.密实的白垩 3.中等坚实的页岩 4.中等坚实的泥灰岩	2200 2600 2700 2300		4 （3.5～4.5）	45 （30～60）	200～400	2～4

续表

岩石级别	岩石名称	实体岩石自然湿度时的平均容重 (kg/m³)	净占时间 (min/m)			极限抗压强度 (kg/cm²)	强度系数 f
			用直径 30mm 合金钻头,凿岩机打眼(工作气压为4.5气压)	用直径 30mm 淬火钻头,凿岩机打眼(工作气压为4.5气压)	用直径 25mm 钻杆,人工单人打眼		
1	2	3	4	5	6	7	8
Ⅶ	1.水成岩卵石经石灰质胶结而成的砾石 2.风化的节理多的粘土质砂岩 3.坚硬的泥质页岩 4.坚实的泥灰岩	2200 2200 2800 2500		6 (4.5～7)	78 (61～95)	400～600	4～6
Ⅷ	1.角砾状花岗岩 2.泥灰质石灰岩 3.粘土质砂岩 4.云母页岩及砂质页岩 5.硬石膏	2300 2300 2200 2300 2900	6.8 (5.7～7.7)	8.5 (7.1～10)	115 (96～135)	600～800	6～8

续表

<table>
<tr><th rowspan="2">岩石级别</th><th rowspan="2">岩 石 名 称</th><th rowspan="2">实体岩石自然湿度时的平均容重（kg/m³）</th><th colspan="3">净 占 时 间 （min/m）</th><th rowspan="2">极限抗压强 度（kg/cm²）</th><th rowspan="2">强 度系 数 f</th></tr>
<tr><th>用直径 30mm 合金钻头，凿岩机打眼（工作气压为4.5气压）</th><th>用直径 30mm 淬火钻头，凿岩机打眼（工作气压为4.5气压）</th><th>用直径 25mm 钻杆，人工单人打眼</th></tr>
<tr><td>1</td><td>2</td><td>3</td><td>4</td><td>5</td><td>6</td><td>7</td><td>8</td></tr>
<tr><td>Ⅸ</td><td>1. 软的风化较甚的花岗岩、片麻岩及正常岩
2. 滑石质的蛇纹岩
3. 密实的石灰岩
4. 水成岩卵石经硅质胶结的砾岩
5. 砂岩
6. 砂质石灰质的页岩</td><td>2500
2400
2500
2500
2500
2500</td><td>8.5
（7.8～9.2）</td><td>11.5
（10.1～13）</td><td>157
（136～175）</td><td>800～1000</td><td>8～10</td></tr>
<tr><td>Ⅹ</td><td>1. 白云岩
2. 坚实的石灰岩
3. 大理石
4. 石灰质胶结的致密的砂岩
5. 坚硬的砂质页岩</td><td>2700
2700
2700
2600
2600</td><td>10
（9.3～10.8）</td><td>15
（13.1～17）</td><td>195
（176～215）</td><td>1000～1200</td><td>10～12</td></tr>
</table>

续表

岩石级别	岩石名称	实体岩石自然湿度时的平均容重(kg/m³)	净占时间 (min/m)			极限抗压强度(kg/cm²)	强度系数 f
			用直径30mm合金钻头,凿岩机打眼(工作气压为4.5气压)	用直径30mm淬火钻头,凿岩机打眼(工作气压为4.5气压)	用直径25mm钻杆,人工单人打眼		
1	2	3	4	5	6	7	8
XI	1.粗粒花岗岩 2.特别坚实的白云岩 3.蛇纹岩 4.火成岩卵石经石灰质胶结的砾岩 5.石灰质胶结的坚实的砂岩 6.粗粒正长岩	2800 2900 2600 2800 2700 2700	11.2 (10.9～11.5)	18.5 (17.1～20)	240 (216～260)	1200～1400	12～14
XII	1.有风化痕迹的安山岩及玄武岩 2.片麻岩、粗面岩 3.特别坚实的石灰岩 4.火成岩卵石经硅质胶结的砾岩	2700 2600 2900 2600	12.2 (11.6～13.3)	22 (20.1～25)	290 (261～320)	1400～1600	14～16

续表

岩石级别	岩石名称	实体岩石自然湿度时的平均容重（kg/m^3）	净占时间（min/m）			极限抗压强度（kg/cm^2）	强度系数 f
			用直径30mm合金钻头，凿岩机打眼（工作气压为4.5气压）	用直径30mm淬火钻头，凿岩机打眼（工作气压为4.5气压）	用直径25mm钻杆，人工单人打眼		
1	2	3	4	5	6	7	8
XⅢ	1.中粒花岗岩 2.坚实的片麻岩 3.辉绿岩 4.玢岩 5.坚实的粗面岩 6.中粒正常岩	3100 2800 2700 2500 2800 2800	14.1 （13.4～14.8）	27.5 （25.1～30）	360 （321～400）	1600～1800	16～18
XⅣ	1.特别坚实的细粒花岗岩 2.花岗片麻岩 3.闪长岩 4.最坚实的石灰岩 5.坚实的玢岩	3300 2900 2900 3100 2700	15.5 （14.9～18.2）	32.5 （30.1～40）		1800～2000	18～20

续表

岩石级别	岩石名称	实体岩石自然湿度时的平均容重(kg/m³)	净占时间(min/m)			极限抗压强度(kg/cm²)	强度系数 f
			用直径30mm合金钻头，凿岩机打眼(工作气压为4.5气压)	用直径30mm淬火钻头，凿岩机打眼(工作气压为4.5气压)	用直径25mm钻杆，人工单人打眼		
1	2	3	4	5	6	7	8
XV	1. 安山岩、玄武岩、坚实的角闪岩 2. 最坚实的辉绿岩及闪长岩 3. 坚实的辉长岩及石英岩	3100 2900 2800	20 (18.3～24)	46 (40.1～60)		2000～2500	20～25
XVI	1. 钙钠长石质橄榄石质玄武岩 2. 特别坚实的辉长岩、辉绿岩、石英岩及玢岩	3300 3000	>24	>60		>2500	>25

附录4 河道疏浚

1.土、砂

土砂类别		土名状态	粒组、塑性图分类	
			符号	典型土、砂名称举例
泥土、粉细砂	Ⅰ	流动淤泥	OH	中、高塑性有机粘土
		液塑淤泥	OH	中、高塑性有机粘土
	Ⅱ	软塑淤泥	OL	低、中塑性有机粉土,有机粉粘土
	Ⅲ	可塑砂壤土	CL	低塑性粘土,砂质粘土,黄土
		可塑壤土	CI	中塑性粘土,粉质粘土
		可塑粘土	CH	高塑性粘土,肥粘土,膨胀土
		松散粉、细砂	SM,SC,S-M,S-C	粉(粘)质土砂,微含粉(粘)质土砂
	Ⅳ	硬塑砂壤土	CL	低塑性粘土,砂质粘土,黄土
		硬塑壤土	CI	中塑性粘土,粉质粘土
		中密粉细砂	SM,SC,S-M,S-C	粉(粘)质土砂,不良级配砂,粘(粉)土砂混合料
	Ⅴ	硬塑粘土	CH	高塑性粘土,肥粘土,膨胀土
		密实粉、细砂	SM,SC,S-M,S-C	粉(粘)质土砂,不良级配砂,粘(粉)土砂混合料
	Ⅵ	坚硬砂壤土	CL	砂质粘土,低塑性粘土,黄土
		坚硬壤土	CI	中塑性粘土,粉质粘土
	Ⅶ	坚硬粘土	CH	高塑性粘土,肥粘土,膨胀土
		弱胶结砂礓土		
砂	中砂	松散中砂	SM,SC,SP	粉(粘)质土砂,砂、粉(粘)土混合料,不良级配砂
		中密中砂	SM,SC,SW,SP	粉(粘)质土砂,良好(不良)级配砂
		紧密中砂(含铁板砂)	SM(C),SW(P),GM(C),G-M(C)	粉(粘)质土砂,良好(不良)级配砂,粉(粘)质土砾,砾、砂、粉(粘)土混合料,砾质砂
	粗砂	松散粗砂	SM,SC,SP	粉(粘)土砂,砂、粉(粘)土混合料,不良级配砂
		中密粗砂	SM,SC,SW	粉(粘)质土砂,砂、粉(粘)土混合料,良好级配砂
		紧密粗砂(含铁板砂)	SM(C),SW(P),GM(C),G-M(C)	粉(粘)质土砂,良好(不良)级配砂,微含粉(粘)质土砾,砾、砂、粉(粘)土混合料,砾质砂

工程分级表

分级表

贯入击数 $N_{63.5}$	锥体沉入土中深度 h(mm)	饱和密度 Pt (g/cm³)	液性指数 I_L	相对密度 D_r	粒径 (mm)	含量占权重 (%)	附着力 F (g/cm²)
0	>10	≤1.55	≥1.50				
≤2	>10	1.55~1.70	1.50~1.00				
≤4	7~10	1.8	1.00~0.75				
5~8	3~7	>1.80	0.75~0.25				
5~8	3~7	>1.80	0.75~0.25				
5~8	3~7	>1.80	0.75~0.25				<100
≤4		1.90		0~0.33	0.05~0.25		
9~14	2~3	1.85~1.90	0.25~0				<100
9~14	2~3	1.85~1.90	0.25~0				<100
5~10		1.90		0.33~0.67	0.05~0.25		
9~14	2~3	1.85~1.90	0.25~0				>250
10~30		2.00		0.67~1.0	0.05~0.25		
15~30	<2	1.90~1.95	<0				<100
15~30	<2	1.90~2.00	<0				<100
15~30	<2	1.90~2.00	<0				>250
15~31							
0~15		2.00		0~0.33	0.25~0.50	>50	
15~30		2.05		0.33~0.67	0.25~0.50	>50	
30~50		>2.05		0.67~1.00	0.25~0.50	>50	
0~15		2.00		0~0.33	0.5~2.0	>50	
15~30		2.05		0.33~0.67	0.5~2.0	>50	
30~50		>2.05		0.67~1.00	0.5~2.0	>50	

2. 水力冲挖机组土类划分表

土类		土类名称	自然容重 (kg/m³)	外 形 特 征	开挖方法
Ⅰ	1	稀淤	1500～1800	含水饱和,搅动即成糊状	不成锹,用桶装运
	2	流砂		含水饱和,能缓缓流动,挖而复涨	
Ⅱ	1	砂土	1650～1750	颗粒较粗,无凝聚性和可塑性,空隙大,易透水	用铁锹开挖
	2	砂壤土		土质松软,由砂与壤土组成,易成浆	
Ⅲ	1	烂淤	1700～1850	行走陷足,粘锹粘筐	用铁锹或长苗大锹开挖
	2	壤土		手触感觉有砂的成分,可塑性好	
	3	含根种植土		有植物根系,能成块,易打碎	
Ⅳ	1	粘土	1750～1900	颗粒较细,粘手滑腻,能压成块	用三齿叉撬挖
	2	干燥黄土		粘手,看不见砂粒	
	3	干淤土		水分在饱和点以下,质软易挖	

附录5　岩石十二类分级与十六类分级对照表

十二类分级			十六类分级		
岩石级别	可钻性(m/h)	一次提钻长度(m)	岩石级别	可钻性(m/h)	一次提钻长度(m)
Ⅳ	1.6	1.7	Ⅴ	1.6	1.7
Ⅴ	1.15	1.5	Ⅵ Ⅶ	1.2 1.0	1.5 1.4
Ⅵ	0.82	1.3	Ⅷ	0.85	1.3
Ⅶ	0.57	1.1	Ⅸ Ⅹ	0.72 0.55	1.2 1.1
Ⅷ	0.38	0.85	Ⅺ	0.38	0.85
Ⅸ	0.25	0.65	ⅩⅡ	0.25	0.65
Ⅹ	0.15	0.5	ⅩⅢ ⅩⅣ	0.18 0.13	0.55 0.40
Ⅺ	0.09	0.32	ⅩⅤ	0.09	0.32
ⅩⅡ	0.045	0.16	ⅩⅥ	0.045	0.16

附录6　钻机钻孔工程地层分类与特征表

地层名称	特　　征
1.粘　　土	塑性指数>17,人工回填压实或天然的粘土层,包括粘土含石
2.砂 壤 土	1<塑性指数≤17,人工回填压实或天然的砂壤土层。包括土砂、壤土、砂土互层、壤土含石和砂土
3.淤　　泥	包括天然孔隙比>1.5时的淤泥和天然孔隙比>1并且≤1.5的粘土和亚粘土
4.粉 细 砂	d_{50}≤0.25mm,塑性指数≤1,包括粉砂、粉细砂含石
5.中 粗 砂	d_{50}>0.25mm,并且≤2mm。包括中粗砂含石
6.砾　　石	粒径2~20mm的颗粒占全重50%的地层,包括砂砾石和砂砾
7.卵　　石	粒径20~200mm的颗粒占全重50%的地层,包括砂砾卵石
8.漂　　石	粒径200~800mm的颗粒占全重50%的地层,包括漂卵石
9.混 凝 土	指水下浇筑,龄期不超过28天的防渗墙接头混凝土
10.基　　岩	指全风化、强风化、弱风化的岩石
11.孤　　石	粒径>800mm需作专项处理,处理后的孤石按基岩定额计算

注:1、2、3、4、5项包括≤50%含石量的地层。

附录7　混凝土、砂浆配合比及材料用量表

1.混凝土配合比有关说明

(1)除碾压混凝土材料配合参考表外，水泥混凝土强度等级均以28d龄期用标准试验方法测得的具有95%保证率的抗压强度标准值确定，如设计龄期超过28d，按表7-1系数换算。计算结果如介于两种强度等级之间，应选用高一级的强度等级。

表7-1

设计龄期(d)	28	60	90	180
强度等级折合系数	1.00	0.83	0.77	0.71

(2)混凝土配合比表系卵石、粗砂混凝土，如改用碎石或中、细砂，按表7-2系数换算。

表7-2

项　　目	水　泥	砂	石　子	水
卵石换为碎石	1.10	1.10	1.06	1.10
粗砂换为中砂	1.07	0.98	0.98	1.07
粗砂换为细砂	1.10	0.96	0.97	1.10
粗砂换为特细砂	1.16	0.90	0.95	1.16

注：水泥按重量计，砂、石子、水按体积计。

(3)混凝土细骨料的划分标准为：

细度模数3.19～3.85(或平均粒径1.2～2.5mm)为粗砂；

细度模数2.5～3.19(或平均粒径0.6～1.2mm)为中砂；

细度模数1.78～2.5(或平均粒径0.3～0.6mm)为细砂；

细度模数0.9～1.78(或平均粒径0.15～0.3mm)为特细砂。

(4)埋块石混凝土，应按配合比表的材料用量，扣除埋块石实体的数量计算。

1)埋块石混凝土材料量=配合表列材料用量×(1－埋块石量%)

1块石实体方=1.67码方

2)因埋块石增加的人工见表7-3。

表7-3

埋块石率(%)	5	10	15	20
每100m³埋块石混凝土增加人工工时	24.0	32.0	42.4	56.8

注:不包括块石运输及影响浇筑的工时。

(5)有抗渗抗冻要求时,按表7-4水灰比选用混凝土强度等级。

表7-4

抗渗等级	一般水灰比	抗冻等级	一般水灰比
W4	0.60~0.65	F50	<0.58
W6	0.55~0.60	F100	<0.55
W8	0.50~0.55	F150	<0.52
W12	<0.50	F200	<0.50
		F300	<0.45

(6)除碾压混凝土材料配合参考表外,混凝土配合表的预算量包括场内运输及操作损耗在内。不包括搅拌后(熟料)的运输和浇筑损耗,搅拌后的运输和浇筑损耗已根据不同浇筑部位计入定额内。

(7)水泥用量按机械拌和拟定,若系人工拌和,水泥用量增加5%。

(8)按照国际标准(ISO3893)的规定,且为了与其他规范相协调,将原规范混凝土及砂浆标号的名称改为混凝土或砂浆强度等级。新强度等级与原标号对照见表7-5和表7-6。

表 7-5　　混凝土新强度等级与原标号对照

原用标号(kgf/cm^2)	100	150	200	250	300	350	400
新强度等级 C	C9	C14	C19	C24	C29.5	C35	C40

表 7-6　　砂浆新强度等级与原标号对照

原用标号(kgf/cm^2)	30	50	75	100	125	150	200	250	300	350	400
新强度等级 M	M3	M5	M7.5	M10	M12.5	M15	M20	M25	M30	M35	M40

2. 纯混凝土材料配合比及材料用量

纯混凝土材料配合比及材料用量见表 7-7。

3. 掺外加剂混凝土材料配合比及材料用量

掺外加剂混凝土材料配合比及材料用量见表 7-8。

4. 掺粉煤灰混凝土材料配合比及材料用量

掺粉煤灰混凝土材料配合比及材料用量见表 7-9～表 7-11。

5. 碾压混凝土材料配合

碾压混凝土材料配合参考表见表 7-12。

6. 泵用混凝土材料配合

泵用混凝土材料配合表见表 7-13、表 7-14。

7. 水泥砂浆材料配合

水泥砂浆材料配合表见表 7-15。

8. 水泥强度等级换算

水泥强度等级换算系数参考值见表 7-16。

表 7-7 纯混凝土材料配合比及材料用量

单位：m^3

序号	混凝土强度等级	水泥强度等级	水灰比	级配	最大粒径(mm)	配合比			预算量					
						水泥	砂	石子	水泥	粗砂		卵石		水
									(kg)	(kg)	(m^3)	(kg)	(m^3)	(m^3)
1	C10	32.5	0.75	1	20	1	3.69	5.05	237	877	0.58	1218	0.72	0.170
				2	40	1	3.92	6.45	208	819	0.55	1360	0.79	0.150
				3	80	1	3.78	9.33	172	653	0.44	1630	0.95	0.125
				4	150	1	3.64	11.65	152	555	0.37	1792	1.05	0.110
2	C15	32.5	0.65	1	20	1	3.15	4.41	270	853	0.57	1206	0.70	0.170
				2	40	1	3.20	5.57	242	777	0.52	1367	0.81	0.150
				3	80	1	3.09	8.03	201	623	0.42	1635	0.96	0.125
				4	150	1	2.92	9.89	179	527	0.36	1799	1.06	0.110
3	C20	32.5	0.55	1	20	1	2.48	3.78	321	798	0.54	1227	0.72	0.170
				2	40	1	2.53	4.72	289	733	0.49	1382	0.81	0.150
				3	80	1	2.49	6.80	238	594	0.40	1637	0.96	0.125
				4	150	1	2.38	8.55	208	498	0.34	1803	1.06	0.110
		42.5	0.60	1	20	1	2.80	4.08	294	827	0.56	1218	0.71	0.170
				2	40	1	2.89	5.20	261	757	0.51	1376	0.81	0.150
				3	80	1	2.82	7.37	218	618	0.42	1627	0.95	0.125
				4	150	1	2.73	9.29	191	522	0.35	1791	1.05	0.110

续表

序号	混凝土强度等级	水泥强度等级	水灰比	级配	最大粒径(mm)	配合比			预算量					
						水泥	砂	石子	水泥(kg)	粗砂(kg)	粗砂(m^3)	卵石(kg)	卵石(m^3)	水(m^3)
4	C25	32.5	0.50	1	20	1	2.10	3.50	353	744	0.50	1250	0.73	0.170
				2	40	1	2.25	4.43	310	699	0.47	1389	0.81	0.150
				3	80	1	2.16	6.23	260	565	0.38	1644	0.96	0.125
				4	150	1	2.04	7.78	230	471	0.32	1812	1.06	0.110
		42.5	0.55	1	20	1	2.48	3.78	321	798	0.54	1227	0.72	0.170
				2	40	1	2.53	4.72	289	733	0.49	1382	0.81	0.150
				3	80	1	2.49	6.80	238	594	0.40	1637	0.96	0.125
				4	150	1	2.38	8.55	208	498	0.34	1803	1.06	0.110
5	C30	32.5	0.45	1	20	1	1.85	3.14	389	723	0.48	1242	0.73	0.170
				2	40	1	1.97	3.98	343	678	0.45	1387	0.81	0.150
				3	80	1	1.88	5.64	288	542	0.36	1645	0.96	0.125
				4	150	1	1.77	7.09	253	448	0.30	1817	1.06	0.110
		42.5	0.50	1	20	1	2.10	3.50	353	744	0.50	1250	0.73	0.170
				2	40	1	2.25	4.43	310	699	0.47	1389	0.81	0.150
				3	80	1	2.16	6.23	260	565	0.38	1644	0.96	0.125
				4	150	1	2.04	7.78	230	471	0.32	1812	1.06	0.110

续表

序号	混凝土强度等级	水泥强度等级	水灰比	级配	最大粒径(mm)	配合比			预算量					
						水泥	砂	石子	水泥(kg)	粗砂		卵石		水
										(kg)	(m^3)	(kg)	(m^3)	(m^3)
6	C35	32.5	0.40	1	20	1	1.57	2.80	436	689	0.46	1237	0.72	0.170
				2	40	1	1.77	3.44	384	685	0.46	1343	0.79	0.150
				3	80	1	1.53	5.12	321	493	0.33	1666	0.97	0.125
				4	150	1	1.49	6.35	282	422	0.28	1816	1.06	0.110
		42.5	0.45	1	20	1	1.85	3.14	389	723	0.48	1242	0.73	0.170
				2	40	1	1.97	3.98	343	678	0.45	1387	0.81	0.150
				3	80	1	1.88	5.64	288	542	0.36	1645	0.96	0.125
				4	150	1	1.77	7.09	253	448	0.30	1817	1.06	0.110
7	C40	42.5	0.40	1	20	1	1.57	2.80	436	689	0.46	1237	0.72	0.170
				2	40	1	1.77	3.44	384	685	0.46	1343	0.79	0.150
				3	80	1	1.53	5.12	321	493	0.33	1666	0.97	0.125
				4	150	1	1.49	6.35	282	422	0.28	1816	1.06	0.110
8	C45	42.5	0.34	2	40	1	1.13	3.28	456	520	0.35	1518	0.89	0.125

表 7-8 掺外加剂混凝土材料配合比及材料用量

单位:m^3

序号	混凝土强度等级	水泥强度等级	水灰比	级配	最大粒径(mm)	配合比			预算量						
						水泥	砂	石子	水泥(kg)	粗砂		卵石		外加剂(kg)	水(m^3)
										(kg)	(m^3)	(kg)	(m^3)		
1	C10	32.5	0.75	1	20	1	4.14	5.69	213	887	0.59	1230	0.72	0.43	0.170
				2	40	1	4.18	7.19	188	826	0.55	1372	0.80	0.38	0.150
				3	80	1	4.17	10.31	157	658	0.44	1642	0.96	0.32	0.125
				4	150	1	3.84	12.78	139	560	0.38	1803	1.05	0.28	0.110
2	C15	32.5	0.65	1	20	1	3.44	4.81	250	865	0.58	1221	0.71	0.50	0.170
				2	40	1	3.57	6.19	220	790	0.53	1382	0.81	0.45	0.150
				3	80	1	3.46	8.98	181	630	0.42	1649	0.96	0.37	0.125
				4	150	1	3.30	11.15	160	530	0.36	1811	1.06	0.32	0.110
3	C20	32.5	0.55	1	20	1	2.78	4.24	290	810	0.54	1245	0.73	0.58	0.170
				2	40	1	2.92	5.44	254	743	0.50	1400	0.82	0.52	0.150
				3	80	1	2.80	7.70	212	596	0.40	1654	0.97	0.43	0.125
				4	150	1	2.66	9.52	188	503	0.34	1817	1.06	0.38	0.110
		42.5	0.60	1	20	1	3.16	4.61	264	839	0.56	1235	0.72	0.53	0.170
				2	40	1	3.26	5.86	234	767	0.52	1392	0.81	0.47	0.150
				3	80	1	3.19	8.29	195	624	0.42	1641	0.96	0.39	0.125
				4	150	1	3.11	10.56	171	527	0.36	1806	1.05	0.35	0.110

续表

序号	混凝土强度等级	水泥强度等级	水灰比	级配	最大粒径(mm)	配合比			预算量						
						水泥	砂	石子	水泥(kg)	粗砂		卵石		外加剂(kg)	水(m^3)
										(kg)	(m^3)	(kg)	(m^3)		
4	C25	32.5	0.50	1	20	1	2.36	3.92	320	757	0.51	1270	0.74	0.64	0.170
				2	40	1	2.50	4.93	282	709	0.48	1410	0.82	0.56	0.150
				3	80	1	2.44	7.02	234	572	0.38	1664	0.97	0.47	0.125
				4	150	1	2.27	8.74	207	479	0.32	1831	1.07	0.42	0.110
		42.5	0.55	1	20	1	2.78	4.24	290	810	0.54	1245	0.73	0.58	0.170
				2	40	1	2.92	5.44	254	743	0.50	1400	0.82	0.52	0.150
				3	80	1	2.80	7.70	212	596	0.40	1654	0.97	0.43	0.125
				4	150	1	2.66	9.52	188	503	0.34	1817	1.06	0.38	0.110
5	C30	32.5	0.45	1	20	1	2.12	3.62	348	736	0.49	1269	0.74	0.71	0.170
				2	40	1	2.23	4.53	307	689	0.46	1411	0.83	0.62	0.150
				3	80	1	2.13	6.39	257	549	0.37	1667	0.97	0.52	0.125
				4	150	1	2.00	8.04	225	453	0.30	1837	1.07	0.46	0.110
		42.5	0.50	1	20	1	2.36	3.92	320	757	0.51	1270	0.74	0.64	0.170
				2	40	1	2.50	4.93	282	709	0.48	1410	0.82	0.56	0.150
				3	80	1	2.44	7.02	234	572	0.38	1664	0.97	0.47	0.125
				4	150	1	2.27	8.74	207	479	0.32	1831	1.07	0.42	0.110

续表

序号	混凝土强度等级	水泥强度等级	水灰比	级配	最大粒径(mm)	配合比			预算量						
						水泥	砂	石子	水泥(kg)	粗砂(kg)	粗砂(m^3)	卵石(kg)	卵石(m^3)	外加剂(kg)	水(m^3)
6	C35	32.5	0.40	1	20	1	1.79	3.18	392	705	0.47	1265	0.74	0.78	0.170
				2	40	1	2.01	3.90	346	698	0.47	1368	0.80	0.69	0.150
				3	80	1	1.72	5.77	289	500	0.33	1691	0.99	0.58	0.125
				4	150	1	1.68	7.17	254	427	0.28	1839	1.08	0.51	0.110
		42.5	0.45	1	20	1	2.12	3.62	348	736	0.49	1269	0.74	0.71	0.170
				2	40	1	2.23	4.53	307	689	0.46	1411	0.83	0.62	0.150
				3	80	1	2.13	6.39	257	549	0.37	1667	0.97	0.52	0.125
				4	150	1	2.00	8.04	225	453	0.30	1837	1.07	0.46	0.110
7	C40	42.5	0.40	1	20	1	1.79	3.18	392	705	0.47	1265	0.74	0.78	0.170
				2	40	1	2.01	3.90	346	698	0.47	1368	0.80	0.69	0.150
				3	80	1	1.72	5.77	289	500	0.33	1691	0.99	0.58	0.125
				4	150	1	1.68	7.17	254	427	0.28	1839	1.08	0.51	0.110
8	C45	42.5	0.34	2	40	1	1.29	3.73	410	532	0.35	1552	0.91	0.82	0.125

掺粉煤灰混凝土材料配合表

（掺粉煤灰量20%，取代系数1.3）

表 7-9 单位：m^3

序号	混凝土强度等级	水泥强度等级	水灰比	级配	最大粒径(mm)	配合比				预算量							
						水泥	粉煤灰	砂	石子	水泥(kg)	粉煤灰(kg)	粗砂(kg)	粗砂(m^3)	卵石(kg)	卵石(m^3)	外加剂(kg)	水(m^3)
1	C10	32.5	0.75	3	80	1	0.325	4.65	11.47	139	45	650	0.44	1621	0.95	0.28	0.125
				4	150	1	0.325	4.50	14.42	122	40	551	0.37	1784	1.05	0.25	0.110
2	C15	32.5	0.65	3	80	1	0.325	3.86	10.03	160	53	620	0.42	1627	0.96	0.33	0.125
				4	150	1	0.325	3.71	12.57	140	47	523	0.35	1791	1.05	0.29	0.110
3	C20	32.5	0.55	3	80	1	0.325	3.10	8.44	190	63	589	0.40	1623	0.96	0.38	0.125
				4	150	1	0.325	2.93	10.50	168	56	495	0.33	1791	1.05	0.34	0.110
		42.5	0.60	3	80	1	0.325	3.54	9.21	173	58	616	0.42	1618	0.95	0.35	0.125
				4	150	1	0.325	3.40	11.58	152	51	519	0.35	1781	1.05	0.31	0.110

表 7-10

掺粉煤灰混凝土材料配合表

（掺粉煤灰量25%，取代系数1.3）

单位：m^3

序号	混凝土强度等级	水泥强度等级	水灰比	级配	最大粒径(mm)	配合比				预算量								
						水泥	粉煤灰	砂	石子	水泥(kg)	粉煤灰(kg)	粗砂		卵石		外加剂(kg)	水(m^3)
												(kg)	(m^3)	(kg)	(m^3)		
1	C10	32.5	0.75	3	80	1	0.433	4.96	12.38	131	57	650	0.44	1621	0.95	0.27	0.125
				4	150	1	0.433	4.79	15.51	115	50	551	0.36	1784	1.04	0.24	0.110
2	C15	32.5	0.65	3	80	1	0.433	4.13	10.82	150	66	620	0.42	1624	0.96	0.31	0.125
				4	150	1	0.433	3.98	13.54	132	58	525	0.34	1788	1.05	0.27	0.110
3	C20	32.5	0.55	3	80	1	0.433	3.31	9.11	178	79	590	0.40	1622	0.95	0.36	0.125
				4	150	1	0.433	3.18	11.45	156	69	495	0.32	1787	1.05	0.32	0.110
		42.5	0.60	3	80	1	0.433	3.78	9.92	163	71	615	0.42	1617	0.95	0.33	0.125
				4	150	1	0.433	3.62	12.44	143	63	517	0.35	1780	1.05	0.29	0.110

掺粉煤灰混凝土材料配合表

表 7-11　（掺粉煤灰量30%，取代系数1.3）　单位：m^3

序号	混凝土强度等级	水泥强度等级	水灰比	级配	最大粒径(mm)	配合比				预算量							
						水泥	粉煤灰	砂	石子	水泥(kg)	粉煤灰(kg)	粗砂(kg)	粗砂(m^3)	卵石(kg)	卵石(m^3)	外加剂(kg)	水(m^3)
1	C10	32.5	0.75	3	80	1	0.557	5.30	13.09	122	69	649	0.44	1619	0.95	0.25	0.125
				4	150	1	0.557	5.10	16.32	108	61	551	0.37	1781	1.05	0.22	0.110
2	C15	32.5	0.65	3	80	1	0.557	4.39	11.39	140	80	619	0.42	1622	0.95	0.28	0.125
				4	150	1	0.557	4.20	14.20	124	70	522	0.35	1786	1.05	0.25	0.110
3	C20	32.5	0.55	3	80	1	0.557	3.54	9.61	166	95	590	0.40	1618	0.95	0.34	0.125
				4	150	1	0.557	3.34	11.93	148	83	495	0.33	1786	1.05	0.30	0.110
		42.5	0.60	3	80	1	0.557	3.97	10.33	154	86	613	0.42	1612	0.95	0.31	0.125
				4	150	1	0.557	3.84	13.11	134	76	518	0.35	1778	1.04	0.27	0.110

表 7-12 **碾压混凝土材料配合参考表** 单位:kg/m³

序号	龄期(d)	混凝土强度等级	水泥强度等级	水胶比	砂率(%)	水泥	粉煤灰	水	砂	石子	外加剂	备注
1	90	C10	42.5	0.61	34	46	107	93	761	1500	0.380	江垭资料,人工砂石料
2	90	C15	42.5	0.58	33	64	96	93	738	1520	0.400	江垭资料,人工砂石料
3	90	C20	42.5	0.53	36	87	107	103	783	1413	0.490	江垭资料,人工砂石料
4	90	C10	32.5	0.60	35	63	87	90	765	1453	0.387	汾河二库资料,人工砂石料
5	90	C20	32.5	0.55	36	83	84	92	801	1423	0.511	汾河二库资料,人工砂石料
6	90	C20	32.5	0.50	36	132	56	94	777	1383	0.812	汾河二库资料,人工砂石料
7	90	C10	32.5	0.56	33	60	101	90	726	1473	0.369	汾河二库资料,天然砂、人工骨料
8	90	C20	32.5	0.50	36	104	86	95	769	1396	0.636	汾河二库资料,天然砂、人工骨料
9	90	C20	32.5	0.45	35	127	84	95	743	1381	0.779	汾河二库资料,天然砂、人工骨料
10	90	C15	42.5	0.55	30	72	58	71	649	1554	0.871	白石水库资料,天然细骨料,人工粗骨料,砂用量中含石粉
11	90	C15	42.5	0.58	29	91	39	75	652	1609	0.325	观音阁资料,天然砂石料

单位:kg/m³

序号	龄期(d)	混凝土强度等级	水泥强度等级	水胶比	砂率(%)	水泥	磷矿渣及凝灰岩	水	砂	石子	外加剂	备注
1	90	C15	42.5	0.50	35	67	101	84	798	1521	1.344	大朝山资料,人工砂石料
2	90	C20	42.5	0.50	38	94	94	94	850	1423	1.504	大朝山资料,人工砂石料

注:碾压混凝土材料配合参考表中材料用量不包括场内运输及拌制损耗在内,实际运用过程中损耗率可采用:水泥 2.5%、砂 3%、石子 4%。

表 7-13 泵用纯混凝土材料配合表 单位：m^3

序号	混凝土强度等级	水泥强度等级	水灰比	级配	最大粒径(mm)	配合比			预算量					
						水泥	砂	石子	水泥(kg)	粗砂		卵石		水(m^3)
										(kg)	(m^3)	(kg)	(m^3)	
1	C15	32.5	0.63	1	20	1	2.97	3.11	320	951	0.64	970	0.66	0.192
				2	40	1	3.05	4.29	280	858	0.58	1171	0.78	0.166
2	C20	32.5	0.51	1	20	1	2.30	2.45	394	910	0.61	979	0.67	0.193
				2	40	1	2.35	3.38	347	820	0.55	1194	0.80	0.161
3	C25	32.5	0.44	1	20	1	1.88	2.04	461	872	0.58	955	0.66	0.195
				2	40	1	1.95	2.83	408	800	0.53	1169	0.79	0.173

表 7-14 泵用掺外加剂混凝土材料配合表 单位:m^3

序号	混凝土强度等级	水泥强度等级	水灰比	级配	最大粒径(mm)	配合比			预算量						
						水泥	砂	石子	水泥(kg)	粗砂		卵石		外加剂(kg)	水(m^3)
										(kg)	(m^3)	(kg)	(m^3)		
1	C15	32.5	0.63	1	20	1	3.28	3.35	290	957	0.65	987	0.67	0.58	0.192
				2	40	1	3.38	4.63	253	860	0.59	1188	0.79	0.50	0.166
2	C20	32.5	0.51	1	20	1	2.61	2.77	355	930	0.62	999	0.68	0.71	0.193
				2	40	1	2.61	3.78	317	831	0.56	1214	0.81	0.62	0.161
3	C25	32.5	0.44	1	20	1	2.15	2.32	415	895	0.60	980	0.68	0.83	0.195
				2	40	1	2.22	3.21	366	816	0.54	1191	0.81	0.73	0.173

表 7-15　　水泥砂浆材料配合表

(1)砌筑砂浆　　单位：m^3

砂浆类别	砂浆强度等级	水泥(kg) 32.5	砂 (m^3)	水 (m^3)
水泥砂浆	M5	211	1.13	0.127
	M7.5	261	1.11	0.157
	M10	305	1.10	0.183
	M12.5	352	1.08	0.211
	M15	405	1.07	0.243
	M20	457	1.06	0.274
	M25	522	1.05	0.313
	M30	606	0.99	0.364
	M40	740	0.97	0.444

(2)接缝砂浆　　单位：m^3

序号	砂浆强度等级	体积配合比		矿渣大坝水泥		纯大坝水泥		砂 (m^3)	水 (m^3)
		水泥	砂	强度等级	数量(kg)	强度等级	数量(kg)		
1	M10	1	3.1	32.5	406			1.08	0.270
2	M15	1	2.6	32.5	469			1.05	0.270
3	M20	1	2.1	32.5	554			1.00	0.270
4	M25	1	1.9	32.5	633			0.94	0.270
5	M30	1	1.8			42.5	625	0.98	0.266
6	M35	1	1.5			42.5	730	0.93	0.266
7	M40	1	1.3			42.5	789	0.90	0.266

表 7-16　　水泥强度等级换算系数参考表

原强度等级 \ 代换强度等级	32.5	42.5	52.5
32.5	1.00	0.86	0.76
42.5	1.16	1.00	0.88
52.5	1.31	1.13	1.00

附录8　沥青混凝土材料配合表

1.面板沥青混凝土

单位:kg/m^3

名称 \ 数量 \ 材料	石子（mm）			砂	矿粉	沥青	合计
	25～5	20～5	15～5				
整平胶结层		1661		360	164	115	2300
防渗层			378	1427	357	188	2350
排水层	1536			384		80	2000
封闭层					1050	450	1500

注:表中骨料为人工砂石料。

2. 心墙沥青混凝土

单位：m^3

混凝土配合比（%）						最大骨料粒径（mm）	混凝土容重（t/m^3）
矿物混合料				油料			
石子	砂	石屑	矿粉	沥青	渣油		
41.2	43.2		7.8	7.8		25	2.40
41.3	32.1		18.3	8.3		25	
21.0	59.6		10.9	8.5		15	2.36
48.0	30.0		12.0	7.0	3.0	25	2.20
48.0	32.0		10.0	7.0	3.0		
43.0	30.0		12.0	15.0		20	
29.0	29.0	2.0(石棉)	25.0	5.0	10.0	10	2.35

注：面板及心墙沥青混凝土材料配合表中材料用量不包括场内运输及拌制损耗在内，实际运用过程中损耗率可采用：沥青（渣油）2%、砂（石屑、矿粉）3%、石子 4%。

3. 沥青混凝土涂层

单位：$100m^2$

项目	单位	稀释沥青	乳化沥青		热沥青涂层	封闭层沥青胶	岸边接头	
			开级配	密级配			热沥青胶	再生胶粉沥青胶
汽（柴）油	kg	70						
60#沥青	kg	30	12.5	5	46	45	100	447
水	kg		37.5	15				
烧碱	kg		0.15	0.06				
洗衣粉	kg		0.20	0.08				
水玻璃	kg		0.15	0.06				
10#沥青	kg				108	105		
滑石粉	kg					105		40
矿粉	kg						200	
再生橡胶粉	kg							282
石棉粉	kg							40
玻璃丝网	m^2							100

附录9　水利工程混凝土建筑物立模面系数参考表

1.大坝和电站厂房立模面系数参考值

序号	建筑物名称	立模面系数 (m^2/m^3)	各类立模面参考比例(%)					说　明
			平　面	曲　面	牛　腿	键　槽	溢流面	
1	重力坝(综合)	0.15～0.24	70～90	2.0～6.0	0.7～1.8	15～25	1.0～3.0	不包括拱形廊道模板
	分部：非溢流坝	0.10～0.16	70～98	0.0～1.0	2.0～3.0	15～28		实际工程中如果坝体纵、横缝不设键槽,键槽立模面积所占比例为0,平面模板所占比例相应增加
	表面溢流坝	0.18～0.24	60～75	2.0～3.0	0.2～0.5	15～28	8.0～16.0	
	孔洞泄流坝	0.22～0.31	65～90	1.0～3.5	0.7～1.2	15～27	5.0～8.0	
2	宽缝重力坝	0.18～0.27						
3	拱坝	0.18～0.28	70～80	2.0～3.0	1.0～3.0	12～25	0.5～5.0	
4	连拱坝	0.80～1.60						
5	平板坝	1.10～1.70						
6	单支墩大头坝	0.30～0.45						
7	双支墩大头坝	0.32～0.60						
8	河床式电站闸坝	0.45～0.90	85～95	5.0～13	0.3～0.8	0.0～10		不包括蜗壳模板、尾水肘管模板及拱形廊道模板
9	坝后式厂房	0.50～0.90	88～97	2.5～8.0	0.2～0.5	0.0～5.0		
10	混凝土蜗壳立模面积(m^2)	$13.40D_1^2$						D_1为水轮机转轮直径
11	尾水肘管立模面积(m^2)	$5.846D_4^2$						D_4为尾水肘管进口直径,可按下式估算:轴流式机组$D_4=1.2D_1$,混流式机组$D_4=1.35D_1$

注:1.泄流和引水孔洞多而坝体较低,坝体立模面系数取大值;泄流和引水孔洞较少,以非溢流坝段为主的高坝,坝体立模面系数取小值。河床式电站闸坝的立模面系数主要与坝高有关,坝高小取大值,坝高大取小值。

2.坝后式厂房的立模面系数,分层较多,结构复杂,取大值;分层较少,结构简单,取小值;一般可取中值。

2. 溢洪道立模面系数参考值

序号	建筑物名称			立模面系数 (m^2/m^3)	各类模板参考比例 (%)			说明
					平面	曲面	牛腿	
1	闸室	闸室(综合)		0.60～0.85	92～96	4.0～7.0	0.5(0)～0.9	
		分部:闸墩		1.00～1.75	91～95	5.0～8.0	0.7(0)～1.2	含中、边墩等
		闸底板		0.16～0.30	100			
2	泄槽	底板		0.16～0.30	100			
		边墙	挡土墙式	0.70～1.00	100			
			边坡衬砌	$1/B+0.15$	100			岩石坡,B 为衬砌厚

3. 隧洞立模面系数参考值

单位：m^2/m^3

隧洞类型	高宽比	衬砌厚度 (m)						所占比例 (%)	
		0.2	0.4	0.6	0.8	1.0	1.2	曲面	墙面
直墙圆拱形隧洞	0.9	3.16～3.42	1.52～1.65	0.98～1.07	0.71～0.78	0.55～0.60	0.44～0.49	49～66	51～34
直墙圆拱形隧洞	1.0	3.25～3.51	1.57～1.70	1.01～1.10	0.73～0.80	0.57～0.62	0.46～0.50	45～61	55～39
直墙圆拱形隧洞	1.2	3.41～3.65	1.65～1.77	1.07～1.15	0.78～0.84	0.60～0.65	0.49～0.53	39～53	61～47
直墙圆拱形隧洞	说明	本表立模面系数计算按隧洞顶拱圆心角为120°～180°，圆心角小时取大值，反之取小值						顶拱圆心角小时曲面取小值，反之取大值；墙面相反	

注：1. 表中立模面系数仅包括顶拱曲面和边墙墙面模板，混凝土量按衬砌总量计算；

2. 底板堵头、边墙堵头和顶拱堵头模板总立模面系数为 $1/L$ m^2/m^3，L 为衬砌分段长度；

3. 键槽模板立模面面积按隧洞长度计算，每米洞长立模面 $1.3B$ m^2/m，B 为衬砌厚度。

隧洞类型	衬砌内径 (m)	衬砌厚度 (m)						备注
		0.2	0.4	0.6	0.8	1.0	1.2	
圆形隧洞	4	4.76	2.27	1.45	1.04			
圆形隧洞	8	4.88	2.38	1.55	1.14	0.89	0.72	
圆形隧洞	12	4.92	2.42	1.59	1.17	0.92	0.76	

注：1. 表中立模面系数仅包括曲面模板，混凝土量按衬砌总量计算；

2. 堵头模板立模面系数为 $1/L$ m^2/m^3，L 为衬砌分段长度；

3. 键槽模板立模面面积按隧洞长度计算，每米洞长立模面 $2.3B$ m^2/m，B 为衬砌厚度。

4.渡槽槽身立模面系数参考值

渡槽类型	壁厚(cm)	立模面系数(m^2/m^3)	备注
矩形渡槽	10	15.00	
	20	7.71	
	30	5.28	
箱形渡槽	10	13.26	
	20	6.63	
	30	4.42	
U形渡槽	12～20	10.33	直墙厚12cm,U形底部厚20cm
	15～25	8.19	直墙厚15cm,U形底部厚25cm
	24～40	5.98	直墙厚24cm,U形底部厚40cm

5. 涵洞立模面系数参考值

单位：m^2/m^3

<table>
<tr><td rowspan="10">直墙圆拱形涵洞</td><td rowspan="2">高宽比</td><td rowspan="2">部位</td><td colspan="5">衬砌厚度（m）</td></tr>
<tr><td>0.4</td><td>0.6</td><td>0.8</td><td>1.0</td><td>1.2</td></tr>
<tr><td rowspan="2">0.9</td><td>顶拱</td><td>2.17</td><td>1.45</td><td>1.09</td><td>0.87</td><td>0.73</td></tr>
<tr><td>边墙</td><td>1.13</td><td>0.76</td><td>0.57</td><td>0.46</td><td>0.39</td></tr>
<tr><td rowspan="2">1.0</td><td>顶拱</td><td>2.07</td><td>1.38</td><td>1.04</td><td>0.83</td><td>0.69</td></tr>
<tr><td>边墙</td><td>1.32</td><td>0.88</td><td>0.66</td><td>0.53</td><td>0.44</td></tr>
<tr><td rowspan="2">1.2</td><td>顶拱</td><td>1.88</td><td>1.26</td><td>0.95</td><td>0.76</td><td>0.64</td></tr>
<tr><td>边墙</td><td>1.64</td><td>1.09</td><td>0.81</td><td>0.65</td><td>0.54</td></tr>
<tr><td colspan="7">注：1. 表中立模面系数仅包括顶拱曲面和边墙墙面模板，混凝土量按衬砌总量计算；
2. 底板堵头、边墙堵头和顶拱堵头模板总立模面系数为 $1/L$ m^2/m^3，L 为衬砌分段长度；
3. 键槽模板立模面面积按隧洞长度计算，每米洞长立模面 $1.3B$ m^2/m，B 为衬砌厚度。</td></tr>
<tr></tr>
<tr><td rowspan="6">矩形涵洞</td><td colspan="2" rowspan="2">高宽比</td><td colspan="5">衬砌厚度（m）</td></tr>
<tr><td>0.4</td><td>0.6</td><td>0.8</td><td>1.0</td><td>1.2</td></tr>
<tr><td colspan="2">1.0</td><td>3.00</td><td>2.00</td><td>1.50</td><td>1.20</td><td>1.00</td></tr>
<tr><td colspan="2">1.3</td><td>3.22</td><td>2.15</td><td>1.61</td><td>1.29</td><td>1.07</td></tr>
<tr><td colspan="2">1.6</td><td>3.39</td><td>2.26</td><td>1.70</td><td>1.36</td><td>1.13</td></tr>
<tr><td colspan="7">注：1. 表中立模面系数仅包括曲面模板，混凝土量按衬砌总量计算；
2. 堵头模板立模面系数为 $1/L$ m^2/m^3，L 为衬砌分段长度；
3. 键槽模板立模面面积按涵洞长度计算，每米洞长立模面 $1.3B$ m^2/m，B 为衬砌厚度。</td></tr>
<tr><td rowspan="3">圆形涵洞</td><td colspan="2">壁厚（cm）</td><td>15</td><td>25</td><td>35</td><td>45</td><td>55</td><td>65</td></tr>
<tr><td colspan="2">立模面积系数</td><td>8.89</td><td>5.41</td><td>4.06</td><td>3.15</td><td>2.62</td><td>2.23</td></tr>
<tr><td colspan="8">注：1. 表中立模面系数仅包括曲面模板，混凝土量按衬砌总量计算；
2. 堵头模板立模面系数为 $1/L$ m^2/m^3，L 为分段长度；
3. 键槽模板立模面面积按涵洞长度计算，每米洞长立模面 $2.3B$ m^2/m，B 为衬砌厚度。</td></tr>
</table>

6. 水闸立模面系数参考值

序号	建筑物名称	立模面系数 (m^2/m^3)	各类模板参考比例 （%）			说明
			平面	曲面	牛腿	
1	水闸闸室(综合)	0.65～0.85	92～96	4.0～7.0	0.5(0)～0.9	
2	分部：闸墩	1.15～1.75	91～95	5.0～8.0	0.7(0)～1.2	含中、边墩等
	闸底板	0.16～0.30	100			

7. 明渠立模面系数参考值

1. 边坡面立模面系数 $1/B$ m^2/m^3。B 为边坡衬砌厚度；混凝土量按边坡衬砌量计算。

2. 横缝堵头立模面系数 $1/L$ m^2/m^3。L 为衬砌分段长度；混凝土量按明渠衬砌总量计算。

3. 底板纵缝立模面面积按明渠长度计算，每米渠长立模面 $n \times B$ m^2/m。B 为衬砌厚度；n 为明渠底板纵缝条数(含边坡与底板交界处的分缝)。

附录10　绞吸式挖泥船主要性能参考表

船　型 (m^3/h)	挖　深　(m)		基本排高　(m)		绞刀直径 (m)	排泥管径 (mm)	总功率 (kW)
	最　大	基　本	泥、粉细砂	中、粗砂			
60	4.5	3	5	3	0.8	250	200
80	5.2	3	6	3	1.0	300	246
100	5.2	3	6	4	1.1	300	298
120	5.5	3	6	4	1.1	300	463
200	10	6	6	4	1.4	400	860
350	10	6	6	4	1.45	560	993
400	10	6	6	4	2.0	560	1185
500	10	6	6	4	2.1	600	2383 (旧船型)
800	14	8	6	4	1.75	500	1176
980	16	9	6	4	1.8	550	1726
1250	16	9	6	4	2.0	650	2537
1450	16	9	6	4	2.4	650	2813
1720	16	9	9	5	2.35	700	3402
2500	30	16	10	6	3.0	800	7948

附录11　混凝土温控费用计算参考资料

1. 大体积混凝土浇筑后水泥产生水化热，温度迅速上升，且幅度较大，自然散热极其缓慢。为了防止混凝土出现裂缝，混凝土坝体内的最高温度必须严格加以控制，方法之一是限制混凝土搅拌机的出机口温度。在气温较高季节，混凝土在自然条件下的出机口温度往往超过施工技术规范规定的限度，此时，就必须采取人工降温措施，例如采用冷水喷淋预冷骨料或一次、二次风冷骨料，加片冰和(或)加冷水拌制混凝土等方法来降低混凝土的出机口温度。

控制混凝土最高温升的方法之二是，在坝体混凝土内预埋冷却水管，进行一、二期通水冷却。一期(混凝土浇筑后不久)通低温水以削减混凝土浇筑初期产生的水泥水化热温升。二期通水冷却，主要是为了满足水工建筑物接缝灌浆的要求。

以上这些温控措施，应根据不同工程的特点、不同地区的气温条件、不同结构物不同部位的温控要求等综合因素确定。

2. 根据不同标号混凝土的材料配合比和相关材料的温度，可计算出混凝土的出机口温度，如表11-1。出机口混凝土温度一般由施工组织设计确定。若混凝土的出机口温度已确定，则可按表11-1公式计算确定应预冷的材料温度，进而确定各项温控措施。

3. 综合各项温控措施的分项单价，可按表11-2计算出每1m^{3}混凝土的温控综合价(直接费)。

4. 各分项温控措施的单价计算列于表11-3～表11-7，坝体通水冷却单价计算列于表11-8。

表 11-1 **混凝土出机口温度计算表**

序号	材料	重量 G (kg/m^3)	比热 C ($kJ/(kg\cdot℃)$)	温度 t (℃)	$G\cdot C=P$ ($kJ/(m^3\cdot℃)$)	$G\cdot C\cdot t=Q$ (kJ/m^3)
1	水泥及粉煤灰		0.796	$t_1=T+15$		
2	砂		0.963	$t_2=T-2$		
3	石　　子		0.963	t_3		
4	砂的含水		4.2	$t_4=t_2$		
5	石子含水		4.2	$t_5=t_3$		
6	拌和水		4.2			
7	片　　冰		2.1 潜热 335			$Q_7=-335G_7$
8	机械热					Q_8
合计		出机口温度 $t_C=\sum Q/\sum P$			$\sum P$	$\sum Q$

注：1.表中"T"为月平均气温,℃,石子的自然温度可取与"T"同值;

2.砂子含水率可取 5%;

3.风冷骨料的石子含水率可取 0;

4.淋水预冷骨料脱水后的石子含水率可取 0.75%;

5.混凝土拌和机械热取值:常温混凝土,$Q_8=2094kJ/m^3$;14℃混凝土,$Q_8=4187kJ/m^3$;7℃混凝土,$Q_8=6281kJ/m^3$;

6.若给定了出机口温度、加冷水和加片冰量,则可按下式确定石子的冷却温度:

$$t_3=\frac{t_C\sum P-Q_1-Q_2-Q_4-Q_5-Q_6-Q_8+335G_7}{0.963G_3}$$

表 11-2　　　　　　混凝土预冷综合单价计算表　　　　　　单位：m^3

序号	项目	单位	数量 G	材料温度（℃）			分项措施单价 M	复价(元) $G \cdot \Delta t \cdot M$
				初温 t_0	终温 t_i	降幅 $\Delta t = t_0 - t_i$		
1	制冷水	kg					元/(kg·℃)	
2	制片冰	kg					元/kg	
3	冷水喷淋骨料	kg					元/(kg·℃)	
4	一次风冷骨料	kg					元/(kg·℃)	
5	二次风冷骨料	kg					元/(kg·℃)	
合计								

注：1. 冷水喷淋预冷骨料和一次风冷骨料，二者择其一，不得同时计费；

2. 根据混凝土出机口温度计算，骨料最终温度大于 8℃时，一般可不必进行二次风冷，有时二次风冷是为了保温；

3. 一次风冷或水冷石子的初温可取月平均气温值；

4. 一次风冷或水冷之后，骨料转运到二次风冷料仓过程中，温度回升值可取 1.5~2℃。

表 11-3　　　　　　　　　　制冷水单价

适用范围：冷水厂。

工作内容：28℃河水，制 2℃冷水*，送出。

单位:100t 冷水

项目		单位	冷水产量 (t/h)					
			2.4	5.0	7.0	10.0	20.0	40.0
中级工		工时	61	30	24	15	8	4
初级工		工时	128	60	54	45	30	18
合计		工时	189	90	78	60	38	22
水		m^3	220	220	220	220	220	220
氟里昂		kg	0.50	0.50	0.50	0.50	0.50	0.50
冷冻机油		kg	0.70	0.70	0.70	0.70	0.70	0.70
其他材料费		%	2	2	2	2	2	2
螺杆式冷水机组	LSLGF100	台时	42					
螺杆式冷水机组	LSLGF200	台时		20				
螺杆式冷水机组	LSLGF300	台时			14			
螺杆式冷水机组	LSLGF500	台时				10		
螺杆式冷水机组	LSLGF1000	台时					5	
螺杆式冷水机组	LSLGF2000	台时						2.5
水泵	5.5kW	台时	42	20				
水泵	11kW	台时	84		14	10	5	5
水泵	15kW	台时		40	36	30	10	
水泵	30kW	台时					10	13
玻璃钢冷却塔	NBL－500	台时	4	4	4	4	4	4
其他机械费		%	5	5	5	5	5	5

＊ 对不同出水温度机械台时乘系数 *K*

出水温度(℃)	2	5	6	7	8	9	10	11	12
系数 *K*	1.0	0.78	0.71	0.65	0.60	0.55	0.51	0.47	0.44

表 11-4　　　　　　　　制片冰单价

适用范围：混凝土系统制冰加冰。

工作内容：用 2℃冷水制－8℃片冰贮存，送出。

单位:100t 片冰

项目		单位	片冰产量 (t/d)			
			12	25	50	100
中级工		工时	300	144	72	36
初级工		工时	900	720	504	324
合计		工时	1200	864	576	360
2℃冷水		m^3	105	105	105	105
水		m^3	700	700	700	700
氨液		kg	18	18	18	18
冷冻机油		kg	7	7	7	7
其他材料费		%	5	5	5	5
片冰机	PBL15/d	台时	200			
片冰机	PBL30/d	台时		96	96	96
贮冰库	30t	台时		96	48	
贮冰库	60t	台时				24
螺杆式氨泵机组	ABLG55Z	台时			48	24
螺杆式氨泵机组	ABLG100Z	台时		96	96	96
螺杆式冷凝机组	NJLG30Z	台时	400	96		
水泵	7.5kW	台时	400	96	48	
水泵	15kW	台时		96		24
水泵	30kW	台时			48	48
玻璃钢冷却塔	NBL－500	台时	20	20	20	20
输冰胶带机	$B=500$ $L=50m$	台时	200	96	96	48
其他机械费		%	5	5	5	5

表 11-5　　冷水喷淋预冷骨料单价

适用范围：2～4℃冷水喷淋，将骨料预冷至 8～16℃。

工作内容：制冷水、喷淋、回收、排渣、骨料脱水。

单位：100t 骨料降温 10℃

项　目		单位	预冷骨料量 (t/h)	
			200	400
中级工		工时	3	2
初级工		工时	3	2
合计		工时	6	4
水		m^3	43	43
氟里昂		kg	0.20	0.20
冷冻机油		kg	0.20	0.20
其他材料费		%	10	10
螺杆式冷水机组	LSLGF500	台时	0.36	
螺杆式冷水机组	LSLGF1000	台时	0.72	0.89
水泵	7.5kW	台时	0.36	0.36
水泵	15kW	台时	1.07	1.07
水泵	30kW	台时	1.44	1.25
衬胶泵	17kW	台时	0.72	0.72
玻璃钢冷却塔	NBL－500	台时	0.72	0.72
输冰胶带机	$B=1000$　$L=40m$	台时	0.72	0.89
输冰胶带机	$B=1400$　$L=170m$	台时	0.36	0.36
圆振动筛	2400×6000	台时	0.36	0.36
其他机械费		%	5	5

表 11-6　　一次风冷骨料单价

适用范围：在料仓内用冷风将骨料预冷至 8～16℃。

工作内容：制冷、鼓风、回风、骨料冷却。

单位：100t 骨料降温 10℃

项　　目	单位	预冷骨料量 (t/h)	
		200	400
中级工	工时	4	2
初级工	工时	2	2
合计	工时	6	4
水	m^3	21	21
氨液	kg	0.84	0.84
冷冻机油	kg	0.20	0.20
其他材料费	%	10	10
氨螺杆压缩机　LG20A250G	台时	1.11	1.11
卧式冷凝器　WNA－300	台时	1.11	1.11
氨贮液器　ZA－4.5	台时	1.11	1.11
空气冷却器　GKL－1250	台时	1.11	1.11
离心式风机　55kW	台时	1.11	
离心式风机　75kW	台时		0.56
水泵　75kW	台时	0.56	0.56
玻璃钢冷却塔　NBL－500	台时	0.56	0.56
其他机械费	%	17	17

表 11-7　　　　　　　　二次风冷骨料单价

适用范围：在料仓内用冷风将骨料预冷至0～2℃。

工作内容：制冷、鼓风、回风、骨料冷却。

单位：100t 骨料降温 10℃

项　　目	单位	预冷骨料量（t/h）	
		200	400
中级工	工时	2.0	1
初级工	工时	2.5	2
合计	工时	4.5	3
水	m^3	38	38
氨液	kg	1.50	1.50
冷冻机油	kg	0.40	0.40
其他材料费	%	10	10
螺杆式氨泵机组　ABLG100Z	台时	4	
氨螺杆压缩机　LG20A200Z	台时		2
卧式冷凝器　WNA－300	台时		2
氨贮液器　ZA－4.5	台时	1	2
空气冷却器　GKL－1000	台时	2	2
离心式风机　55kW	台时	2	
离心式风机　75kW	台时		1
水泵　55kW	台时	1	
水泵　75kW	台时		1
玻璃钢冷却塔　NBL－500	台时	1	1
其他机械费	%	5	17

表 11-8　　　　　　　　坝体通水冷却单价

适用范围：需要通水冷却的坝体混凝土。

工作内容：冷却水管埋设、通水、观测、混凝土表面保护。

单位：100m^3 混凝土

项　目	单　位	冷却水管间距（m×m）			
		1×1.5	1.5×1.5	2×1.5	3×3
中级工	工时				
初级工	工时	60	40	30	10
合计	工时	60	40	30	10
钢管（冷却水管）	kg	240	160	120	40
低温水（一期冷却）　温升5℃	m^3	120	80	60	20
水（二期冷却）	m^3	700	466	350	120
表面保护材料	m^2	50	50	50	30
其他材料费	%	5	5	5	5
电焊机　交流 20kVA	台时	3	2	1.5	0.5
水泵	台时				
其他机械费	%	20	20	20	20

注：一期冷却和二期冷却是否用制冷水，水量及水温由温控设计确定。如用循环水，则应增加水泵台时量。